LES NUITS RÉVOLUTIONNAIRES

RESTIF DE LA BRETONNE

Les Nuits révolutionnaires

PRÉFACE DE JEAN DUTOURD

NOTES ET COMMENTAIRES DE BÉATRICE DIDIER

LE LIVRE DE POCHE

RESTIF, ENTRE SAINT-SIMON ET PROUST

J'ai mis longtemps à convenir que Restif était le plus grand écrivain du xviiie siècle français. J'étais intimidé par le triumvirat des manuels : Voltaire, Diderot, Rousseau. Impressionné aussi par le jugement de Bourget : « Restif est le pithécanthrope de Balzac. » Un pithécanthrope est un lointain ancêtre, un être élémentaire et primitif, une ébauche d'homme. Or rien de moins pithécanthrope que Restif. En outre, je vois peu de rapports entre Balzac et lui. Il fait plutôt songer à des écrivains de notre temps, tels que Jouhandeau et Henry Miller, dont il a la curiosité, le désordre, l'abondance, le goût pour les petites gens et les caractères bizarres, la complaisance pour les peintures sensuelles. Bref, selon moi, il n'est pas à sa place dans le xviiie siècle. On dirait qu'il est tombé par hasard dans cette époque. C'est un cerveau d'aujourd'hui, un artiste d'aujourd'hui égaré parmi des gens à perruques et à préjugés classiques, lesquels sont tout déconcertés par cette littérature de 1935.

Autre infortune de Restif : il n'est pas un génie conforme. Je veux dire qu'il ne se présente jamais dans l'uniforme reconnaissable des hommes de génie.

Il n'a pas le genre bohême brillant de Diderot, le genre Rothschild de Voltaire, la pauvreté susceptible de Rousseau. Il n'a guère non plus les caractéristiques des grands écrivains subséquents : il n'est ni maudit comme Baudelaire, ni fastueux comme Balzac, ni romantique comme Chateaubriand, ni intransigeant comme Flaubert. Il vit n'importe comment, harcelé par son œuvre et par ses curiosités. De mauvais ton, avec cela. Diderot, fils d'un coutelier de Langres (et fier de l'être!) n'est pas de meilleure origine que lui, mais il a été au collège, il a des diplômes, il est philosophe, c'est-à-dire intellectuel de gauche; dès qu'il est à Paris, il attrape le ton du grand monde. S'il est un peu vif, un peu populaire, ce n'est que dans les limites du pittoresque goûté chez les marquises (et les impératrices russes). Tandis que Restif ne s'élève pas au-dessus des petits bourgeois, des petits boutiquiers, des grisettes, des modistes, des artisans. C'est d'ailleurs ce qui le sauve. Mieux : c'est sa grande chance. Ayant, en tant qu'artiste, passé toute sa vie au milieu du peuple, l'aimant, le détestant, le connaissant dans les plus infimes détails, il le peint supérieurement. Il est le seul de son temps à avoir donné du peuple français entre 1760 et 1800 un tableau complet, et par conséquent poétique. En quoi son apport à la littérature française est immense. La France vraie, le pays réel de la fin de l'Ancien Régime et de la Révolution ne se trouve à peu près que chez lui.

Quand on lit Restif, outre l'admiration, on éprouve un sentiment particulier, tel qu'aucun autre auteur n'en suscite, qui est de plonger tout à coup dans notre passé propre, de le humer, de le palper. Il y a, si j'ose dire, une odeur de France qui s'élève de ses livres, à laquelle deux siècles n'ont rien fait perdre de sa force. Plus qu'une odeur : les livres de Restif sont encore tout chauds. Lui-même est comme un conteur vivant, un de ces aèdes familiers tels que chaque enfant en a écoutés, qui vous parle intarissablement de gens, d'événements, de mœurs, de coutumes qu'il a connus. Le monde qu'il décrit n'existe plus, évidemment, mais il paraît, ma foi, aussi proche que celui de nos parents. Nous sommes des descendants directs des personnages de Restif; ces prolétaires, ces paysans, ces vendeuses, ces garçons de magasin, ces domestiques, ces honnêtes petites gens qu'il campe par centaines, avec leurs roueries, leurs calculs, leurs naïvetés, leurs entraînements, sont de notre sang, et nous ne les trouvons que chez lui. Il a constitué notre album de famille.

Cela est frappant si on le compare aux autres romanciers du temps, Laclos et Louvet par exemple. Nous n'avons rien de commun avec les personnages des *Liaisons* et de *Faublas*. Valmont, Mme de Merteuil, le charmant chevalier de Faublas qui se déguise en fille, la comtesse de Lignolle, nous font l'effet quasiment de créatures préhistoriques. Rien ne subsiste dans le monde de maintenant de ces libertins si polis. S'il est un pithécanthrope quelque part dans la littérature, c'est bien Valmont. La civilisation dont il est le produit a disparu complètement. Même remarque en ce qui concerne *La Nouvelle Héloïse, Manon Lescaut, Paul et Virginie*, voire *Jacques le Fataliste* où pourtant le peuple est un peu présent, mais idéalisé par la philosophie.

Si l'on peut dire d'un auteur qu'il est « révolutionnaire », Restif mérite plus que n'importe qui cette qualification. Il est révolutionnaire parce qu'il a négligé tous les sujets qui intéressaient les écrivains de son temps pour traiter le seul sur lequel ils ne jetaient pas les yeux et en faire la matière de son œuvre. Et ce qui est toujours charmant avec lui, c'est qu'il le traite de la façon la plus traditionnelle, sans recherche d'art, sans innovation de forme, dans le style de tout le monde (illuminé quand même de sa musique personnelle). Sans le connaître, il a observé l'art poétique de Chénier : Sur des pensers nouveaux, faisons des vers antiques. Art poétique qui est du reste celui de tous les grands novateurs, lesquels ne perdent pas leur temps en subtiles alchimies verbales mais, placés devant une réalité énorme, inexplorée avant eux, affolés à l'idée qu'ils sont les seuls à la voir et qu'ils n'auront pas trop de leur vie entière pour la décrire, se servent du vieil instrument du langage sans s'interroger sur lui. C'est à cette indifférence au style qu'on reconnaît les créateurs exceptionnels. Indifférence récompensée, car leur abondance, leur vitesse, la solidité que le travail incessant donne à leur pensée, leur habitude enracinée de se mettre coûte que coûte à l'ouvrage « génie ou pas », la facilité qu'ils acquièrent dans ce labeur haletant, leur apporte le plus beau des styles, c'est-à-dire celui qui tire sa puissance de son appropriation et de son utilité. A ce style-là on pardonne tout : les négligences, les longueurs, les ellipses, les naïvetés, jusqu'aux balourdises, car il est constamment traversé d'éclairs et il est entraîné dans un formidable mouvement vital. A cet égard, oui, Restif ressemble à Balzac. Mais il ressemble de la même façon aux deux autres grands forcenés de notre littérature : Proust et Saint-Simon. Et j'ajouterai qu'il y a quelque chose d'émouvant dans la réunion de ces quatre noms, de ces quatre personnages d'extractions si diverses, le noble duc, l'ouvrier, le lion et le jeune demi-juif fin-de-siècle choisis par le destin pour être les peintres des quatre sociétés qui se sont succédé et parfois superposées dans notre pays. Grâce à eux nous avons un inventaire complet de la France entre 1690 et

1920. Je crois qu'aucune autre littérature n'offre un pareil trésor.

Restif n'est nullement comme on l'a dit, « le Rousseau du ruisseau », ou « le Voltaire des femmes de chambre »; il n'est pas non plus un « Diogène littéraire » encore que ce surnom-là lui aille un peu mieux. Il est le Saint-Simon des boutiques, des ateliers de typographie, des chambres mansardées où l'on séduit de petites ouvrières, des repas patriarcaux, des longues marches à pied des pauvres à travers les campagnes et les villes, des disputes d'ivrognes dans les rues mal éclairées, des amours furtives, des bals populaires, des ribotes de godelureaux, etc. Il reproduit tout cela dans un style qui est évidemment très différent de celui de Saint-Simon, mais qui, à sa manière, est aussi frais, aussi plein de sève. Un des attraits de Saint-Simon est que, seul de son espèce, il se sert, pour écrire, de la langue parlée du XVIIe siècle, la *koïné*, et non de la langue des artistes, soigneusement peignée par Malherbe et Boileau. De même Restif utilise la *koïné* du XVIIIe siècle, qui n'a peut-être plus autant de vigueur et d'éclat que celle du siècle précédent, mais a en revanche davantage de moelleux et de musique. En outre, il a la chance des prolifiques, c'est-à-dire que tout tourne à son avantage, y compris le mauvais goût et le conformisme d'époque qui, mêlés à son œuvre, lui ajoutent de la couleur locale. Son côté Greuze, « Cruche cassée », « Mort du père » par exemple, qui se manifeste par des attendrissements ridicules, des pleurnicheries, des scènes morales qui sonnent faux deux fois sur trois, prend un certain piquant dans la mesure où il coexiste avec un inexorable réalisme psychologique.

De Balzac, Restif a le don d'inventer des situations et des intrigues. De Proust, il a l'oreille juste. Chaque fois qu'il fait parler un de ses personnages autrement

qu'en « Greuze » — mais qu'il tâche de rendre avec
exactitude ses paroles —, le lecteur a l'impression
d'entendre réellement une voix. Il est étrange que
Proust, qui savait si bien ce qu'il devait à Saint-
Simon et à Balzac, qui voyait si bien la filiation qu'il
y avait entre eux et lui, n'ait pas senti que Restif
aussi était de son lignage. Il ne mentionne son nom
nulle part dans la *Recherche du temps perdu*, non
plus que dans ses autres ouvrages, de fantaisie ou de
critique. Quel beau pastiche il y avait à faire, pourtant, de *Monsieur Nicolas* ! Mais Restif ne figurait
pas, sans doute, dans le XVIIIe siècle des frères Gon-
court, ou plutôt ce n'était pas du XVIIIe siècle de Restif qu'on était curieux en 1900.

En fait, Restif a dû subir une éclipse de renommée
ou même tomber dans l'oubli aux alentours de 1850.
Sous le Premier Empire il est encore très en vogue.
Sainte-Beuve dit qu'il avait un vif succès à l'étranger,
singulièrement en Suisse, où le pasteur Chaillet,
rédacteur du *Journal littéraire* de Neuchâtel, lui faisait une réclame effrénée. Le même Sainte-Beuve
écrit : « Les *Contemporaines* m'ont tout l'air d'avoir
eu le succès des *Mystères de Paris*. » Stendhal en
1804 (il a vingt et un ans) note dans son journal, en
guise de règle de vie et afin de devenir « un grand
peintre de caractère » : « Lire Rétif et surtout aller
dans le monde. » A noter que Restif en 1804, était
encore vivant et que Stendhal, s'il l'avait voulu,
aurait pu le rencontrer, tout comme il avait rencontré Laclos quelques années plus tôt dans une loge de
la Scala. Enfin Balzac, traité par la *Revue des Deux-
Mondes* de « Restif du XIXe siècle » s'enorgueillissait
beaucoup de ce jugement qui n'avait aucune inten-
tion flatteuse.

On ne sait guère, je crois, que l'empereur
Joseph II, qui l'admirait, avait fait Restif baron, ni

que la Convention, en 1795, lui vota une petite pension de 2000 francs. Comme quoi un homme de génie
n'est jamais le méconnu total que l'on a tendance à
croire, plus tard. Et Restif, tout besogneux qu'il fût
dans sa vieillesse, englué dans de sordides petits drames domestiques, remâchant en maniaque ses antiques obsessions sexuelles, tournant à l'hypocondre,
baignant au milieu du peuple français comme un
microbe dans un bouillon de culture, n'avait pas
oublié qu'il avait gagné beaucoup d'argent, sous l'Ancien Régime, avec ses bouquins.

En fin de compte, c'est de Proust qu'il est le plus
voisin. Comme Proust, il a passé son existence dans
la recherche du temps perdu. Il a l'œil de mouche ou
de caméléon de Proust, qui enregistre tout, et cette
manière si particulière de se tenir à la fois au cœur
des événements et un peu en retrait d'eux. Le temps
perdu de Restif est aussi vaste et divers que celui de
Proust : c'est *La Vie de mon père*, *Le Paysan et la
Paysanne pervertis*, *Les Contemporaines*, *Le Quadra-
génaire*, *La Dernière Aventure d'un homme de quarante ans*, et surtout *Monsieur Nicolas*, qui est un des
plus beaux livres de notre fonds, tout à fait digne, à
mon avis, d'être mis sur le plan des *Mémoires* de
Saint-Simon et de ceux de Chateaubriand, et à qui
nul n'a encore osé donner la place qu'il mérite, les
préjugés de la postérité étant, à ce qu'il semble, aussi
tenaces que les modes ou les fausses réputations. On
a tant dit depuis deux siècles que Restif n'était pas
un homme « comme il faut », que cela est toujours
reçu sans examen, et qu'on a de la répugnance à fré-
quenter ce malappris. On l'accuse même (sans la
moindre preuve) d'avoir été indicateur de police, ce
qui est mal vu en ce moment.

Les Nuits de Paris sont dans son œuvre ce qu'est le
Temps retrouvé dans celle de Proust. On y voit

un homme qui, ayant creusé très profond toute sa vie, change de préoccupation et applique ses facultés à saisir la réalité immédiate dans son étendue, sa diversité, sa discontinuité. Il y a d'ailleurs, entre *Les Nuits* et le reste de l'œuvre de Restif, le même décalage significatif qu'entre *Le Temps retrouvé* et *Le Temps perdu*; je veux dire que Restif comme Proust passe du romanesque et du poétique au caricatural, ce qui est, entre parenthèses, une évolution caractéristique de grand artiste. Lui et Proust ont eu la chance de vivre à deux époques qui facilitaient cette métamorphose : la première destruction de l'ancienne France par la Révolution, la seconde destruction de l'ancienne France par la guerre de 1914. Autrement dit, l'un et l'autre ont été les observateurs de deux sociétés frappées par un cataclysme, lequel en a fait deux caricatures précisément. Les nuits de la révolution telles que Restif les décrit, pleines de fureurs, d'horreurs, de vulgarités, d'ignominies, de tableaux barbares, forment un pendant saisissant à la France charmante qu'il a connue, et qui restait charmante jusque dans la canaillerie ou la dureté. Seul de tous les écrivains il montre ce qu'est la véritable signification, la signification quasiment étymologique d'une révolution : à savoir le fond d'une nation qui monte brusquement à la surface. Dans *Le Temps retrouvé* Proust montre une autre révolution, mais du même genre, qui est celle des êtres, dont le plus secret de l'âme se découvre et émerge. Charlus chargé de chaînes et fustigé par des bardaches est tout à fait un homme pour *Les Nuits* de Restif, et aussi l'aimable Saint-Loup perdant sa croix de guerre chez Jupien.

Que manque-t-il à Restif pour être classé dans le premier rang des auteurs français une bonne fois et y rester toujours ? Un peu de rigueur sans doute. Il a écrit deux cents volumes, sinon davantage. Que n'en a-t-il écrit le tiers seulement, ou le quart, avec plus d'exigence! Mais ce sont là de vains regrets. Il y a des génies qui procèdent comme la nature, qui envahissent tout, qui sont des forêts, des océans. Une forêt, un océan, c'est quelquefois difficile à traverser. Mais aussi c'est énorme, vivifiant, bon pour l'homme, qui est heureux de se mesurer à ces choses profondes qui lui apprennent sur lui des secrets inestimables.

JEAN DUTOURD

PREMIÈRE PARTIE

SEPT NUITS DE PARIS

Ouvrage servant à l'histoire
du Jardin du Palais-Royal

Les extrêmes se touchent!

PRÉAMBULE

Après avoir fait passer en revue tout ce qui peut intéresser, dans le célèbre jardin, les *Filles*, le *Cirque*, les *Sunamites* des IV Ordres, les *Gentilshommes populaires*, le *Curé patriote*, et le *Divorce nécessaire*, qu'il nous soit permis de traiter une matière plus grave.

A notre arrivée clandestine à Paris, le 23 juin, nous fûmes effrayés de l'agitation des esprits! Nous espérions qu'ils se calmeraient. Nous nous trompions : le trouble a toujours été en croissant... A la vérité, c'était une fièvre salutaire... mais ce n'était pas moins la fièvre. Nous vîmes, sous le passage du Cirque, non encore parachevé, des jeunes gens, montés sur des tréteaux, y lire des écrits véhéments, exciter la fermentation, ou la nourrir... Nous admirons aujourd'hui ce que nous trouvions alors extraordinaire, bizarre même.

Nous nous informâmes de ce qui se passait, de ce qui avait précédé... Un jeune homme, qui venait de pérorer, et qu'une table renversée sous lui par la foule de ses auditeurs, avait éclopé, nous aborda, soutenu à deux.

« Vous êtes étranger, monsieur? nous dit-il.

— Non; nous arrivons de Suisse. — C'est tout de même. Je veux vous instruire... Qu'on me porte assis au café de Foi!... » Nous l'y suivîmes. On le mit à son aise, et l'envie de parler étant le plus pressant de ses besoins, il s'exprima en ces termes :

PREMIÈRE NUIT

27 avril 1789[1]

LES États Généraux s'assemblaient : l'aristocratie mourante, sans le savoir, voulut faire un dernier effort. Necker, ce vertueux ministre, avait donné des forces au peuple, par une représentation double : non que cette représentation fût encore proportionnée... Non, elle ne l'est pas!... mais elle était tout ce qu'on pouvait alors espérer.

Les aristocrates (c'est-à-dire les ministres, les grands, les gens du conseil, les intendants, les subdélégués, les évêques, les chanoines, les moines, les employés de toute espèce, les procureurs, et une partie de leurs clercs, les rentiers, les agioteurs, presque tous les riches, enfin les bourreaux), les aristocrates entreprennent de démontrer au roi, que le peuple était indomptable; que c'était une bête féroce qui, s'il avait le dessus, renverserait toutes les barrières, et ferait d'un royaume bien ordonné, sous le despotisme, un effroyable chaos d'anarchie.

Mais ce peuple ne songeait pas à se soulever. Tranquille, il attendait avec curiosité, mais sans impatience, les travaux de l'auguste assemblée.

Aristocratie en frémit[1]. C'est une grande femme, née sur les confins du Parisis et de la Normandie; elle a six pieds : elle est maigre, sèche; elle eut l'air noble, mais elle ne l'a plus que méchant. Elle compte, dans les alliances de ses ancêtres, trois maisons souveraines. Elle fut riche : elle est pauvre, et ne vit que de pensions : mais qui ne la préservent pas du besoin; ces pensions sont abandonnées à ses créanciers. Elle pense que tout lui est dû : c'est avec jalousie qu'elle voit la couronne sur la tête des Bourbons... Mais elle n'ose le dire hautement... Elle allait à pied, vers la porte Saint-Antoine, chez un notaire, pour y faire escompter une fausse lettre de change : elle fixe, de ses regards, les tours de la Bastille. Cette vue la réjouit. Elle entre chez le notaire : la signature de l'artiste Réveillon était si bien imitée, que l'homme public en fut la dupe, quoique, peu de mois auparavant, il eût découvert un autre faux, de la part... d'un abbé... Il escompta.

Aristocratie sortit comblée. Le notaire la regardait. Il lui semblait voir quelque chose de divin dans sa démarche... La gueuse orgueilleuse, ivre de joie d'avoir de l'argent, de l'or, s'avance dans le faubourg : elle affecte des manières gracieuses; elle plaint le peuple, non l'artisan utile, occupé, mais le fainéant, qui se repaît de chimères, et ne s'occupe que de vains désirs de fortune... L'or coule de ses mains : elle sent qu'il faut ôter à une foule de malheureux l'occupation que leur donne l'utile et vertueux citoyen, elle le dénigre; elle engage à le piller.

Ses paroles dorées furent efficaces : les fainéants, qui ne travaillent jamais, qu'à faire de vaines commissions, publient que l'artiste veut diminuer le prix des journées : les vrais ouvriers s'effraient. On s'émeut; on s'ébranle; les fainéants vont soulever le faubourg Saint-Marceau, et l'aveugle, le stupide artisan, ne sent pas qu'il va détruire ses propres ressources! Il s'ameute : c'était le lundi soir... Ils se rendent à la maison du bienfaiteur des pauvres : ils l'environnent; quelques cavaliers du guet les repoussent. La nuit se passe[1].

Le lendemain les oisifs reparaissent. Aristocratie a été chez de Crosne; elle a obtenu la liberté des mauvais sujets bicêtriers[2] (soit qu'elle eût séduit ce lieutenant de police, soit qu'elle eût imité la signature) : elle les fait sortir; elle les amène au faubourg. Les scélérats n'avaient pas besoin d'être excités au pillage... Aristocratie revole à l'hôtel de la police; elle y trouve un cavalier du guet, qui demande main-forte au magistrat : « Quarante hommes ne suffisent pas! s'écrie-t-il, pour garnir les avenues d'une vaste maison! » Aristocratie rend sa demande inutile. Et l'artiste Réveillon est pillé... Il aurait perdu la tête, s'il n'avait eu la précaution de fuir...

Aristocratie n'en voulait pas autrement à ses jours... Elle assume le feu... Elle brûle, ravage, consume... Un monstre, qui lui ressemblait par la taille (le *Grandbondieu*), scélérat abreuvé de fiel et d'envie, anime la troupe, et vole quinze mille livres, avec lesquelles il est allé s'établir dans son pays (dit-on).

Aristocratie laisse ce chef aux pillards. Elle revêt un habit de garde-française tué, et elle excite la fureur des soldats contre le peuple, pour augmenter la confusion, diviser tout le monde. Mais ici, elle se trompe, la perfide!... Les gardes-françaises se défendent; ils repoussent les brigands; mais dans le nombre, ils repoussent des citoyens, et sont honnis. Un mot, d'autant plus terrible, qu'il sort de la bouche des femmes et des filles du peuple, les fait rougir

d'avoir obéi! Royal potence! est ce nom infâme!...
Aristocratie! tu t'es trompée! les gardes-françaises
n'obéiront plus!...

Pendant cette nuit désastreuse, les brigands chassés, par les fusillades, de la maison pillée, risquant
eux-mêmes d'être écrasés, par les pavés, les pots à
beurre jetés des fenêtres, s'en vont piller les marchands : les gourmands vont voler chez les charcu-
tiers et les pâtissiers; les avides, chez les orfèvres, les
merciers, les lingères; ils se font livrer ce qui leur
plaît; ils se font ouvrir, ou ils enfoncent, à coups de
hache, les portes closes!... Ainsi se passèrent les nuits
du 27 au 29 avril... Telle est, ô étranger, ou patriote
absent, la première démarche d'Aristocratie... Mais
ce n'est pas la dernière...

Les États Généraux s'assemblent[1]. Aristocratie
veut insolemment présider à la première séance.
Mais elle y trouve Démocratie, qui lui donne un soufflet. Irritée, elle veut se venger. Démocratie reste
immobile à sa place... Enfin, hier, Aristocratie a presque triomphé... Mais je vous prédis que son triomphe
sera de courte durée...

Ainsi pérora le jeune homme *écôté* par sa chute.
Ici la voix et la respiration lui manquèrent; on fut
obligé de le saigner, et il a gardé le lit jusqu'au
11 juillet au soir, que nous le revîmes au Palais-
Royal. Nous l'évitâmes, ne voulant pas être distraits
de ce que nous entendions dire aux différents
groupes.

Pendant ces motions, le temps marchait : le 12 juillet arrive[2]. Les ministres sévissaient encore... Le 10,
c'était une agitation sourde : l'orage grossissait le 11;
vers les dix heures, au moment du plus grand péril,
un jeune aristocrate, accouru de Versailles au Palais-

Royal, s'efforçait de tranquilliser le peuple, en
s'écriant : « Tout va bien! » Tout allait mal, comme
on ne le sut que trop, le lendemain!

Voici une aventure, qui nous fut racontée ce
soir-là. Nous la rapporterons, pour adoucir de révol-
tantes images.

LES DEUX N'EN FONT QU'UNE[2]

UN jeune homme de province, mal marié, vint à
Paris, et s'y fixa. Un soir, en passant de la rue de
l'Échelle, à celle Traversière-Saint-Honoré, il aperçut,
dans une boutique de soieries, deux sœurs, dont l'aînée, âgée de quinze ans au plus, était la plus belle
personne qu'on pût voir. La cadette était une jolie
enfant; elle paraissait accomplir sa dixième année;
son rire était celui des grâces et de la naïveté; sa
figure arrondie était de celles dont la jeunesse se pro-
longe.

En 1784, dix-huit ans après, Maribert, passant de la
rue Saint-Honoré dans celle des Poulies, aperçut une
femme bien faite, appétissante, qui portait quelques
provisions dans une serviette. Il fut frappé de sa
grâce. Il la devança, et reconnut Sophie, cette jeune
sœur de la belle Julie, qu'il avait adorée, et dont son
mariage, plutôt que son peu de fortune, l'avait forcé
de s'éloigner... Sophie avait les yeux rougis... Son
extérieur, quoique propre, annonçait le besoin...
Maribert la suivit, sans en être vu, jusque dans son
escalier; elle ouvrit un appartement vide, au troisième, se jeta sur un fauteuil (cinq autres, un lit, et
une petite table formaient tout son ameublement), et
se mit à pleurer :

« Voilà mon dernier argent employé... Il faut vendre ce reste de meubles... nécessaires! », dit-elle tout haut, en soupirant... L'ancien amant de Julie descendit à la boutique, s'informa : il apprit que Mlle Sophie Bellièvre était veuve depuis six mois; que brouillée avec sa famille, par son mari, elle n'osait pas recourir à ses proches... C'en fut assez pour Maribert.

Ses travaux lui avaient procuré dix mille livres de revenu. Il avait pourvu à l'entretien de sa méchante épouse, et de sa famille : il lui restait assez pour suivre son cœur; et il venait d'être ému à l'excès... Quoi! cette fille jeune et belle! sœur de son idole... est dans la misère!... Il revint le lendemain soir. Sophie sortit encore. Il lui vit acheter un pain... Il l'aborda, au retour.

« Madame, lui dit-il, pardonnez à un homme, pénétré pour vous du plus profond respect, de vous adresser la parole, pour vous demander un moment d'entretien, chez vous ? — Monsieur! répondit Sophie, je ne vous connais pas. — J'ignore également votre nom, madame, reprit Maribert; mais je ne puis m'arracher d'auprès de vous... Un sentiment inexprimable d'intérêt me fixe, depuis quelques jours, sur vos pas... Ne me faites pas souffrir la peine, non méritée, d'un refus, qui me mettrait au désespoir! Ce n'est pas de l'amour que vous m'inspirez; c'est un attachement de frère... Daignez m'entendre, vous me jugerez ensuite. »

Sophie eut un peu de peine à se déterminer : mais enfin, elle consentit que l'inconnu montât avec elle, en prenant la précaution de se faire accompagner par une fille de boutique du marchand.

Lorsqu'on fut chez elle, Maribert s'exprima de la manière la plus respectueuse. Il offrit de partager sa fortune avec Sophie, à titre de frère, et en ne deman-

dant autre chose, que de dîner avec elle, et de faire
ensemble leurs promenades. La fille de boutique était
surprise des scrupules de Sophie, qui, dans la journée, avait proposé de vendre le reste de ses meubles,
et de se réduire à un petit cabinet. Elle la gronda, et
menaça d'envoyer sa maîtresse... Elle descendit, et
l'envoya.

Maribert expliqua ses vues à la marchande, avec
tant d'honnêteté, que cette femme, à qui Sophie
devait déjà quelque chose, prit un ton d'autorité,
pour lui ordonner d'écouter monsieur. Sophie céda
par crainte. La marchande descendit. Maribert, seul,
fut encore plus respectueux. Il donna la première
semaine, et sortit pour aller chercher un souper, dont
Sophie lui parut avoir besoin. Il revint de chez le restaurateur, suivi d'un garçon, qui portait un potage au
riz, et une poularde... On soupa de la moitié. Sophie
dit, que le reste ferait pour le lendemain soir.

A onze heures, Maribert s'en alla.

« Pouvez-vous garder son appartement ? lui dit la
tapissière. — Oui, madame, répondit Maribert. — Il
est de quatre cents francs, et elle m'en doit deux
cents. — Voilà un billet de caisse, répondit Maribert.
Quittance, s'il vous plaît ? » La tapissière, tandis que
son mari l'écrivait, disait à Maribert : « Il ne faut pas
écouter ses scrupules ! Faites-lui du bien, malgré elle !
Car elle en a besoin !... Cela est sage : elle ne voit
personne ; elle travaille, et pleure, depuis la mort de
son mari... Elle est encore très bien ! — Madame,
répondit Maribert, ne m'excitez pas à l'aimer : c'est
pour jamais que mon cœur s'attache à elle. Je ne
serai plus heureux qu'auprès d'elle, en la voyant con-
solée, contente ; mais c'est en sœur que je l'aime.
— Ha ! ha ! ha ! elle l'est peut-être ! dit la tapissière,
que sait-on ?... Les femmes, quelquefois ont des allu-
res. Les hommes... Dame ! à Paris, on ne peut répon-

dre de rien!... » La quittance achevée par le mari, mit
fin à ce colloque.

Le lendemain, à une heure, Maribert parut. Sophie
avait préparé le dîner : elle était presque parée : elle
avait un goût exquis!... Elle reçut son bienfaiteur en
souriant. Il lui baisa la main. Ils dînèrent. Leur entre
tien ne fut qu'un dialogue de politesses délicates...
Sophie prit de la confiance. En sortant, Maribert lui
remit la quittance, et la pria de garder son appartement.

Sophie était pénétrée! Elle pouvait ne dépenser
que la moitié de la somme qu'on lui donnait, et
employer le reste à son usage. Maribert revint le soir,
et tous les jours, pendant huit mois, sans changer de
conduite.

A cette époque, Maribert manqua un jour à dîner.
Sophie en fut dans une mortelle inquiétude! Elle
était alors parée, charmante, heureuse même... Le
soir, son ami (car elle commençait à lui donner ce
nom), parut plus tôt qu'à l'ordinaire. Sophie, qui
avait souffert de l'absence, courut au-devant de lui, et
se jeta presque dans ses bras...

« Vous n'êtes pas venu, bon ami? — Une affaire
indispensable... Ah! que j'ai trouvé le temps long!
— Et moi, cruel!... — Vous me dédommagerez, ce
soir? »

Ils soupèrent. Ils causèrent. Minuit vint. « Ah! ciel!
minuit!... Je me sauve! — Ho! si tard! — Ma vie
m'est doublement chère. — Si un accident... — Possible, dans les circonstances actuelles...
— Possible!... Vous ne sortirez pas! — Si vous aviez
deux lits?... — Oui, j'en ai deux. — Ah! je reste! » Il
resta. Ils se couchèrent tranquillement, dormirent
paisiblement, et le lendemain, Maribert sans éveiller
Sophie, courut à ses affaires.

Elle avait espéré de déjeuner avec lui. Elle se leva

matin, sans oser regarder au lit où il devait reposer. Elle l'y croyait encore, lorsque le café se trouva prêt. Elle y alla enfin... Personne! Elle eut du chagrin... Elle ne voulait pas déjeuner, lorsque Maribert parut.

« Je n'ai pas fait de bruit, lui dit-il : vous vous étiez couchée si tard!... Mais je reviens vous dire bonjour : je passais par ici, en allant à une affaire. — Ah! que je suis aise d'avoir fait le déjeuner! », répondit Sophie.

Peut-être jamais n'y en eut-il d'aussi agréable!... Sophie dit à Maribert qu'elle l'aimait, sans être pressée, naïvement, naturellement. A cet aveu inattendu, Maribert tombe aux genoux de Sophie, et lui dit qu'il l'adore. « Êtes-vous bien sincère?... — Oh! oui, la preuve a précédé l'aveu! — Mais serez-vous bien constant? — Je l'ai bien mieux prouvé! répondit l'amant; depuis vingt années, je le sens!... — Depuis vingt ans? — Oui, ma Sophie... Vous rappelez-vous des lettres écrites à votre sœur aînée, par un inconnu que les garçons de magasin arrêtèrent un soir, au moment où il venait de remettre la dernière? — Oui! Oui!... Et quel rapport?... — Cet amant de votre sœur, c'était moi. Elle était belle; je la vis; je l'adorai malgré moi... Je la revis. Vous étiez à côté d'elle, avec cet air charmant de jeunesse et de gaieté, que vous avez encore. Vous aviez dix ans; votre sœur en avait quinze; c'est elle que j'adorais. Mais que je vous trouvais jolie!... Je ne savais à qui dire que j'adorais Julie! Je l'écrivis sans dessein. Mais quand j'eus écris, que je vis ce papier, où je m'étais entretenu avec elle, avec vous (car je vous parlais à toutes deux), il devint sacré pour moi; je le regardai comme étant à elle, et je n'en fus plus que le commissionnaire... Je le portai respectueusement : je le posai adroitement devant vous. Ce fut vous, ma Sophie, qui l'aperçûtes, et qui le montrâtes à votre sœur... Je me

rappelle encore comment... Je crois vous voir, le dési-
gnant du doigt, de cet air fin, qui vous est naturel...
On le prit : on alla le porter à votre maman. Je le
voyais lire, et que vous écoutiez toutes deux. Ce fut
peut-être le moment le plus délicieux de ma vie...
J'adorais la belle Julie; je vous aimai comme jolie, et
comme sa sœur : vous entendiez mes pensées; je
vous parlais... Je fus un dieu, pendant quelques minutes... Les portes se fermèrent, je ne vis plus rien, et je
redevins un malheureux mortel!

« Vous savez, mon aimable Sophie, que j'écrivis
plusieurs lettres. Vous vous rappelez la catastrophe :
j'étais marié. Je n'osai plus reparaître. Votre sœur
fut établie à Versailles; je ne la vis plus. Vous le
fûtes à Paris, et je vous entrevis quelquefois, surtout
un jour aux Tuileries, avec votre mari... Mais je me
dérobai à vos regards; caché derrière le marronnier
creux, je roulai devant vous une fausse orange, où
était la dernière lettre non envoyée, écrite à Julie.

— Je la ramassai... Je me le rappelle!

— Ce moment ne fut pas agréable! Votre mari
déchira la lettre. — Et je gardai la fausse orange...
La voici. — La voilà... Je profitai d'un groupe, qui me
cachait, pour m'éloigner...

« Depuis que je ne voyais plus Julie, je ne l'oubliais
pas, mais je m'accoutumai à vous confondre avec
elle. Je ne me la rappelais qu'avec vous, et vous qu'a-
vec elle : LES DEUX N'EN FONT QU'UNE, pensais-je, la
cadette me rappelle l'aînée, et les sensations délicieuses qu'elle me fit éprouver... Je vous perdis absolument de vue, pendant quelques années. Enfin, un
soir... rue Saint-Honoré, près celle-ci, je vous aperçus
entre deux hommes, dont l'un était malade.

« Je tressaillis, comme si vous eussiez été Julie
elle-même : vous m'étiez aussi chère; je le sentis... Je
sus votre demeure. Vous me parûtes dans la gêne... Je

revins passer ici près toutes les soirées. Mais je n'eus que rarement le bonheur de vous apercevoir... Un soir, je vous vis passer seule, éplorée. Je m'informai à vos voisins. Vous veniez de perdre votre mari. Je fus tenté de me présenter... Je ne l'osai pas... Ce ne fut qu'à la troisième fois que je vous parlai.

« Mon cœur éprouva l'attendrissement le plus délicieux, au premier mot que vous me répondîtes. Je sentis pour vous l'attachement d'un frère, envers une sœur chérie, adorée... Si vous m'aviez éconduit, je ne m'en serais jamais consolé...

« Vous savez le reste, ma Sophie... Votre sœur fut l'origine de mon attachement, mais vous l'avez fortifié, rendu délicieux. »

Sophie ne l'avait pas interrompu. Dès qu'il eut cessé de parler, elle se jeta dans ses bras, fondant en larmes : « Quels temps heureux tu me rappelles! dit cette aimable femme, en le tutoyant pour la première fois! Oui, un pareil attachement doit être éternel! Je compte sur le tien, comme sur le mien pour toi...

— Ah! ma Sophie! quelle précieuse faveur vous me faites en ce moment!... Mais, moi, je ne vous tutoierai pas.

— J'en serais bien fâchée!... Une fille chérie tutoie son père... qui ne la tutoie pas, exprès.

— Sophie! je trouve pour vous, au fond de mon cœur, tous les sentiments... qui font aimer... »

Ainsi se passa le déjeuner. Maribert, qui était fort affairé tous les jours, quitta Sophie.

Dès que l'aimable sœur de la belle Julie fut seule, elle se rappela qu'il y avait deux ans qu'elle n'avait vu son aînée. Le mari de Sophie avait eu des torts avec Julie, et il avait défendu à Sophie de la voir. On s'était refroidi. Julie piquée contre sa sœur, le témoigna. La sensible Sophie s'en crut abandonnée... et dans une infortune complète, au moment où elle

allait vendre le reste de ses meubles, elle n'avait pas
osé recourir à sa sœur. Maribert s'était présenté... Il
fut un Dieu bienfaisant, qui sauvait de pis que la
misère... de la honte... Mais, avec ce qu'elle venait
d'apprendre, qui renouvelait ses sentiments de tendresse pour sa sœur, alors à Paris. Sophie se trouva
forte assez, pour l'aller voir, et pour la remercier de
tout ce que Maribert avait fait pour elle. Sophie se
para. Elle avait toujours été propre; elle chercha de
l'élégance; elle n'avait pas encore trente ans, et avec
son genre de figure, elle n'en paraissait que vingt-
deux. Le contentement brillait dans ses regards; elle
aimait; elle était aimée d'un homme estimable; elle
venait de retrouver un père... Sophie part, en voiture.

On l'annonce à sa sœur. Julie était, en ce moment,
avec trois dames de sa connaissance, qui étaient
venues lui apprendre que Sophie était plongée dans
la misère la plus profonde; qu'elle s'était mise servante, et qu'elle se dérobait à tous les regards. Elles
ajoutaient, à l'instant même, qu'elle était laide, défigurée, méconnaissable... Julie pleurait. Sophie paraît.
Elle court à sa sœur, qui la reçoit dans ses bras, et ne
peut se lasser de lui faire des caresses. Les dames,
confuses, ne savent que dire. « O ma chère Julie!
s'écria enfin Sophie avec attendrissement; je suis la
plus heureuse de toutes les créatures, et je te le dois!
— A moi, ma sœur! — A toi... à toi seule. — A moi!
Hé! mon amie! on t'a trompée! — Non, non! l'être
qui m'a rendue heureuse ne trompe jamais. — Quel
est cet être ? — Je te le dirai, avec la permission de
ces dames, en particulier. » Elle entra dans un cabinet avec Julie.

Ce fut là que Sophie raconta toute son histoire à
son aînée. Elle fit surtout valoir le récit que venait de
lui faire l'ancien adorateur de Julie. Cette belle dame

était dans l'admiration! Elle se fit dix fois répéter les mêmes choses. Elle insista surtout relativement à la conduite de Maribert, comme frère, plutôt que comme amant. Julie, convaincue, par les détails où Sophie entra, de la constance de Maribert, dit à sa cadette :

« Voilà bien le plus bel exemple d'attachement qui ait jamais existé! Sans jamais avoir eu d'espérance; sans que jamais je lui aie parlé, m'adorer dans ma sœur!... Ah! que je désire de le voir, cet homme estimable et généreux, auquel je dois ta conservation!... Car je te connais; pleine de cœur comme tu l'es, te croyant méprisée, tu n'aurais pas eu recours à ta sœur. Tu étais injuste! mais je ne t'en fais pas un crime; j'aurais pensé comme toi...

— Ma sœur, répondit Sophie, il dîne avec moi : veux-tu t'y trouver? » Julie observa qu'elle avait les trois dames, et pria sa sœur d'engager M. Maribert à l'accompagner. « C'est une faveur, répondit Sophie; des affaires indispensables pourraient seules m'empêcher de te l'amener. » Elle partit, en achevant ces mots, laissant les dames très étonnées!

« Mais! elle est rajeunie, dirent-elles. Jamais elle n'a été aussi bien! — C'est qu'elle est heureuse! répondit Julie. — Mais elle dit qu'elle vous doit son bonheur? — Oui; mais indirectement : le parti avantageux qui la recherche est le premier homme qui ait fait attention à moi; Sophie n'avait alors que dix ans. Il eut occasion de la voir, dans les derniers jours de la vie de son mari. — Ah! mais elle n'a donc été jamais... — Je ne le crois pas... Dès que mon beau-frère eut rendu le dernier soupir, M. Maribert offrit à ma sœur l'amitié d'un frère, la tendresse d'un père, et la main d'un époux... Elle a voulu le connaître. Surprise de la force de son attachement, elle lui a demandé quelques éclaircissements. Et ce matin, il s'est fait reconnaître, pour le premier de tous mes amants. Il lui a dit que depuis dix-huit ans, il m'avait toujours également aimée, quoiqu'il eût appris mon mariage. — Mais les deux sœurs n'en font qu'une, pour mon cœur! a-t-il ajouté : je serai aussi heureux par celle qui est libre, que je l'aurais été par celle qui, la première, m'inspira de l'amour! Il est impossible d'imaginer à quel point ma sœur est aimée!... Mais vous pourrez en juger : j'espère que nous l'aurons à dîner. C'est la raison pour laquelle ma sœur s'en est retournée si vite; elle nous l'amènera, si des affaires indispensables n'empêchent pas M. Maribert de venir. »

Les dames furent enchantées de satisfaire une avide curiosité! Car c'est une jouissance de savoir une nouvelle les premières, de la savoir sûrement, et de la débiter, sans crainte d'être démenti... On s'entretint beaucoup de Sophie, et des bruits (trop bien fondés!) qui couraient sur son compte.

Vers les deux heures parurent deux autres dames, attendues avec leurs maris, et leurs filles, âgées de quatorze et quinze ans. On se hâta de leur annoncer qu'on aurait Sophie, et son prétendu. « Ah! Sophie! dit une dame nouvelle venue, d'environ quarante ans; nous l'avons vue dans la misère, ma fille et moi!... N'est-ce pas, Angélique? — Oui, maman : elle avait une serviette à la main, et elle entra chez un boulanger... Elle leva les yeux sur nous... ah! d'un air... douloureux, comme si elle eût demandé l'aumône!... J'en fus touchée... J'allais à elle... Mais maman me retint. — Fi donc, ma fille! vous l'auriez humiliée. (On sent que Julie n'était pas présente; elle donnait ses ordres.) — Moi, dit l'autre dame, j'ai... entre nous... entendu fort mal parler... de Sophie!... On a été... jusqu'à me dire... qu'elle faisait... chit-chit... au Palais-Royal, ou aux Tuileries. — Ah! l'horreur », s'écria une des trois dames... A cet instant, on annonça Sophie.

Julie rentrait dans le salon. Elle courut au-devant de sa sœur, qui amenait M. Maribert. Julie le reconnut sur-le-champ. Elle se troubla. Maribert était ènore plus ému... Il ne put dire un seul mot. Mais il lui baisa les deux mains... Julie rougit, et le présenta aux dames, qu'il salua d'une manière décontenancée. Il reprit un air grave avec les hommes, et demanda M. de Glancé, mari de Julie. Ce fut son premier mot. « Il n'est pas arrivé, monsieur », répondit Julie.

Pour Sophie, qui était charmante, les femmes la saluaient, ou recevaient son salut, d'un air curieusement contraint. Elles observaient M. Maribert, qui paraissait un père tendre avec Sophie, et un sujet devant sa souveraine, avec Julie. La conversation de Sophie était décente, affectueuse, spirituelle... M. de Glancé arriva. Sa femme était allée le prévenir. Il était extrêmement curieux de voir M. Maribert. Celui-ci ne l'eut pas plus tôt entendu nommer, qu'il courut à lui, l'embrassa, et le retint dans ses bras. « Voilà un charmant accueil! pour un ancien rival! dit Glancé en riant. — Ah! s'écria Maribert, tout ce qui tient à elle a des droits sacrés à mon respect, à mon attachement... » Et après ce mot, il alla baiser la main de Sophie, qui le regarda, avec un attendrissement inexprimable... On se mit à table. On parla de nouvelles. Le dessert mis, on regarda Sophie.

« Hé, mon dieu, madame, où vous êtes-vous donc tenue pendant deux ans? dit la dame aux atrocités. — Voilà le témoin de ma conduite, répondit Sophie, en montrant M. Maribert, ce digne, ce respectable ami, m'a vue tous les jours... Ce n'est point à moi, que j'ai dû un attachement désintéressé: c'est à une autre femme, qu'il adora, qu'il révère, depuis dix-huit ans, comme la divinité... J'ai le bonheur de tenir à cette femme adorée en secret, et les sentiments qu'on a pour elle, m'ont donné l'attachement le plus fort, de la part du cœur le plus honnête, le plus pur.

— Expliquez-nous donc cela, monsieur, puisqu'on nous renvoie à vous, reprit la dame.

— Volontiers, madame... » Alors Maribert raconta comment il avait aimé Julie, en répétant ce qu'il avait dit le matin à Sophie. Il ajouta : « Lorsque le respectable père de Julie et de Sophie me trouva chez lui, après que les garçons m'eurent arrêté, il me demanda, d'un air sévère, pourquoi j'osais chercher à développer dans le cœur de l'aînée de ses filles, un sentiment qui pouvait la rendre malheureuse, ou tout au moins, troubler son repos... Je convins de mon crime, car c'en était un : j'étais marié... Vous sentez que je ne pouvais profiter de l'offre qu'il me fit, de recevoir mes visites... Je me retirai confus. Je n'osai plus satisfaire qu'à la dérobée la soif brûlante de voir Julie... Au bout de quelques années, je ne la vis plus. Je vis Sophie... Sophie fut la consolation d'un cœur au désespoir... Je l'identifiai avec sa sœur... Les deux n'en firent plus qu'une pour moi... Des années s'écoulèrent... Je n'espérais plus le bonheur... quand un soir, après six années, sans voir Sophie... je l'aperçus, avec son mari. Je sus leur demeure... Cette maison devint pour moi le centre de l'univers; tout s'y rapportait... Je revis Sophie. Je la guettais tous les soirs. J'appris sa viduité le jour même. J'entendis alors deux dames, la mère et la fille, parler d'elle, et ces mots me frappèrent : *Elle est brouillée avec sa sœur.* « Elle ne l'est pas, je le jure! me dis-je à moi-même; car je vais lui tenir lieu de père, de mère, de frère, et... s'il est possible! de sœur... Je serai Julie, pour elle!... Aimable enfant! car je verrai toujours Sophie, à l'âge où, de son joli doigt, elle montrait mes lettres à sa sœur... Aimable enfant! Je vous marquerai tant

d'attachement et de tendresse, que vous prendrez
confiance en moi! » Je l'abordai. J'employai les
égards, les détours... Mon cœur parlait, et toujours le
cœur persuade... je surmontai tous les obstacles que
m'opposaient la modestie, la retenue, la décence;
mais ce fut par l'honnêteté que je les surmontai... Je
ne désirais qu'une entrée consentie : sûr de mon
cœur, j'étais bien certain, qu'à demi connu, j'obtien-
drais la confiance, l'estime, vu que je les méritais...
Ah! comme j'ai aimé Sophie!... Pour en avoir idée, il
faudrait pouvoir comprendre comme j'adorai Julie!...
Je connus enfin le bonheur! j'eus un échantillon de
celui que j'aurais éprouvé, si le sort avait permis que
j'obtinsse celle que j'aimai plus que ma vie... Pardon!
heureux époux de Julie! si je m'exprime, devant vous,
avec cette liberté!... Mais, j'aimai, j'adorai Julie,
avant que vous la connussiez... Je suis son premier
amant; elle sortait de l'enfance... Je ne lui ai jamais
parlé, qu'aujourd'hui, devant votre honorable compagnie... J'ai plus à dire encore, pour m'excuser auprès
de vous : oui, monsieur, je l'adore; oui, je brûle
encore pour elle, du plus violent amour... Vous la
voyez tous à présent... Moi, je la vois, à quinze ans,
auprès de sa sœur... Sa figure est la même, celle d'à
présent, est sous le voile. C'est Julie adolescente... et
non Mme de Glancé, que je vois... Cependant, que cet
amour ne s'alarme pas! Identifiée avec Sophie... avec
Sophie, à laquelle mon cœur s'est dévoué, dont les
qualités, les vertus, ont secondé le prestige de la sœur
non connue, c'est par elle seule que Julie recevra les
marques de mon amour... Il m'est impossible, en
scrutant mon cœur, de dire laquelle des deux sœurs,
j'aime plus, ou moins : elles sont égales : mais, sans
Julie, je n'aurais pas aimé Sophie; je ne l'aurais pas
connue... Et sans l'intéressante Sophie, comment
aurais-je aujourd'hui le bonheur de paraître devant

Julie, de lui parler?... Incomparables sœurs! l'une de vous est libre : je puis l'aimer, et le lui dire. Cette liberté seule mettra de la différence dans l'expression de mes sentiments, qui, au fond, seront les mêmes pour toutes deux. Je ne vous déguiserai pas, que toutes deux vous avez un pouvoir absolu sur moi... J'ai dit tout ce que j'avais dans l'âme! »

On applaudit avec transport : le mari de Julie embrassa l'amant de Sophie, en l'appelant son frère. Les dames médisantes se rétractèrent, et elles eurent la prudence, en avouant qu'elles avaient eu tort de répéter de mauvais bruits, d'en faire une leçon pour leurs filles. — Oh! maman, répondit celle de la dame aux atrocités, je n'en ai jamais cru un mot, moi!... J'ai bien compris, que ce que vous avez affirmé, la conteuse ne vous l'avait donné que comme un doute. — Oui! dit le père, la calomnie s'engendre ainsi. La première femme conjecture; la seconde assure; la troisième certifie, et donne pour témoins les deux premières.

Depuis cette visite à Julie, Sophie et Maribert sont encore plus heureux. On dit que Glancé a voulu éprouver sa femme, en lui procurant avec adresse un tête-à-tête avec Maribert. Mais il faut que l'événement l'ait convaincu de l'honnêteté de tous deux, car il les aime davantage : son amour pour sa femme, auparavant engourdi, s'est réveillé : il l'aime, comme elle l'aurait été de Maribert.

Quant à celui-ci, devenu veuf depuis quelques jours, il a fait demander cérémonieusement la main de Sophie, et va l'épouser. Il sent de jour en jour davantage, en voyant Julie et Sophie, que par le mérite, les grâces, et l'amour, *les deux n'en font qu'une.*

DEUXIÈME NUIT

Le 12 juillet

Nous sortîmes à six heures du soir, et nous nous avançâmes du côté du pont Neuf... Arrivés sur le quai du Louvre, nous vîmes fuir la foule épouvantée!... Nous nous informâmes.

« M. Necker est destitué[1]... Foulon va le remplacer!... Les troupes... les troupes s'avancent!... Le prince Lambesq... » On ne nous répond que ces mots.

En ce moment, une grande jeune fille, vêtue à la façon des nymphes, et faite comme elles, sort de la rue de l'Arbre-Sec, et demande : « Où vont donc ces hommes? » On lui répond : « Ils fuient avec leurs femmes. — Lâches, s'écrie-t-elle, en prenant un fuyard au collet, laisse aller ta femme, et retourne! » Le jeune homme sourit. « C'est ma sœur, répondit-il. Laissez-moi la conduire, et je reviens armé... » Un autre jeune homme, qui me parut l'amant de la nymphe, vint la prendre par la main, il fit le rôle de femme, et l'emmena. La belle se retournait cependant, et continuant à voir fuir les hommes, elle frappait indignée la terre de son pied délicat.

Qui faisait fuir le Parisien épouvanté?

Invité par un beau ciel, le citadin laborieux profitant du jour du repos, avait été respirer un air pur, dans les jardins que dessina Le Nôtre : pour soulager sa jolie compagne, le Parisien bonasse porte l'enfant : il est plus fort; la réflexion le ramène à la nature, en paraissant l'en écarter. Arrivés sur le gazon des bassins ombragés, l'époux et la compagne s'asseyent pour se reposer; tandis que l'enfant qu'on a porté s'élance vers d'autres enfants, qui jouent. Il folâtre et fait sourire sa mère.

Cependant, sur la terrasse qui domine le fleuve, des étourdis provoquent des soldats, inutilement rassemblés. Une pierre, dit-on, vola sur le casque de Lambesq. Indigné, ce commandant frémit. Il se laisse emporter à de téméraires conseils; il entre à cheval dans le Jardin des Rois... Asile sacré, destiné aux *Jeux*, aux *Ris*, aux *Amours*, et où Mars ne doit jamais être qu'en statue... Il s'avance, le sabre à la main... Des cris perçants s'élèvent. Les cris des jeunes mères y répondent. Toutes se lèvent : elles saisissent leurs enfants : ce ne sont plus les pères qui les portent. Les mères épouvantées les croient plus en sûreté dans les bras maternels! Les enfants pleurent d'être arrachés à leurs jeux innocents : les épouses appellent leurs maris, pour les escorter. Tout fuit : les femmes, par frayeur; les maris pour se débarrasser de leur famille...

Cependant Lambesq sent bientôt qu'il a fait une imprudence. Il veut retourner sur ses pas. Un téméraire vieillard ose lui fermer le passage, et s'écrie : « Retirez le pont tournant! » Cet infortuné tombe sous les coups de Lambesq... Action fatale!... Mais il ne fallait pas entrer à cheval dans le jardin; c'est un crime, dont Lambesq ne peut se laver.

J'appris tout cela, auprès de la Nymphe courageuse... J'allai au Palais-Royal, où depuis le 7 juin se tenaient de nombreuses assemblées; où se faisaient ces motions source primitive des districts, ou de la municipalité... Je n'y trouvai que des hommes grossiers, l'œil ardent, qui se préparaient plutôt au butin qu'à la liberté... Je fuis!

Je cours aux Tuileries. C'était un vaste désert! Ces riants jardins avaient un air de tristesse, qui me fit involontairement m'écrier : « O, Rois! sans sujets, qu'êtes-vous! » Je réfléchis ensuite aux puériles idées des aristocrates, qui rendent aux peuples l'existence difficultueuse, et je les envisageai comme des fous, qui se lassent d'être trop heureux. Tout est à la nation, tout est pour la nation! pensai-je, et l'insensé qui augmente les tourments de l'humanité, est un criminel de lèse-nation, plus coupable que Lambesq...

La nuit vint, tandis que j'errais. Je rentrai dans la ville : j'allai au palais d'Orléans.

Des groupes tumultueux s'y racontaient avec fureur, ce qui s'était passé dans la journée. Ils menaçaient! Ils mettaient à prix des têtes!... Moi, je frissonnais : je voyais un nuage de maux se former sur cette capitale infortunée, naguère la plus voluptueuse des villes de l'univers, la plus libre, la plus agréable, par conséquent la plus heureuse... O Londres! malgré ton orgueil, je te défie de te comparer à Paris! même sous les Saint-Florentin, les Sartine et les Lenoir, elle était plus libre pour l'honnête homme, que cette Londres enfumée, où le brigand vous dépouille, en vertu de la liberté, qui s'oppose à la police!... Pendant vingt-cinq ans, j'ai vécu dans Paris plus libre que l'air! Deux moyens suffisaient à tous les hommes, pour y être libres comme moi : avoir de la probité; ne point faire de brochure contre les ministres. Tout le reste était permis, et jamais ma liberté n'a été gênée. Ce n'est que depuis la Révolution, qu'un scélérat est parvenu à me faire arrêter deux fois...

A onze heures du soir, las de voir et d'écouter, je sortis du Palais-Royal... Mais, quel affreux vacarme! Des cris furieux s'élevaient de toutes parts. Je vois la rue des Petits-Champs remplie de brigands armés. Au péril de ma vie, je veux les voir de près. Je passe entre les épées et les bâtons : on se battait ou

feignait de se battre... J'examinais du coin de l'œil. Le
brigandage se peignait dans les yeux étincelants de
ces misérables.

A l'entrée de la rue des Vieux-Augustins, je faillis
être tué d'un coup de pistolet... Je gagne les Halles.
C'était l'image de l'Enfer. « O ma patrie! m'écriai-je
(car la ville où nous sommes fixés, où nous sommes
époux et pères, est notre patrie!) O ma patrie! tu vas
périr, par ces enfants bâtards, qui vont assassiner tes
légitimes enfants. »

Je m'échappe, à travers les périls multipliés, et
j'arrive dans la rue des Prouvaires à minuit. Là, je
suis saisi au collet. « C'est un abbé! — Non, non, mes
amis! je suis père et grand-père. — Il est trop
vieux! », dit un autre. Le brutal qui me tenait me
poussa dans la boue, où je tombais assis, et me laissa
libre.

J'arrive dans la rue du Roule, ou celle de l'Ancien-
ne-Monnaie : on y enfonçait la porte d'un armurier.
Une troupe de gardes-françaises s'avançait tambour
battant, drapeaux déployés : elle entraîne avec elle
les enfonceurs. J'étais au coin de la rue Betisi : un
jeune homme s'y arrêta, tenant par la main sa jeune
et charmante épouse. Il est saisi par les marcheurs,
et forcé de la quitter. La jeune dame veut le retenir;
elle s'écrie! Un rustre la repousse par un coup de
poing, accompagné de l'expression la plus grossière,
(Zella ertuof nu titep pouc!) Elle s'évanouit! Je la
soutins dans mes bras, et ce moment me dédommagea de toutes les peines de la soirée... Je rappelai ses
sens, à l'aide de son flacon. « Rassurez-vous! lui
disais-je, votre mari va profiter du premier coin de
rue, pour s'échapper, et revenir à vous... Ne craignez
rien pour lui! Il a paru marcher de bon cœur... S'il
tarde trop, je vous ramènerai chez vous... Dites que
je suis votre père... J'ai une fille de votre âge. —

Ah! vous êtes père!... Monsieur, je me fie à vous!
Conduisez-moi chez le mien... » C'était un marchand
de soieries, près les Piliers des Halles. Nous marchâmes.

Vis-à-vis la rue Tirechape, nous rencontrâmes quelqu'un, qui fuyait avec la légèreté du cerf. Il était
poursuivi par deux rustres, armés de broches. « C'est
mon mari! », s'écria la jeune dame. Sans lui répondre, je ne m'occupai que de la sauver. « A moi! A
moi! », m'écriai-je de toutes mes forces. Les deux
poursuivants s'arrêtèrent, et vinrent à nous. C'était
ce que je désirais. Je les conjurai de m'aider à reporter ma fille chez moi. Ils y consentirent... Ils firent
un brancard de leurs broches, y mirent deux vestes,
l'assirent et la portèrent. Le jeune mari nous avait
entrevus. Ne se trouvant plus poursuivi, sa crainte se
dissipait, il revint sur ses pas, nous suivit, et entra
chez son beau-père avec nous. Sa vue rendit la vie à
son épouse... Je les quittai, pour m'en retourner. Des
brigands m'arrêtèrent encore, à l'entrée du pont
Notre-Dame : ma bonhomie les désarma, et je parvins chez moi, où je tranquillisai ma famille.

Telle est l'esquisse que je puis faire de la première
nuit de la Révolution. Je ne raconte que les choses
que j'ai vues.

LES TROIS N'EN FONT QU'UNE

Voici une aventure contée le même soir :

On comptait, dans une maison de la rue de la
Bûcherie, trois filles également aimables : Amasie,
l'aînée était grande, majestueuse, et belle à la
grecque; Amable, la seconde, était brune; elle avait
une figure française arrondie, une blancheur de lis, le
rire mignard, la bouche mignonne, et les yeux très

grands; Aimée, la troisième, était jolie, vive, folâtre, quoique la figure fût anglaise, et la chevelure très blonde.

Un jeune homme fort riche, maître de lui-même, dont l'âme était sensible à l'excès, et qui ne pouvait être heureux que par l'amour, vit Amasie à Notre-Dame, le 14 février, dix ans avant le jour du grand Te Deum national, et il en devint éperdument amoureux. Il la suivit, résolu de la faire demander en mariage, dès le lendemain.

Le soir du même jour, en retournant chez lui au quai Saint-Bernard, il rencontra une dame âgée, à laquelle il eut l'occasion de rendre un service, en la préservant des insultes grossières de deux hommes ivres, qui sortaient de la place aux Veaux. Il la reconduisit. Elle demeurait dans la maison de la belle : M. Bernardin en fut enchanté! Il marqua beaucoup de joie d'avoir été utile à la dame, qui, charmée de sa politesse, le pria de monter. L'espoir de voir sa belle l'y engagea.

Comme on entrait, Amable accourut au-devant de sa mère. Bernardin fut ébloui, en voyant cette belle personne; il balbutia des compliments. Un instant après, Aimée, qui était dans la chambre, en descendit, et vint, en folâtrant, caresser sa mère. Bernardin ne savait où il en était, car cette dernière lui paraissait encore plus aimable. Enfin, Amasie, qui venait de se mettre en déshabillé, rentra dans la salle. Bernardin, étonné, ravi, de se trouver avec la mère des trois plus belles filles qu'il eût jamais vues, demeurait immobile. La dame l'invita de rester à souper... Il accepta, en marquant la joie la plus vive. Ce qui parut si extraordinaire, qu'on s'informa de ce qu'il était. Ses réponses satisfirent : M. Bernardin était connu, estimé. On fut enchanté de lui avoir une obligation : la soirée fut délicieuse, et très prolongée.

Le lendemain, le jeune homme vint chez M. et Mme Dupré, leur faire la proposition d'être leur pensionnaire. On y consentit avec joie, et il s'installa le même jour. On disputa néanmoins sur le prix : mais ce fut pour empêcher de le donner trop considérable.

Bernardin admira ses trois maîtresses pendant plusieurs mois. Il avait espéré qu'en les voyant tous les jours, et vivant familièrement avec elles, il se déciderait pour l'une des trois. Effectivement, il se décidait chaque jour, pour toutes trois l'une après l'autre : c'était toujours celle à laquelle il parlait, qui lui paraissait la plus aimable, et il était prêt à la demander, quand une des deux autres venait aussitôt changer sa résolution.

Un jour, qu'il avait causé très longuement avec Amable, il se sentit absolument déterminé. Il entra chez la mère, qui était auprès de son mari, et il leur témoigna le désir d'être leur gendre. Il allait nommer Amable, sans qu'on l'interrogeât, lorsque les deux autres, Amasie et la jeune Aimée entrèrent ensemble. Il fut interdit. Leurs parents les renvoyèrent, pour ne pas gêner le choix; et dès qu'elles se furent retirées, ils prièrent Bernardin de s'expliquer? Il ne put s'y résoudre : les trois sœurs exerçaient en ce moment sur son cœur, une égale attraction. Il répondit, en conséquence, qu'être leur gendre était tout ce qu'il désirait, et qu'ils lui donneraient eux-mêmes celle de leurs filles qu'ils jugeraient à propos.

La mère aimait davantage la plus jeune, le père la seconde; mais l'usage et la raison étaient pour l'aînée. Le père et la mère réfléchirent. La mère n'osa proposer Aimée, de peur de mortifier son mari; M. Dupré n'osa proposer Amable, de peur de contrarier sa femme. Tous deux pensaient aussi qu'il était dans l'ordre de proposer Amasie. Ainsi tirés de trois

côtés, ne sachant pour laquelle de leurs filles pen-
chait leur pensionnaire, ils ne purent parler, et
demeurèrent muets... Bernardin les pressa. Tous
deux alors, par pudeur, n'osèrent faire un passe-droit
en faveur de leur favorite; ils nommèrent ensemble
Amasie.

A ce nom prononcé, Bernardin sentit qu'il allait
perdre l'espoir d'obtenir Amable, et renoncer à
Aimée... Il en frémit, et balbutia. « Choisissez! lui
crièrent les deux époux. Choisissez! Nous n'enten-
dons pas vous gêner! — Remettons à demain! », dit
Bernardin. On remit donc.

Le jour suivant, de lui-même, Bernardin, enchanté
d'Amasie, se hâta d'aller dire qu'il la choisissait.

Le père secoua la tête. La mère aussi. Bernardin le
remarqua, et fit valoir les droits d'Amasie. Il obtint
l'aveu désiré. Il courait instruire la belle, sa première
inclination, lorsqu'il rencontra Aimée! Il ne voulait
pas s'arrêter, mais la friponne était si jolie!... Elle le
retint : ils causèrent. Le résultat de leur entretien fut
que, Bernardin, au lieu d'aller annoncer à la belle
Amasie qu'il venait de la choisir, retourna auprès des
parents, leur déclarer qu'il était absolument décidé
pour Aimée... La mère se jeta au cou de son gendre
futur, en lui disant : « Mon cher ami! tu feras le bonheur de ma vie, en faisant le tien! Aimée est
charmante! — Oui, dit le père; elle est ma fille,
comme les deux autres : mais... passer avant ses deux
sœurs!... Si c'était l'aînée, le différend serait partagé. »

Amable parut. Elle venait rendre compte d'une
commission à son père. Bernardin, en la voyant, ne
sentit rien pour les deux autres : il fut tout à la belle
Amable. Il dit au père : « Vous avez raison,
monsieur! Terminons, si Mlle Amable y consent, et à
l'instant même? » Amable rougit. Le père donna la

main à son gendre, et le mariage fut arrêté. Bernardin sortit, enchanté de s'être décidé.

Il tomba entre les mains d'Aimée, en quittant son
beau-père et sa belle-mère futurs. Elle l'agaça. Ils
étaient seuls. Elle l'enchanta. Les sens parlèrent... et
tout le reste s'ensuivit.

Voilà M. Bernardin décidé pour Aimée. Il courut le
dire à la maman, sans pourtant faire la confidence
entière. La bonne dame fut comblée. Elle proposa de
laisser aller les préparatifs, comme pour Amable, et
d'épouser Aimée. Bernardin le promit.

Le lendemain, Amable et Aimée allèrent faire des
emplettes avec leur mère, qui riait sous cape. « Ce
sont les emplettes de ma chère Aimée, qui sont pour
le mariage! pensait-elle : mais il faut laisser Amable
dans l'illusion... » On acheta.

Mais Bernardin, resté seul à la maison avec Amasie, eut avec elle un entretien, dans lequel elle lui
parut si aimable, et si tendre, qu'il le fut aussi. Amasie résista peu : on croit même qu'elle *réciproqua*. Il
en résulta un amour complet.

Voilà Bernardin bien embarrassé!... Au fond,
c'était Amable qu'il aimait davantage. Il le sentit, en
ce moment. Et c'était précisément celle qu'il venait
d'exclure par le fait. Il en fut très fâché, même avant
de la revoir. Il parut morne, pensif, tout le reste du
jour, le lendemain, le surlendemain... Le père lui
demanda, s'il était fâché d'épouser Amable! « Au
contraire! répondit Bernardin. C'est elle que
j'adore!... Mais... mais... » Il en resta au second *mais*,
et le père ne le fit pas s'expliquer.

Ce fut en le quittant que Bernardin fit une
réflexion singulière!... Épouserai-je celle que j'aime
un peu moins, au préjudice de celle que j'aime un
peu plus! Voyons? il faut que la nature en décide...
Au fond, j'aime les trois sœurs : me priverai-je de la

plus aimée? Non! non, et je verrai quelle sera celle que la nature voudra que j'épouse, en la rendant mère. »

Il dit. Et ayant aperçu la belle Amable seule, il alla auprès d'elle... Jamais il ne fut de beauté plus touchante... Mais nous sommes historien, et ce n'est pas ici le cas d'être peintre. Amable fut tendre pour son futur, quoiqu'elle voulût se conserver intacte : elle opposa des difficultés très grandes! Bernardin eut une peine infinie à les surmonter. Mais tout le favorisa, l'amour, la solitude, les désirs, Vénus, ou la Beauté : il rendit égal le sort des trois Grâces.

Depuis ce moment, ce fut Amable qu'il préféra. Il palpitait de crainte, dans l'attente de ce qui devait arriver!... On différait le mariage : Bernardin lui-même, honnête homme au fond, aurait été désolé de ne pas épouser celle des trois, qui peut-être seule deviendrait enceinte... Il attendit, sous différents prétextes, qui donnèrent beaucoup d'inquiétude aux parents, et aux trois belles! Celles-ci firent chacune leur confidence, Amable à son père, Aimée uniquement à sa mère, et Amasie à tous deux, mais la dernière.

Après la confidence d'Amable, qui commença, le père pressa vivement le mariage. Après celle d'Aimée, qui eut lieu quelques jours après, la mère pressa vivement Bernardin d'épouser sa puînée; après la confidence d'Amasie, la semaine suivante, le père et la mère demeurèrent indécis, tentés de regarder Bernardin comme un escroc de faveurs. Ils furent quelques jours à délibérer. La douleur était peinte sur leurs visages. Enfin, ils résolurent de parler.

Un matin, ils prirent Bernardin en particulier : « Monsieur! lui dit le père, vous vous êtes conduit de façon, que c'est un grand malheur pour nous de vous

avoir admis dans notre maison! » A ces mots, dont
Bernardin sentit la force, il se mit à leurs genoux :
« Daignez m'entendre, avant que de me condamner!
leur dit-il. Vos trois filles sont également aimables;
je les ai toutes trois également aimées; mais
singulièrement! Leur mérite est si parfaitement égal,
que je préfère toujours celle avec qui je suis, ou la
dernière que je quitte : voilà pourquoi vous m'avez
vu incertain, vacillant. J'ai tenté le bonheur : je ne
l'ai pas ravi en fourbe, en trompeur : j'adorais celle à
qui je le prouvais... Je suis au désespoir de ce que j'ai
fait... Cependant, j'espère encore. La nature fera mon
destin. La première enceinte sera ma femme. »

Le père et la mère, un peu rassurés, y consentirent,
quoique avec douleur... On attendit.

Le père, rusé procureur, voulait marier sa chère
Amable : elle ressemblait aux belles de la famille, et
par cette raison, il la croyait plus sa fille que les deux
autres, qui tenaient, Aimée du côté maternel, et Amasie, beaucoup d'un ancien maître clerc. M. Dupré conseilla donc adroitement à la seconde fille de feindre
les symptômes de la grossesse. Elle avait peine à s'y
déterminer... Cependant elle obéit à son père. Aimée,
au contraire, et encore plus Amasie, cachaient une
grossesse effective. Il résulta de là que le mariage
avec Amable fut décidé, à la grande satisfaction du
père, et de l'amant lui-même. On voulut qu'il fût
secret, pour ne pas exposer Amable aux regards, et
ne pas désoler ses deux sœurs, en cas d'accident. On
maria Bernardin avec Amable, après une publication
et dispense. Les deux sœurs n'entendirent parler de
rien. Le jour du mariage fut un jour ordinaire.

Cependant, le temps marchait; il volait, moisson-
nant avec sa faux, la vie, la beauté, la pudeur, et leurs
accessoires : la grossesse d'Aimée ne pouvait plus se
dissimuler; celle d'Amasie lui causait des souffran-

ces... Il fallut les laisser paraître. Amable, au contraire, était demeurée fille dans le mariage. Quelle
douleur pour les parents!... Bernardin lui-même était
affligé... Mais Amable était si belle, que sa conscience
seule s'affligeait! La mère était inconsolable... et ne
pensait à rien moins qu'à faire casser le mariage,
sous prétexte d'erreur. Elle avait arrangé le roman,
quand Amable devint réellement comme ses deux
sœurs...

On cacha la situation des deux *innuptées*[1]; elles
accouchèrent secrètement, et le terme d'Amable
arrivé, l'on s'arrangea de façon à donner les trois
enfants à celle-ci. On fit mettre cette triple maternité,
comme un phénomène, dans la gazette de Leyde, et
l'on y admirait la vigueur des Trimeaux. Les deux
sœurs n'ont pas voulu se marier : Bernardin a
aujourd'hui beaucoup d'enfants, qui tous passent
pour être de sa femme. Si quelqu'un trouvait ce
grand nombre d'enfants extraordinaire, il leur répon-
drait (nous a dit une personne sûre), *que les trois
n'en font qu'une*[2].

TROISIÈME NUIT

Le 13 juillet[3]

DANS la journée, les bandits du faubourg Saint-
Marcel étaient passés devant ma porte, pour aller se
réunir aux bandits du faubourg Saint-Antoine. Ces
bandits étaient mendiants de race, avec les horribles
tireurs de bois flotté; tout cela formait une tourbe

redoutable, qui semblait dire : « C'est aujourd'hui le
dernier jour des riches et des aisés : demain sera
notre tour. Demain nous coucherons sur l'édredon, et
ceux auxquels nous aurons laissé la vie, occuperont,
s'ils le veulent, nos ténébreux galetas. » Toutes les
femmes tremblaient. Pour moi, je me disais : « Voilà
le moment, ou jamais, de former une milice
nationale! » Je ne travaillai pas. Je me levai du matin,
pour l'unique fois depuis longues années, et j'allai
trouver les ouvriers, les artistes de ma connaissance :
« Amis! leur dis-je, courez à vos districts, dites-leur
qu'il faut que les bourgeois honnêtes s'arment, pour
se préserver des brigands et des hommes grossiers! »

Je n'eus pas achevé de parler, que Berthet, Binet,
et Cordier, et Meimac, et Jeannin le roux, et Daniol le
manceau, Daniol qui quelques jours auparavant avait
voulu me battre, et Brihamet, et Martin le
barbouilleur; Eloi, Allois, Nerat, Saunier, Perchelet,
Angot, et Desgosiers, et Fouquet, et Barri, et Filâtre,
et Violot s'élancent hors de l'atelier. Chacun va porter à cent autres la triste nouvelle, que des brigands,
profitant des troubles, se proposent de piller la ville
dans la nuit suivante.

Aussitôt les honnêtes bourgeois effrayés s'assemblent, délibèrent. D'autres vont au fait, et se réunissent aux patrouilles. Le soir, à dix heures, en sortant
du Palais-Royal, je vis, avec transport, la première
patrouille bourgeoise. Un grand et bel homme, en
surtout blanc, en bottines, la commandait. Il marchait
avec une gravité imposante : il traverse le ruisseau
fangeux, vis-à-vis Saint-Honoré, où était déjà un
corps de garde, et vient s'y faire reconnaître; donnant, dès ce premier instant, l'idée de distinguer les
fausses patrouilles. Je voudrais connaître et faire
connaître ce digne citoyen : il se reconnaîtra lui-
même, à la description : c'était le lundi 13 juillet, à

dix heures du soir, que je l'ai vu avec sa patrouille, vis-à-vis le Café militaire.

Le tocsin sonnait, le Palais-Royal motionnait : tout était dans le trouble et la consternation. Dans la journée, on avait été aux Invalides, chercher des fusils; et le lendemain, on devait aller faire la même demande à la Bastille... A la Bastille, dont les tours élevées reposaient encore sur leurs fondements profonds, arrosés des larmes de tant d'infortunés!

Rassuré par la vue des patrouilles bourgeoises[1], j'osai errer dans les rues de la capitale. Je ne sais pourquoi je ne craignais pas les complots extérieurs. Je ne redoutais que les bandits, et je voyais leurs vigilants *réprimeurs* sous les armes. Mais hélas! l'abus se glisse à côté de la loi, et le poison est voisin du remède. Parvenu dans le Marais, j'entends des cris. Six hommes armés poursuivaient une jeune fille, qui me parut une femme de chambre. Telle la perdrix qui fuit l'autour, vient quelquefois se jeter dans le sein du chasseur. La jeune fille se précipita dans mes bras. J'étais sans armes. On l'en arracha.

« On ne veut pas vous faire de mal! lui dit le chef de la troupe, mais il faut que vous ouvriez les portes : nous voulons savoir si l'homme que nous cherchons n'est pas dans la maison où vous alliez rentrer? S'il n'a pas des armes, de la poudre!
— Hélas! messieurs, je suis seule : tous les domestiques sont partis ce matin, avec mon maître et ma maîtresse, et comme j'ai senti que j'aurais peur, j'allais coucher avec une de mes connaissances, ici près, quand vous m'avez vue sortir. J'avais oublié quelque chose, je revenais le prendre : je vous ai aperçus; j'ai eu peur, et je suis revenue sur mes pas, en courant.
— Cela paraît vraisemblable : cependant nous voulons visiter la maison. » La jeune fille fut obligée

d'ouvrir. On me dit impérieusement de m'éloigner, et je fus obligé de marcher.

Je n'allai pas loin; malgré le péril auquel je m'exposais, je me cachai dans l'ombre, et j'écoutai. J'entendis crier la jeune fille. Mais au même instant, j'entrevis une autre patrouille. « Messieurs! dis-je à celle-ci, une patrouille est entrée dans cette maison; je la crois fausse, et ce qui me le confirme, ce sont les cris de la jeune femme de chambre qu'ils ont obligée à les introduire. » A ces mots, le chef de la patrouille s'approcha de la porte, et voulut entrer. Un fusilier, qu'on y avait laissé, s'y opposa : cette résistance redoubla les soupçons. On força la porte. La sentinelle tira en l'air, et disparut. Nous entendîmes un grand bruit dans la maison, comme de gens qui s'enfuyaient par le jardin. On tira sur eux, et ils laissèrent ce qu'ils emportaient. C'était une fausse patrouille de voleurs, tous domestiques des maisons voisines, qui sachant l'absence des maîtres de la jeune fille, s'étaient mis en patrouille, pour voler. Ils lui avaient fait parler par un inconnu. Lorsqu'ils s'étaient vus les maîtres, se croyant loin de tout danger, la beauté de Joséphine les avait tentés, et ils voulaient se satisfaire : mais elle avait crié. Le coup de fusil de leur sentinelle, les ayant instruits du péril, ils avaient fui. On réintégra toutes choses. La véritable patrouille se conduisit comme devaient le faire d'honnêtes citoyens; on ferma bien les portes, et la jeune fille alla coucher avec son amie.

Ce trait n'est qu'un seul des traits nombreux, arrivés pendant cette nuit terrible, que précéda un jour plus terrible encore, un jour à jamais fameux dans les fastes françaises.

Les huit sœurs, et les huit amis[1]

Des parents honnêtes, mais peu riches, avaient une nombreuse famille, composée de huit filles, à un an l'une de l'autre. Adèle, l'aînée, avait vingt ans; Adélaïde, la seconde, dix-neuf; Sophie, la troisième, dix-huit; Julie, la quatrième, dix-sept; Rose, la cinquième, seize; Victoire, la sixième, quinze; Isabelle, la septième, quatorze; et enfin Adeline, la huitième, treize. Elles étaient belles toutes les huit, et remplies de mérite, de talents, comme presque tous les enfants des familles nombreuses.

Un jeune homme de Lyon faisait les exercices à Paris. Il était riche et beau garçon. Un jour qu'il se promenait, en rêvant (car il s'occupait de littérature), dans les bosquets du jardin des Plantes, il entendit, derrière une haie de lilas, deux jeunes personnes, qui s'entretenaient ensemble. L'une disait à l'autre : « Je serai toujours malheureuse! j'ai l'âme trop sensible! — Comment le sais-tu, à ton âge? lui répondit sa compagne; tu n'as que quinze ans! — Je le sais, répondit Victoire, à l'émotion que j'éprouve, en voyant ce jeune homme, qui demeure à l'entrée de la rue des Fossés-Saint-Victor!... J'éprouve, en le voyant, non le désir... qu'il soit à moi... je vaux trop peu... mais qu'il soit heureux... Il me semble seulement que si c'était moi, qui fît son bonheur... ah! qu'il serait doux! — C'est que tu l'aimes, mon enfant! répondit Adèle : je ne le connais pas; mais il doit être aimable, car tu as le goût exquis. »

Dorival voulut voir celles qui parlaient, et il reconnut deux charmantes voisines. Victoire l'avait déjà intéressé : il l'adora, d'après ce qu'elle venait de dire.

Les deux jeunes filles en rejoignirent six autres,

qu'elles appelèrent leurs sœurs. A ce mot, Dorival
tressaillit. « Voyons, se dit-il à lui-même, si effectivement elles sont sœurs. Mais du moins elles sont
amies, ou compagnes. » Il prit un détour, et revint
par une butte tortueuse, au milieu du joli cercle, pré-
sidé par la mère. Il s'arrêta... Un petit frémissement
agita la jolie société.

« Madame, dit le jeune homme, pardonnez ma
curiosité ! Êtes-vous la mère de ces huit jeunes
personnes ? — Oui, monsieur. — J'en suis enchanté,
madame. — Et moi aussi, monsieur... » Le jeune
homme se retira, au grand regret de Victoire.

Le lendemain, M. Pin (c'est le nom du père des huit
sœurs) reçut la visite d'un grand garçon, qui lui remit
une lettre d'un de ses amis, fixé à Lyon, par un riche
mariage, il y avait près de vingt-cinq ans. Cet ami,
M. Dorival père, marquait à M. Pin, qu'ayant envoyé
son fils à Paris, il s'était ressouvenu de leur ancienne
amitié, pour le lui recommander, le prier de lui donner ses conseils, et même de le prendre en pension
chez lui. M. Pin avait tendrement aimé M. Dorival ; il
fut très touché de sa lettre, et demanda au jeune
homme, s'il était ce fils. « Oui, monsieur ! — Vous
désirez d'être en pension chez moi ? — C'est le plus
vif de mes désirs : je me croirai dans la maison
paternelle, en me trouvant chez l'ami, dont mon père
m'a si souvent parlé, avec attendrissement. — Vous
êtes le maître ici, répondit M. Pin vivement ému : le
fils de mon ami sera le mien... » Et il l'embrassa. Il
fut arrêté que Dorival occuperait un petit appartement au troisième.

Mme Pin était absente, et ses filles ne parurent pas.
Le père conduisit Dorival à l'appartement vide, et lui
dit de donner ses ordres, pour le faire meubler. Le
jeune homme se chargea de cette dépense, et sortit.

A l'heure du dîner, il reparut. M. Pin avait instruit

sa femme en gros. Elle fut très surprise, en voyant le jeune curieux de la veille!... Elle le salua d'un air de connaissance, et l'on se mit à table. Comme le cœur battait à Victoire!... Elle ne mangea pas.

Dorival écrivit à son père, dès le même soir, son entrée chez M. Pin.

Quinze jours après, il écrivit une seconde lettre, où se trouvait cette phrase : « Si vous ne voulez pas consentir à prendre une des huit demoiselles Pin, pour votre bru, il est temps que je sorte de cette maison... »

M. Dorival n'avait pas d'éloignement pour une alliance avec une fille de son ami : mais il voulait que la bru lui convînt. Il écrivit à son fils, qu'il voulait voir son choix : il renvoyait la lettre de Dorival, en priant M. Pin de surveiller doublement le jeune homme.

M. Dorival et son épouse arrivèrent une heure après la réception de ces lettres. Ils descendirent dans un hôtel garni très voisin de la maison de M. Pin; et ayant guetté leur fils, ils s'y rendirent aussitôt qu'il fut sorti. La lettre pour Dorival ne lui avait pas encore été remise. Les deux amis se donnèrent les plus tendres marques d'un véritable attachement : M. Dorival père dit à M. Pin, qu'il avait résolu de cacher son arrivée à son fils : puis il le pria de lui montrer sa famille.

M. Pin appela d'abord Adèle, qui passa. « Si c'est là le choix de notre fils, s'écrièrent M. et Mme Dorival, nous ne le contrarierons pas : Mlle Pin l'aînée est charmante... »

Adélaïde parut ensuite. Elle ne fut pas trouvée moins aimable. Julie lui succéda. Sophie à Julie. A celle-ci Rose. Isabelle parut après. Elle fut remplacée par Adeline.

« Notre fils choisira celle qu'il voudra. Toutes sont

charmantes... — Je n'en ai compté que sept! dit
Mme Pin. — Victoire... va paraître, dit la mère. Elle
est timide... Je vais la chercher. » Elle y alla.

M. et Mme Dorival faisaient l'éloge des sept demoiselles Pin, lorsque Victoire parut avec sa mère. Elle
les saisit d'admiration. Mme Dorival se leva, pour la
prendre sur ses genoux. « Ah! ciel!... », dit le père du
jeune homme. Mais il se retint, en présence de Victoire.

Lorsqu'elle fut sortie : « Si le cœur des pères et
celui des fils, dit-il, ont quelques rapports, voilà celle
que doit préférer mon fils, et c'est la seule que nous
voulons pour notre bru... Mais il peut revenir... Surtout, qu'il ne nous voie pas... avant que son choix soit
déclaré. » Ils sortirent, et Dorival fils étant rentré, on
lui remit sa lettre.

Il la lut avec transport, mais il ne la montra pas. Il
devint seulement plus affectueux, plus prévenant à
l'égard de M. et Mme Pin. Ses attentions devinrent si
égales envers les huit sœurs, qu'on ne pouvait le devi-
ner... Quelques jours s'écoulèrent. Mme Pin fit une
demi-confidence à ses filles, pour les engager à faire
expliquer Dorival.

Un jour qu'elles étaient toutes quatre à travailler
dans le salon, Adeline laissa tomber son peloton de
fil. Dorival, qui causait debout et découvert avec
Mme Pin, se précipita comme un trait, ramassa le
peloton, et le remit à la jeune Adeline, qui le remercia en riant.

Un instant après, Adèle l'aînée laissa tomber le
sien, qui vint entre les jambes de Dorival. Il le saisit
avec le même empressement, et le remit avec le
même air gracieux. Il continua de causer avec la
maman.

Enfin Victoire laissa tomber son fil. Dorival le
ramassa d'un air sérieux; le lui remit avec une

respectueuse inclination, et revint auprès de la dame.

« Mesdemoiselles! dit sévèrement celle-ci, est-ce un jeu? — Non, maman, répondit Adeline; je ne l'ai pas fait exprès. — Moi, maman, je l'ai fait exprès, dit Adèle, pour voir si monsieur serait aussi poli pour l'aînée que pour la cadette. — Et vous? (regardant la troisième). — Maman! répondit Victoire en rougissant, la peur que j'avais qu'il ne tombât me l'a fait échapper! — Alors, reprit la maman, personne n'est coupable, et j'en suis bien aise. — Bonne maman! s'écria Adeline, ah! que tu es bonne!... » Dorival se retira.

Huit jours d'égalité s'écoulèrent encore. Mme Pin s'avisa, le neuvième jour, de se présenter à Dorival toute en larmes! Pin, effrayé, se précipita vers elle... « Madame!... ma mère!... qu'avez-vous? — Toutes mes filles me sont également chères... Mais en perdre une! — Laquelle, madame? — Hé! qu'importe, pour une mère!... — Il est vrai, madame! Mais qu'a-t-elle... Laquelle, madame? — La pauvre Adèle... — Calmez-vous, tendre mère! Il faut voler à son secours... — Elle s'occupe de sa sœur... Elle a passé la nuit. — Ce n'est pas elle! — Chère enfant!... Adélaïde... — Calmez-vous! — Va remplacer son aînée. — Vous ne me nommez pas celle... — Julie. — Quel dommage! si... — Et Sophie... ne peuvent s'en remettre. — Madame! — Isabelle... Adeline... sont là... — Ciel! serait-ce Victoire!... *(bas)* ah! le ciel veut mon malheur... et ma mort!... — Calmez-vous, mon cher Dorival!... Dans un instant... je suis à vous! — Je vous suis, madame! — Non! je ne le veux pas! — Vous savez quelle est celle qu'il aime! dit Mme Pin, au père et à la mère du jeune homme, cachés dans un cabinet, et témoins de cette scène, qu'ils avaient exigée. — Oui, répondit M. Dorival,

c'est Victoire! c'est notre bonne amie... Allez la chercher, et mettez-la entre nous. »

Mme Pin fit ce qu'on lui demandait. Victoire, doucement prévenue de son bonheur, vint se placer dans
le cabinet, entre son beau-père et sa belle-mère
futurs. Cependant Dorival se désolait. « O ma chère
Victoire! Idole de mon cœur! divinité de mon âme! si
j'allais vous perdre! je ne vous survivrais pas! »
Victoire entendit ce monologue. M. Dorival père lui
dit : « Ma fille, que jamais votre mari ne sache que
vous avez lu dans son cœur. Laissez-le vous aimer à
sa manière. »

Mme Pin, de retour auprès du jeune homme, lui
dit : « Elle repose... Laissons-la reposer... L'agitation
serait dangereuse! » Dorival baisa les deux mains de
Mme Pin, en lui disant : « Ah! je donnerais... ma vie...
pour elle!... » On le laissa sortir.

Quand il revint, au bout d'une heure, il vit la jolie
Victoire, en battant-l'œil[1], espèce de coiffure, qui lui
allait à ravir! un peu pâlie... entre son père, sa mère,
et deux inconnus, qui tournaient le dos. Il salua; puis
venant baiser la main de la mère, il lui dit : « Elle va
mieux ? » Victoire sourit. Elle fut si jolie... que Dorival fut prêt à se jeter à ses genoux... On en vit le mouvement. « Monsieur et Madame, dit-il, sans reconnaître les étrangers, couverts l'un d'un manteau, l'autre
d'une capote, j'ai sept amis de cœur, comme M. Pin
l'est de mon père. Nous avons fait un pacte ensemble : je vous demande de vous les présenter? — Tout
ce que tu voudras, mon bon ami, répondit M. Pin... »
Sans répliquer autrement que par une inclination,
Dorival disparut.

« Notre fils ferait-il un des huit associés? dit
M. Dorival... Nous avons, à Lyon, huit jeunes gens,
secrètement amis, qui ont juré de n'épouser que des
sœurs, ou d'intimes amies! Si cela est ainsi, vos huit

filles vont avoir chacune un bon parti; car ces jeunes gens sont tous aussi riches que le sera mon fils. »

Mme Dorival donna les détails. Elle dit que ces jeunes gens s'aimaient tendrement, que le bonheur de l'un était celui de l'autre. Qu'aucun des parents ne savait si son fils en était; mais qu'ils devaient tous huit se liguer contre le malheur.

Elle en était là, quand Dorival rentra, suivi de sept autres. Son père et sa mère se mirent à l'écart. Les sept amis saluèrent en silence. Dorival pria qu'on appelât les sept demoiselles absentes. Elles parurent, à l'ordre de leur mère. Les jeunes gens allèrent, l'un après l'autre, auprès de M. et Mme Pin, en prononçant ce mot : « *Permettez-vous?* » Le père et la mère, pour être encore plus laconiques, ne firent qu'un signe de tête. Alors le plus âgé des huit alla prendre Adèle; le suivant, âgé de vingt-cinq ans, prit Adélaïde; celui de vingt-quatre ans, Sophie; celui de vingt-trois, Isabelle; et celui de dix-neuf, Adeline. Alors Dorival frappa dans ses mains, en disant : « Les dignes amis! Ils savent que je suis le moins vertueux, et ils m'ont laissé l'épouse avec laquelle il est plus facile d'être constant à jamais! »

A ces mots de leur fils unique, M. et Mme Dorival poussèrent un cri de joie, et se montrèrent. Leur fils se précipita dans leurs bras, en y mettant Victoire.

« Tu es un des huit ? et les voilà tous!

— Oui, mon digne père. Celui qui a pu se faire aimer, doit choisir le dernier. C'est ce que vous venez de voir... Mes généreux amis ont pénétré mon secret malgré moi!

— Je les connais tous! dit M. Dorival à M. et Mme Pin; ils sont dignes de vos filles. »

Les huit mariages se sont faits le même jour.

QUATRIÈME NUIT

Le 14 juillet[1]

JE m'étais levé tard, pour achever les *Tableaux de la vie*, que j'envoyais à New-Wied : je sors vers les trois heures et demie, la tête encore embarrassée, et je m'avance comme un homme ivre, du côté du pont Notre-Dame. Le grand jour, occasionné par le dégagement, commençait à m'éveiller; je respirais librement, lorsque j'aperçois devant moi une foule tumultueuse. Je n'en fus pas surpris... Je m'avance, et... ô spectacle d'horreur! ce sont deux têtes, que je vois au bout d'une pique!...

Effrayé! je m'informe... « C'est, me dit un boucher, les têtes de Flesselles, et de de Launay... » A ces mots, je frissonne! Je vois un nuage de maux s'élever sur la capitale infortunée des Français... On me trompait cependant en partie : la tête de Flesselles, défigurée par le coup de pistolet qui venait de terminer sa vie, roulait avec les flots de la Seine. C'était de Launay et son major, que je voyais outrager!

Je m'avance : mille voix servent d'organes à la Renommée... « La Bastille est prise... » Je n'en crus rien, et j'avançai, pour en aller voir le siège... Au milieu de la Grève, je trouve un corps, tronqué de sa tête, étendu au milieu du ruisseau, et qu'environnaient cinq ou six indifférents. Je questionne... C'est le gouverneur de la Bastille...

Quelles réflexions!... Cet homme, qui naguère ne répondait au désespoir des malheureux, ensevelis tout vivants sous sa garde, que par d'exécrables ministres, le voilà!... J'avançai, sans m'informer davantage : mon âme éprouvait trop de sensations; elle n'aurait pu, dans son émotion orageuse, entendre des détails.

Après avoir passé l'arcade de l'Hôtel-de-Ville, je rencontre des cannibales; l'un, je l'ai vu, réalisait un horrible mot, prononcé depuis, il portait au bout d'un *taillecime* les viscères sanglants d'une victime de la fureur, et cet horrible bouquet ne faisait frémir personne!...

Plus loin, je rencontre les morts des assiégeants portés sur un brancard : j'en vis cinq en tout, y compris deux blessés... Derrière eux étaient les invalides et les Suisses prisonniers; de jeunes et jolies bouches... j'en frémis encore!... criaient : « Pendez! pendez! » sur ces infortunés!... Mais ce qui m'émut davantage, ce fut un grand et fort soldat suisse, auquel on avait couvert la tête d'un *surchef* de boucher, qui marchait tiraillé par un polisson, dont il supportait tout le poids. Et ce petit tigre, que je fus tenté d'assommer, ajoutait, aux injures atroces, des coups de bâton sur les chevilles et les os des jambes... Ce ne fut cependant pas ici une des victimes; les deux malheureux invalides étaient déjà au fatal réverbère...

J'allais pour voir commencer le siège de la Bastille, et déjà tout était fini; la place était prise : des forcenés jetaient les papiers, des papiers précieux pour l'histoire, du haut des tours, dans les fossés... Un génie destructeur planait au-dessus de la ville... Je la vois, cette Bastille redoutée, sur laquelle, en allant, chaque soir dans la rue Neuve-Saintgilles, trois années auparavant, je n'osais jeter les yeux! je la vis tomber, avec son dernier gouverneur!...

Oh! quelles réflexions. J'en étais suffoqué, et à peine je pouvais démêler ma pensée... Je m'en revins : un sentiment de joie, de voir cet horrible épouvantail prêt à tomber, se mêlait aux sentiments d'horreur, dont j'étais rempli!... Revenu dans la Grève, je m'informe : c'est là que j'apprends comme a été pris de Launay : les causes de la fureur qu'il avait inspirée : comme le vertueux Delolme a péri, quoique défendu par un ex-prisonnier. Comment de Launay, indécis, avait été la victime du courage de son major, qui voulait se défendre. Comment, dans son indécision, il avait fait relever le pont-levis, après avoir laissé entrer. Comment d'autres ordres que les siens avaient fait tirer sur le peuple. Comment il avait été saisi par un grenadier : comment, conduit à la place de Grève, pour être présenté à la ville, il avait reçu d'un polisson, sur sa tête chauve, un coup de canne, qui lui fit répandre des larmes, et s'écrier : « Je suis perdu! » Comment, ce coup, suivi de mille autres, avait été le signal de sa mort : comment on lui avait coupé la tête, vis-à-vis les premières maisons à piliers du côté du port, et comment on la portait sur une pique. Comment on l'avait fouillé, et porté ses lettres à l'Hôtel-de-Ville : comment elles accusèrent l'infortuné Flesselles, auquel on cacha la mort du gouverneur. Comment on l'avait fait descendre, et comment un homme gros et fort, en le traitant de traître, lui brûla la cervelle... Comment on avait pendu au reverbère les deux invalides artilleurs, dont on avait également coupé les têtes!...

Je frissonnai. « O Lambesq! pensai-je, votre imprudente conduite a jeté les plus sinistres soupçons dans l'esprit du peuple, et c'est vous qui venez d'assassiner ces cinq malheureux! »

J'errai le reste de la soirée. En passant devant la place Dauphine, j'entendis le tambour : un homme bien mis y donnait l'avis public, qu'il y avait, au Luxembourg, des souterrains, pour aller à la plaine de Montrouge. Je fus tranquille : je sentis que c'était une fausse alarme, et que si l'on en avait eu de véritables, l'on n'aurait pas controuvé celle-là.

J'allai au Palais-Royal. Toutes les boutiques y étaient fermées : les têtes, comme celle de Méduse, semblaient y avoir tout pétrifié... Les groupes du jardin n'étaient plus occupés, comme les jours précédents, de motions; ils ne parlaient que de tuer, de pendre, de décapiter : mes cheveux se hérissèrent...

Tout à coup, un homme arrive : « Messieurs! nous courons le plus grand danger! Il ne se trouve que huit hommes au poste le plus important, celui de l'entrée du pont Royal : et il en faudrait huit cents, pour garder le canon... Que tous les bons citoyens montrent leur zèle! Qu'ils aillent avertir au district de Saint-Roch, tandis que d'autres iront annoncer au poste un prompt secours. » J'allai au pont Royal.

Je n'y vis effectivement que huit hommes. Je traversai le pont, et m'en revins par le quai des Quatre-Nations. On y demandait « *Qui vive?* » comme dans les villes de guerre. Les fausses alarmes tenaient tout en haleine. J'avançai. Ici, l'on dépavait, pour arrêter la cavalerie. Là, on amoncelait les chaises des églises, malgré les cris des loueuses. Toutes les avenues étaient patrouillées, et des piquets laissés interrogeaient tous les passants.

Ce fut ainsi que, laissant ma demeure, j'allai jusqu'à l'île Saint-Louis, que je ne manquai jamais à circuler, jusqu'à ce jour[1]. Au milieu de la rue Saint-Louis, je fus interrogé. Je dis ce que j'avais vu, et qu'à l'instant même un cavalier venait d'arriver à toute bride, criant « *Aux armes!...* » Un homme noir me remarque, me nomme : je décline mon nom, et m'éloigne.

A l'entrée du pont de la Tournelle, pour retourner chez moi, une sentinelle, petit homme qui me parut méchant, m'arrête avec ironie, et me force d'entrer au corps de garde. C'en était fait de ma vie, si le scélérat qui mettait en œuvre un polisson, eût osé se montrer!

Il est si vrai que j'étais désigné, que la sentinelle ne me connaissait pas personnellement; que le petit homme noir, qui venait de me remarquer, ne m'avait signalé que par mon habit rouge, et que je trouvai dans le corps de garde, un autre homme, aussi en habit rouge, qu'on avait arrêté pour moi. L'insolente sentinelle, qui me parut un faraud de rivière, de l'île, me tint des propos singuliers, et voulait me fouiller, non pas tout de suite, mais après être sorti un moment. Sans doute qu'il avait été consulter le délateur, qui pouvait me voir du dehors... Je demandais l'officier. On me montra le sergent, qui ne fit pas grande attention à moi. Je m'impatientais. On renvoya l'homme rouge arrêté pour moi. Un petit garçon dit un mot au sergent, qui sortit. En rentrant, il fut tout autre. « Vous avez renvoyé le premier, dit-il à la sentinelle, moi, je renvoie le second. » La sentinelle me saisit au collet, en disant : « J'ai des renseignements! j'ai des renseignements! C'est celui-ci, qui est l'espion du roi. — Ma foi! lui dis-je, je suis l'espion du vice, mais non celui du roi; je n'ai jamais eu l'honneur d'être en relation directe avec le chef de la nation... Cependant, ajoutai-je avec fermeté, l'officier me rend libre, sentinelle! (la repoussant) obéis à ton officier! » Et je parvins à me dégager. Je le répète, c'était fait de moi, si j'eusse été conduit à l'Hôtel-de-Ville. Le monstre dénonciateur criait après moi, et me faisait mettre au fatal réverbère. Ce jour-là, l'on n'examinait rien.

Mais qui avait si bien disposé le sergent en ma faveur?... Une jeune fille... Tandis qu'on m'arrêtait, une jolie brune, qui me remarquait tous les jours sur l'île, qui m'y voyait souvent, de sa fenêtre, écrire mes dates; elle entendit mon délateur conseiller de m'arrêter. Aussitôt cette jeune personne descend avec la cuisinière, et vient achever de me reconnaître, du dehors, par la fenêtre basse du corps de garde. Je m'expliquais alors. « Ah! dit-elle, c'est ce pauvre *Dateur*, que les enfants appelaient *Griffon*, depuis qu'un vilain homme, petit et noir, le leur a fait remarquer! C'est un bon homme; je me suis complue à le suivre, pour lire ce qu'il écrivait. Cela était fort innocent, je t'assure! » Elle appela un petit garçon, et l'envoya dans le corps de garde, demander le sergent. Cet homme sortit, et la jolie brune lui parla pour moi. Voilà ce qui me le rendit favorable.

En me retirant, je la trouvai. Malgré la timidité naturelle à son sexe, et l'heure, et le jour, elle m'aborda ; « Je veux vous reconduire chez vous! me dit-elle : vous avez un ennemi cruel, que j'ai entendu vous dénoncer... Donnez-moi le bras : je vous défendrai. » Surpris, confus, je la remerciais. La sentinelle était revenue à son poste. Cet homme dépendait du père de la jeune personne. « Qui êtes-vous ? me dit-elle. — Je suis l'auteur du *Paysan perverti*[1]. — Vous... Ah! si mon père était à la maison, il vous embrasserait!... Allons, Madelon, reconduisons-le chez lui... Je m'intéressais à lui, sans le connaître... Et toi, misérable! dit-elle à la sentinelle, prends garde à toi!... » Nous marchâmes.

« Je vous montrerai à mon père, quand vous reviendrez dater. — Je n'y reviendrai plus, mademoiselle! Je chérissais mon île; mais la voilà profanée! Je n'y reviendrai plus!... Hélas! elle l'était déjà! Un scélérat y a fait arrêter ma fille, malheureusement sa femme[2]... Je ne pouvais le pardonner à ma chère île! cependant, je l'aimais si tendrement, que je n'ai pu la quitter... Mais aujourd'hui, je la renonce[3]... Elle me faisait insulter par les enfants; je le lui pardonnais, parce que les enfants n'étaient pas encore devenus cruels! Aujourd'hui, qu'ils le sont devenus, ils la profaneraient, en me pendant à l'un de ces réverbères sacrés, qui m'ont si souvent éclairé dans le silence et l'obscurité de la nuit *(me retournant, et baisant la dernière pierre du pont de la Tournelle)* : Ah! mon île! ma chère île, où j'ai versé tant de larmes délicieuses! adieu te dis-je, adieu pour jamais! Tous les Français seront libres, excepté moi! Je suis banni de mon île! Je n'aurai plus la liberté de m'y promener! et le dernier charme de ma vie, est pour jamais détruit! » Je m'étais arrêté. La jeune personne était attendrie. « Vous y reviendrez pour nous! me dit-elle. — Non! non! le scélérat, qui traîna ma famille dans la boue, m'y ferait pendre à vos yeux... Je n'y reviendrai plus... »

Et je n'y suis plus revenu. Le 14 juillet 1789 est la dernière de mes dates sur l'île... « O 14 juillet, c'est toi qui, en 1751, me vis arriver à la ville, pour la première fois, tel que me présente la première estampe du *Paysan-Paysanne*! C'est toi qui m'ôtas aux champs pour jamais! et c'est toi qui me bannis de mon île[1]! »

Nous avançâmes en silence. Arrivés chez moi, la jeune personne y vit Marion, ma fille chérie, et elle l'aima; elle l'aime encore, elles s'aimeront jusqu'au dernier soupir!

LES GRADATIONS[2]

UN jeune homme de quinze ans, un peu précoce, devint amoureux d'une enfant de cinq à six. On n'en sera pas surpris, lorsqu'on saura que la petite Adélaïde, beaucoup plus tôt, avait fait naître deux passions violentes. Elle avait la figure noble, le rire délicieux, et surtout des yeux si beaux, qu'ils éblouissaient par leur éclat, et que, ses longues paupières baissées, ils inspiraient un sentiment de tendresse. Le jeune Dorange ayant vu Adélaïde, un dimanche au Palais-Royal, il la trouva si jolie, qu'il sentit qu'il l'adorait. Il la regarda longtemps : la petite s'en aperçut. En sortant, la foule les pressa : le jeune homme fit un petit cri. Adélaïde, qui, déjà, s'intéressait à Dorange, s'écria : « Ah! monsieur! prenez garde! » Cette marque d'intérêt acheva de décider le jeune homme.

Dès le lendemain, Dorange alla trouver sa mère dans son appartement : « Maman! lui dit-il, tu m'aimes, tu veux que je sois heureux... Eh bien! je ne puis l'être que par l'amour, et par un seul objet. — Avant tout, mon fils, répondit la mère, il faut deux conditions, pour que j'écoute seulement votre proposition : que votre maîtresse soit jolie, aux yeux de tout le monde, et qu'elle soit plus jeune que vous de plusieurs années. Sans cela, rien à faire : Épargnez-moi la douleur d'un refus. — N'exiges-tu que ces deux conditions-là, maman? s'écria le jeune homme. — Et qu'elle ait des mœurs. — Cela va sans dire, reprit le fils. Que ces trois? — Puis qu'elle ne soit pas fille de malhonnêtes gens; car malgré tout, je ne voudrais ni la fille d'un bourreau, ni de celle d'un geôlier, ni de celle d'un fripon, petit ou grand. — Oh! maman! toutes ces exceptions-là sont naturelles. — Je n'en mets plus.

— Celle que j'aime, dit posément le jeune homme, est fille de gens honnêtes, ni riches, relativement à nous; ni pauvres : c'est une fille unique, âgée peut-être de sept, huit, neuf ou dix ans. Elle est d'une beauté ravissante! Elle t'enchanterait, maman, comme elle m'a enchanté. — Comment êtes-vous devenu amoureux d'une fille de dix ans? — Ce n'est

pas de l'amour, je crois : c'est de l'attachement. Elle
est si jolie, que j'imagine que je l'aimerai un jour.
Mais, maman, élevé par toi, je sens tout le prix d'une
bonne éducation ! Je crains pour celle d'Adélaïde : je
voudrais l'élever moi-même, dirigé par toi, ma mère ?
— Voilà de singulières idées ! — Écoute mon plan :
depuis quelque temps, je songe au bonheur : je le
mets à aimer une épouse, le plus tendrement possible. Mais je vois qu'il ne dépend pas toujours de nous
d'aimer. Je vois tous ces gens qui s'épousent en
étrangers : souvent le mari a envie d'aimer sa femme,
et elle ne s'en soucie pas; ou bien c'est l'épouse qui
veut aimer, et le mari s'éloigne. Moi, je veux prendre
une autre route : je veux m'attacher le cœur de ma
femme, par une longue habitude, avant de l'épouser.
Nous ne sommes pas connus personnellement du
père et de la mère d'Adélaïde : ils sont marchands.
Mets-moi en pension chez eux, comme pour apprendre le commerce. Ce sera mon affaire de former
ensuite Adélaïde, de prévenir mille petits défauts de
caractère, de lui donner les talents que j'aime, et les
qualités nécessaires à mon bonheur.

— Comment! voilà un philosophe! s'écria Mme Dorange. Mais tout cela, quoique fort beau, ne pourra
me déterminer, si la jeune personne n'est pas jolie.
— Il faut la voir, à l'instant, maman : allons au
Palais-Royal : c'est la seconde fête de Pâques[1], mais
la boutique sera ouverte : Adélaïde sera parée comme
elle l'était hier... Tu la verras... » On partit, quand la
dame fut prête.

Il était une heure, quand on arriva au Palais-Royal.
Adélaïde y entrait avec une fille de boutique : la mère
y était déjà. Sous la première colonnade encore en
bois, Dorange aperçut Adélaïde, retenue au passage.
Il courut à elle, pour lui présenter la main. L'enfant
sourit, mais ne voulut pas donner la sienne. Mme Do-

range, de son côté, l'admirait : elle la prévint. Adélaïde fut plus confiante avec une dame, dont l'extérieur était imposant; elle lui donna la main, pour
passer. « Si c'est là votre Adélaïde, mon fils, dit tout
bas Mme Dorange, vous êtes sûr de mon aveu...
— C'est elle-même. — Nous réaliserons votre projet... Voilà ses parents? — Oui, M. Micron. — Je le
connais pour un homme de probité : il jouit d'une
très bonne réputation... Mais convenons de nos faits.
Si je la prenais chez moi?

— Non, ma mère, répondit le jeune homme : il y
aurait trop de dissipation; Adélaïde y verrait trop
souvent l'exemple de nos dames! Il ne faut pas que
l'ouvrage de son éducation soit troublé : d'ailleurs,
elle m'aimera davantage, et réellement, en me
croyant son égal. Demain, vous reviendrez mise en
grosse marchande, et vous parlerez, pour me faire
entrer à la maison. Je me soumettrai à ce genre de
vie : j'ai fini mes études. L'affaire la plus importante
est à présent de me former une épouse... Comme le
commerce occupera peu mon attention, je continue-
rai de m'appliquer aux choses qui me seront nécessaires un jour. »

Mme Dorange était décidée : la vue d'Adélaïde, sa
beauté, sa jeunesse lui convenaient, elle adorait son
fils, et le voulut rendre heureux de la manière qu'il
avait choisie. Elle examina la jeune Micron tout à son
aise, sans en être aperçue; elle la vit se promener
avec la fille de boutique, dîner, courir. Elle ne s'en
retourna que fort tard, et pressée par l'appétit.

Le jour suivant, encore fête, si mal à propos à
Paris, Mme Dorange mise en femme cossue, conduisit
son fils en petit habit gris tout neuf, à la boutique de
M. et Mme Micron.

« Monsieur et madame, dit Mme Dorange, votre
réputation de probité, d'intelligence d'entente dans

un commerce étendu que vous faites, et vos autres qualités, m'engagent à vous proposer mon fils que voilà, pour élève : je paierai une pension, qui vous dédommagera de son inexpérience : je suis fort connue de Mme Esprit, de Mme Choufleurs, sa voisine, et la vôtre, ainsi que de beaucoup d'autres personnes du Palais-Royal. »

Le jeune homme était curieusement examiné pendant que la dame parlait. Il plut. Cependant on ne répondait pas. La mère continua. « Je vous propose 2 400 livres de pension. — C'est donc pour quatre ans, madame ? dit enfin M. Micron. — Non, monsieur. Mon fils en restera quatre, et six j'espère; c'est par an, que j'offre cette somme. — Nous acceptons! dit à son tour Mme Micron. Mais on pourrait en diminuer quelque chose. — Madame, reprit la mère, nous sommes à notre aise, et ce n'est pas sur les soins qu'on prendra de mon fils que je veux ménager. » Ce fut une chose arrêtée. On parla d'envoyer le soir la malle du jeune homme.

Adélaïde arriva, en ce moment, avec la bonne. Elle apprit avec joie que Dorange allait demeurer à la maison. Elle répondit en rougissant aux caresses de la dame; enfin elle fut charmante... Après quelques moments de conversation avec Dorange, tandis que les parents achevaient de s'arranger, Adélaïde dit au jeune homme : « Tu seras ici comme mon frère; et si tu veux, tu partageras avec moi mon papa et ma maman : je n'en serai pas jalouse. Tu me donneras la moitié de la tienne. » Mme Micron, qui adorait sa fille, avait toujours l'oreille attentive à ce qu'elle disait : elle n'en avait rien perdu, et elle le répéta tout bas, avec enchantement. « Ceci me déciderait, si je ne l'étais pas! », dit M. Micron.

Pour commencer, Mme Dorange et son fils dînèrent à la boutique. L'ordinaire était fort bon chez

M. Micron, et Mme Dorange en fut contente. Mais ce qui la charma, ce fut le goût naissant d'Adélaïde qui paraissait très marqué pour Dorange. Il se montrait par de petites attentions, un air de contentement, qui la tenait toujours en sourire. Or la fille était le thermomètre de la mère, Mme Micron ne vivait, ne pensait que par sa fille : ainsi, elle était comme elle, attentive pour Dorange, et elle lui parlait avec autant de tendresse qu'à sa fille elle-même. Mme Dorange fut charmée de tout cela, et ce fut avec moins de peine qu'elle se priva de la vue continuelle de son fils.

Dès le mercredi, Dorange commença l'éducation d'Adélaïde. Il l'enflamma d'abord, par quelques récits, d'admiration pour le mérite de Mlles Grêtry, Levêque, et Debelair, dont il vanta les talents. Adélaïde écoutait : un instant après, voyant sa mère occupée, elle tira Dorange par l'habit. « Ne pourrais-tu pas me rendre aussi comme ça ? lui dit-elle tout bas. — Nous le tenterons, si vous voulez ? — Oh ! oui, tentons-le, mon cher Dorange ? »

Le jeune homme avertit la mère, par un mot, et commença les leçons. Adélaïde s'appliqua tellement, que cette petite personne, auparavant trop dissipée, devint trop sérieuse : Dorange, qui voulait qu'elle fût d'une santé ferme, avertit les parents qu'il avait résolu de faire achever ses leçons à leur fille par une promenade, et même une course dans le jardin. Ce langage le fit adorer de la mère. Elle se récriait sans cesse, sur le bonheur d'avoir un garçon, qui payait cher, pour être le maître de leur fille! C'est que Dorange montrait à danser, la musique, la grammaire, la géographie, l'italien et l'anglais, outre la harpe et le clavecin : il avait beaucoup appris, et il s'exerçait, en montrant à sa sœur, comme il l'appelait.

La mère, et plus encore le père d'Adélaïde, étaient

défiants, à cause de la beauté de leur fille. La petite personne, qui, auparavant, n'aurait pas donné la main à un autre que son père, sa mère, ou sa bonne, tressaillait de plaisir, quand c'était Dorange qui la menait dans le jardin. En conséquence, ils affectaient, à la maison, de laisser dans une parfaite liberté, le maître et l'écolière; ils écartaient la fille de boutique; mais c'était pour épier, et pour entendre jusqu'au moindre mot. Pendant six années, il n'y eut pas une expression, un geste, qui ne sentît l'innocence et la candeur.

A quatorze ans, Adélaïde était formée, et si belle, si bien faite, qu'on ne pouvait la voir sans admiration. Mme Dorange, dont le fils accomplissait vingt et un ans, vint la demander en mariage. « Mais, madame, dit la mère d'Adélaïde, est-ce qu'il est amoureux de sa sœur? Il ne lui en a pas dit un mot, ni à nous, depuis qu'il est ici?... Souvent, je me suis repentie de les avoir laissés s'appeler frère et sœur! Car ils en ont pris les sentiments, et je ne vois que Dorange au monde, à qui je voulusse donner ma fille. » Mme Dorange fut enchantée! Elle assura qu'elle parlait de la part de son fils. On appela les deux jeunes gens.

« Adélaïde! dit Mme Micron, tu vas être la femme de ton bon ami : voilà sa mère qui te demande. — Ah! cria la jeune personne, en se jetant dans les bras de sa belle-mère future, que tu me rends heureuse! S'il avait fallu nous séparer, j'en serais morte de douleur!... N'est-ce pas, Dorange? — Je ne me croyais pas heureux à ce point! répondit le jeune homme. — Quoi! tu ne vois pas que je ne saurais me passer un instant de toi! — Mais, ma petite sœur, cela est réciproque! — Vous voyez? Nous serions morts tous deux de chagrin, si l'on nous avait séparés! »

Cette naïveté touchante émut aux larmes Mme Dorange. « On n'a jamais voulu vous séparer. — Il est vrai! répondit Adélaïde : mon papa et maman m'aiment, et j'ai entendu l'autre jour, qu'ils refusaient un gentilhomme jeune, riche, et beau! (disait-on)... Quelqu'un est-il beau, comme Dorange? — C'était lui que vos parents refusaient, ma chère bru; et c'est moi qui vous faisais demander, sous mon vrai nom!

— Ah! maman Dorange! dit Adélaïde, d'un joli ton grondeur qui lui allait à merveille, me jouer ce tour-là! — Dorange est gentilhomme! dit le père. — Et très riche! répondit Mme Dorange. — En est-il plus aimable? demanda la jeune Adélaïde. — Hé! oui, ma fille! s'écria bonnement Mme Micron. — En ce cas, je m'en réjouis, maman. »

Le mariage se fit : M. et Mme Micron, malgré la Révolution, avaient conservé les antiques préjugés plus que la noblesse elle-même, et cent fois plus que Mme Dorange : ils furent ivres de joie, en voyant leur fille marquise. Mais Adélaïde, en se mariant, avait exigé de ne pas quitter son père et sa mère. On y avait consenti. Une fausse gloire fut sur le point d'empêcher M. et Mme Micron de profiter de leur bonheur. Ils voulaient éloigner leur fille, pour la voir dans un hôtel!... Adélaïde résista. Son mari l'avait trop bien formée, pour qu'elle ne fût pas une excellente fille. Il la seconda. « J'ai été trop heureux dans cette maison pour la quitter! » dit le jeune Dorange aux parents de la nouvelle épouse.

Après le mariage, ce jeune homme, qui n'avait jamais parlé d'amour à sa maîtresse, parut très tendre, très amoureux! Il savait qu'Adélaïde aimait ses parents à l'adoration; et il les rendait heureux, pour qu'elle fût plus heureuse... Il demeura deux années entières, sans en faire sa femme; il attendit qu'elle eût seize ans... Pendant cet intervalle, Dorange fut un amant tendre, empressé, mais respectueux : il disait auparavant : « Je ne veux pas ôter à ma femme le plaisir de faire l'amour. J'ai été son frère, son camarade; me voilà son amant. Je dois lui tenir lieu de tout. Dans quelque temps, je serai un nouvel époux, puis son mari; et je finirai, comme j'ai commencé, par être son camarade et son ami. »

Dorange réalisa ses projets. A seize ans accomplis, son épouse devint enceinte. Ce fut alors qu'il fut mari tendre, attentif!... La bonne dame Micron en était émerveillée... Mme Dorange elle-même admirait la conduite de son fils. Pour Adélaïde, elle était heureuse, sans réflexion : mais la félicité la rendait si aimante, qu'elle enchantait également père, mère, belle-mère, et mari.

Elle donna le jour à un fils. L'on vit alors, avec surprise, Dorange changer de ton : il fit prendre une certaine dignité à sa femme; il l'élevait au-dessus d'elle-même : il changea son air : ce fut une mère de famille, adorable, respectée... Il en est resté là. Mais il changera encore, lorsque son épouse sera mère de grands enfants. Malgré la dignité qu'elle prend aujourd'hui, on voit qu'elle y mêle encore de la mignardise : on parle à une jolie maman, qu'il faut choyer dans les souffrances intéressantes de la grossesse; mais Dorange a prévenu sa mère, et les parents de sa femme, que lorsque la marquise d'Orange aura cessé d'avoir des enfants, et que les siens seront grandis, il espère un bonheur non moins doux, que celui qui aura précédé : elle redeviendra sa sœur. Ils seront deux amis, que leurs enfants rendront un seul individu, en deux corps : ils auront tous les égards, toutes les déférences, mais unies à toute la liberté de l'amitié. L'époux rendra leurs droits égaux : ce ne sont que les jeunes maris qui doivent commander à leurs femmes; la parfaite égalité convient aux pères et aux mères de famille. L'inégalité choque alors la convenance, la décence même, aux yeux des enfants, qui doivent les honorer également l'un et l'autre : deux vieillards, de sexe différent, doivent être égaux.

Telle est la doctrine du jeune Dorange; et c'est pour la méconnaître, pour confondre toutes les idées, que les maris des grandes villes sont des êtres inconséquents, dont la conduite folle excite le mépris ou la pitié.

Cette histoire est certaine, autant que d'une véritable morale.

CINQUIÈME NUIT

Le 17 juillet[1]

Au milieu des alarmes, il se trouva un jour d'allégresse et de joie... O Roi! chef de la nation! en t'honorant, c'est elle-même qu'elle honore! En t'aimant, elle donne le signe le plus puissant de la confraternité générale!... Béni sois-tu, bon Louis XVI! La postérité parlera toujours de toi, et tu es plus immortel que dix rois ensemble!...

Le soir du 16, toutes les bouches répétaient : « Le roi vient à Paris! Il vient nous prouver qu'il n'en veut pas à la capitale, pour la prise de la Bastille! — Qu'il vienne donc! criaient des forcenés; mais il ne viendra pas! — Il viendra! disaient doucement les bons citoyens, dans ce jardin, l'image de la Chimère, dont la tête est celle d'une belle prostituée, dont les yeux lancent des flammes; dont la langue est celle d'un

serpent; dont la bouche distille tantôt le venin, tantôt
des paroles héroïques; dont les mains sont celles
d'une Harpie, dont le cœur est vide, ou ne fermente
que par de lascives pensées; dont l'intermédiaire de
la ceinture aux genoux est la fontaine de maux
honteux; dont la cuisse est celle du bouc, la jambe
celle du cerf, et le pied celui du cochon. « Il viendra!
Nous connaissons la bonté de son cœur. — Il
viendra! s'écrie une voix glapissante. Et d'Artois fuit!
Il fait partir ses enfants! Les Polignac s'évadent!
— On . craint l'effervescence! Vous avez proscrit
leurs têtes! A quel être peut-on interdire de fuir une
mort cruelle[1]!... »

C'était ainsi qu'on parlait dans le jardin Chimère.

Cependant, Louis se préparait à venir dans la capitale. Tout était en mouvement à Versailles. La reine
est tremblante. Les princes fuient. Louis seul s'arme
de fermeté... Le matin du 17 arrive; Louis part.

Deux hommes honnêtes, Bailli, le vertueux Bailli,
et le jeune héros La Fayette, avaient accepté les rênes
du gouvernement municipal; l'un pour le civil, l'autre
pour le militaire. Celui-ci vole au-devant du monarque. Celui-là prépare le peuple à le recevoir... Bailli
porte les clefs de la ville; tous les bons citoyens lui
portent celles des cœurs.

Louis arrive. On affecte, sur la route, de joncher la
terre autour des canons braqués, de boulets et de
mitrailles.

O La Fayette! béni sois-tu! car tu n'as pris le commandement que pour dignement servir ta patrie! tu
n'as pris le commandement que pour l'ôter aux intrigants, aux pervers, aux traîtres... Béni sois-tu, héros
des deux mondes!... Et toi, Bailli! béni sois-tu!... Car
tu as mis l'humanité, la science, la modestie, la
sagesse, à la place de l'oppression, de l'ignorance, de
l'impudence, qui, avant toi, occupaient l'hôtel de la

police! Nous avons tous gagné! mais toi, tu as perdu ton repos, le doux commerce des Muses! tu te dessèches l'esprit!... Mais que dis-je! tu dépenses un long acquis de philosophie, en faveur de ta patrie! et tu exerces enfin ce que tu as longtemps médité!... Béni sois-tu!

Je n'ai pu résister à cet épanchement de mon cœur.

Je ne rapporterai pas ce que Bailli dit au Roi; il lui peignit les sentiments d'amour de son peuple : car c'était le sentiment général. Louis ne répondit que par un élan de sensibilité : « J'aimerai toujours mon peuple! »

On avait fait suspendre les cris de « *Vive le Roi!* » à l'arrivée du monarque : mais à la sortie de l'Hôtel-de-Ville, les barrières du cœur se rompirent : « *Vive le Roi!* » fut au même instant le cri de toutes les bouches. Le bruit se propageait de proche en proche, par la ville, et ceux qui avaient été retenus dans les quartiers les plus éloignés, le répétaient : les femmes, les malades ouvraient les fenêtres, et répondaient à ceux des rues : « *Vive le Roi!* »

Assez d'autres retraceront ce qui s'est dit à la Cour, au centre de la ville; l'histoire n'en perdra rien. Moi, spectateur nocturne, je vais au loin, recueillir des faits ignorés : j'ai vu, j'ai entendu celui que je viens de raconter; j'ai vu, j'ai entendu ceux qui me restent à tracer.

Il fallait néanmoins des souillures de sang, à ce beau jour, placé, presque à distance égale entre deux scènes d'horreur. Une femme enceinte fut tuée par la décharge inconsidérée d'un fusil. Mais le peuple de la capitale reprit, à cette occasion, son humanité; il fut touché vivement, et jura de punir le premier qui oserait tirer... Tu faillis d'être la victime de ce serment, jeune Garneri? dont le nom est devenu célèbre au bas de cent pamphlets! Ce libraire, en entrant pour dîner, lâcha son fusil. Aussitôt la foule s'amasse, et reprenant sa férocité, par humanité, elle veut le pendre!... Heureusement qu'il était environné d'amis, qui joignirent la force matérielle à celle des raisons. Il fut sauvé : son aimable et tendre sœur, dont les charmes égalent la vertu, revit un frère, qui sert de père à la jeunesse!

La présence du roi, semblable à celle du soleil bienfaisant, paraissait avoir dissipé les nuages épais qui couvraient notre horizon : l'orage ne grondait plus qu'au loin; moi-même je respirai plus librement : j'osai traverser mon île. J'y cherchai des yeux l'impudente sentinelle. Mon noir délateur était caché dans les débris de la Bastille, dont il fut bientôt chassé... J'ignorais que deux nuages non moins terribles s'amassaient, l'un à Viri, l'autre à Compiègne; qu'ils devaient se joindre, et crever sur la capitale!...

En traversant l'île, j'y vis l'aimable brune qui m'avait sauvé la vie. Elle me montrait à son père, que j'étais déjà sur le pont. Ils me firent signe : mais je ne m'arrêtai que sur la crête, endroit qui me parut la séparation du territoire de l'île, et du district de Saint-Nicolas-du-Chardonnet. Ce fut là que j'attendis le père et la fille. Ils accoururent, et ils firent leurs efforts, pour me ramener chez eux : j'y résistai. Je jurai de ne plus retourner sur mon île.

« Lorsque j'y fus insulté pour la première fois, leur dis-je, à l'instigation de l'homme noir, j'écrivis aux magistrats : « Prenez garde! voilà un degré d'effer- « vescence, d'insubordination, qui peut avoir des « suites! Ne les souffrez pas! » L'apathique de C** dédaigna de faire attention à ma demande; et je fus journellement insulté. Mais je n'avais rien à craindre pour ma vie. Aujourd'hui, que le cri d'un enfant, le vœu d'une marchande d'herbages peut conduire au réverbère, je me garderai bien de procurer à mes compatriotes l'occasion d'un crime! Je fuirai ces endroits chéris! mon deuil sera de m'en priver. Mais les honnêtes gens de l'île m'en seront encore plus chers!... » Je m'éloignai.

La venue du roi m'avait remis du baume dans le sang : les craintes que j'avais pour ce cher Paris, devenu ma patrie, étaient dissipées. Je fus tenté de faire le tour de mon île : un événement imprévu va m'empêcher de me parjurer.

En sortant de chez moi, je vis six hommes armés, qui marchaient dans l'ombre le long des maisons. Parvenu à la rue des Rats, ils dirent : « C'est là... » Ils demandèrent alors à une fruitière le nom d'un avocat. « Il ne demeure plus dans ce quartier-ci, depuis longtemps! Je crois qu'il loge à présent dans la rue du Jardinet, près les Cordeliers. » Les hommes armés s'éloignèrent, et je les suivis.

J'ai toujours cherché à connaître le cœur humain, et l'on n'entre pas dans les cœurs; on ne peut connaître le cœur que par les actions. C'est ce qui me fait étudier celles-ci, quoique je sois naturellement peu curieux. Mais pourquoi suis-je peu curieux! Je vais le dire : l'homme vide, qui a peu d'idées, peu de pensées; la femme, surtout celle qui ayant peu de tempérament, est très passive, sont les êtres les plus curieux : parce que les actions des autres leur fournissent un spectacle, qui les étonne d'autant plus, qu'ils en comprennent moins les ressorts. Par la raison opposée, l'homme qui pense beaucoup, qui s'occupe intérieurement, qui a les passions vives, est peu curieux : il a souvent en lui-même un drame plus intéressant que les passions d'autrui. De là suit, que je me fais violence, pour être curieux, comme d'autres se font violence pour ne pas l'être; de là vient, que je ne fais jamais de tours, ni de malices à personne, parce que je n'ai pas besoin de cela pour m'amuser, me désennuyer; je ne m'ennuie jamais.

Je suivis les six hommes. Ils allèrent à la place Sorbonne; ils y prirent du monde. Ils vinrent ensuite à la rue Hautefeuille : ils s'y recrutèrent encore. Puis ils allèrent rue du Jardinet. L'avocat était chez lui. Mais effrayé, en voyant trente à quarante hommes, il voulut s'échapper par la fenêtre. Il tomba, et se cassa la tête... On le porte chez un chirurgien, et de là, en prison... Qu'avait-il fait? Un pamphlet où il disait la vérité, en riant; où il exhortait les Parisiens à ne pas effrayer leurs compatriotes; à ne pas détruire leur commerce; à ne pas se plonger dans la misère!...

Je n'eus plus envie de violer mon serment, et d'aller voir mon île. Je vins me renfermer chez moi.

Peuples! Parisiens, Normands, Bretons, Picards, Champenois, Alsaciens, Bourguignons, Comtois, Dauphinois, Provençaux, Auvergnats, Languedociens, Berrichons, Limousins, Saintongeois, Poitevins, Briassons, Beaucerons, etc., ô Français[1]! Qui croyez-vous qui porte le désordre parmi vous! Qui croyez-vous qui arme les brigands, qui s'opposent à l'Assemblée nationale? Qui croyez-vous qui fomente le trouble, renchérit les subsistances, fait disparaître le numéraire? Ce ne sont pas ces fougueux aristocrates, qui se montrent audacieusement dans la tribune aux harangues : ce sont les nobles, qui vous ont flattés, qui vous ont caressés; ce sont les prêtres; ces Busiris en soutane, qui vous bénissent de la main, et vous maudissent du cœur; ce sont une foule de nobles enragés, qui font chacun en particulier le plus de mal qu'ils peuvent; ce sont, ce sont surtout vos frères, que les deux ordres détruits ont accaparés par leurs dîners, par leurs caresses! « Monsieur! vous allez à l'Assemblée nationale! Entrez dans mon carrosse! nous arriverons ensemble!... — O Membres! défiez-vous de ces offres perfides! Ne dînez pas, ne marchez pas avec les ennemis nés du peuple!... Et vous, districts! n'opprimez pas la liberté individuelle! N'arrêtez que les brigands, les fuyards! Respectez l'écrivain, quoi qu'il écrive[1] : s'il est antisocial, le mépris public vous en vengera. Que la presse soit libre! que l'état d'imprimeur puisse être exercé par tout le monde, en faisant une déclaration au district, qui la portera au comité de police, lequel recevra le serment du nouvel imprimeur. Si celui-ci publie un ouvrage incendiaire, il sera obligé d'en nommer l'auteur, et de payer une amende de cent livres, au profit de la ville : à moins qu'il n'ait mis à la fin du pamphlet une note explicative de tout ce qu'il y a de répréhensible dans l'ouvrage : auquel cas l'imprimeur ne paiera pas l'amende; et le pamphlet ainsi flétri par la note, ne pourra plus être réimprimé, sous peine de mille écus d'amende... Mais si vous voulez la liberté de la presse, établissez la liberté d'État! Sans quoi trente-six imprimeurs privilégiés feraient des tyrans de la pensée plus cruels que tous les censeurs!... O Lebrun! ô Marchand! ô d'Albaret! ô Mairobert! ô vicomte Toustain! vous ne gênâtes jamais la pensée, et dans les années les plus terribles du despotisme, vous n'exigiez qu'un palliatif, aux idées les plus fortes! Tandis que chacun des trente-six, par la crainte, ou la morgue, par l'aristocratie d'État, sera cent fois plus oppresseur que Dhemeri, Adnet, Lourdet, Pretot, Sartine et Marolles!

L'amante du mérite

ÉLISE DEMARTINVILLE était une jeune personne de dix-neuf ans, mignonne, vive, sans couleurs, ayant, comme elle disait, une petite mine de souris grise.

Mais elle était blanche, taillée par les Grâces; elle
était charmante.

Aussi avait-elle des amants en grand nombre; un
notaire; un avocat, un peintre célèbre; un procureur,
dont la maison était faite; sans compter deux clercs,
dont l'un était frère de son unique amie, et deux
abbés, qui comptaient sur le non-célibat des ecclésias-
tiques[1]. Élise, accompagnée de Fanchonnette Tayi,
était quelquefois environnée de cette cour nombreuse, qui venait l'entendre pincer une harpe, moins
harmonieuse que sa voix, ou causer : car elle avait de
l'esprit et de la lecture.

Ce fut auprès de cette fille recherchée, qu'un jeune
Demartinville, cousin d'Élise, et allié d'un homme de
mérite, s'avisa de conduire un soir ce dernier.

M. Dupuits de Courson était auteur de plusieurs
ouvrages, et le théâtre seul manquait à sa gloire[2]. Il
venait de composer une pièce, et Martinville, qui le
savait, lui avait proposé de la lire à sa spirituelle cousine. La proposition avait été acceptée; l'heure prise
à quatre du soir. Les amants étaient arrivés l'un
après l'autre : Élise les avait retenus. L'assemblée
était complète lorsque M. de Courson parut, annoncé
par le jeune Demartinville... L'auteur ne comptait
que sur Élise : il fut très surpris de trouver une compagnie nombreuse, et qu'il n'aurait pas choisie. On
lui fit les honneurs du fauteuil, à côté de la jeune
déesse, et il commença la lecture...

Nous ne rapporterons pas ici la pièce; elle est
imprimée aujourd'hui; c'est *Le Libertin fixé*.

L'ouvrage était en prose; il y avait quelques beautés, beaucoup de défauts, et surtout un grand éloignement des formes théâtrales actuelles. Le notaire,
l'avocat, le procureur improuvaient. C'étaient des
importants, chacun dans leur état, hommes froids,
que la provocante Élise pouvait seule réchauffer : le

peintre et les deux clercs applaudissaient; le premier,
parce qu'il trouvait des images, les deux autres, parce
qu'ils trouvaient des passions. Quant aux deux abbés,
ils auraient voulu que la pièce fût en vers, et mêlée
d'ariettes. Élise écoutait attentivement, les beaux
yeux presque toujours fermés, pour être moins dis-
traite.

Le procureur crut qu'elle dormait, et il le dit obli-
geamment à l'auteur, à la fin de la lecture. Élise, qui
était fort vive, le démentit sur-le-champ, et fit l'analyse de la pièce, dont elle exprima toutes les beautés.
Elle dit aussi un mot des défauts. Mais elle ajouta
qu'ils lui plaisaient, parce qu'ils tiraient M. de Courson, du *moutonisme*[1] des auteurs. Aussitôt tout le
monde loua; le procureur lui-même fut un des lauda-
teurs les plus ardents.

Tout le monde sortit, quand Élise témoigna qu'il
était tard : mais la jeune personne retint impercepti-
blement l'auteur et Martinville. Pour Fanchonnette,
elle demeurait dans la même maison; elle revint avec
son frère, dès qu'on fut sorti.

« Monsieur, dit Élise à M. de Courson lorsqu'il fut
seul avec elle et Martinville, votre pièce m'a fait le
plus grand plaisir. Je ne loue pas, croyez-m'en, par
flagornerie! Non! elle m'a plu. Mais elle ne plaira pas
au grand nombre; aux âmes de bois, comme le procureur Durenroches, ou l'avocat Criardin, le notaire
Hum-hum-hum, et les abbés colifichets, dont le cœur
blasé est plus corrompu que celui d'une courtisane.
Avez-vous remarqué le peintre ? Il vous a senti. Tayi,
le frère de mon amie, vous a goûté, parce qu'il a réellement l'âme sensible; et son camarade a saisi, dans
votre libertin, les petits écarts qui l'ont charmé. Pour
moi, j'aime l'homme qui approfondit le cœur
humain[2], qui ne s'embarrasse pas d'effaroucher un
peu les dames de la noblesse, par son rôle de Justine;

qui peint l'humanité, non les nuances fugitives, qui
vont disparaître à jamais, du noble et du bourgeois;
de la duchesse, et de la marchande, ou de la femme
d'artiste : toutes les classes vont être confondues, et
tous les hommes citoyens, toutes leurs femmes, vont
marcher les égales les unes des autres, dans un pays
libre : voilà ce que vous paraissez annoncer.

— Vous étendez mes vues, mademoiselle! répondit
M. de Courson, et je tâcherai de les élever jusqu'aux
vôtres. — Point de ce langage-là! il sent la flatterie
aristocrate! Ne sais-je pas bien que mes vues, bien
inférieures aux vôtres, puisque celles-ci les ont fait
naître, ne tirent leur mérite que de mon âge, de mon
sexe, et peut-être de mon air un peu sémillant! Vous
ne me ferez jamais votre cour, en voulant me déguiser à moi-même. »

Fanchonnette et son frère rentrèrent en ce
moment. Élise parut n'y pas faire attention, elle continua :

« Vous venez de me montrer le premier et le seul
homme qui puisse m'être utile. Je vous ai pénétré :
voulez-vous être mon ami ? — Oui, mademoiselle. A
deux conditions : la première que jamais je ne vous
trouverai parée, ni même propre, chaussée, coiffée :
vous aurez un bonnet rond, sale et fripé; une chaussure ancienne et déformée; vos mains et vos bras
seront couverts d'un vieux gant de peau couleur de
citron, parce que je les déteste... La seconde, que
vous ne déguiserez aucune de vos humeurs, pas
même la colère, ni l'emportement!

— Pourquoi cela? dit Élise. — C'est que je veux
bien être votre ami; mais non pas votre amant.
— Fort bien!... Je ferai ce que vous demandez : car je
veux bien vous estimer, vous aimer, non pas être
amoureuse de vous. Mais, comme vous êtes encore
jeune; que vous êtes... fait comme d'autres, qui ont

une haute opinion de leur bonne mine, vous aurez la
bonté de ne venir me voir (et ce sera tous les jours, si
vous le voulez), qu'avec cet habit marron, dont m'a
parlé Martinville; ces gros bas; ces souliers ferrés; ce
chapeau couvert de toile cirée, et le gros manteau?
— Soit, mademoiselle. — Voilà nos arrangements
faits! — Certainement! »

Tayi dit à sa sœur : « Nous allons voir comment
sera ton amie en quakresse[1]? En vérité! j'ai peur
qu'elle n'en soit encore plus aimable! — Non pas en
quakresse! répondit Fanchonnette : rien de si propre,
de si bien tiré, que les femmes de cette secte, à ce
qu'on m'a dit : mon amie sera *Diogenette*, et monsieur, *Diogène* tout pur. »

« Soupez ici, dit Élise à l'auteur : je vais en prévenir ma mère, qui sera charmée de vous voir, d'après
les récits du petit cousin, et à laquelle il faut que je
vous présente. » M. de Courson accepta un peu malgré lui : le souper dérangeait son train de vie; mais
Élise n'était pas une femme à laquelle on pût rien
refuser. On descendit à l'appartement de Mme Demartinville, qui occupait le premier.

M. de Courson en fut reçu avec les plus grands
égards. On causa. Élise brilla, enchanta. Fanchonnette, qui avait l'éclat de la rose, fut extrêmement
aimable; elle voulait obliger son frère, et le sacrifier,
en inspirant de l'amour à M. de Courson. Une belle
fille, qui veut plaire, doit être bien séduisante!... On
se quitta vers onze heures...

M. de Courson était dans l'ivresse : et Martinville
lui-même, tout nigaud qu'il était, paraissait dans le
ravissement. Pour Tayi, qui s'en retournait avec eux,
il dit à l'auteur : « Monsieur, je vous ai une grande
obligation! Je n'avais jamais vu toutes les grâces,
tout l'enjouement, tout le mérite, enfin, de l'amie de
ma sœur, d'Élise; elle vient de se montrer au-dessus

de tout ce que j'imaginais. — Et Mlle Tayi donc! s'écria Martinville : comme elle a été jolie! Oh! elle vaut bien ma cousine! » M. de Courson quitta les deux jeunes gens à la rue Aubrile-Boucher : Martinville, garçon marchand, s'en allait rue Saint-Denis, chez M. Levêque, et Tayi devait prendre la rue de la Ferronnerie, pour aller chez son notaire, rue Saint-Honoré.

Seul, de Courson réfléchit... « Me voilà encore embarqué, si je ne prends pas garde à moi?... Tous les quatre ans une passion nouvelle!... Oh! je ne veux plus aimer! j'ai trop souffert!... Je l'éviterai : je veux qu'Élise n'ait rien sur elle, qui ne repousse! Si elle se pare une seule fois, je fuis... Je vais donc trouver un moyen de braver la beauté, grâce à mes goûts factices!... Cela sera merveilleux! » Ce fut avec ces belles idées que l'homme de lettres rentra chez lui.

Le jour suivant, vers les trois heures, en sortant de dîner, il se sentit pressé du désir de revoir Élise. Il se costuma communément, et se rendit à la rue Saint-Nicolas-des-Champs. Il arrive... et frappe... timidement... un peu honteux de sa *mise*. On l'avait entrevu. Élise, sans ouvrir, le pria d'attendre un instant. Elle ouvrit ensuite.

Elle portait un bonnet rond sali; un mauvais déshabillé : ses bas n'étaient point tirés; elle avait de vieilles mules du palais, la plus repoussante de toutes les chaussures de femme.

« Bonjour, monsieur? dit-elle avec un peu d'humeur. Entrez, asseyez-vous, et laissez-moi finir une page de musique, que je copie. » Elle fut une heure. De Courson la regardait, et s'ennuyait. Enfin, elle acheva, et ils causèrent.

L'entretien roula sur la physique, le système du monde, la formation des choses : M. de Courson exposa le système qu'on trouve dans les *Nuits de*

Paris, premier volume, et postérieurement dans le *Monsieur Nicolas* où les *Ressorts du cœur humain dévoilés*; très éloigné du système insensé, plat et faux de M. Bernardin[1]. Élise, qui avait choisi ce sujet, pour écarter les passions, ne remplit pas son but, elle revint à l'amour avec l'admiration. Les deux philosophes se quittèrent très contents l'un de l'autre : Élise n'avait pu se défaire de son fin sourire, de ses beaux yeux, de sa bouche merveille, et sa mutine figure avait rendu joli le mauvais et maussade bonnet rond.

Une seconde visite alla de même. Tous les jours on se voyait, et tous les jours, on diminuait quelque chose de la maussaderie du ridicule accoutrement... On varia les matières : on parla de religion, de philosophie... L'on en vint à l'amour.

Ce jour-là, Élise, au lieu d'un bonnet rond, avait un battant-l'œil à large dentelle : n'osant pas se chausser, elle avait mis un soulier noir, il est vrai, mais fait par Bourbon de la rue des Vieux-Augustins, c'est-à-dire la plus provocante des chaussures : elle était en corset, avec un petit juste, qui dessinait admirablement la taille : c'était bien, ce soir-là, le morceau le plus appétissant, qu'Élise... De Courson était venu très propre aussi... On y fit attention : car on le gronda, en lui disant : « Quoi! monsieur! de la parure! tandis que moi... — Ne parlez pas de vous, traîtresse! répondit Courson; vous êtes cent fois plus attrayante que parée!... » Élise, sûre de l'effet de son adresse, amena la conversation qui cadrait à ses vues.

Il faut dire, enfin, qu'Élise, depuis qu'elle voyait de Courson, avait tous les jours pris plus de goût pour lui. Ce n'était pas la bonne mine qui charmait cette jeune fille : c'était la science, un genre de mérite à sa guise; Courson avait celui qu'elle goûtait, au plus haut degré : opinions hardies, liberté de penser, système singulier et séduisant; expression facile et chaude... Il était adoré. Élise, sans lui en parler, avait renoncé au mariage, parce que M. de Courson était marié, quoiqu'il vécût seul; elle voulait se déclarer, se donner, être heureuse et philosophe. Elle parla d'amour.

Sur cette matière, comme sur toutes les autres, Courson était unique, intarissable. Il peignit l'amour, comme un homme qui le connaît, qui l'a senti...

Élise, de son côté, ne disserta pas : elle dit simplement, comme elle voulait aimer, et ce fut le chef-d'œuvre de la délicatesse. Au milieu de ce délicieux entretien, M. de Courson passa un bras autour de la taille déliée d'Élise, la pressa, et dit en soupirant : « Ah! quelle âme!... et pourquoi, nouveau Tantale, ne puis-je...

— Pourquoi? interrompit vivement Élise. Nous sommes libres ici : aimons-nous? Qui nous empêche d'unir nos âmes?

— Les âmes unies veulent unir les corps! répondit Courson. — Mon ami! reprit Élise, s'il fallait, pour ton bonheur, te donner cette fleur, que j'ai gardée sans peine... je te la donnerais... Je ne la profanerai pas, en te la jetant à la tête... J'espère que tu ne chercheras pas à la cueillir, avec de médiocres désirs! ce serait un sacrilège... Mais s'il s'agissait de ta vie... de ton repos, de ton bonheur... je te la sacrifierais... Compte sur mon amitié. Elle en sera plus tendre, et non moins pure, pour être devenue de l'amour. »

Ce langage attira mille remerciements à Élise... Les deux amis se virent encore quelquefois. Mais un soir Élise était absente. Courson, obligé de s'en retourner, sans la voir, sentit une larme s'échapper... Il trembla; il frémit... Il s'efforça de surmonter son amour, en cessant de voir Élise... Elle en fut malade... et pensa mourir... Ils se revirent... se quittèrent... se revirent

encore... dix ans après la première connaissance...
s'unirent alors, sans passion, mais pénétrés d'estime... Onze autres années se sont écoulées, depuis
qu'ils sont unis : mais le sentiment qui les attache
l'un à l'autre ne vieillit pas; une fille de vingt et un
ans, qui leur doit le jour, augmente leur bonheur; ils
vont la marier.

SIXIÈME NUIT

Le 22 juillet[1]

TOUS les esprits commençaient à se rasseoir depuis la
venue du monarque à Paris. Ce monarque adoré, si
digne de l'être, était venu dire à son peuple, que rien
de ce qu'on avait fait, ne l'avait été contre lui, mais
contre les abus : et Louis ne faisait pas cause commune avec eux.

Cependant un bruit sourd se répandait : *l'Intendant de Paris est arrêté à Compiègne : on a saisi son
portefeuille : on y a trouvé des pièces...* Quelles
pièces ? on ne les a jamais vues. Deux cent cinquante
hommes de la garde de Paris étaient partis, pour l'aller chercher. Il venait, l'infortuné.

Ce bruit répandu fut fatal à son beau-père, déjà en
butte à la haine, par sa fortune, un bonheur constant,
et peut-être quelque dureté... Foulon (nom malheureux, et dont on devrait changer, quand on entre
dans la haute finance), Foulon avait pris la précaution de se faire passer pour mort. Il était caché dans
une terre à quelques lieues de Paris. De sourdes
rumeurs le firent trembler. Le 21 au soir, étant à une

fenêtre basse, il entendit trois paysans dire entre
eux : « Il est là... Il a dit, que si nous avions faim,
nous n'avions qu'à manger de l'herbe... Il faut le conduire à Paris, un bridon de foin dans la bouche... »
Ces paroles effrayèrent l'infortuné... Au milieu de la
nuit, il sort seul, sans bruit, sans suite, à soixante-
quatorze ans, et va chercher un asile à Viri, chez
M. de Sartine[1].

Mais il était guetté : on le suit. A moitié chemin,
des paysans l'arrêtent. On veut le pendre, mais la
réflexion retient. On le lie : on le met sur la queue
d'une charrette (son ancien bonheur fermait les âmes
à la pitié!); on lui mit un bâillon de foin, on lui
fourre des chardons dans sa chemise, et on l'amène à
Paris!... O malheureux vieillard! que tu expies cruellement ton bonheur!... Mais il avait eu l'ambition de
succéder à Necker adoré; il se nommait Foulon, et
son nom augmentait son malheur!... Il arrive. On le
montre à l'Hôtel-de-Ville... Les électeurs frémissent...
Dans ces temps de trouble, un accusé était toujours
coupable. Foulon reste six heures à la ville : il n'a
d'autre crime qu'un bonheur constant, son ambition
d'être ministre, et d'immenses richesses... qui ne le
sauveront pas. Il parle; on l'écoute; et celui qui faisait encore envie la veille est en ce moment au-
dessous du dernier des misérables! la terreur causée
par les rugissements que des furieux font entendre
contre lui, étouffe la pitié...

Cependant on le retenait, attendant un moment de
calme, pour le faire conduire en prison. Tout à coup
la fureur redouble : les tigres qui ont amené Foulon,
demandent à voir leur victime : on la leur montre. Ils
vont eux-mêmes le reconnaître. L'infortuné vieillard,
pour se faire voir, monte sur un des coffres amenés
avec lui... On le croirait à peine, mais je le tiens d'un
témoin oculaire! un petit homme trapu s'élance,

écarte les gardes, saisit Foulon, et le précipite au milieu de ceux qui l'attendaient : on le traîne; on le frappe; on parvient au fatal réverbère; on l'y attache : un homme l'enlève, tandis que d'autres tirent la poulie. Le vieillard demi-mort est suffoqué... La corde casse... On sépare sa tête du tronc, qu'on traîne dans les ruisseaux, tandis que la tête enfourchée, portée au Palais-Royal, séjour de volupté et d'horreur, est destinée au plus horrible des usages.

O Français! ô mes concitoyens de Paris, quel monstre nous animait donc alors de son noir esprit!... Ah! de vous-mêmes, vous n'auriez pas commis ces atrocités, dignes de cannibales! un monstre vous poussait, et les paysans eux-mêmes, malgré leur aigreur, sont humains compatissants! un monstre avait jeté son venin dans leurs cœurs ulcérés!...

Ce n'étaient que les préludes de cette horrible nuit : tu arrivais, infortuné Bertier... Qu'on n'aille pas s'imaginer ici, que je plains les tyrans, les oppresseurs! Ah! loin de moi cette funeste pensée! Mais je plains l'homme, et rien d'humain ne m'est étranger!... Je vous retrace ces horribles tableaux, ô mes chers concitoyens, pour vous mettre en garde contre l'avenir, et d'infernals moteurs!... Soyons hommes, avant tout; nous serons après ce voudra... »

Bertier était à Versailles, lorsqu'on prit son portefeuille (dont on n'a plus reparlé) : un de ses familiers court l'avertir du danger. L'intendant de Paris se retire à Soissons. Là, il apprend que ses ordres sont nécessaires à Compiègne, pour faire partir un convoi de blé. Il pouvait envoyer sa signature : il va la porter. Il descend de chaise : son subdélégué avait changé de demeure, et occupait une belle maison qu'il venait de faire bâtir : l'intendant est obligé de demander sa demeure. Son air le trahit, quoiqu'il fût en perruque ronde, en frac gris, et qu'il eût des boucles de fer. On lui montre la demeure du subdélégué. Il entre : on déjeune.

Cependant le Compiégnais, auquel il s'était adressé, dit à un autre : « Je viens de parler à un homme, que je crois l'intendant. Le connais-tu ? — Oui. — Entrons sous un prétexte. » Ils demandent le subdélégué. On l'avertit. Comme il fallait parler, vu les circonstances, le subdélégué sort, et dans le moment qu'il ouvre la porte, l'intendant est reconnu. Les hommes disent quelque chose, et sortent. « C'est lui ! dit le second. — Si c'est lui, faut l'arrêter. » Ce fut ainsi que commença le malheur de Bertier.

Il y avait tout près un menuisier, propriétaire d'une maison. Ce fut à lui que les deux hommes ouvrirent : ils le trouvèrent plein d'ardeur pour entrer dans leur projet; vingt autres s'y associent. On environne la maison. Un domestique du subdélégué avertit son maître, qu'il y a du tumulte. « C'est à vous qu'on en veut ! dit à Bertier le subdélégué plein d'effroi. Voyons à vous faire sortir, par la porte qui est au bout du jardin. » L'intendant s'y rendit : on l'ouvre avec précaution, l'on ne voit personne. Mais les Compiégnais, se doutant du parti qu'on prendrait, s'étaient embusqués : ils abordent l'intendant, et de cet air goguenard, que les paysans prennent plus visiblement que personne, quand ils croient n'avoir rien à craindre : « C'est l'intendant ! Ah ! ah ! comme vous v'là ! Où allez-vous donc ? — Je m'en retourne. — Oh ! que non, vous allez rester avec nous. » Et ils le saisirent : on le mit sous une garde de vingt hommes, sans compter ceux qui étaient au-dehors, et l'on écrivit à Paris.

La municipalité d'alors, composée des électeurs, envoya deux cent cinquante hommes, pour amener l'intendant à Paris.

Cependant le bruit du danger imminent qu'il court se répand : son fils aîné court à Versailles; il demande aux députés la vie de son père... Mais que pouvaient-ils alors? Dispersés, parce qu'on arrangeait la salle, ils n'avaient point de lieu d'assemblée!...

Ce fut le jour même de la mort de son beau-père, que Bertier arriva. Il était huit heures et demie. Les agents du cannibalisme brisèrent les ais de sa chaise; ils en ôtèrent l'impérial... Qui faisait cela? étaient-ce d'excellents citoyens? Non, non! les excellents citoyens gémissaient, timides, épouvantés; les aristocrates fremebonds [furibonds] étaient plus réjouis, qu'attristés de l'excès du mal; ils espéraient encore le faire retomber sur le peuple...

Le long de la rue Saint-Martin, de jeunes et jolies femmes criaient des fenêtres... « Pendez! pendez!... Au réverbère! » Insensées!... car dans ce moment horrible, un malheureux en guenilles présente à Bertier la tête enfourchée de son beau-père!... et une de ces mêmes femmes, qui venait de crier « *Au réverbère!* », s'évanouit; une autre avorta; une troisième mourut de saisissement... Je le dis, à l'honneur de l'humanité, la tête de Foulon s'immola plus de dix inferies, du moment qu'on l'eut présentée à son gendre...

Et cependant, il ne la vit pas, l'infortuné! Accablé quoiqu'il ne se doutât pas du sort qui l'attendait, il avançait la tête penchée, et les yeux fermés...

Il arrive à l'Hôtel-de-Ville... A présent, je suis témoin oculaire... On l'interroge. Il répond qu'il n'est coupable de rien; qu'il a exécuté les ordres... On l'interrompt... Il observe qu'il y a quatre nuits qu'il n'a reposé : il prie qu'on remette au lendemain. On lui dit qu'il va être conduit à l'Abbaye. Au bout de sept minutes, il descend de la ville. Au milieu des degrés, entendant des cris de rage, il dit : « Que ce peuple est singulier, avec ses cris! » Au même instant, il ajouta, en s'adressant à un grenadier aux gardes : « Ils m'effraient! mon ami, ne m'abandonnez pas! » Le grenadier le lui promit... Fut-ce ironiquement?

Arrivé sur le perron, un groupe, composé au plus de trente personnes, se jette sur la garde qui conduisait le prisonnier, l'écarte; on le saisit, l'entraîne, le frappe. Un polisson de quinze ans, à califourchon sur la barre du réverbère, l'attendait. Je voyais secouer la corde... Je puis protester ici, que les cris de mort n'étaient poussés, avec affectation, que par cinq ou six personnes; qu'environ trente polissons en guenilles les répétaient, avec le rire de l'atropolissonnerie, mais non de la fureur. On m'a dit, mais je ne l'ai pas vu, que ce fut une croix de Saint-Louis, qui mit le premier la main sur l'intendant. Peut-être le ruban pour cocarde à la boutonnière a-t-il trompé...

Parvenu au fatal réverbère, Bertier, qui voit enfin la mort, s'écrie : « Les traîtres! » Il se défend : il se bat avec ses bourreaux... On lui passe le nœud coulant : on l'enlève. De sa main, il veut soutenir le poids de son corps. Un soldat va pour lui couper la main, et coupe la corde... La victime tombe, et se jette à la joue d'un bourreau, qu'elle déchire... On le hisse encore. Mais la corde ayant cassé une seconde fois, on le massacre au pied du réverbère, on l'éventre, et on lui coupe la tête...

Je m'arrête sur tous ces détails, que je ne vis pas, quoique présent. On pendait Bertier, on lui coupait la tête, on agitait la corde, que je le croyais encore à l'Hôtel-de-Ville... Tout à coup, je vois sa tête défigurée... Je fuis épouvanté...

O Grands! O vous tous, qui n'étant que des hommes, vous crûtes des dieux! considérez le sort affreux de Bertier, de Foulon, de Flesselles, de de Launay, et des autres infortunés qui périrent à la Bastille, et

tremblez! *Erudimini, qui judicatis terram*[1]!... Et
vous, ô mes concitoyens, considérez avec horreur ces
actes barbares, que leur utilité même ne justifie pas!
la nécessité seule les pourrait excuser. Mais furent-ils
nécessaires ? C'est ce que je n'ose décider...

Je courus au Palais-Royal, entraîné par un autre,
qui m'accompagnait. Un devin nous y avait précédés;
car on y savait déjà tous les détails de la mort de
Bertier, et l'on y annonçait sa tête. Nous nous éloi-
gnâmes, pour ne pas la revoir encore, et nous prîmes
la rue Dauphine, redoutant les quais, chemin de
Grève. Au carrefour Bussi, mon homme me quitta, et
je pris sécurement la rue Saint-André. J'avançais, la
tête basse, profondément enseveli dans mes pensées,
lorsque vis-à-vis la rue de l'Éperon, je me trouvai au
milieu de ces vingt-quatre polissons, que j'avais vus à
la Grève : ils formaient une fourche, et tiraient une
corde, attachée aux deux pieds d'un tronc... privé de
sa tête. Ils criaient : « Voilà l'intendant de Paris! » Je
rebroussai frissonnant, pour ne pas fouler aux pieds
le cadavre ensanglanté. Je ne vis que le dos. On
assure que la poitrine était ouverte, et que le cœur en
était tiré. Trois femmes moururent de saisissement
et d'horreur, dans la rue Saint-André. Pour moi, je ne
pouvais m'ôter de devant les yeux le cadavre, que
j'avais été forcé de regarder, pour ne le fouler pas...
Je voyais ses mains traînantes... sa livide pâleur...
Arrivé chez moi, je me trouvai mal... et mes enfants
furent obligés de me veiller...

Ah! que je suis loin d'approuver le ton de ces scélérats qui, le lendemain, firent des récits plaisants de
la mort de Bertier! Je cherche, moi, à creuser l'impression d'horreur. Je suis excellent patriote : mais
je me dis : « Si ce furent des victimes nécessaires au
bonheur public, consacrons-les, et ne les avilissons
pas! »

Concitoyens! je ne vous laisserai pas dans ces sombres idées, qui m'ôtèrent le sommeil : voici l'histoire qui me le rendit :

LA SECONDE ÉLISE,
FANCHONNETTE, ET VICTOIRE

TROIS jolies filles avaient été séparées par la nature et le quartier : elles n'étaient point parentes; elles demeuraient aux extrémités opposées de Paris. Cependant elles furent réunies par le hasard.

Élise ne ressemblait pas à la première Élise; mais Victoire et Fanchonnette avaient absolument la même figure. La seconde Élise avait pour amant un gentilhomme, appelé M. de Ronci, qui lui avait dit : « Mademoiselle, vous êtes assez belle, pour faire excuser une mésalliance à ma famille : ainsi, comptez sur moi, refusez tous les partis, et je vous épouserai, lorsque mon oncle le richard sera mort. C'est un frère de ma mère, un financier; je ne veux pas le contrarier; car cet écuyer est beaucoup plus entêté de sa noblesse, qu'un Montmorency. En attendant, comme tout homme est homme, et qu'il faut que le cœur soit occupé, souffrez mes visites, ma familiarité même; vous n'aurez pas à vous en repentir. »

Élise consulta. On lui conseilla de risquer un peu, dans l'espérance d'une grande illustration. Elle suivit d'autant plus facilement ce conseil que M. de Ronci lui plaisait.

Élise était... coiffeuse... Ses parents avaient été riches; mais ils s'étaient ruinés. On lui proposa, pour élève, une jeune personne, appelée Fanchonnette

Giet. C'était une charmante enfant! d'environ quinze ans, ayant l'air distingué, les manières aisées, et un aimable caractère. Élise s'y attacha : mais par une sorte d'instinct, elle la cachait à son prétendu.

Dans une autre maison de Paris, très éloignée des errements d'Élise, était une fille de procureur, vive, enjouée, folâtre, jolie, qui avait pris du goût pour un M. de Ronci, client de son père. M. de Ronci, de son côté, prenait goût aux cajoleries de Victoire de Vaufrouard : lorsqu'il avait promis le mariage à Élise, il disait ce qu'il pensait; mais Victoire jeta dans son cœur un levain d'inconstance. Il ne la préférait cependant pas encore à Élise, qui était très belle, et encore plus aimable; mais... il était tenté par les appas provocants de la jeune personne... Pour obtenir la dernière faveur, [il] promit d'épouser; cependant avec l'intention de ne pas tenir sa promesse...

Il réussit dans son coupable projet, se dégoûta, se retira... et laissa Victoire désespérée... Ses parents avaient surpris le secret de leur fille, et voyant l'amant retiré, ils l'accusèrent de libertinage : le couvent lui fut destiné.

Victoire entendit par hasard les projets de ses parents. Elle les prévint par la fuite, et alla se loger dans la Nouvelle Halle, au n° 14. Là, se trouvant sans ressources, elle prit le parti de sortir le soir, et de se laisser suivre par celui des hommes, frappé par sa beauté piquante, qui lui paraissait le plus aimable et le plus honnête... Nous la connûmes alors. Elle alla ensuite demeurer dans la rue Saintonge.

De Ronci se trouvait un jour au parterre des Français : des jeunes gens, entre lesquels étaient Tayi et Martinville, parlèrent d'Élise, et de son goût pour un M. Edmond. De Ronci pensa que c'était son Élise, et il devint jaloux furieux. Il résolut de se venger de la perfide, en la jouant. Il écouta les détails, qui ne le détrompèrent pas, et au moment de l'explication, la toile se leva... le voilà donc persuadé.

En sortant du spectacle, il rencontra un de ses amis, qui connaissait Victoire. « Je viens de rencontrer la fille de ton procureur! lui dit-il. Elle est en grisette, et charmante! Elle demeure du côté de l'Estrapade. — Bon! l'on m'a dit qu'elle était à la Nouvelle Halle, où elle raccrochait. — Elle a peut-être changé?... Voyons à sa nouvelle demeure. Nous saurons ce qui en est : mais elle est charmante! adorable. »

De Ronci, à qui la prétendue infidélité d'Élise faisait désirer des plaisirs faciles, y consentit : à condition néanmoins qu'il se montrerait avec précaution. Ils arrivèrent. Fanchonnette venait de faire une commission pour Élise. L'ami la montra. De Ronci se méprit lui-même à l'extrême ressemblance. Il l'aborda. Fanchonnette le regarda froidement : « Oh! qu'elle est effrontée! dit de Ronci, elle ne rougit plus de rien! » Il lui parla. Fanchonnette rougit, et le pria de passer son chemin. « Vous n'avez pas toujours dit cela! » Fanchonnette s'enfuit.

« Elle entre chez Élise! s'écria de Ronci : Parbleu! voyons si elles demeurent ensemble! » Il la suivit, secondé par son ami. Fanchonnette frappa chez la seconde Élise, qui lui ouvrit familièrement.

De Ronci, assuré, se présente sur-le-champ. Élise, qui ne pouvait cacher Fanchonnette, rougit de dépit, et d'avoir eu un secret pour son amant. De Ronci prit un ton goguenard, dont Élise ne se douta pas. Il parla d'Edmond. Élise fit son éloge. Il parla de l'élève. Élise avoua qu'elle la lui avait cachée. « Vous aviez vos raisons? — Vous les présumez, en la voyant. — Oui, je les sais. » L'on en resta là. Fanchonnette était disparue, dès qu'elle l'avait pu. De Ronci sortit de chez elle, persuadé qu'elle aimait son rival

Edmond, auquel elle sacrifiait tout, et qu'elle avait Victoire chez elle. Il ne douta pas qu'elle ne dût être instruite, dès le soir même, de son aventure avec la fille du procureur, et à l'air de la prétendue Victoire, il augura que le portrait ne serait pas flatté. Il résolut de ne plus revenir chez Élise : il sacrifia même à ce nouveau plan, la satisfaction de lui faire des reproches, qu'il supposait mérités.

Abrégeons. Il se maria, en huit jours, avec une riche et laide héritière, qu'il avait constamment refusée : Élise-seconde le fut bientôt. Indignée, à son tour, elle se hâta d'épouser l'oncle de Fanchonnette, qui la recherchait, et qu'elle avait toujours rebuté. Les deux mariages faits, et les deux amants encore bien soutenus par leur colère, il arriva un tardif éclaircissement.

Il existait dans la rue Mêlée, n° 109, un richard libertin, qui courait après toutes les jeunes filles passables. Cet homme rencontra Fanchonnette, nièce d'Élise-seconde, et lui fit des propositions, qui furent repoussées. A quelques jours de là, M. Blutel rencontra Victoire, dans la rue Saintonge. « Ah! ma belle! lui dit-il, vous êtes bien sévère... » Ce monsieur était très cynique; il fit des propositions claires, accompagnées de leur véhicule. Victoire le regarda en souriant. Le richard transporté lui baisa la main. Il lui dit qu'il l'honorerait; qu'il l'inviterait à dîner avec des personnes honnêtes, afin de la répandre dans un certain monde. Victoire accepta, et le jour du dîner fut indiqué.

La veille, M. Blutel voulut avoir Edmond : mais comme il fallait assortir, il s'informa quelle était la personne qui l'intéressait? On lui nomma Élise. Il connaissait en gros Élise-première. Il alla l'inviter. Il savait la demeure de Fanchonnette : il lui écrivit de venir dîner. En ce moment, un homme du quartier de l'Estrapade, qui connaissait Élise-seconde, dit à M. Blutel, que c'était celle-ci qu'Edmond voyait... M. Blutel invita cette Élise : « Par là nous aurons la véritable! », dit-il. Fanchonnette voyant sa belle-tante du même dîner, se para, et fut à l'invitation. Victoire, quoique non réinvitée, n'y manqua pas. M. et Mme de Ronci étaient la cause première de ce grand dîner; c'était une invitation de rendu, pour la noce.

Victoire arriva la première. M. Blutel fut enchanté! Il eut avec elle, suivant son usage, dans ces occasions, un entretien très particulier, avant le dîner. Un instant après, arrivèrent les nouveaux mariés. M. Blutel les mit alors en présence avec la prétendue Fanchonnette, qu'il amena dans le salon. De Ronci fut dépité : Victoire, émerillonnée, n'en effaçait que mieux sa laide épouse : il ne savait quelle contenance garder... Pour le remettre, arrive Élise-seconde avec son mari... M. de Ronci crut qu'on le jouait! Il allait emmener sa femme, lorsque Fanchonnette, retenue à la porte par l'inviteur étonné, le retint aussi par l'étonnement. On n'eut pas le temps de parler : Élise-première entra. Edmond seul ne paraissait pas. On l'annonça, comme on allait commencer l'explication.

Edmond, qui connaissait les ressemblances des noms, et des deux figures, la donna facilement, à la grande surprise de l'honorable assistance, qui ne pouvait en revenir. Edmond ne ménagea pas M. de Ronci, qui n'osa se fâcher. Il comprit alors que tout ce qu'il avait entendu d'Élise-seconde, se disait d'Élise-première. Que Fanchonnette n'était pas Victoire, sa ressemblance, etc. M. Blutel s'intéressa beaucoup à cette seconde explication : il vit que celle des deux jolies filles à laquelle il avait parlé la première n'était pas celle à laquelle il avait parlé la seconde; et il eut la clef de l'inconvenance de conduite de la belle.

Le dîner fut gai, après ces éclaircissements : ils

répandaient sur la compagnie un air romantique[1]. Edmond s'était apparié sur-le-champ avec Élise-première. Une grande et superbe prude, qui tenait la maison de M. Blutel, et qui faisait les honneurs de la table, avec des grâces infinies, augmentait encore le charme de la situation. Elle était curieuse : elle avait été témoin secret de la conversation de M. Blutel, son prétendu cousin, avec Victoire : il fallait voir avec quel dédain elle la servait! Elle l'oubliait, ou lui donnait des choses non mangeables; au point que M. Blutel fut obligé de la servir lui-même. Cependant M. de Ronci, sans rien dire des écarts, parla de la famille de Victoire, d'une manière qui surprit la grande Agathe : elle marqua un peu plus de considération à Victoire, lorsqu'elle la sut fille d'un procureur... Enfin, en vertu d'un mot qu'Edmond dit à l'oreille de Victoire, elle et Agathe furent presque amies, avant de se quitter. C'est qu'on resta fort tard! Tout ce monde était si étonné de se trouver réuni, qu'on ne pouvait plus se résoudre à se séparer... Il le fallut pourtant, quand onze heures sonnèrent.

Edmond reconduisit Élise-première et Victoire, qui demeuraient à peu près du même côté, et qu'il voulait lier ensemble. De Ronci, en sortant, invita le même monde à un dîner pareil chez lui, à l'octave.

On n'y manqua pas. Ce gentilhomme avait fait de terribles réflexions depuis qu'il était instruit de l'innocence d'Élise, pour laquelle il avait repris tout son amour. Il avait un joli logement, derrière Sainte-Geneviève, un grand jardin, et quatre pavillons. Il reçut la première compagnie, dans un des quatre; c'étaient Agathe et M. Blutel; la première Élise, Victoire et Edmond dans l'autre; Élise-seconde, son mari et Fanchonnette dans le troisième. On dîna sous un berceau dans le jardin. A la fin du copieux dîner, de Ronci tâcha de conduire Élise-seconde dans le quatrième pavillon : elle était un peu étourdie par le champagne. Il se mit à ses genoux, lui exprima son amour, et parvint à la toucher... Ce fut de cet entretien unique, qu'est provenue l'unique fille d'Élise-seconde, une des plus jolies personnes qui embellissent aujourd'hui la ville de Paris. J'ai rencontré la mère et la fille au Luxembourg, à l'époque de la Révolution : je ne reconnaissais pas Élise-seconde : alors très changée! Ce fut la fille, son exacte ressemblance, qui me la remontra dans l'âge des amours. Je lui dis : « Madame, je vous reconnais dans cette belle personne! — Ah! que vous me flattez! me répondit-elle *(bas)*... Si vous saviez comme elle m'est chère! Je ne saurais la regarder, sans attendrissement... Quels souvenirs elle me renouvelle!... »

On va marier cette jeune personne, que son père dotera...

Heureux ceux qui ont d'aimables enfants... Ils revivent en eux!... Malheur sur l'égoïste célibataire! Il cesse de vivre, longtemps avant sa mort[1]!

D'autres racontent différemment la fin de M. Bertier, que j'ai rapportée plus haut, conformément aux récits publics. Je vais parler d'après un témoin sûr.

L'intendant de P. avait pris des blés au compte du gouvernement, et les avait distribués dans les provinces, sur les bons des subdélégués, et des autres sous-administrateurs. Pressé de rendre ses comptes, il ramassait tous ces différents bons. Il se ressouvint, à Soissons, où il était chez Mme de Blossac, sa fille, qu'il avait un bon de quarante-cinq mille livres à prendre à Compiègne. Il voulut s'y rendre, malgré les représentations et les prières de son gendre et de sa fille : cette dernière embrassa ses genoux. Il partit, accompagné d'un domestique affidé. Arrivé à Compiègne, il déjeuna chez le subdélégué, et voulut aller au château, voir un sieur Thierry, valet de chambre du roi : l'épouse du subdélégué lui prit le bras. Ils se rendirent au château. Thierry était parti du matin même. L'intendant s'en revenait avec la dame, quand il fut reconnu par un garde-barrière. Cet homme lui demanda s'il n'était pas l'intendant ? « Oui! Eh bien, qu'en est-il ? — Je vous arrête. — De quel droit ? — Je vous arrête. » La discussion fait amasser du monde : l'intendant, arrêté, est conduit dans la maison la plus prochaine, chez un menuisier. On l'y garda, pendant qu'on envoyait à Paris. Il passa deux jours et deux nuits dans les souffrances, les avanies, l'insomnie complète. On alla jusqu'à lui refuser de panser son cautère : on manda un chirurgien. Cependant il avait laissé son portefeuille dans sa chaise. On y songea au bout de trois heures. On y courut. Mais le domestique intelligent était disparu avec le portefeuille, et s'en retournait à Soissons à travers champs. Il y arriva sans être arrêté. Là, on ouvrit le portefeuille. Un témoin oculaire assure qu'il ne s'y trouva qu'une somme en or, et pour quarante-cinq mille de ces bons, que l'intendant recueillait, lorsqu'il fut arrêté.

Le reste est conforme à la première version.

SEPTIÈME NUIT

Les 5 et 6 octobre[1]

JE laisse tous les faits du second ordre, et La Salle, qui courant à l'Hôtel-de-Ville, entend qu'il va être

pendu, et rebrousse chemin; et les querelles de
Soulairs; et l'aventure de La Reinie : je ne parlerai
pas des massacres de Saint-Germain et de Poissy; du
maire de Saint-Denis; encore moins de celui de
Troyes : ces infortunés auront un jour leurs historiens : je passe sur les troubles de Franche-Comté;
sur ceux d'Alsace, du Mans, plus atroces encore; je
ferme les yeux sur le crime horrible commis à Caen,
où l'on vit une... hyène à face de femme, se faire un
trophée de la virilité du jeune Belsunce! Je ne m'occupe, hélas! que de Paris, de cette ville chérie, le
chef-d'œuvre et la merveille de l'univers, aussi supérieure à Londres, et à toutes les capitales, que
Louis XVI est au-dessus de Louis XIII et de Charles IX, que La Fayette et Bailli sont au-dessus de
M***, M***, M**, V**, L**-T***, d'E****, etc. Tous
les jours de ma vie, je bénirai Louis XVI; tous les
jours de ma vie, je bénirai Bailli et La Fayette!

On se rappelle ces bruyantes motions du Palais-
Royal, où Sainthuruge jouait le second rôle, en
croyant faire le premier : la fermentation qu'elles
excitèrent ne fut pas momentanée! Elle couva sous la
cendre, jusqu'aux premiers jours d'octobre.

Le 4, l'éruption commença : c'était un bruit sourd.
Le 5, semblable aux bouches de feu du Vésuve ou de
l'Etna, elle explosa tout à coup, avec un bruit épouvantable. C'étaient les femmes qu'on vit insurger. La
cherté du pain fut le prétexte : le dessin formé,
depuis la motion Sainthuruge, d'avoir à Paris le roi
et l'Assemblée nationale, le véritable motif. Il est vrai
que c'était le seul moyen d'éviter la disette, et de
ranimer le commerce de Paris... Je ne blâmerai pas
ce projet : il a procuré un avantage, dont je jouis
moi-même; et peut-on se plaindre, quand on jouit?...

Dès le matin, les femmes de la Halle se réunirent,
pour aller à Versailles. Par elles-mêmes, ces dames

ne sont jamais à craindre; elles sont bonnes et citoyennes : mais il se mêle deux sortes de personnes avec elles : des hommes déguisés, instruits du véritable projet; et de viles créatures, le rebut et l'abus de la civilisation, qui, après avoir été prostituées dans leur jeunesse, sont vieilles, courtières et maquerelles. Ce furent ces dernières qui commirent tout le désordre.

Les dames de la Halle, ainsi mêlées, parcourent les rues, arrêtant toutes les personnes de leur sexe, et se faisant un malin plaisir (nous parlons du mélange), de faire tripoter dans les boues des femmes et des filles délicates. Il y avait ainsi dans la fange des marquises, des comtesses, et entre autres une baronne, qui parut faire son rôle avec quelque plaisir...

Mais avant de faire notre récit, rapportons celui du *Courrier national* :

« Hier, à l'*Œil-de-Bœuf*, trois femmes de la reine, ayant fait emplette de rubans blancs, elles en décorèrent les chapeaux de nos exécrables ennemis, ou d'hommes assez faibles, pour se laisser séduire par le langage de ces sirènes dangereuses. Pour avoir l'honneur d'être armé chevalier par ces aristocrates femelles, on s'agenouillait, et dans cette posture on recevait humblement la cocarde blanche, comme la seule que l'on dût porter, et la refuser, c'était, selon ces belles, insulter et trahir le roi. Cette inconséquente audace doit inspirer plus de pitié que de fureur aux gens sensés. Cependant, comme de telles gentillesses ont une influence très dangereuse, dans la triste conjoncture où nous sommes, on devrait envoyer ces nobles paladines donner des cocardes à la Salpêtrière. »

*Lettre d'un bon citoyen de Versailles
au sujet des cocardes noires*

« Malgré la rétractation du *Courrier de Versailles à Paris*, il est certain que la cocarde de la liberté a été foulée aux pieds; ce que nous avons annoncé hier à ce sujet, ne s'est que trop confirmé : nous avons les plus fortes raisons de nous tenir sur nos gardes; nous sommes entourés d'ennemis; si nous ne les terrassons, nous sommes perdus. La lettre suivante instruira nos lecteurs, le plus succinctement possible, de tous les détails de la scène scandaleuse qui a été le germe des troubles que nous voyons naître.

Versailles, ce 4 octobre 1789.

« Messieurs : On parle beaucoup à Paris de la conduite indécente du régiment de Flandres; mais personne ne peut mieux que moi vous instruire de l'orgie scandaleuse qui y a donné lieu : j'en ai été témoin; il importe à la conservation de notre liberté, d'en relever les détails... Jeudi dernier, tout le monde sait que l'on donna un grand repas aux dragons, aux soldats du régiment de Flandres, et aux gardes du corps, dans la salle de l'Opéra de Versailles : le roi, la reine, conseillés sans doute par des ennemis aussi imprudents que stupides, au moment où toutes les têtes étaient échauffées par la bonne chère et les liqueurs, parurent à ce banquet! Des Français, de sang-froid, se feraient couper par morceaux pour leur souverain, lorsqu'il se rapproche d'eux; des militaires ivres amoncelaient folie sur folie, inconséquences sur inconséquences : c'est ce qui est arrivé. On fit passer le dauphin de main en main, et cet enfant charmant, par son amabilité naïve, inspira l'enthousiasme de l'amour jusqu'à l'extravagance. La reine, cédant trop peut-être aux transports que son auguste époux et son fils faisaient naître, détacha une croix d'or qu'elle avait à son cou, et en fit cadeau, on ne sait trop pourquoi, à un grenadier : le roi but avec eux; on cria, « *Vive le roi! Vive la reine!* » et l'on se garda bien de crier : « *Vive la liberté! Vive la sainte liberté!* » Mais on honora les défenseurs de nos droits, nos sauveurs, les Menou, les Target, les Chapelier, les Rabaud, les Thouret, les Biauzat, les Barnave, etc., des épithètes les plus injurieuses.

« On chanta la romance de *Richard Cœur de Lion* :

O Richard, ô mon roi!
L'univers t'abandonne!

Soudain, à ces mots, saisis d'un transport insensé, que l'effervescence de l'ivresse excusera difficilement, tous d'une voix coupable, s'écrièrent : « *Nous ne reconnaissons que notre roi! nous ne reconnaissons que notre roi! Nous n'appartenons pas à la nation**! *Nous ne voulons appartenir qu'à lui!* » Alors, arrachant de leurs chapeaux la *cocarde nationale*, ce signe de l'union, de la fraternité, de la liberté, ces sacrilèges la foulèrent aux pieds! Depuis ce temps, ces excès coupables, qui doivent nous faire frémir, ne cessent de se répéter; on insulte indignement, chaque jour, les vrais citoyens, qui, à Versailles, comme à Paris, mettent leur gloire la plus chère à marcher sous l'étendard de la patrie, et s'honorent de porter l'habit national. Notre humiliation, notre infortune est au comble, si l'épée de la vengeance et de la justice ne tombe sur la tête de nos traîtres ennemis!

« Insérez, je vous prie, messieurs, cette lettre est dans votre feuille : il nous importe que toute la

---

* Voilà le comble de la folie!

France, toute l'Europe connaissent comment on se comporte envers nous; comment on s'y prend, pour séduire des troupes, qui avaient l'air d'être dans les intérêts de la nation.

« J'ai l'honneur d'être, etc.

Départ des citoyens de Versailles

« Le bruit répandu, dimanche soir, de l'injure faite à la nation, a fermenté pendant la nuit dans toutes les têtes. Le mécontentement général, augmenté par la disette trop prolongée de l'aliment le plus nécessaire à la vie, a éclaté ce matin dans tous les quartiers de la capitale. Les dames de la Halle, réunies en corps, bientôt suivies des forts et autres ouvriers, se sont répandues dans les rues, à commencer par celle de la Ferronnerie, forçant toutes les femmes de les suivre, et entrant même dans les maisons, pour grossir leur nombre. Rendues ensuite à l'Hôtel-de-Ville, les magasins d'armes et de munitions ont été mis au pillage. De là, ces nouvelles amazones, traînant avec elles du canon, se sont mises en marche pour Versailles. Les hommes n'ont pas tardé à suivre leurs traces, et ce soir, à cinq heures, nous avons vu passer une armée entière de gardes nationales, soldées et non soldées, entremêlées de volontaires de tout âge, et de tous rangs, suivant à grands pas la route de Versailles, tambour battant, enseignes déployées, avec un train d'artillerie... Ces troupes étaient commandées par le jeune et généreux guerrier, si cher à la liberté française.

« Que fera tout cet attirail formidable, et cette armée patriotique ? Rien sans doute. Nous l'espérons, nous le désirons au moins. L'aristocratie, qui, à l'abri du calme, a voulu soulever sa tête odieuse, va rentrer dans l'antre de ténèbres où elle s'était cachée; et cette seconde leçon, cet accord subit des vrais amis de la patrie; leur promptitude à réprimer l'audace des entreprises de nos ennemis, leur imposera peut-être assez, pour n'oser plus se livrer à l'espoir de nous subjuguer.

« A quatre heures et demie, les dames de la Halle sont arrivées à Versailles. Le roi était à la chasse : un courrier est allé l'avertir de se mettre en sûreté. Sa Majesté est arrivée, mais les femmes ne l'ont pas vue. Elles ont été reçues avec distinction par la garde bourgeoise, les dragons nos bons amis, et les soldats des Flandres, redevenus citoyens. On ne peut trop admirer le courage et l'ordre de ces héroïnes de la liberté. Il est donc écrit dans le livre des grandes destinées de cet empire, que l'orgueilleuse grandeur sera terrassée à jamais.

« Les gardes du corps, chassés par ces dames, ont pris leur parti en braves : ils ont enfilé différentes routes sans dire *gare*. Un seul a été assez maladroit pour passer sur l'avenue de Paris, lorsqu'il y avait foule, et un coup de fusil l'a couché par terre.

« Hier dimanche, 4 du courant, les soldats du régiment de Flandres se sont réunis avec une partie des bourgeois; ils ont bu ensemble, *à la santé du roi et de la nation*; ils ont honni les gardes du corps, et se sont promenés en criant : « Vive la nation! au diable les gardes du corps! Nous avons bu leur vin, mais nous... d'eux!... Et si l'on nous commande contre les bourgeois, nous n'obéirons pas. »

Je reprends le récit interrompu.

Une partie des femmes armées se mit en route dès midi, et même auparavant. Elles étaient mêlées d'hommes déguisés : la plupart des bourgeoises tâchèrent de s'évader. Les hommes étaient sous les armes. Le peuple pressait M. de La Fayette de partir. Mais les brigands, qui font toujours leur partie, dans toutes les émeutes, avaient chassé les représentants, et il fallait au commandant, pour être en règle, les ordres de la municipalité. Cependant, le jeune héros brûlait de partir. Il savait combien sa présence était indispensable, pour la sûreté du monarque et celle de l'Assemblée nationale.

Pendant les démarches nécessaires, on voyait défiler les femmes. Il y en avait une jeune, assez jolie, qui, montée sur un canon, que traînaient deux chevaux, paraissait la générale de son sexe : « Eh bien ? me fuit-on ? disait-elle sans cesse. Avancez donc vous autres ! Marchez donc, sans cœur ! », disait-elle à celles qui s'arrêtaient... Elle montrait une partie de ses charmes, et ne s'en embarrassait guère. On assure même que quelqu'un en ayant admiré une certaine position, elle répondit : « Ce sera pour le grenadier, qui fera le mieux son devoir ! »

A quatre heures et demie, le commandant général partit, suivi de la milice nationale : elle était nombreuse ; car la moitié au moins n'était pas commandée. Les éléments paraissaient déchaînés contre les Parisiens. La pluie froide les mouillait jusqu'aux os. Une partie de la troupe soldée, accablée des fatigues de la veille et de la débauche, demeurait en route : d'autres, tentés par la perspective d'une jouissance facile, interpellaient d'amour les amazones. Mais celles-ci, plus curieuses d'arriver à Versailles, que de jouir, remettaient pour la plupart les convoiteux au retour de l'expédition.

Les premières femmes étaient arrivées à cinq heures à la grille du château : c'était avec celles-ci qu'étaient les hommes déguisés, les Maquas, et les Brigandes : ces deux dernières espèces allaient au pil-

lage. Elles voulurent obliger le garde du corps en sentinelle, à désemparer la grille, et à la leur ouvrir. Il
s'y refusa : l'on n'ouvre pas les portes à des tumultueux, à des furieux, encore moins à des furieuses...
Je suis loin d'être aristocrate! je bénis le séjour du
monarque et de l'Assemblée nationale à Paris : je dis
plus, je ne désapprouve pas le courage des dames
honnêtes de la halle; mais les gardes du corps eussent été coupables de trahison envers le roi et la
nation, s'ils avaient ouvert tout d'un coup à des hommes déguisés, à des femmes sans mœurs et sans
frein, encore excités par les anciens espions de
police, par ces êtres les plus vils de tous, parce que
les lieutenants de police, environnés d'exempts scélérats, ne voulaient pas se donner la peine de les choisir. Bientôt, les discours des espions déguisés, des
teneuses de filles publiques prouvèrent combien les
gardes du corps avaient eu raison. Il fut tué cependant, celui qui résista le premier; son devoir rempli
lui coûta la vie... On attribue à la garde bourgeoise de
Versailles d'avoir tiré sur les gardes du roi! Non!
non! ce fut un polisson; un filou de la capitale, armé
par adresse, qui tira le premier coup de fusil... Tous
les efforts d'un volontaire de la Bastille, ne purent en
sauver un autre : ce volontaire le quitta, de peur
d'être tué du même coup : l'habit national n'aurait
pas été respecté...

On peut dire cependant que les gardes du corps
avaient eu tort : le banquet du jeudi précédent avait
eu des circonstances, non seulement imprudentes,
mais criminelles, si la Renommée ne ment pas...
L'ariette qu'on y chanta, *O Richard! ô mon roi!* était
un acte indécent de compassion, qui tendait à tromper le roi, sur les dispositions de son peuple... S'il est
vrai que des dames y avaient distribué des cocardes
noires, elles ont mérité une punition sévère... S'il est

vrai (ce que je ne saurais croire), qu'on y ait foulé
aux pieds la cocarde nationale, c'est un crime qui
méritait la mort... Mais je ne le crois pas, à moins
que l'ivresse... Ah! il faut éviter l'ivresse, et les
grands repas, pendant les troubles civils! Les grands
repas ont toujours des suites funestes... Et vous, gardes du corps, étiez-vous purs! Ah! la honteuse affaire
de Beauvais a plus contribué que vous ne le pensez à
donner la mort à ceux d'entre vous qui ont été
massacrés! Jamais, ô gardes du corps! ô vous tous,
mes concitoyens! jamais le crime ne demeure
impuni! Lorsque le bourgeois de Beauvais eut été tué
dans le parterre de la comédie, par un brutal d'entre
vous, à défaut des lois, qui se turent, il fallait punir
solennellement vous-mêmes les coupables... Le
royaume entier vous aurait applaudi, et à Versailles,
vous auriez été aimés... Et considérez, je vous prie,
que l'épicier de Beauvais, fut tué par les vôtres, après
un dîner... Considérez que sa femme était en travail
d'enfant; qu'elle l'avait éloigné, pour lui dérober les
douleurs... Représentez-vous-la, au moment où on lui
rapporte son mari expirant... Au milieu de la paix,
poignarder un citoyen dans l'asile des amusements et
du plaisir! c'est un crime affreux, et qui méritait la
cassation infamante de tout le corps qui ne l'a pas
réparé... Mais le 5 octobre, vous faisiez votre devoir...

Tant que La Fayette ne fut pas arrivé, le crime, l'insolence, le brigandage faisaient entendre leurs rugissements aux portes du château. Tout était dans la
consternation. A peine pouvait-on se défendre de la
violence, et les gardes du corps, malgré leur dénéga-
tion, furent obligés de tirer quelques coups, pour
défendre leur vie. Mais enfin, à neuf heures, La
Fayette arrive. Le héros est effrayé du désordre : il
tâche de calmer les esprits. Mais à qui parlait-il? Les
armes des citoyens honnêtes qui le suivent, font plus

que ses discours. Il vole auprès du monarque : il lui porte l'assurance de la fidélité des Parisiens; il l'instruit de leur vœu, et il n'eut qu'à l'annoncer, pour y voir condescendre le meilleur des hommes et le meilleur des rois...

La reine était effrayée des cris, non des citoyens, mais cette vile tourbe de scélérats et des femmes honnies, qui assaillait les portes des appartements. Mais rassurée par la parole du héros des deux mondes, elle se remit au lit, et un moment du calme, permit au sommeil de l'approcher...

Mais quel repos espérer, d'une foule impatiente, et mal à son aise, qui n'avait été tranquille, que pour se rassasier ?... Après la tenue de quelques paroles, données en route par les femmes, la fureur se réveilla vers les trois heures et demie. Des cris perçants se font entendre... Ce fut en cette occasion que l'on vit, ce qu'on a tant imprimé, que la mollesse éteint la valeur... Des officiers élevés dans le luxe et l'aisance, sentirent mollir leur courage : fatigués par la veille, encore plus par les cris, ils tremblaient!... Ce ne sont plus ces chevaliers bardés de fer, du siècle de François Ier; ce sont des femmelettes amollies, moins courageux que les femmes. Et voilà comme le noble, l'opulent, paie enfin l'injure et l'oppression faite au pauvre, qu'il a dépouillé! il est accoutumé à ne pouvoir se passer des services de celui qu'il avilit! Le moment de l'insurrection arrive, et l'opulent, le délicat ecclésiastique sont réduits à trembler devant la populace, accoutumée aux travaux! Ces officiers, qu'on vantait, dans nos fades comédies, comme volant des plaisirs à la gloire, sans le canon, qu'ils ne dirigent pas, sans le soldat, à la tête duquel ils vont à cheval (car leurs jambes ne les porteraient pas), n'iraient, de l'épuisement du plaisir, avec leurs catins, qu'à la honte de la défaite!...

« J'ai dit qu'ils tremblaient. Je le tiens d'un lieute-
nant-colonel. Le roi s'était levé. La Fayette était
auprès de lui. Louis XVI n'éprouvait pas la crainte; il
rentrait dans son cœur, qui lui disait qu'un bon père
ne reçoit que des respects de ses enfants... Mais au
moment où il s'entretient avec le général, des cris se
font entendre : « Sauvez la reine! »

« Dirai-je ici l'horrible vérité! ou la tairai-je?...
Mais pourquoi la tairais-je, puisque j'ai commencé
par disculper la nation!... Pourquoi la tairais-je, puisque j'ai désigné les infâmes, cette lie des peuples, qui
est le réceptacle de toute la bassesse et de toute la
scélératesse humaine!... Antoinette! femme destinée
par la nature, plus encore que par la naissance, à être
une reine adorée, vous, le chef-d'œuvre de votre sexe;
à qui l'on ne peut reprocher que d'être trop
séduisante! ô reine! apprenez que, dans ces temps
sévères, où les moindres écrits licencieux étaient
rigoureusement punis, les écrits sacrilèges publiés
contre vous étaient imprimés par les espions de
police, seuls assez hardis, assez maîtres des moyens,
pour le faire sans crainte! Apprenez, ô ministres
actuels, qu'ensuite ces scélérats sacrifiaient des
ouvriers ignorants, et joignaient le prix de leur cap-
ture, de leur sang, à celui de la vente de l'ouvrage!
Apprenez que c'est ainsi que le plus coupable d'entre
eux a quarante mille livres de rentes!... O Reine!
favorisez de tout votre pouvoir la liberté de la presse,
la liberté d'état d'imprimeur, et les infâmes libelles
seront plus rares, on en découvrira facilement les
auteurs, les colporteurs, et ils seront flétris par la
loi!... Mais revenons.

Les espions déguisés en femmes, ces souteneurs de
profession, qui vivent des crimes les plus atroces et
les plus bas, étaient réduits à l'absolu désœuvrement,
par le nouveau régime : secondés par d'aveugles ins-

truments, leurs Maquas, ils crurent pouvoir renverser l'État, en demandant le plus horrible des crimes. La reine, que ces sacrilèges osèrent menacer, s'éveille épouvantée; elle sort du lit, et court, demi-nue, chercher l'asile le plus sûr, les bras du roi. En effet, le sein du monarque était, dans ce moment terrible, l'asile le plus sacré, le seul du royaume... Elle frappe. On ne l'entend pas. Son effroi augmente... Enfin, les cris du dehors, firent que le roi songea que la reine pouvait être effrayée : il voulut aller à elle, et ce fut la tendresse maritale qui sauva Antoinette. A peine la porte s'entrouvre, que la souveraine, le dauphin dans ses bras, se précipite dans ceux de son auguste époux, avec un cri, qui glace de frayeur des hommes accoutumés à ne rien craindre... Quelle scène!... Mais qui l'occasionnait ?

Les brigands et les malhonnêtes femmes déguisées en poissardes, faisaient effort, pour enfoncer les portes de l'appartement de la reine. Les gardes du corps les repoussaient. Mais dévoués à la haine publique, par l'effet d'une erreur accréditée, qu'ils avaient tiré sur les femmes, ils allaient être forcés : tout à coup les grenadiers aux gardes-françaises, qui sentent leur amour pour le roi et tout ce qui le touche, s'échauffer dans leur cœur, indignés des cris atroces des femmes perdues, s'élancent, joignent les gardes du corps, les embrassent, et leur disent : « Nous soutenons la même cause! » Ce trait est immortel! Il doit rendre chers à la famille royale, à toute la France, ces courageux grenadiers. Dans la circonstance, chacun d'eux valait cent hommes... Ils repoussèrent les Tigres, dont les horribles expressions décelaient les desseins. C'est ainsi que le crime imprudent se trahit lui-même!...

La reine en sûreté, le jour venu, La Fayette fit les dispositions, pour accompagner le roi à Paris. Le monarque, dont on prévenait les désirs (car il sentait que la capitale avait besoin de sa présence), hâtait le départ. Cependant, il n'arriva que le soir, à l'Hôtel de Ville... Je le dis, parce que je l'ai vu, tout le monde fut touché de la conduite des gardes du roi, qui mêlés avec le peuple, la cocarde nationale au chapeau criaient : « *Vive le roi! Vive la nation!* » En effet, c'était le même cri, le roi est un chef, et la nation le corps; ce n'est qu'un. A la vérité, pendant la tenue des États Généraux, le roi laisse faire à la nation les lois qu'elle voudra qu'il exécute; il se reconnaît le représentant; il cède la place aux représentés : mais il la reprend, dès que la loi étant faite, il ne faut plus qu'un seul chef pour la faire exécuter...

La reine offrait un spectacle encore plus touchant : elle montrait le dauphin, tenu sur ses genoux; elle le montrait au peuple, dont il est l'espoir. On assure que cet auguste enfant a parlé plusieurs fois; mais je n'en ai pas de certitude.

A huit heures et demie, le roi était de retour de l'Hôtel de Ville aux Tuileries.

Que d'autres se chargent de détails inutiles : pour moi, je n'ai voulu dire que des choses propres à produire quelque bien. J'ai disculpé la nation : j'ai tâché d'éclairer les particuliers, qui s'imaginent que les Parisiens ont fait violence au roi, à l'Assemblée nationale; tandis que la vérité est que le séjour du roi et de l'Assemblée nationale à Paris, était nécessaire aux progrès des affaires, et au bien de tout le royaume : Paris est la reine des villes, comme le roi est le chef des hommes. Point de prospérité, point de gloire nationale, sans l'union des Français à leur roi; sans l'union des villes à Paris. On a peint la capitale, comme une anthropophage. C'est à tort! c'est la donneuse de délices, c'est la maîtresse du royaume; si elle rend le royaume heureux, il ne peut trop la payer. D'ailleurs, elle lui rend tout ce qu'il lui donne... Amant généreux! ne regrette pas tes dons! s'il n'est rien de plus coquet que ta maîtresse, il n'est rien de plus aimable, et sa coquetterie même tourne à ton avantage!

Félicité, ou l'Amour médecin[1]

« Nous sommes en 1790! Une crise nouvelle s'apprête-t-elle encore?... Non! non! disait Tefris, à cinquante-cinq ans et demi; c'est mon dernier amour, que celui de 1786. Mon premier amour fut Agathe Tilhin. J'avais six ans; quatre années après, j'aimai Marie Fouard : j'en avais dix; quatre années après, ce fut Jeannette Rousseau : j'en avais quatorze. Quatre années après, au milieu d'une effervescence tumultueuse, qui me faisait courir après plusieurs objets différents, je désirai Marie-Jeanne, Manon Prudhot, Madelon Baron, Colombe, Marianne Tangis, Adélaïde Mélos, Rose Lambelin, Mlles Laloge et Lalois, Dugravier et Linard : j'adorai... avec excès!... Madame Parangon!... Quatre ans après, Zefire... Quatre ans après, Adélaïde Nécard; quatre ans après, Rose, la céleste Rose, sœur de l'aimable Eugénie... Quatre ans après, Élise... Quatre ans après Louise, la naïve, la touchante, la provocante Louise, si digne de l'amitié qu'eut pour elle l'incomparable Thérèse! Quatre ans après, Virginie, cette fille devenue bonne, de trompeuse et perfide, par inexpérience!... Quatre ans après, Sara, qui feignait si bien l'attachement, le dévouement... Quatre ans après, Félicité, fille délicieuse, coquette, mais décente, honnête même...

« C'est une grande singularité, que cette suite de *Quaternaires*, qui ont partagé ma vie, en neuf parties

égales!... Le dixième va finir!... Hélas! il n'amènera
pas un nouvel amour! » Ainsi s'exprimait le cinquan-
tenaire presque sexagénaire Tefris, quand nous
l'abordâmes...

« Racontez-nous vos aventures, Tefris ? lui dîmes-
nous. — Elles sont toutes racontées, répondit-il; il ne
m'en reste qu'une, encore non dite, et c'est la seule
que je veuille vous communiquer : je ne veux pas
être accusé de bavardage.

« Nous étions en 1786 : j'avais alors pour ami un
vieil officier général d'artillerie, qui m'appelait quelquefois à son dîner, avec ma famille, composée de
mes deux filles. Un jour, qu'il m'invitait par écrit, et
de cette manière plaisante, qui sentait un peu les
camps, il ajouta : « Vous prendrez en route une
« demoiselle du port au blé; un soldat aux gardes, et
« un maltotier, qui dîneront avec nous. Je demande
« pardon à vos filles de la compagnie que je leur
« donne, mais il faut en passer par là, pour dîner
« avec moi demain, se promener sous mes tilleuls, et
« entrer gratis aux fêtes champêtres. »

« Le dimanche, à midi, nous allâmes au port au
blé; nous y trouvâmes Mlle Félicité, auprès de
laquelle était déjà un officier aux gardes, frère de
l'officier général, et le frère de la demoiselle, directeur d'une régie des fermes. Le frère et la sœur faisaient alors l'acquisition d'une jolie terre, dont l'officier général voulait se défaire.

« Nous nous parlâmes peu : le vieux militaire et les
trois dames montèrent dans la voiture envoyée par
l'invitateur, et nous allâmes à pied, le directeur, un
jeune avocat général d'un parlement de province, et
moi.

« A dîner, on causa, l'on rit. On se promena dans le
vaste jardin, après dîner. Ce fut là que j'eus l'occasion de connaître Félicité... Elle n'était pas jolie, mais

sa figure était aimable et piquante : elle avait le son de voix aigre-doux, mais harmonieux; il en faisait disparaître à volonté, toute la dose d'aigreur. Elle avait les yeux noirs et brillants, la bouche petite, la gorge haute, la jambe parfaite, le pied mignon et coquet. C'était un véritable *tournetête*, pour un homme de cinquante-deux ans. Elle paraissait vouloir s'attacher à moi. Elle me loua. J'y fus sensible. Je ne lui soupçonnais aucun motif; elle était beaucoup plus riche que moi; ma connaissance ne lui présentait aucun avantage; j'admirai cette inclination surannée...

« J'eus le bonheur de la remettre le soir chez elle; parce que le carrosse passant devant sa porte, elle en descendit. Mes deux filles continuèrent la route; et moi, je restai... Félicité, égayée par une espèce de fête, au sortir d'une maison riante, était dans une sorte d'ivresse... Elle s'assit : je me plaçai sur le même sofa : nous causâmes. Bientôt, je la caressai; et je trouvai la plus aimable des filles!... De la réserve, de la décence, mais point de bégueulisme... Deux heures s'écoulèrent délicieusement!... Le frère revint, et je me retirai.

« Je ne me trouvai pas amoureux; mais je me sentis enchanté! J'allai voir Félicité tous les jours. Le charme augmenta, et jamais il n'en fut de plus doux!... Je sais louer les femmes : Félicité le fut dans les plus petits détails; sur sa voix, sur son parler, sur ses jeux, sur sa taille, sur son caractère, louange la plus flatteuse, après celle des charmes. C'est qu'une fille de trente ans, dont on loue les appas, est bien plus sensible à cet éloge qu'une fille de dix-sept : on en sent la raison! Quant au caractère, on verra pourquoi Félicité aimait qu'on louât le sien.

« Cette fille avait de l'adresse, et l'adresse sert infiniment aux hommes de cinquante-deux ans, ainsi que

je l'avais éprouvé, à quarante-cinq, six, sept avec
Sara. Jamais on sut nuancer les faveurs avec autant
d'art, d'économie, et de douceur... J'étais alors
malade : Félicité, dont le nom était exprimant, avait
l'art de s'administrer à une dose curative. Elle avait
eu, pendant dix années, un amant aimé, dont elle
avait conservé les jours, par le bonheur. Il avait la
poitrine délicate; il était menacé de cette maladie
cruelle, qu'on peut appeler le feu de Méléagre; mais
tant qu'il fut auprès de Félicité, les douces caresses
de cette fille, un amour tendre, administré à petites
doses, maintint dans le sang et les humeurs du jeune
Coupenoir, une circulation avantageuse. L'ambition,
une belle place, pour laquelle Félicité fut en partie la
caution, l'éloignèrent d'elle; ce fut comme un arbre
arraché; il perdit la sève et la vie!

« Ma position fut l'inverse : accablé de chagrins, de
travail, je succombais à mes peines, quand je connus
Félicité. Cette fille désira me conserver; elle s'attacha, par des motifs particuliers, à prolonger ma vie;
il ne s'agissait que de se faire aimer. Elle y réussit,
dès qu'elle connut mes goûts naturels et factices :
elle était assez bien, pour les premiers comme on a
vu. Quant aux seconds, ils dépendaient de la toilette,
et elle en était absolument maîtresse, avec son goût
exquis. Elle étudia toutes les coiffures : le chapeau
noir à l'anglaise était ce qui lui allait le mieux; il
ombrait sa figure, et lui donnait plus de mignardise.
Tous les jours de bain; elle était sur elle d'une propreté enchanteresse; la chaussure était soignée à
l'excès. Elle me fit assister à sa toilette, elle lut dans
mes regards, à tous les degrés de l'habillement : elle
me pénétra; et de ce moment, elle fut à mes yeux la
plus provocante des filles. Réservée dans le particulier, elle était tendre, empressée, à la promenade du
jardin de l'officier général. C'est là qu'elle permet-

tait, ou qu'elle faisait à la dérobée, quelqu'une de ces caresses, qui portent dans le cœur un trouble délicieux...

« Elle ne tarda pas à voir l'effet de ses soins. Elle en augmenta le charme, en me rajeunissant. Allait-elle dîner en ville, dans une maison, où je n'étais pas invité, elle m'engageait à la conduire, et me donnait l'heure, où je la reprendrais le soir. C'étaient des rendez-vous; je faisais un rôle de jeune transféré, qui attend la belle. Félicité, toujours charmante, en compagnie, était fêtée des vieux officiers : elle s'esquivait, évitait leurs caresses, et venait dans un coin retrouver son préféré, avec lequel cette nymphe légère s'en revenait à pied.

« En moins de six semaines, je fus délivré de mon mal de poitrine. Félicité m'occupait toujours : je la quittais le soir fort tard; je la revoyais le matin; je dînais avec elle presque tous les jours. C'était le bonheur : le bonheur et la santé sont frère et sœur.

« Félicité! lui disais-je, ah! que vous êtes bien nommée... » Ce fut ainsi que je passai du 5 mai, première entrevue, jusqu'au 29 juin, que Félicité partit avec son frère, emmenant avec eux ma fille aînée.

« Après son départ, je m'attendais à des regrets. Sara, qui ne valait pas Félicité, pour bien des choses, m'en avait causé de si violents! Sara était soldée... Félicité, libre, mon égale, m'avait retracé ces jours heureux, où la jeunesse aimait la jeunesse, et en était aimée. Je ne sentis pas le moindre regret; au contraire, je respirai plus librement. Félicité m'avait enchanté jusqu'au dernier instant, et elle me fatiguait néanmoins! D'où vient cela?... En y réfléchissant depuis, j'ai trouvé que c'était la même cause qui rend les jeunes gens inconstants : elle m'avait rendu son égal, et je ne la regardais pas avec ce sentiment profond, qu'inspire la fille jeune et protégée, qui semble

nous faire grâce, en se laissant payer. J'avais pleuré
Virginie... Je ne pouvais, sans un douloureux attendrissement, me rappeler Louise et Thérèse; il est vrai
que ces deux-ci m'avaient enchanté dans la force de
l'âge, et qu'elles m'avaient aimé : l'impossibilité
cruelle où je me trouvai, crise si fortement décrite
dans le *Drame de la vie!* avait causé l'impression :
Félicité, au contraire, m'avait fait éprouver un genre
de passion, que je ne connaissais pas encore; c'était
un amour de marquis; un de ces amours, de nos gens
de condition, qui se sont persuadés, qu'ils étaient
fort amoureux. Pour moi, qui avais toujours aimé à
la rage, et qui connaissais, non l'amour guérisseur,
mais l'amour assommeur, je fus charmé de l'avoir
éprouvé à cinquante-deux ans, pour apprendre à mes
concitoyens qu'une femme comme Félicité, est un
excellent spécifique, dans les commencements de la
triste maladie. J'engage les femmes qui s'intéressent
à certains hommes, à employer cette recette. Les
maris, si ces dames en ont, ne doivent pas être
jaloux : il ne doit rien se passer d'essentiel entre le
malade, et son amour médecin : on a des émotions,
des attendrissements légers, des admirations, du plaisir d'amusement, voilà tout. Les dames ne s'attachent
pas à leur malade. Elles le quittaient sans peine; elles
en sont quittées de même; si je puis juger d'elles par
Félicité, ce sont des roses absolument sans épines.
Mais c'est assez de réflexions.

« Félicité partie, nous nous écrivîmes quelques lettres. Mais les affaires, que sa présence avait suspen-
dues, ayant repris le dessus, on s'oublia. Elle fit quelques voyages, à Paris; on ne se vit plus. Une pareille
indifférence n'est pas naturelle. Aussi avait-elle des
causes, quoique je les ignorasse.

« Félicité, tandis qu'elle me comblait d'amitiés, de
faveurs, me trahissait cruellement; elle empêchait...

un établissement avantageux, pour une personne qui m'intéressait vivement... Elle me portait ainsi le coup le plus sensible. Il faut qu'il y ait, entre les âmes, certains rapports : des torts inconnus les empêchent-ils de se confondre ? les nôtres *lapaient*, mais elles ne se mêlaient pas... Cette découverte, qui n'a été que postérieure à notre rupture, ne l'occasionna pas; elle l'a confirmée.

On ne sera pas surpris maintenant, si j'ajoute que Félicité n'était pas fidèle; qu'elle avait trois autres amants, avec lesquels cette voluptueuse se dédommageait de sa sagesse avec son malade. Lorsque tout cela m'a été connu, j'ai admiré l'impénétrable profondeur du cœur féminin... Mais cette impénétrabilité même est quelquefois un bien, comme on vient de le voir à mon occasion. Six semaines de bonheur m'ont rendu la santé, pour quatre ans. Je sens néanmoins, que j'aurais besoin d'une nouvelle dose de Félicité!... Mais, qui me la donnera ? Où trouverai-je une femme, qui ait la bonté de me tromper encore, à cinquante-cinq ans et demi, pour me faire une provision de santé jusqu'à soixante ? »

Ainsi nous parla Tefris, un soir que nous le rencontrâmes au Palais-Royal. Nous connaissons Félicité mieux que lui. Cette Félicité, prise Orpheline par son frère, a le cœur excellent pour son bienfaiteur! Elle le préfère à tout, à ses amants, à elle-même : elle ranima Tefris uniquement parce qu'elle croyait qu'il pouvait être utile à son frère : voilà pourquoi elle le voulut captiver, le rendre heureux enfin. Les autres amants n'étaient également reçus, favorisés, que par rapport à son frère, qui a toujours ignoré ce dévouement de sa sœur. Je ne sais pas si Félicité est bien sage ? Mais telle qu'elle soit, lecteurs, je vous souhaite une sœur pareille... Puisse son frère nous lire, et savoir tout ce qu'il doit à la sienne!

PÉRORAISON[1]

FRANÇAIS! ne vous endormez pas! Redoutez les aristocrates! ces ennemis de la régénération; ces partisans des anciens abus; ces viles éponges des pensions, et de toutes les faveurs coupables, dont la liste effrayante, consignée dans le *Livre rouge*, vous indigne à la fois et vous console! Car rien de plus aisé que de jeter à terre cet énorme fardeau. On a dit qu'il fallait diminuer les fortes pensions. Ce n'est pas cela qu'il fallait dire : il faut les supprimer absolument, pour quiconque se trouve mille écus d'autres revenus... O Léopard! ô Licorne! ô Griffon! qui vivez somptueusement des bienfaits de l'État, quels services lui avez-vous rendus!... Je ne parle de vous que comme littérateurs, et vous n'êtes peut-être pas les pis des pensionnés, surtout Griffon! Il a traduit *Thécolife!*, composé *Elmanie!*, et il a, quoique durement, versifié *Kicraww!* Mais combien de sangsues publiques sont inférieures en mérite à Griffon!...

Nation française, ne nourris plus de Léopards, de Licornes, de Griffons! Alimente le cheval de labeur, le bœuf, l'âne même; ils sont nécessaires; alimente la brebis, le mouton, le porc, la chèvre, ils sont utiles; favorise l'abeille et même le ver à soie, ils sont agréables; on peut même souffrir le singe, il divertit; d'ailleurs l'homme lui doit quelque considération, à cause de la ressemblance. Le chien et le chat sont des animaux nécessaires, et quoiqu'il fût utile de s'en passer, l'attachement flatteur du premier, les flagorneries du second adoucissent les maux de la vie; c'est un luxe : hé! faut-il le proscrire entièrement?... Mais le loup, le tigre, l'hyène, le crocodile, le serpent tortueux, la fouine, la belette insinuante, le rat, l'incommode souris, il faut détruire ces monstres et cette vermine! Gardez seulement le lion, en le muselant, pour le lancer sur nos ennemis! Protégeons le chameau, pour traverser les déserts!...

J'ai commencé par la satire, que j'ai remplacée par une parabole; l'une et l'autre seront facilement entendues...

Vous avez vu, ô Français! le matin du 21 octobre, un malheureux... traîné au fatal réverbère, parce qu'il était soupçonné de réserver son pain, pour alimenter les alentours de l'Assemblée nationale... Je passe sur ce trait horrible, dirigé, comme les autres, par les ennemis de la nation. Il a produit la loi martiale, portée, non en faveur des léopards, des tigres, de l'hyène, et du crocodile, comme un district l'avait pensé; mais pour préserver le cheval, le bœuf, la brebis et le chameau.

Parlements de Rouen et de Metz, de Dijon, de Rennes, de Toulouse, de Bordeaux! Imprudent évêque de Tréguier! ô Robins! ô clergé! *Quae vos dementia cepit*? Ne sentez-vous pas, que le moment de la régénération est arrivé? que vous y opposer, c'est empirer votre sort, et montrer imprudemment que votre cause est différente de celle du genre humain!... Ah! cédez! si vous ne voulez pas irriter les gens mêmes qui, jusqu'à présent, vous ont plaints, ménagés! C'en est fait : il faut que les chimères de mon enfance se réalisent! Il faut que le principe fondamental du christianisme se développe, et qu'il produise l'égalité, comme son fruit naturel!... La passion seule, avec un odieux égoïsme, s'y oppose, dans votre cœur! mais ces bas motifs sont vicieux, et n'exciteront que l'indignation... Les Montmorency, les évêques d'Autun, les Sieyès, les Clermont-Tonnerre ont sagement vu, sagement agi; tandis que les V**, les M**, les évêques d'*, de**, de**, et de**, ont pris à gauche! Tandis que des ministres même ont l'imprudence de laisser paraître leurs sentiments aristocratiques!...

Vous avez entendu avec quelle vigueur l'Assemblée nationale a repoussé l'audace du Parlement aristocratique, qui s'arrogeait la représentation de la Bretagne? Vous voyez Favras saisi... Bezenval retenu... Toutes leurs dénégations ne les ont pas encore sauvés... (Et Favras a été puni.) Marat, foudroyé, ou fou, énergumène injuste, qui cherche à détruire la confiance dans les pères du peuple, faux royaliste demi-instruit, n'est pas arbitrairement arrêté : un décret est lancé par le tribunal; et cependant son district le protège!... A-t-il raison?... On n'ose dire qu'il a tort; on n'ose dire qu'il ait raison. Il a défendu la liberté sacrée!... Mais il faut obéir aux lois... Le district n'aurait-il pas dû conduire Marat à ses juges, et le ramener? C'est mon opinion!

Soyons unis, ô concitoyens! Que les provinces ne regardent pas la capitale, comme une ville particulière; qu'elles n'en soient pas jalouses! Nous ne sommes pas tous de Paris, mais cette ville est devenue notre patrie : elle adopte, en bonne mère, tous ses habitants! Elle les défend, elle les protège... Voici un entretien que j'ouïs un soir au Palais-Royal.

Un Parisien entreprenait de faire entendre raison à un groupe de provinciaux[1]...

« La ville de Paris, disait-il, est jalousée par les municipalités de province! Y pensez-vous, concitoyens! Qu'est-ce que la capitale d'un royaume? N'en est-ce pas la tête et le cœur? ou l'estomac?... Mais ne présentons pas cette image, qui rappelle le vieil apologue de Menenius. J'en veux imaginer de plus riantes. La capitale est une maîtresse chérie, un peu coquette; elle accueille tout le monde : mais à la différence des coquettes ordinaires, plus elle

accueille de favoris, plus elle les rend heureux.
Parons-la tous à l'envi! Tout ce que nous lui donne-
rons, elle nous le rendra en plaisirs. Cette maîtresse
chérie est une reine, qui rend tour à tour rois ou
dieux chacun de ses amants. En effet, concitoyens,
si un Gascon de Collioure, un Breton de Nantes, un
Normand de Saint-Lô, un Dauphinois de Senez ou
d'Embrun, un habitant des Landes, un Beauceron, un
Navarois, un Limousin, un Poitevin, un Quatreval-
lées, veulent, pendant quinze jours, goûter les plaisirs des Princes, donner à leur faculté de jouir toute
l'étendue qu'elle peut avoir dans l'homme, qu'ont-ils
à faire? Peu de chose : amasser une somme d'argent
assez médiocre, venir à Paris, par une voiture publique, et dire, en entrant à la commune maîtresse, à la
distributrice du plaisir : « Déesse! je veux être roi,
« prince, pendant quinze jours; donne-moi tous les
« plaisirs, et dis-moi ce qu'il faut que je paie? —
« Mon aimable ami, répondra poliment la coquette
« capitale, je te donnerai des spectacles délicieux,
« des belles, de superbes promenades, des concerts
« sacrés et profanes, des cérémonies de tous les gen-
« res, des habits, des livres et des gens d'esprit; tout
« cela, pour le 24 millionième de ce que ces choses
« coûteraient à un homme, qui voudrait en jouir
« seul. Le Français provincial n'est pas trompé : il
« donne quelque argent, trente ou quarante-huit sous,
« et il voit au Théâtre national, représentés avec
« pompe et vérité, les chefs-d'œuvre de Corneille, de
« Racine, de Molière, de Voltaire, de Crébillon, de
« Renard, de Destouches, de Lachaussée... Il donne
« vingt-quatre sous, et il voit au Théâtre italien,
« l'ariette folâtre, ou la terrible morale du drame; ou
« le vaudeville libertin. Il donne quarante-huit sous,
« et il voit l'Opéra... *Phèdre* et Sainthuberti; *Tarare*,
« qui coûte des millions... Il donne trente sous, et il

« entend la délicieuse musique d'Italie, faite pour les
« oreilles des dieux. Il donne vingt sous, et les *Varié-*
« *tés* l'amusent en monarque... En sortant... fatal
« abus... mais enfin il existe!... il trouve des houris,
« dont quelques-unes surpassent celle que Mahomet
« promet à ses vertueux sectateurs... Il... »

— Arrêtez! interrompit un paysan. Parisien! en
voulant louer la capitale, vous lui faites son procès
aux yeux des personnes sévères. Hé! que ne la représentez-vous comme la mère de tous les Français! Oui,
la capitale est notre mère à tous! Elle nous reçoit
tous en enfants chéris; elle nous prodigue les secours
des arts, des sciences, des métiers... On a paru blâ-
mer que son ressort judiciaire fût étendu! Folie! loin
de le diminuer, il faudrait l'étendre à tout le
royaume, pour en mieux établir l'unité... Quoi! vous
ne voulez pas qu'un plaideur profite de son malheur,
pour voir une fois la capitale, le centre de vie, de la
civilisation, et y devenir tout à fait homme et
français!... Ah! philosophes! Philosophes! vous êtes
des aveugles!... J'aime Paris, moi! et j'y ai appris
qu'il le fallait voir, pour aimer sa patrie, pour en être
glorieux, pour s'élever l'âme... Paris corrompt... Oui,
les mauvais sujets... Il augmente la vertu des bons...
Exaltons la capitale : qu'elle soit le centre unique...
ou tout se démenbrera... J'ai la vue de l'esprit saine,
moi : qu'on m'écoute, ou tout est perdu! »

Le Journal des Français, ou le Régénérateur

Spectacles[1]. Le premier janvier, on a donné la pre-
mière représentation du *Réveil d'Epiménide* à Paris.
C'est une pièce en un acte et à tiroir, par M. Flins.
Les connaisseurs y trouvent des vers de M. de Fontai-

nes. Le sujet de la pièce est connu, et pris dans la fable grecque. Outre la pièce très médiocre de Paul Poisson, qui porte le titre de *Réveil d'Epiménide*, on a celle du président Hénaut : mais M. Flins a puisé une partie de ses idées dans les *Nuits de Paris*, où la fable d'Epiménide est traitée avec beaucoup d'étendue, et dans une pièce en trois actes, ayant pour titre, *Epiménide*, qu'on trouve dans la *Femme séparée*. Il existe encore une autre pièce, intitulée *Le Nouvel Epiménide, ou la Sage Journée*, imprimée depuis un an : celle-ci est en cinq actes, et si chargée de détails, qu'elle compose un volume. Nous ne pensons pas que M. Flins l'ait connue; il en aurait profité, pour nourrir la pièce, qui est faible, incohérente, sans imagination, et dont les traits applaudis seraient venus sous la plume de tout le monde. Nous ne voulons pas le critiquer. Nous sommes seulement requis d'informer le public que l'auteur du *Nouvel Epiménide, ou la Sage Journée* n'aura pas mis son titre relativement à la pièce de M. Flins, mais d'après son *Epiménide*, imprimé dans *Ingénue Saxancour, ou la Femme séparée*.

Le 2 janvier, on a donné la seconde représentation de *L'Esclavage des Nègres*, de Mme de Goujes. C'est moins une pièce, qu'un spectacle. D'ailleurs, tout y est décousu : l'intrigue invraisemblable et sans intérêt. Qu'importe à l'affaire actuelle, de la liberté des Nègres, qu'un esclave se soit échappé, après avoir tué l'intendant ? C'est un crime digne de mort, et Mme de Goujes n'a pas senti qu'elle ôtait par là tout l'intérêt. L'intendant a voulu violer une jeune Noire, et il veut la faire fouetter par l'amant de sa couleur, qu'elle lui préfère : le Nègre le tue. Voilà le fond de l'action; la situation c'est que le héros s'est sauvé dans une île déserte, avec sa maîtresse. Il faut que l'auteur sache que ce peut être la base d'une nouvelle, que ce peut

être une histoire, mais non un sujet dramatique. Il
faut bien autre chose!... Aussi, que d'épisodes, que
d'aventures!... Deux ou trois expositions, une dans
chaque acte; point d'unité d'action; entrées et sorties
non motivées; scènes de récit, où il faudrait agir : des
troupes, des marches... Pauvres moyens!... qu'on peut
cependant passer à une femme, qui manquant de sensibilité, donne, à tout moment, le mot pour la chose.
Oui, l'auteur est cent fois plus excusable que les hommes stériles, qui emploient ces petits moyens. Voltaire est presque le seul qui n'en ait pas abusé.

Le 3 janvier, on a représenté *Charles IX* pour la
dixième fois. Quel sujet!... et quelle pièce? Est-elle
composée dans les principes des Grecs, qui voulaient
rendre odieux les rois, en retraçant aux yeux des
citoyens libres, les crimes des despotes thébains, et
ceux des Atrides[1]?

Le 4 janvier, *L'Honnête Criminel*, pour la première
fois. Ce sujet est terrible : il est attendrissant, déchi-
rant... Mais est-il bien traité? Non, non! il devrait
être en prose : c'est une faute de l'avoir mis en vers.
La pièce commence, obscurément, par une intrigue
parasite, de la jeune Amélie, avec le commandant des
galères. Le comte d'Olban, si vanté, est un rôle exces-
sif, toujours facile à l'auteur, comme à l'acteur!
Cécile est le seul personnage auquel on ait peu de
reproches à faire : elle est généreuse, sensible : elle se
détermine invraisemblablement, et trop vite... Mais
enfin, elle agit assez bien. *L'Honnête Criminel* est
inconcevable dans son refus d'avouer son secret...
Cécile le publierait, et l'on reprendrait son père!...
Cette crainte est-elle raisonnable? On voit la grossière adresse de l'auteur, qui fait dévorer tout cela,
pour amener le vieillard, et lui faire dire ce qu'a fait
son fils... Nous ne parlons pas de la diction, de la conduite. Il faut que le sujet, en lui-même, soit bien inté-

ressant, pour entraîner tout cela dans un fleuve de larmes, et d'intérêt!

Le 5, encore *Epiménide*, avec *Alzire... Alzire!* Pièce touchante et terrible, soutenue par de grands motifs, devant lesquels les escouades et les gardes disparaissent.

Le 6 janvier, *Athalie*[1]. On a commencé à sentir les beautés de cette pièce, lorsque les philosophes ont réveillé l'esprit de liberté. Qu'on ne s'y trompe pas! Elle ne pouvait être goûtée sous Louis XIV. Ce n'est pas la faute des esprits d'alors; c'est par l'effet des dispositions, qu'elle ne prit pas... Nous tairons, ici, ce que nous en pensons.

Le 7 janvier. La seconde de *L'Honnête Criminel*, et *Le Somnambule*, suivant l'usage, pour essuyer les larmes par une folie. C'était l'ancien système des superficiels; d'où vient le conserve-t-on, depuis *La Régénération*? *Le Somnambule* est l'une des productions les plus immorales du théâtre de la Nation. Nous déclarons deux choses aux acteurs et aux actrices : c'est que s'ils veulent conserver la qualité de citoyens, que leur ont donnée les décrets de l'auguste Assemblée nationale, il faut 1) qu'ils épurent le théâtre; 2) que les hommes cessent de mettre du rouge, dans aucun rôle; des citoyens fardés, comme les *Obsoleti* de Petrone[2]! Cette idée est repoussante!... 3) Il ne faut plus qu'ils chargent les rôles, comme fait M. Dugazon; cette boussologie est indigne d'un citoyen; 4) Il faut que les actrices ne soient plus des femmes entretenues, ni les épouses d'un petit danseur, ou d'un violon gagé; mais d'un acteur, ou d'un honnête citoyen.

On a donné le 8 janvier l'opéra de *Nephté* : c'est un beau spectacle. On en a banni toutes les danses, qu'il était facile d'y coudre invraisemblablement : l'action marche, comme nous l'avions toujours désiré. La musique est de M. Martini, dont Gluck disait qu'il était le seul qui fît de la musique dramatique. Nous avons cependant trouvé que Nephté chantait un peu trop son rôle, dans les deux premiers actes : mais son débit est plus dramatique dans le dernier. Cet opéra nous a fait naître une réflexion : c'est que les premiers prêtres furent rois théocratiques; que leur gouvernement fut doux; que les soldats abusèrent de cette douceur, pour s'emparer du pouvoir, et élire un roi; que dans les commencements de la royauté, le sacerdoce tempérait, par la révélation, la magie, ou divination, et les autres sciences occultes, le pouvoir trop absolu de chefs ignorants; que lorsque les sciences furent devenues vulgaires, le peuple n'eut plus contre la tyrannie d'autre ressource que son courage. De nos jours, les prêtres, loin de protéger le peuple contre le despotisme, en étaient le plus ferme appui. Voilà quelle est la différence des prêtres anciens, à nos prêtres modernes.

Le ballet de la *Rosière*, qu'on donna ensuite, est agréable, mais sans génie : le second acte est une répétition du premier : une invraisemblance choquante, c'est d'y faire danser la dame du village en danseuse, tandis qu'elle ne devrait y danser qu'en dame. Tous les détails sont minutieux, insuffisamment développés... Ah! quel beau sujet de ballet nous connaissons! Nous l'avons lu, à la fin des *Parisiennes* : c'est le *Jugement de Pâris* : il est en cinq actes... rempli de grâces, de terreur, de variété. Pourquoi MM. Gardel ne l'ont-ils pas pris! Pourquoi ne donner que des colifichets!

Le 9 janvier. On a représenté, aux Italiens, *L'Indigent* de M. Mercier. C'est un de ces ouvrages nourris, qui donnent de l'aliment à l'âme. Peut-être y a-t-il trop de romanesque; mais quelles leçons! La pauvreté vertueuse du frère et de la sœur; leur applica-

tion au travail : leur horreur du vice, et de la bassesse : les sentiments de piété filiale; la noble répulsion du père délivré, quand il apprend qu'il est obligé
par le séducteur de sa fille!... Le beau rôle que fait le
notaire!...

On a joint à cette pièce, *La Veillée villageoise*, futilité sans but, la honte des spectateurs, qui, dans la
nouveauté, lui donnèrent de la vogue... Une fille
prend les sabots de sa mère, pour aller à un rendez-
vous. Elle en perd un : on le trouve; on fait des
recherches; la mère est une des plus animées, et... le
sabot, à l'épreuve se trouve le sien... Voilà de ces
sujets niais, ou méchants, immoraux, qui déshonorent la scène, l'acteur, et la nation.

On a mis dans un journal, que Mlle Contat renon-
çait à ses loges aux autres spectacles, pour se consa-
crer tout entière au sien. On a trouvé de la prétention
dans cette offre. Mlle Contat est une célèbre actrice...
mais il ne faut pas qu'elle le dise, encore moins
qu'elle le répète[1]. Qu'elle n'oublie pas que *Suzanne*
est son chef-d'œuvre... Elle joue la *Coquette* : elle est
bien dans *L'Écueil des mœurs*, beaucoup moins bien
dans *La Fausse Agnès*...

M. Molé affecte d'acariâtrer le son de sa voix : le
public ne sait pas ce qu'il y gagne... M. Molé a bien
fait de renoncer à la tragédie, dont il *jetait* les vers,
au lieu de les déclamer. Cet acteur est un véritable
artiste. Mais, comme tel, il est à trois degrés au-
dessous de Lekain, à deux au-dessous de M. Préville[2];
à un au-dessous de M. Brisard; un au-dessus de
Bellecour; dix au-dessous de Mlle Dumesnil; il est
l'égal de Mlle Clairon; il a trois degrés au-dessus de
M. Fleuri, trente au-dessus de MM. Sainfal et Talma...
soixante au-dessus de M. Naudet.

On a forcé les comédiens à mettre sur l'affiche les
noms des acteurs qui jouent : l'imprimeur en aura

plus de peine, et le public n'y gagnera rien. C'était un plaisir que l'apparition des bons acteurs; on nous l'ôte! C'était un mouvement que l'apparition des mauvais acteurs; on l'empêche. On ne pourra plus se plaindre. Il serait injuste, impudent de siffler : on est venu sciemment voir un acteur citoyen.

Nouvelle. Les Avignonnais ne veulent pas être à la France. *Nota :* que ce sont les prêtres avignonnais depuis le décret sur les biens du clergé[1].

L'affaire de Toulon a été une des plus scandaleuses de la Révolution. On demandait à un habitant de la campagne ce qu'il aurait fallu faire à l'officier à cocarde noire? « Fouetté, marqué, neuf ans de galères. — A M. de Rioms? — Un mois de séminaire dans les galeries de l'Assemblée nationale. — Ce n'est pas une peine. — Non! Ce brave officier général ne doit pas être flétri, mais instruit. »

Le sang ruisselait à Luxembourg, les premiers jours de ce mois (dit-on). Les patriotes brabançons viennent donc de s'en emparer. (Non.)

Château de Cressol, en Bourgogne, dénoncé comme aristocrate. On n'y a trouvé que trois fusils non chargés. Le crime du propriétaire était d'avoir demandé du secours aux communes de Beaune et d'Arnai-le-Duc, contre les dévastateurs de ses bois[2].

Belle conduite de Louis XVI, envers le président de l'Assemblée nationale, le 20 décembre. (Il faudrait répéter chaque jour la même chose.)

DISCOURS[3] PRONONCÉ PAR LE ROI,
A L'ASSEMBLÉE NATIONALE, LE 4 FÉVRIER 1790

« MESSIEURS. La gravité des circonstances où se trouve la France, m'attire au milieu de vous. Le relâchement progressif de tous les liens de l'ordre et de la subordination, la suspension ou l'inactivité de la justice, les mécontentements qui naissent des privations particulières, les haines malheureuses qui sont la suite inévitable des longues dissensions, la situation critique des finances, et les incertitudes sur la fortune publique, enfin l'agitation générale des esprits, tout semble se réunir pour entretenir l'inquiétude des véritables amis de la prospérité et du bonheur du royaume.

Un grand but se présente à vos regards! mais il faut y atteindre, sans accroissement de trouble, et sans de nouvelles convulsions. C'était, je dois le dire, d'une manière plus douce et plus tranquille, que j'espérais vous y conduire, lorsque je formai le dessein de vous rassembler et de réunir, pour la félicité publique, les lumières et les volontés des représentants de la nation; mais mon bonheur et ma gloire n'en sont pas moins étroitement liés au succès de vos travaux.

Je les ai garantis, par une continuelle vigilance, de l'influence funeste que pouvaient avoir sur eux les circonstances malheureuses, au milieu desquelles vous vous trouviez placés. Les horreurs de la disette que la France avait à redouter l'année dernière ont été éloignées par des soins multipliés et des approvisionnements immenses. Le désordre que l'état ancien des finances, le discrédit, l'excessive rareté du numéraire et le dépérissement graduel des revenus devaient naturellement amener, ce désordre, au moins dans son éclat et dans ses excès, a été jusqu'à présent écarté. J'ai adouci partout, et principalement dans la capitale, les dangereuses conséquences du défaut de travail; et nonobstant l'affaiblissement de tous les moyens d'autorité, j'ai maintenu le Royaume, non pas, il s'en faut bien! dans le calme que j'eusse désiré, mais dans un état de tranquillité suffisant, pour recevoir le bienfait d'une liberté sage et bien ordonnée : enfin, malgré notre situation intérieure généralement connue, et malgré les orages politiques qui agitent d'autres nations, j'ai conservé la paix au-dehors, et j'ai entretenu avec toutes les puissances de l'Europe les rapports d'égards et d'amitié qui peuvent rendre cette paix durable.

Après vous avoir ainsi préservés des grandes contrariétés qui pouvaient si aisément traverser vos soins et vos travaux, je crois le moment arrivé où il importe à l'intérêt de l'État que je m'associe, d'une manière encore plus expresse et plus manifeste, à l'exécution et à la réussite de tout ce que vous avez concerté pour l'avantage de la France. Je ne puis saisir une plus grande occasion que celle où vous présentez à mon acceptation des décrets destinés à établir dans le royaume une organisation nouvelle, qui doit avoir une influence si importante et si propice sur le bonheur de mes sujets et sur la prospérité de cet empire.

Vous savez, messieurs, qu'il y a plus de dix ans, et dans un temps où le vœu de la nation ne s'était pas encore expliqué sur les assemblées provinciales, j'avais commencé à substituer ce genre d'administration, à celui qu'une ancienne et longue habitude avait consacré. L'expérience m'ayant fait connaître que je ne m'étais point trompé, dans l'opinion que j'avais conçue de l'utilité de ces établissements, j'ai cherché à faire jouir du même bienfait toutes les provinces de mon royaume; et pour assurer aux nouvelles administrations la confiance générale, j'ai voulu que les membres dont elles devaient être composées fussent nommés librement par tous les citoyens. Vous avez amélioré ces vues de plusieurs manières, et la plus essentielle, sans doute, est cette subdivision égale et sagement motivée, qui, en affaiblissant les anciennes séparations de province à province, et en établissant un système général et complet d'équilibre, réunit davantage à un même esprit et à un même intérêt toutes les parties du royaume...

En même temps néanmoins, tout ce qui rappelle à une nation l'ancienneté et la continuité des services d'une race honorée, est une distinction que rien ne peut détruire, et comme elle s'unit aux devoirs de la reconnaissance, ceux qui, dans toutes les classes de la société, aspirent à servir efficacement leur patrie, et ceux qui ont eu déjà le bonheur d'y réussir, ont un intérêt à respecter cette transmission de titres ou de souvenirs, le plus beau de tous les héritages qu'on puisse faire passer à ses enfants.

Le respect dû aux ministres de la religion ne pourra non plus s'effacer; et lorsque leur considération sera principalement unie aux saintes vérités qui sont la sauvegarde de l'ordre et de la morale, tous les citoyens honnêtes et éclairés auront un égal intérêt à la maintenir et à la défendre.

Sans doute ceux qui ont abandonné leurs privilèges pécuniaires, ceux qui ne formeront plus, comme autrefois, un ordre politique dans l'État, se trouvent soumis à des sacrifices dont je connais toute l'importance; mais j'en ai la persuasion intime, ils auront assez de générosité, pour chercher un dédommagement dans tous les avantages publics, dont l'établissement des assemblées nationales présente l'espérance.

J'aurais bien aussi des pertes à compter, si, au milieu des plus grands intérêts de l'État, je m'arrêtais à des calculs personnels; mais je trouve une compensation qui me suffit, une compensation pleine et entière, dans l'accroissement du bonheur de la nation; et c'est du fond de mon cœur que j'exprime ici ce sentiment.

Je défendrai donc, je maintiendrai la liberté constitutionnelle, dont le vœu général, d'accord avec le mien, a consacré les principes. Je ferai davantage, et de concert avec la reine, qui partage tous mes sentiments, je préparerai de bonne heure l'esprit et le cœur de mon fils, au nouvel ordre des choses, que les circonstances ont amené. Je l'habituerai, dès ses premiers ans, à être heureux du bonheur des Français, et à reconnaître toujours, malgré le langage des flatteurs, qu'une sage Constitution le préservera des dangers de l'inexpérience, et qu'une juste liberté ajoute un nouveau prix aux sentiments d'amour et de fidélité, dont la nation, depuis tant de siècles, donne à ses rois des preuves si touchantes!

Je ne dois point le mettre en doute; en achevant votre ouvrage, vous vous occuperez sûrement, avec sagesse et avec candeur, de l'affermissement du pouvoir exécutif, cette condition sans laquelle il ne saurait exister aucun ordre durable au-dedans, ni aucune considération au-dehors. Nulle défiance ne peut raisonnablement vous rester; ainsi il est de votre devoir, comme citoyens et comme fidèles représentants de la nation, d'assurer au bien de l'État et à la liberté publique, cette stabilité qui ne peut dériver que d'une autorité active et tutélaire. Vous aurez sûrement présent à l'esprit, que sans une telle autorité, toutes les parties de votre système de Constitution resteraient à la fois sans lien et sans correspondance; et en vous occupant de la liberté, que vous aimez et que j'aime aussi, vous ne perdrez pas de vue que le désordre, en administration, en amenant la confusion des pouvoirs, dégénère souvent, par d'aveugles violences, dans la plus dangereuse et la plus alarmante de toutes les tyrannies.

Ainsi, non pas pour moi, messieurs, qui ne compte point ce qui m'est personnel, près des lois et des institutions qui doivent régler le destin de l'empire, mais pour le bonheur même de notre patrie, pour sa prospérité, pour sa puissance, je vous invite à vous affranchir de toutes les impressions du moment, qui pourraient vous détourner de considérer dans son ensemble ce qu'exige un royaume tel que la France, et par sa vaste étendue, et par son immense population, et par ses relations inévitables au-dehors.

Vous ne négligerez point non plus de fixer votre attention sur ce qu'exigent encore des législateurs, les mœurs, le caractère et les habitudes d'une nation, devenue trop célèbre en Europe, par la nature de son esprit et de son génie, pour qu'il puisse paraître indifférent d'entretenir ou d'altérer en elle les sentiments de douceur, de confiance et de bonté qui lui ont valu tant de renommée, etc.

Un des coopérateurs de ce journal, nous dit en le commentant : « Messieurs, rien contre les députés ! leur personne est sacrée. — Quoi ! répondit un autre, on ne pourra dire que M. l'abbé Mauri et M. le conseiller Duval d'Epremesnil ne montent à la tribune que pour s'opposer au bien public, soutenir des thèses erronées, disputer à la nation son pouvoir, s'opposer aux réformes les plus utiles, mentir même, en calomniant MM. Bailli et La Fayette ! Quoi ! l'on ne pourra dire que l'abbé Beauvais dirigeait M. l'archevêque de Paris, et M. l'abbé Mauri ? Que M. le vicomte de Mirabeau... Que M. le comte de Virieu (qu'on doit louer de s'être démis de la *présidence*)... Je louerai volontiers M. l'abbé de Montesquiou, quoique soutenant avec M. l'abbé Mauri : mais quelle différence ! S'il n'est pas permis de dire tout cela, c'est une affreuse aristocratie, digne de Venise ! Non seulement je renonce à écrire, mais à être français, et demain, je pars pour le Brabant... Mais tout cela est permis; et s'il le faut, je répondrai devant l'auguste Assemblée nationale! »

La ville de Cernai, en Alsace, vient de se couvrir d'une gloire immortelle. Après avoir pris communication de l'arrêté sacrilège de la chambre ecclésiastique de Colmar, par lequel cette chambre, apostasiant le nom de *Français*, s'unit aux princes de l'empire, pour réclamer contre les décrets de l'Assemblée nationale, relatifs aux biens du clergé, la commune de Cernai déclare traîtres à la patrie tous ceux qui ont concouru à cet arrêté, et défend aux citoyens toute espèce de communication avec eux.

Théâtre. 9 janvier. Au Théâtre de la nation, *Le Réveil d'Epiménide*, précédé d'*Iphigénie en Aulide*. On connaît le superbe début de cette tragédie, rapetissée par *Eriphile*. Comment Racine a-t-il pu se tromper assez lui-même, pour employer ce petit et ridicule moyen, digne de nos frêles auteurs d'aujourd'hui!

Aux *Italiens* : *Aucassin et Nicolette*; *Blaise et Babet*. Quelle différence de la première pièce à la seconde! Dans l'une, on voit une action intéressante, magique par sa réalité; dans l'autre des miaulements, de petits moyens, de petites *attendrisseries*. O mes concitoyens! que vos goûts, et ses succès que vous donnez, honorent peu votre goût!

10 janvier. *Figaro*. Cette comédie, la plus singulière, qui existe au théâtre, attire toujours la même affluence de spectateurs. C'est qu'elle intéresse, qu'elle amuse, qu'elle étonne! Étonner, amuser, intéresser seront toujours des moyens certains de succès. On a parlé d'immoralité, dans cette pièce!... Il faut avouer que ceux qui lui ont fait ce reproche ne pouvaient être que des robins, ou des clercs de procu-

reurs : c'est pour ces gens-là seuls que la pièce est dangereuse! Elle les a livrés à cet utile mépris, qui devait commencer la Révolution. La comtesse et son page n'ont été que le prétexte de l'immoralité prétendue : les sots ont ici été la dupe des robins, ou d'un robin, de celui qui fit la petite-petite malice de jeter des vers par le ceintre, le jour de la seconde représentation : il n'était pas instruit à la première; parce qu'on ne lui permit pas d'entrer à la répétition... On voit toujours ici Mlles Sainval et Contat, avec un nouveau plaisir. On regrette Olivier, sans qu'Emilie déplaise : MM. Dazincour, Molé, Dugazon, etc., y prouvent le mérite de la pièce, par celui de leur jeu : car l'auteur en a toujours beaucoup, lorsqu'il fait donner à l'acteur des moyens de développement.

On a donné aux *Italiens*, *Le Comte d'Albert*, *et Suite*. Il n'appartient qu'à M. Sedaine de faire de ces sortes de pièces. Elles ne sont pas académiques; mais elles amusent.

11 janvier. Lundi aux *Variétés*, les *Cent Louis*, *La Veuve*, *La Loi de Jatab*, *Rico*. La première pièce est une futilité dangereuse, qui serait propre à mettre le trouble et l'insubordination dans tous les ménages : voilà de ces pièces qu'il ne faudrait pas tolérer, et qui portent dans le bas peuple, parmi les lingères, les couturières, les coiffeuses, les cordonnières, les dangereuses maximes qu'a répandues *L'École des maris*, dans les hautes conditions!

2, *La Loi de Jatab* n'est qu'une plaisanterie; mais dangereuse pour le peuple et les femmes : c'est un tableau nu, qui ne peut être mis sous les yeux des jeunes filles d'aucune classe, et qui ne peut convenir qu'aux douairières de la ville, ou aux nymphes du Palais-Royal.

3, *La Veuve* est une pièce assez innocente, mais dont l'idée est beaucoup au-dessus de l'exécution!

Faire *rire, chanter, danser, masquer* une veuve désolée, était un dessein digne de Molière, exécuté par
Calot.

4, *Rico* est un sujet réchauffé de *La Vie est un
songe*, de l'ancien *Théâtre italien* : ces situations-là,
dont la Nature et Sancho sont les parents, plaisent
toujours. Mais aux *Variétés*, il est déshonoré par la
charge de l'*auteur*, et surtout de l'acteur, qui la rend
suivant ses moyens, qui sont du plus mauvais genre.

Comment ces spectateurs, si sévères au *Théâtre de
la nation*, au *Théâtre de l'Ariette* et du *Drame*, à ceux
de l'*Opéra*, et de *Monsieur*, peuvent-ils consentir à se
gâter le goût et la morale aux *Variétés*, aux *Danseurs*,
à l'*Ambigu*; Il existe, à ce dernier spectacle, un
M. Mussot Arnoud, qui fait des pantomimes, dont
l'effet est d'attirer tous les ouvriers et les apprentis
imprimeurs, orfèvres, horlogers, fourbisseurs, chape-
liers, menuisiers, cordonniers, et même les boulangers. Nous en parlerons, à la première fois que nous
en verrons quelqu'une.

On nous apprend que les *Arietteurs Italiques*, viennent d'expulser les vrais comédiens de ce spectacle.
C'est une infamie, une atrocité, que la nation ne
devrait pas souffrir! Quoi! au moment de la
régénération; à l'instant où tous les Français vont
devenir des hommes, on tolère que le seul spectacle
qui avait d'excellents drames, nous réduise au genre
des femmelettes! Quoi! nous n'aurons plus, à un de
nos principaux théâtres, que des fadaises? des pièces
de Desforges, de Lachabeaussière, d'Anseaume, etc.
Quoi! les mœurs publiques, les mœurs humaines, les
mœurs françaises, seront journellement et sans relâ-
che, exclusivement insultées par un Michu, un Dor-
sonville, un Meunier, un Philip, un Chenard, un Cler-
val, une Dugazon, une Crêtu, une Adeline, une... une...
sans que les êtres mâles aient un seul jour, où ils

puissent venir s'alimenter d'un spectacle vigoureux...
Oui, le genre de Mercier, est plus vigoureux que la
tragédie, parce qu'il est plus voisin de l'humanité[1]...
Je ne suis point partisan aveugle de Mercier : je le
contredis souvent, et dans sa politique, et dans son
Tableau de Paris, et sur mille choses. Mais, morbleu!
les acteurs aristocratiques italiques sont des... Je ne
veux pas dire d'injures; *Lucien* les interprète mal
dans la bouche de Jupiter même : les acteurs aristocrates italiques, disais-je, sont des ennemis publics,
que je dénonce aux soixante districts, au Comité de
police, à l'Assemblée nationale! Ce sujet est assez
grave, pour qu'on l'y défère. Sévissez! sévissez, pères
conscrits! contre ces profanateurs impies! ces anti-
patriotes criminels!... Gens de lettres! réunissons-
nous! Otons à ces vils Italiques leur théâtre, et ren-
dons-le aux vrais acteurs!

HUITIÈME NUIT

Le 28 octobre, à dix heures du soir

Un père de famille respectable rentrait chez lui, après
ses affaires : il allait écrire à M. le maire de Paris,
quand il entend du bruit à sa porte. Sa fille aînée
court ouvrir. La garde nationale se présente... Mais
notre ami lui-même va rendre compte de cet événement :

DÉLATION HORRIBLE D'UN GENDRE CALOMNIATEUR, CONTRE SON BEAU-PÈRE[1]

S'IL est des cas où l'on soit autorisé à publier ses malheurs, ce doit être lorsque l'atrocité de la calomnie met dans la nécessité d'invoquer le témoignage de ses concitoyens : c'est lorsqu'on a pour enfants des êtres faibles, infortunés, que la mort d'un père, et la survivance d'un scélérat, peuvent plonger dans un abîme de calamités.

Telle est la double et triple position où se trouve N. E. Restif de la Bretonne, calomnieusement dénoncé... Par qui ? Par son gendre !

Origine d'Augé

Charles-Marie est né à Paris, sur la paroisse Saint-Séverin, d'un sieur Augé, commis à la capitation, et d'une demoiselle Decoussi son épouse. Il fut noué,

---

* Au moment où nous imprimons, nous apprenons qu'*Augé* donne des marques de folie et d'aliénation : nous le croyions un scélérat; les fusiliers qui l'ont amené à l'Hôtel-de-Ville avaient la même opinion : hélas! serait-ce un fou!... nous demanderions en conséquence qu'on lui ôte notre petit-fils, qu'il peut estropier, pour le remettre à *M. Augé*, aïeul paternel, et qu'on prononce la séparation entre *Agnès Restif* et un fou.

Mais si *Augé* est fou, ne peut-il pas, dans un accès de folie, réaliser les menaces d'assassinat! Qu'on lise et *La Femme infidèle* et *La Femme séparée*, dans lesquelles *Augé* assure qu'il se reconnaît; on frémira!

Nous renvoyons à *La Femme infidèle*, IVe partie entière; ensuite à *Ingénue Saxancour, ou La Femme séparée*, IIe partie, p. 251 et suiv. pour savoir à quels traits le sieur *Augé* a la modestie de se reconnaître.

dans son enfance; méchant et sot, dans son adolescence; atroce, sot et méchant dans sa jeunesse. Il prétend que tous les détails de sa vie sont consignés dans deux ouvrages, imprimés avec permission, *La Femme infidèle* et *La Femme séparée*. Nous les avons lus attentivement, et n'y ayant pas trouvé son nom, il nous a paru constant que les faits en étaient véritables, puisque Augé s'est reconnu, sous le voile tendu sur lui!

Ce fut en 1780 que nous eûmes le malheur de voir, pour la première fois, le délateur-parricide. Il s'était introduit chez Mme veuve Bizet, marchande bijoutière, quai de Gèvres, qui avait été voisine de ses parents, dans l'enfance d'Augé, mais qui ne les avait pas revus. La dame Bizet les avait connus plus qu'aisés; elle savait que Charles-Marie était fils unique; elle ignorait que ses déportements avaient considérablement diminué la fortune de ses père et mère : elle ne se doutait pas que cet homme, qu'elle avait vu dans l'innocence de l'âge, eût acquis tous les vices. Elle l'accueillit. Fatale complaisance! Aveugle et funeste prévention!

Nous ne répéterons pas ce qu'on peut trouver ailleurs : Augé débite à tout le monde que les détails affreux de la vie d'un certain *L'Echiné-Moresquin*, depuis son enfance, sont consignés dans les deux ouvrages cités, *La Femme infidèle*, IVᵉ partie, et *La Femme séparée*, IIᵉ et IIIᵉ parties. Tout menteur qu'il est, on doit le croire, lorsqu'il dit : « Je suis ce monstre. » Cependant, nous protestons ici que l'auteur n'a eu d'autre vue que de peindre le vice en général. Nous dirons donc au sieur Augé, ce que saint Jérôme répondait à un certain Bonasus. « Dès que je parle du vice, Bonasus croit que je parle de lui. Il faut donc que le vice et Bonasus aient une grande ressemblance! » *(Ep. fam. Select. D. Hier. 16).*

Il y avait quelque temps qu'on n'avait entendu parler de lui, lorsqu'une lettre de la dame Restif à son mari, lui apprit que, le 11 juin 1789, au soir, elle avait été attaquée par Augé, qui l'avait saisie indécemment au collet, en lui redemandant sa femme, et l'accablant d'injures : qu'elle s'était sauvée chez le pâtissier au coin de la rue Saint-Victor, d'où elle avait envoyé chercher la garde. Augé la traîna de commissaires en commissaires; à la place Maubert (absent); dans la rue de la Vieille-Boucherie (absent); enfin, rue Saint-André-des-Arts, à la porte Bussi. Pendant la route, Augé, entre autres injures, la traitait de maquerelle; lui disait, en la voyant se trouver mal : « Donne, donne le bras à la garde!... tu dois y être accoutumée!... » Chez le commissaire, il fit une plainte folle, qui doit exister : Mme Restif en fit une autre mieux motivée, à ce qu'elle a écrit à son mari; et cette plainte doit se trouver chez le commissaire Chenu, à ce que nous croyons : car nous n'avons pas ses lettres sous la main; elles ont été communiquées à un ami, homme très connu.

On voit que nous abrégeons.

Depuis cette scène scandaleuse, nous n'en connaissons pas d'autre, que celle du 16 septembre 1789. A cette époque, Augé osa écrire à M. le vicomte de Toustain-Richebourg, la lettre rapportée dans le Thesmographe, p. 489.

Indignés, à notre tour, de la scélératesse d'Augé, nous joignîmes à ces pièces une répulsive vigoureuse, imprimée, p. 492, mais que nous n'avons pas envoyée : nous n'avons jamais fait parvenir à Augé, ni lettres, ni livres : nous le défions de montrer une ligne de notre main.

Le jeudi 1er octobre, nous rentrâmes avant neuf heures, contre notre usage. A onze heures et demie, M. Desmarquets, procureur, en ouvrant la porte cochère, fut regardé sous le nez, par un homme qui faisait sentinelle devant la maison; c'était Augé, qui tint la conduite, qu'on verra détaillée plus bas, dans la *Dénonciation de nos voisins*. Nous nous tranquillisâmes sur les menaces d'assassinat : c'était une récidive; nous avions déjà rendu plainte du même crime, par-devant le commissaire Dularri, dans l'Ile, le 25 mai 1786. Nous eûmes seulement la précaution, en rentrant, le soir, de bien examiner si personne ne nous guettait, à l'issue des rues du Fouarre, des Rats, ou du Petit-Degré. Nous crûmes une fois ou deux entrevoir Augé; mais il ne nous attaqua pas.

Enfin, il a mis le comble à ses forfaits le 26 octobre 1789, par une délation stupide, à son district, et cependant accueillie!... Nous fûmes arrêté malade, prêt à prendre un médicament, le soir du 28, à dix heures et demie. Augé avait rempli le rôle d'espion; en nous voyant arriver, il avait couru avertir au corps de garde de la rue de la Bûcherie.

Nous fûmes conduit à la ville, par des fusiliers; présenté au comité de police pour la nuit; qui nous interrogea. On nous mit à part sous bonne garde; on envoya chercher Augé, on l'interrogea. On nous fit revenir seul; on délibéra. On nous interrogea seul pour la troisième fois. On visita nos papiers.

Voici les pièces.

Délation d'Augé au district Saint-Louis-la-Culture

Messieurs!

« *Un citoyen patriote, que des circonstances fâcheuses et accumulées ont terrassé* (1), *croit vous offrir un moyen sûr de dénoncer valablement, si ce n'est les ennemis du bien public directement* (2), *au*

*moins un de leur principal support, et adhérent,
Nicolas-Edme Restif de la Bretonne, auteur connu
par ses sales productions, qui ont toujours suivi les
circonstances* (3), *qui n'a jamais su que ridiculiser les
différents régimes de nos gouvernements et politiques* (4), *perdre les siens, et déshonorer chacun de
ses concitoyens, ou les désunir* (5). *Il ne faudrait
jamais avoir lu de ses œuvres, pour ne pas en convenir, et ne pas connaître, à l'aperçu et à l'ouverture du
premier volume de ses œuvres, si tel et tel sont de
lui* (6). *D'après ce dire, je le dénonce et l'affirme,
qu'il est l'auteur, depuis la révolution, de trois libelles plus infâmes l'un que l'autre, et me croirais coupable envers mes concitoyens* (7), *si je ne les soumet-
tais à dénonciation. Ils sont* :

1. Moyens sûrs à employer par les deux ordres,
pour dompter, subjuguer le Tiers État, et le punir de
ses exactions (8), etc.

2. Dom Bougre aux États Généraux, ou Doléances
du portier des Chartreux, par l'auteur de la F—ma-
nie. *Latet Anguis in herba*. A F—polis, chez Braque-
mart, libraire, rue Terevit, à la C—lle d'or, avec permission des supérieurs (9).

3. *Et enfin, véhémentement suspect du* Domine,
salvum fac regem (10), *etc., qui se vend aujourd'hui
sous le manteau.*

*Du 1, je n'ai eu connaissance que du manuscrit, sur
ma dénonciation d'icelui, comme m'en ayant annoncé
l'auteur, dimanche, qui en a pu empêcher l'impression* (11); *mais pour le 2, je le soutiens irrévocable-
ment de lui; il est en ma possession, et je le dépose
sur le bureau, pour servir et valoir aux fins de ma
présente dénonciation* (12). *On y lira, p. 8, ces mots* :
Il ne resterait qu'à suivre le système de feu M. Restif
de la Bretonne; *et plus bas* : Nous ajouterons aux
réflexions de M. Restif, (13), *etc.*

L'on voit ci-dessus, que les deux noms n'en font qu'un, qu'il est accoutumé de se dire mort, et que même j'ai son testament, trouvé après sa mort 14), en l'une de ses œuvres, La Femme infidèle.

Depuis, l'on a vu de lui Ingénue Saxancour, *et autres, tous du même genre, ne tendant qu'au bouleversement de royaume, de cité, et de chaque individu, qu'il ne cesse d'outrager (15). Sa vie et ses mœurs sont à estimer des plus suspectes, en ce qu'il a à Paris autant de domiciles que de quartiers, et ce, sous différents noms (16). Sa résidence la plus connue est rue de la Bûcherie, maison de M. Frazé, marchand miroitier, au 3ᵉ sur le devant, et a un pied-à-terre, ou magasin, rue Saintiaques, en face de celle du Plâtre, maison dite de la Vieille Poste;* M. Fournier, *marchand épicier, en tient la boutique, de* M. Noizette, *propriétaire, et* M. Berthet, *son graveur, demeure au 3ᵉ.*

Il est concluant que le domicile de sa femme et de sa fille aînée absente, est le dépôt qui renferme ce qu'il nous est important de découvrir (17).

Fait au Comité du district de Saint-Louis-de-la-Culture, à Paris, ce 26 octobre 1789. Signé : *Augé, rue Saint-Paul, hôtel de Probité, chez le perruquier, nº 23.*

Réponses

1. Ces fâcheuses circonstances qui l'ont terrassé, sont les mêmes qui l'ont fait exhéréder par sa mère, qui a substitué à son petit-fils; sa mauvaise conduite, sa méchanceté de caractère, ses propos calomnieux contre ses commettants. C'est un cousin qui reçoit à Paris, pour son père, retiré à Melun; etc.

2. Et c'est un gendre qui le dit!

3. C'est tout le contraire; nous ne faisons jamais d'ouvrages de circonstances.

4. Où? dans quel ouvrage par nous composé? Nous avons dévoilé les abus généraux, dans *Les Nuits de Paris*.

5. Désunir nos concitoyens par nos ouvrages! Cet homme est fou!

6. C'est que nous avons une manière à nous; tout le monde le dit.

7. Le scélérat calomnie son beau-père, et blasphème les saintes facultés de parler et d'écrire!

8. Et nous, Restif de la Bretonne, qui parlons français, nous dénonçons Augé, comme auteur de ce titre, dont l'ouvrage n'existe pas : le titre bête est de son style. Nous dénonçons un calomniateur, un faussaire parricide.

9. Nous ne sommes pas l'auteur de cette production, dont on ne nous a lu qu'un passage, où nous sommes cités, comme auteur du *Pornographe*; nous savons qu'on en connaît l'auteur, l'imprimeur et le libraire. Il est bien gauche, autant qu'atroce! d'accuser son beau-père de ce qui n'existe pas, ou de ce qui est connu pour être d'un autre : mais cette scélératesse a été commise à deux, par un colporteur, ancien domestique infidèle, chassé de chez un auteur et de chez un libraire, lequel l'a soufflée à Augé, son ami et son partenaire.

10. M. P** ne souffrira pas qu'Augé lui ôte, pour nous le donner, un ouvrage dont il se vante d'être l'auteur!

11. Que veut dire le calomniateur?

12. Aux fins de la calomnie atroce.

13. Puisque Augé soutient que nous sommes l'auteur de cette cochonnerie, il est obligé de prouver, ou de porter la peine de calomniateur impie.

14. Augé se dit être le *L'Echiné* de *La Femme infidèle*; nous n'avons pas dit que nous en fussions le *Jeandevert*.

15. On rougit d'imprimer ce style barbare... Mais le fond des choses est encore pire! *Ingénue Saxancour* bouleverse le royaume et les cités! Non; cette brochure est destinée à *démontrer combien il est dangereux pour les filles, de se marier par entêtement et avec précipitation, malgré leurs parents* : cet ouvrage ne bouleversera jamais que les *Moresquin*, les *L'Echiné*, et les *Augé*.

16. C'est ici le motif principal qui nous fait imprimer le procès-verbal. Cent louis à gagner, pour qui prouvera, que nous avons eu différents domiciles, sous des noms supposés. Voici nos différentes demeures depuis que nous habitons la capitale, comme citoyen.

1) 1761, rue Saint-Jacques, vis-à-vis la fontaine Saint-Séverin, au second.

2) 1763, rue de la Harpe, vis-à-vis celle Poupée, au quatrième.

3) 1764, rue Galande, au coin de celle des Rats, au troisième.

4) 1765, rue de la Harpe, vis-à-vis le Collège de Bayeux, à côté de celui de Justice, au premier*.

---

* L'honorable district aurait frémi, s'il avait su qu'un gendre impie nous dénonçait!

Il est certain que le Comité du district, après avoir entendu cette délation du sieur Augé, avant de contribuer de sa recommandation à l'arrêtement militaire d'un citoyen père de famille, aurait dû faire attention aux invraisemblances palpables et à la stupidité de la dénonciation : on aurait dû, ce nous semble, demander au vil délateur quelles relations il avait avec l'accusé; quels étaient ses motifs, ses preuves? Et quand on aurait eu trouvé un gendre dénonçant son beau-père, le repousser avec horreur, et préserver notre siècle de cet affreux scandale, la honte éternelle de celui des proscriptions romaines.

Avant de terminer cet article, avouons que, dans le temps de notre demeure rue Quincampoix, nous avons occupé une petite chambre, cour d'Albret, au haut de la rue des Carmes, parce que

5) 1767, rue Traînée-Sainte-Eulalie, à cause d'un marchand de mousselines, qui s'était mis avec nous.

6) 1768, Le même voulut aller rue Quincampoix, à côté de l'hôtel Beaufort.

7) Le marchand nous ayant quittés, nous revînmes, en 1769, chez Edme-Rapenot, libraire, au collège de Prêle, vis-à-vis les Carmes.

8) En 1770, nous allâmes demeurer maison de l'imprimeur Valeyre, l'aîné, chez lequel nous faisions imprimer.

9) De là, en 1772, rue du Fouarre, vis-à-vis les magasins de l'Hôtel-Dieu, parce que nous imprimions chez le sieur Quillau, même rue.

10) En 1776, on eut besoin de notre logement pour le cousin du procureur, principal locataire : nous sortîmes amicalement, sans congé, et pour nous dédommager du déménagement, avant le terme échu, on nous tint quitte de quelques réparations.

11) En 1781, nous nous sommes logé rue des Bernardins : nous en sommes sorti en 1788, par l'effet d'une calomnie atroce du sieur Augé, contre nos filles (elle est relatée dans un ouvrage nouveau), pour aller rue de la Bûcherie, où nous demeurons. Nous avons eu pendant un an, 1785-1786, une chambre magasin, rue Saint-Jacques.

Nous donnons les 100 louis à quiconque démontrera que nous avons logé ailleurs, ou que nous ayons eu un domicile secret sous un faux nom, ou que nous nous soyons fait passer pour mort.

17. La femme de M. Restif a un logement séparé,

---

imprimant alors *Lucile*, et *Le Pied de Fanchette*, et lisant en outre des épreuves pour des libraires, les courses à notre demeure éloignée nous eussent pris trop de temps... Nous sommes en état de rendre compte de toutes nos actions, et de leurs motifs, depuis 1752 : que M. Augé en fasse autant.

où il ne va jamais : sa fille aînée demeure chez lui, ainsi que la cadette.

Il suit de cette dénonciation qu'Augé, guidé par une fureur parricide, est un infâme calomniateur, qui n'a pas dit un mot de vrai.

Quant à nos dispositions, relativement aux affaires publiques, elles sont connues : nous venons de les consigner dans le *Thesmographe*, ouvrage que nous publions actuellement, et qui ne paraît un peu décousu que par la raison que l'impression ayant commencé en novembre 1788, et n'ayant fini qu'en novembre 1789, les événements qui ont changé, pendant la rédaction, ont nécessité une incohérence de plan et d'exécution.

Procès-verbal du district, pour admettre la délation d'Augé

L'an 1789, le 26 octobre, s'est présenté dans la chambre civile et de police au comité de Saint-Louis-la-Culture, le sieur Augé, *demeurant, etc. Lequel nous a demandé, de vouloir bien lui permettre de nous dénoncer un ouvrage, qui a pour titre* Dom B. *etc., ouvrage infâme, dont il nous a remis à l'instant un exemplaire sur le bureau, requérant qu'il fût fait des recherches sur l'auteur d'un ouvrage aussi abominable, et nous indiquant le lieu où cet ouvrage, et d'autres du même auteur peuvent se trouver en dépôt; nous déclarant qu'il était urgent de sévir contre l'auteur, et contre de pareilles productions* (18). *Et il a conclu qu'il lui fût donné acte de sa présente dénonciation. Ce qui lui a été octroyé par nous commissaire de garde soussigné. Signé :* Lemeroyer de Chezy.

*Interrogatoire de M. R. par le comité de police
des représentants de la Commune de Paris*

*Ce jourd'hui 28 octobre 1789, a été amené devant
nous, en vertu d'un ordre de MM. du comité de
police (19), M. Restif de la Bretonne, lequel a été par
nous interrogé. Et a répondu de la manière qui suit :*

*Interrogé sur ses qualités. A répondu qu'il était
auteur.*

*A lui demandé quel était son domicile ? A déclaré
demeurer rue de la Bûcherie, maison de M. Frazé,
marchand miroitier.*

*A lui demandé quel était son dernier ouvrage ? A
répondu que c'était* Les Nuits de Paris.

*Interrogé, s'il n'avait point fait d'autre ouvrage
cette année ? A répondu que depuis trois ans, il
n'avait rien publié que cet ouvrage.*

A lui demandé, s'il connaissait un ouvrage intitulé
Moyen sûr à employer par les deux Ordres, pour
dompter et subjuguer le Tiers État *(20), et le punir
de ses exactions ? A répondu, que non seulement il ne
le connaissait pas, mais qu'il était contraire à ses
principes.*

*A lui demandé, s'il connaissait un autre ouvrage
intitulé* Dom B. aux États Généraux, ou Doléances du
portier des Chartreux, *ayant pour épigraphe :* Latet
anguis in herba *? A répondu qu'il était honteux d'être
soupçonné d'avoir fait un pareil ouvrage, et qu'il n'en
avait jamais entendu parler, qu'on pouvait faire la
recherche chez lui, qu'il était prêt de montrer tous
ses papiers.*

*A lui demandé, s'il avait eu des raisons de cacher
son existence, et de se faire passer pour mort ? A
répondu qu'il allait, depuis longtemps, trois fois par
jour chez Mme Duchesne, libraire, rue Saint-Jacques,
pour ses affaires et lire les papiers publiés.*

Lecture a lui faite, d'un passage de l'ouvrage annoncé ci-dessus, sous le titre de D. B., *commençant par ces mots,* le remède à tous ces abus, *etc., et finissant par ceux-ci :* dans différentes maisons ? *A répondu qu'il était bien l'auteur du* Pornographe (21).

A lui demandé, s'il avait lu un ouvrage intitulé : Domine, salvum fac regem, *et s'il n'en avait pas le manuscrit ? A répondu, qu'il l'avait lu; mais qu'il ne l'avait point écrit.*

A lui demandé, s'il a fait son testament ? A répondu, que non, pas même en projet.

A lui demandé, s'il était l'auteur d'un ouvrage, ayant pour titre, Ingénue Saxancour ? *A répondu, qu'il n'y avait que trois pièces de théâtre, auxquelles il eût travaillé dans cet ouvrage; savoir :* Le Loup dans la bergerie, La Matinée du père de famille, *et* Le Réveil d'Epiménide; *que d'ailleurs cet ouvrage est imprimé avec approbation.*

A lui demandé, s'il était marié ? A répondu que oui.

A lui demandé, si sa femme habite avec lui ? A répondu, qu'elle avait été passer quelque temps à la campagne, et que depuis son retour, elle avait pris un logement séparé, du consentement de lui Restif de la Bretonne mais qu'ils vivaient de bonne intelligence, ainsi qu'il pouvait le justifier par ses lettres.

A lui demandé, combien il avait d'enfants ? A répondu, qu'il avait deux demoiselles, dont l'une était fille, et l'autre mariée à un particulier, nommé Augé; que cette dernière, ayant eu à se plaindre de son mari, et ayant formé contre lui, en 1786, une demande en séparation, avait été autorisée par M. le lieutenant civil à se retirer chez son père, où elle demeurait depuis ce temps.

A lui demandé, quel était l'état du sieur Augé ? A répondu, qu'il s'était dit employé, que maintenant il ignorait son état.

A lui demandé, où demeurait le sieur Augé lors de son mariage, et où il demeure maintenant? A répondu, qu'il demeurait rue de la Mortellerie; que maintenant, il ignore son domicile.

A lui demandé, s'il n'avait pas eu un magasin rue Saint-Jacques, en face de celle du plâtre? A répondu, qu'il y avait plus de trois ans qu'il avait donné congé de ce magasin.

Interrogé, quel usage il en faisait, a répondu qu'il y mettait ses ouvrages, qui ne pouvaient contenir chez lui. Et a signé le présent, après que lecture lui en a été faite, et qu'il a eu reconnu qu'il contenait vérité.

Signés : Restif de la Bretonne, Dameuve, Cholet de Jepfort, Robin, Quinquet, Lefebre de Saint-Maur.

Interrogatoire du délateur Augé

Après avoir délibéré sur le présent interrogatoire, le comité a jugé à propos d'envoyer chercher M. Augé.

Ledit sieur Augé, étant entré, interrogé sur ses noms, qualités et demeure, a répondu se nommer Charles-Marie Augé, ci-devant employé, comme attaché au secrétariat de M. Pelletier, prévôt des marchands, maintenant bourgeois de Paris, demeurant rue Saint-Paul, no 23, maison du Perruquier.

A lui demandé, s'il était marié, a répondu, qu'il l'était, pour son malheur (22), quoiqu'il déclare aimer sa femme, qu'il ne cesse de réclamer.

A lui demandé, qui il avait épousé, a répondu, qu'il était marié à Mlle Agnès Restif, fille du sieur Restif de la Bretonne.

A lui demandé, s'il demeurait avec son épouse, a répondu, que non, qu'il ignorait son domicile, et qu'il y a à peu près un an, qu'il a obtenu de M. le lieute-

nant civil, une ordonnance pour la revendiquer partout où il la trouverait (23); que le sieur Restif, son beau-père, était venu l'enlever d'avec lui, le 22 juillet 1785, à son insu; qu'il avait emporté de chez lui tout ce qu'il avait pu enlever (24), et qu'il avait déposé la dame Augé chez M. Berthet, graveur, demeurant rue Saint-Jacques, en une maison dite la Vieille-Poste, où ladite dame Augé avait pris le nom de Mme Dulisse.

A lui demandé, s'il a des enfants, a répondu qu'il lui restait un garçon, de deux (trois) enfants qu'il avait eus avec elle, et que ledit garçon de huit ans habite avec lui.

A lui représenté la dénonciation du sieur Restif de la Bretonne, et interpellé de déclarer, si elle était écrite et signée de lui? A déclaré, que oui, et a offert de signer, en notre présence, tant ladite dénonciation qu'une brochure qui y est jointe, ayant pour titre Dom B. aux États Généraux.

A lui demandé, s'il dénonçait ladite brochure, comme étant l'ouvrage dudit sieur Restif, et s'il entendait se porter son dénonciateur, tant à l'égard de ce livre que des deux autres mentionnés dans sa dénonciation, a déclaré qu'il ne dénonçait que la brochure Dom B.

Interrogé, s'il en connaissait l'imprimeur? A répondu, qu'il croyait que c'était le sieur Maradan, imprimeur ordinaire du sieur Restif (25).

A lui demandé, s'il avait d'autres dénonciations à faire? A répondu, qu'il croyait devoir dénoncer encore 1) La Femme infidèle, ouvrage en quatre parties, contenues en deux volumes, comme insultant non seulement lui sieur Augé, mais même la femme dudit sieur Restif (26); 2) Les Nuits de Paris, ouvrage en plusieurs volumes comme l'insultant nominativement (27); 3) Ingénue Saxancour, ou la Femme séparée, ouvrage en trois volumes (28), comme attenta-

*toire à sa tranquillité et à son honneur. Et à l'appui
de la dénonciation, il a présenté les deux volumes de*
La Femme infidèle, *sur la garde et le premier feuillet
desquels sont des notes infâmes écrites de sa main*
(29), *et étiquetés au dos,* Œuvres d'un Scélérat, *qu'il a
déclaré avoir fait mettre exprès* (30); *les trois volumes d'*Ingénue Saxancour, *ayant chacun sur le faux
titre une note infâme également écrite et signée par
lui; enfin le premier volume des* Nuits de Paris
*imprimé en 1788, lesquels volumes il a déposés sur le
bureau, après les avoir signés et paraphés, en notre
présence, sur les premier et dernier feuillets d'iceux.*

*A lui demandé, si M. Restif avait une imprimerie?
A répondu, qu'il le croyait et soupçonnait* (31).

*Interrogé, s'il connaissait tous les différents domi-
ciles, dont sa plainte fait mention, a répondu, qu'il
n'en connaissait pas; mais qu'il soutenait qu'il en
avait d'autres.*

*A lui demandé, dans quelle vue il a fait cette
dénonciation, a répondu, que c'était dans la vue du
bien public* (32).

*A lui demandé, comment il s'était procuré les
ouvrages qu'il a laissés sur le bureau, il a répondu,
qu'étant un jour à dîner chez le sieur Bochet, trai-
teur, rue du Dauphin, un particulier à lui inconnu, lui
avait remis l'*Ingénue Saxancour (33), *après lui avoir
demandé s'il était M. Augé? et que sur sa réponse
affirmative, ledit inconnu s'était retiré, sans rien
dire, laissant les volumes.*

*Interrogé, s'il avait encore quelque chose à décla-
rer, a répondu, qu'il croyait devoir observer, qu'à la
page 210 d'un ouvrage de M. Restif, intitulé* La Vie de
mon père, *dans une note qui se trouve au bas de
ladite page, on trouve la preuve que le sieur Restif
est auteur de* La Femme infidèle, *quoique cet ouvrage
soit sous le nom de Maribert-Courtenai, et à l'appui*

*de cette nouvelle déclaration, il a laissé sur le bureau
ledit ouvrage intitulé* La Vie de mon père *(34).*

*Lecture à lui faite du présent procès-verbal, il a
déclaré qu'il n'avait rien à ajouter, sinon, que c'était
par la voie de la police, environ trois mois après l'enlèvement de son épouse (35), qu'il avait appris son
domicile, ce qu'il a constaté le jour de la procession
des captifs aux Mathurins; qu'il était monté chez elle,
où il avait d'abord été bien reçu (36); mais que
M. Restif était survenu, l'avait forcé de sortir avec
fureur, sans considérer qu'il était chez les sieur et
dame Berthet, en leur présence. Et a signé et paraphé
le présent procès-verbal, comme contenant vérité.
Signé : Augé, etc.*

*Le sieur Augé s'étant retiré, nous avons de nouveau
fait entrer M. Restif.*

*A lui demandé, où demeurait son épouse, a
répondu, qu'elle demeurait près la Comédie-
Française (37)...*

*S'il y avait longtemps que Mme Augé sa fille, était
avec lui, et si elle avait conservé son nom, a répondu,
qu'elle était sortie d'avec son mari le 23 juillet 1785,
pour aller chez un homme et une femme mariés,
demeurant vis-à-vis la rue du Plâtre-Saint-Jacques, où
elle a pris le nom de Mme Dulis, une des aïeules
maternelles de M. Restif de la Bretonne.*

*Interrogé, le mari s'est-il présenté audit domicile,
pour voir sa femme? Est convenu qu'il y était entré
par surprise.*

A lui demandé, s'il connaît un ouvrage intitulé, La
Femme infidèle; *un autre, ayant pour titre,* La Vie de
mon père? *A répondu, que le second était de lui, et
qu'à l'égard du premier, il n'en est pas l'auteur, mais
qu'il en a connaissance.*

Interrogé, si L'Ingénue Saxancour *n'avait pas été
composée pour servir d'allusion à des faits passés*

*dans sa famille, a répondu, qu'il avait fait les trois
pièces de théâtre, mais que le surplus a été composé
par une autre personne.*

*A lui demandé, si cette personne lui était connue, a
répondu, que non.*

*A lui demandé, s'il avait fait distribuer gratis un
ouvrage intitulé,* La Femme infidèle *ou* L'Ingénue
Saxancour, *a répondu que non.*

*Interrogé s'il a dans Paris quelques ennemis à lui
connus, a répondu, qu'il n'en pouvait citer qu'un
acharné; que cet homme était venu, le premier jeudi
du présent mois, parler à M. Desmarquets, procureur, demeurant dans sa même maison, lequel sieur
Desmarquets avait été interrogé par cet ennemi, qui
avait demandé, si M. Restif était rentré, qu'il avait
son bien, que ce bien était sa femme, et qu'il attendait M. Restif, pour lui brûler la cervelle* (38).

*A lui demandé le nom de cet ennemi, répondu, que
M. Desmarquets le dirait.*

*Et lecture faite du présent, a requis que l'on fît
sur-le-champ toute perquisition chez lui, pour consta-
ter qu'il n'est pas l'auteur des trois libelles, dont son
délateur l'accuse; s'offrant même de se constituer
prisonnier, si nous l'exigions. Et a signé :* Restif de la
Bretonne; Cholet de Jepfort, Robin, Dameuves, Quinquet.

*En conséquence du réquisitoire fait par le sieur
Restif de la Bretonne, nous avons arrêté, que deux
d'entre nous se transporteraient tant au domicile
actuel de M. Restif, que dans son ancien domicile, et
en cas de besoin, dans la maison où demeure la dame
son épouse* (39). *Signé, etc.*

*Et le même jour et an que dessus, nous Cholet de
Jepfort, et Dameuves, dénommés ci-dessus, accompagnés de M. Broquin, sous-lieutenant de la Garde nationale, et commissaire du district Saint-Séverin, M. Pi-*

tart, sergent dans ladite garde, et commissaire du même district, M. Sciard, secrétaire du comité du même district et fusilier de la Garde nationale, et de M. Poitou, aide-major du bataillon, nous sommes transportés dans l'appartement de M. Restif de la Bretonne, rue de la Bûcherie, où nous avons fait les perquisitions dont nous étions chargés. De ces différentes recherches, il résulte que nous n'avons trouvé dans les différentes pièces composant ledit appartement que des exemplaires des Contemporaines, et des Nuits de Paris, ainsi que plusieurs autres brochures approuvées, quelques manuscrits de pièces de théâtre, et enfin les tables des matières des Contemporaines : ce qui est tout ce qu'il nous a déclaré avoir, et tout ce que nous avons trouvé. En foi de quoi nous avons signé le présent, avec M. Restif, et les citoyens dénommés ci-dessus, ce 29 octobre 1789.

Et le même jour et an que dessus, accompagnés des personnes dénommées ci-dessus; en présence de M. Noizet, propriétaire d'une maison sise rue Saint-Jacques vis-à-vis celle du Plâtre, lequel a signé avec nous, nous nous sommes transportés dans un appartement sur le derrière de ladite maison au troisième, occupé, il y a trois ans, par M. Restif; où, après avoir fait perquisition dans ledit appartement, nous n'avons trouvé ni imprimerie, ni les ouvrages énoncés dans la plainte ci-dessus. Et le sieur Noizet nous ayant déclaré qu'il n'y avait aucune imprimerie dans sa maison, nous l'avons prié de signer avec nous : ce qu'il a fait. Et d'après les procès-verbaux ci-dessus, et d'autre part, nous avons engagé M. Restif à se retirer chez lui, avec promesse par lui de se représenter, s'il en était requis. Signé : Noizet, etc.

Et le même jour, étant retournés au Comité de police, à sept heures du matin, et ayant fait lecture des procès-verbaux qui constatent l'exécution de la

mission qui nous avait été donnée, nous, représen-
tants de la commune soussignés, avons estimé qu'il y
avait lieu de conduire le sieur Augé en prison, à l'hô-
tel de la Force, jusqu'à ce qu'il en ait été autrement
ordonné (40), *d'après l'examen des dépositions et des*
preuves de conviction de calomnie laissées sur le
bureau. Signé : Dameuves, Cholet de Jepfort, Quinquet, Lefebvre de Saint-Maur.

Vu les pièces, et autres jointes, M. Restif de la Bre-
tonne est autorisé à se pourvoir par-devant les juges
ordinaires contre le nommé Augé son calomniateur.
Et cependant le coupable doit être mis en liberté,
attendu la non-dénonciation du sieur son beau-père,
lequel a déclaré laisser le gendre délateur à ses
remords et à la honte de son crime. Signé : Bousse-
mer de la Martinière.

Pour expédition conforme aux originaux, déposés
au bureau du comité de police à l'Hôtel-de-Ville de
Paris, et délivrés à M. Restif de la Bretonne, sur sa
réquisition.

Signé : Manuel; Leseize-des-Maisons.

Assemblée des représentants de la commune de
Paris : comité de police. 29 octobre 1789.

M. Restif de la Bretonne est prié de passer au
comité de police, le jour qui lui conviendra, pour
affaires qui l'intéressent, etc.

Manuel, Isnard de Bonneuil, Delabastide.

M. Restif de la Bretonne s'est présenté; on lui a
promis une expédition des pièces qui l'intéressent, et
qui sont au comité de police. Fait au comité de
police, le 4 novembre 1789.

L'Abbé Fauchet.

P.S. *Aujourd'hui 9 février 1790, troisième anniver-saire de la démarche enragée d'Augé à Montrouge, chez M. Letourneur, le monstre n'a encore fait contre nous que des tentatives inutiles. Nous avons refusé une de ses lettres le 20 janvier. Nous attendons.*

Fin.

Suite des réponses

18. Représentez-vous, honnêtes citoyens, un vieil-lard, amené par des fusiliers, traversant la redouta-ble place, où Augé pouvait se trouver, et crier à l'ac-capareur, si la loi martiale n'avait pas existé... Je laisse ce tableau... Représentez-le-vous, interrogé en criminel, répondant aux questions, sur sa conduite la plus particulière... Puis songez que c'est un gendre calomniateur qui l'a conduit là! Nous le répétons, Augé n'a eu garde de dire au comité de son district, que c'était un gendre qui dénonçait un beau-père! Le comité aurait frémi d'horreur! Eh bien, messieurs du district de Saint-Louis-de-la-Culture, on vous dénonce votre concitoyen Augé, comme parricide en projet, presque en réalité.

19. Si messieurs du comité de police de Saint-Louis-la-Culture avaient voulu l'informer, avant de faire violer le domicile d'un citoyen honnête, connu de toute l'Europe par ses ouvrages, estimé de tous ceux qui traitent avec lui, de tous les artistes qu'il emploie, ils n'auraient pas agi contre les principes sacrés de la liberté, contre ces principes qu'ils récla-ment eux-mêmes, avec une louable énergie! La dénon-ciation n'a pas le sens commun, puisque le délateur parricide en abandonne lui-même deux parties, en comparaissant. Et c'est après cette rétractation par-

tielle, qui devait faire douter du tout, qu'on provoque l'ordre le plus sévère, où se trouve la clause terrible d'enfoncer les portes!... On entraîne, à dix heures et demie du soir, un vieillard infirme hors de sa demeure : il n'a pour lui que la considération personnelle qu'il inspire à ses gardes : il laisse sa famille dans la désolation, son voisinage dans l'inquiétude; le respectable Frazé, âgé de quatre-vingts ans, est resté sur pied la nuit dernière! Messieurs du Comité de police du district de Saint-Louis-la-Culture ne seraient-ils pas désolés qu'on nous eût causé la mort, d'après la dénonciation, aux deux tiers démentie, d'un lâche calomniateur?... Il a été puni, mais point assez : il a persisté dans son accusation du *Dom B.*, dont l'auteur est connu; il devait rester en prison jusqu'à ce qu'il eût prouvé, ou demandé pardon de sa félonie. C'est à l'Assemblée nationale que nous allons dénoncer le parricide : car on sent que nous ne pouvons le poursuivre devant les tribunaux, à cause de son fils. Mais il faut, pour l'intérêt de cet enfant lui-même, notre unique petit-fils en ce moment, que nous nous lavions de toute inculpation : notre nom est connu; celui de son ignoble père ne l'est que par des noirceurs; c'est de nous seuls que l'enfant se réclamera; c'est nous qui devons être pur.

20. J'affirme que ce titre bête est d'Augé; lui seul pouvait en inventer un pareil. Le dimanche 11 novembre, troisième jour de son emprisonnement, quelqu'un lui ayant demandé comment il avait pu se déterminer à dénoncer ainsi? « C'est un coup manqué! répondit-il, je m'y suis mal pris. Mais que me feront-ils? me pendra-t-on? Je m'en moque. J'avais des billets à payer à la fin du mois, et pas le sou; je suis tranquille ici. » Quand on lui dit que les voisins de son beau-père allaient dénoncer ses menaces d'assassinat, il répondit. « Je m'en doutais! Dès

qu'un homme est dans le lac, tout le monde tombe sur lui. » Il dit à une autre occasion, parlant de sa femme : « C'est pourtant pour une p**, que je suis ici! » Et l'on verra, par sa lettre à M. Toustain, qu'il *n'a rien à reprocher à sa femme*; qu'il inculpe néanmoins par les lettres véritables que nous rapporterions, comme pièces justificatives, si on ne les trouvait pas dans les ouvrages cités par Augé.

21. Nous avons dit en outre, que le projet du *Pornographe* était exécuté à Vienne, par l'empereur, depuis 1786.

22. Et plus encore pour celui de son épouse infortunée, de son beau-père, de sa belle-sœur! Le père Augé seul a gagné un petit-fils, aussi bel enfant que le père est hideux. O pauvre enfant! c'est pour toi, c'est pour ta malheureuse mère, que j'imprime ceci! Ton aïeul paternel est un honnête homme, quoique faible; ton aïeul maternel, traîné dans la boue, est généralement estimé; tu le sauras un jour! Et alors, que penseras-tu de ton coupable père!

23. Fausseté! qu'il la montre, cette ordonnance! Et quand il l'aurait obtenue! elle n'est pas contradictoire, et Agnès Restif y ferait opposition. Quoi! elle retournerait avec l'homme qui l'a maltraitée, souffletée au jardin du Roi! Qui l'a fait arrêter par la garde sur l'île Saint-Louis; qui l'a calomniée au café Desbrosses! qui veut assassiner son père, uniquement parce qu'il nourrit et habille cette infortunée! qui l'a traitée de putain, en prison le 1er novembre dernier!... Qui vient de chercher à ôter l'honneur et la vie à son unique soutien! à son père! Non! non. Scélérat fou! les lois ne le permettront pas!

24. Le père n'était pas avec sa fille, quand elle a quitté son mari. La malheureuse femme n'a pu emporter que ses hardes, encore en partie; sa montre, donnée par son père, quand elle était fille, se

trouvait au mont-de-piété; et elle en a encore la reconnaissance; mais la montre est vendue. Le misérable, qui manquait de 200 livres pour payer son terme, devait, le lendemain, mettre en gage jusqu'à la dernière chemise de sa victime. Il joue, il boit, et ne travaille pas. Mauvais sujet, chassé de tous les bureaux, avant, comme après ses mariages, il a toujours été éliminé pour des calomnies et d'infâmes procédés.

25. Il n'existe pas d'imprimeur Maradan. L'honnête libraire de ce nom, n'a jamais imprimé *D. B.* Il a seulement fait approuver *La Femme I.* et *I. S-ur*[1].

26. On verrait, si nous imprimons ses lettres, comme le monstre l'a traitée, le 15 juin : c'est par elle que nous l'avons appris.

27. Il n'est pas question du sieur Augé, gendre de M. Restif, dans le premier volume des *Nuits de Paris*; il suffit de lire le passage. D'ailleurs, le fait cité, dans le premier volume est à vingt et un ans de distance, époque à laquelle M. Restif n'avait pas encore le malheur de connaître M. Augé.

28. On demande ici à Augé comment il a découvert qu'il est le monstre hideux, de l'*Ingénue*? Il n'y est pas nommé. Il a donc reconnu ses actions? Tant pis pour lui, pour sa femme et pour nous!

29. On m'a dit que ces notes étaient infâmes : je ne les ai pas encore, aujourd'hui, 1er mars 1790; mais on me les a promises au comité de police, et je les imprimerai.

30. On a retenu ces livres au comité de police : Augé ne les montrera plus. C'est pour les avoir montrés à son dernier commettant, que nous ne connaissons pas, qu'il a perdu son dernier emploi. Quant à l'étiquette, c'est son fils qui nous aurait vengés. Cet enfant, un jour, aurait reproché à son coupable père, d'avoir voulu souiller celle des sources de son exis-

tence qui peut seule l'honorer. Œuvres d'un Scélérat, sur *La Vie de mon père*! O sacrilège!

31. Le bon gendre! l'honnête homme! Par cette simple inculpation, du temps des exempts d'Héméri et Goupil, on nous aurait embastillé. Heureusement que le méchant s'y est pris dans un temps où ce n'est plus un crime d'avoir une imprimerie.

32. Une fausse dénonciation, faite sciemment, en vue du bien public!

33. Mensonge, comme tout le reste. C'est V**, colporteur aux Tuileries, qui a vendu *L'Ingénue* à M. Augé; c'est V**, qui ayant eu de Mme Bizet, belletante, *La Femme infidèle*, prêtée à sa femme, l'a vendue à M. Augé. Ce sont des crimes de la part de V**; et nous le disons, parce que c'est la vérité.

34. *La Femme infidèle* est imprimée avec permission, ainsi que *L'Ingénue*. Il n'y a donc rien de contraire aux mœurs publiques! Loin de là! les mauvaises mœurs y sont décrites, pour en donner horreur. Au moyen de la permission du censeur, on sait que l'auteur était dispensé de se nommer. Il y a mieux, c'est qu'ici, l'auteur ne le devait pas. La raison en est que son aveu changerait des peintures générales, en peintures particulières, pour quelques personnes : ce qu'il faut éviter, dans la nouveauté. D'ailleurs, nous avons déclaré, nous déclarons, et c'est la vérité, que tous les récits qu'Augé s'attribue, ne sont pas de notre composition. Quant à la note, où apparaît le nom de Maribert-Courtenai, dans *La Vie de mon père*, elle parle d'un homme mort depuis quatre à cinq cents ans. Nous ne voyons pas quelle relation il peut avoir eue avec Augé... Ah! en fussions-nous aussi éloignés!

35. Augé est un maladroit, qui se vante, à des juges citoyens, d'avoir employé les espions de police, comme faisaient tous les autres malhonnêtes gens.

36. Qu'on interroge Agnès Restif. Elle dira que,

s'étant presque trouvée mal, à la vue d'Augé, elle n'avait pu lui parler. Il est vrai que pour cet homme, c'est une excellente réception, que celle où il fait évanouir de frayeur!

37. A quelle inquisition nous a exposé un gendre impie! On a scruté, d'après des inculpations atroces, toute notre conduite particulière : on est descendu dans tous les détails qui concernent notre épouse et nos enfants!... Il fallait qu'un scélérat entrât, malgré nous, dans notre famille, pour nous exposer à de cruelles avanies, devant les commissaires, chez les magistrats civils, criminels et de police, où nous n'avions jamais paru!

Dénonciation de nos voisins

38. Nous soussignés : ayant appris qu'une précédente dénonciation, faite de notre propre mouvement, s'était égarée au bureau du comité de police de l'Hôtel-de-Ville, vu l'urgente nécessité, nous avons résolu d'en faire une autre, des faits ci-dessous mentionnés. Savoir :

Je soussigné, François-Julien Desmarquets, procureur en la Cour, que le jeudi 1er octobre dernier, rentrant chez moi, entre onze heures et minuit, j'ai trouvé un particulier, en face de ma porte, lequel avait l'air d'attendre quelqu'un : qu'étant rentré chez moi, et m'étant mis à ma fenêtre, j'ai aperçu ledit particulier, qui parlait à quatre particuliers, près du coin de la rue des Grands-Degrés. Lequel particulier étant revenu, m'a demandé, si M. Restif de la Bretonne était rentré? A quoi je lui ai répondu, que je n'étais pas le portier, et que je l'ignorais; que s'il avait quel-

que chose à dire à M. Restif, il fallait qu'il revînt
le lendemain matin. A quoi ledit particulier m'a
répondu, que l'on venait le jour chez les honnêtes
gens; mais qu'on attendait les coquins le soir, et que
si je voulais descendre, il me dirait quelque chose
d'intéressant. Qu'aussitôt je montai chez M. R., pour
savoir s'il était rentré, et lui faire part de ce qui
venait de m'être dit : que Mlle Restif cadette, accompagnée d'un de ses cousins, serait aussitôt descendue
chez moi, pour voir si elle reconnaîtrait ledit particulier, qu'elle soupçonnait être son beau-frère; que descendu, je me serais mis à la fenêtre, et que j'aurais
vu ledit particulier parlant aux quatre hommes, qui
paraissaient être avec lui; lequel particulier revenu
vis-à-vis chez moi, m'aurait de nouveau prié de
descendre; qu'enfin je suis descendu, avec le neveu
de M. Restif; et ayant ouvert la porte audit particulier, et l'ayant fait entrer, je lui demandai ce qu'il
avait à me dire? Que ledit particulier commença par
me dire mille horreurs contre M. Restif, qui, disait-il,
retenait chez lui la femme de lui particulier, et malgré lui; et finit, en me disant qu'il l'attendait, pour
lui brûler la cervelle, et qu'il ne mourrait que de sa
main. A quoi j'ai observé audit particulier que sa conduite était très répréhensible, et qu'elle ne l'exposait
à rien moins qu'à le faire rompre; ledit particulier
m'a répondu qu'il s'en moquait, et qu'il s'appelait
Augé. Et après plusieurs autres discours de cette
espèce, j'ai congédié ledit particulier, qui s'est retiré.

A Paris, ce 15 novembre 1789. *Pro duplicata*

DESMARQUETS.

Moi, François-Urbin Frazé, marchand miroitier,
principal locataire de la maison, n° 11, rue de la
Bûcherie, vis-à-vis celle des Rats, ai ouï le sieur Augé

débiter des horreurs, que je sais fausses, contre
M. Restif de la Bretonne, dont il s'est dit le gendre,
en menaçant de l'assassiner.

Frazé.

Moi, Antoine Delarue, marchand fripier, vis-à-vis
ladite maison n° 11, ai vu souvent un particulier se
nommant Augé, venu exprès chez moi, sans me connaître, pour diffamer M. Restif son beau-père, et
pour jurer qu'il l'assassinerait, ou le ferait assassiner : qu'ils étaient trois du même complot; et de
plus, que mercredi 28 octobre au soir, il est venu sol-
liciter ma femme de ne pas déposer contre lui; sur
quoi, elle l'a prié de sortir de chez elle, en lui disant
qu'elle ne connaissait M. Restif que pour un honnête
homme, et lui, Augé, pour un homme dangereux.

Delarue.

Moi, Guillaume Page, maître et marchand tailleur,
demeurant à côté de ladite maison, n° 11, ai souvent
entendu le sieur Augé, tenir les mêmes discours, avec
d'autres, contre la réputation de la demoiselle Restif,
sa belle-sœur.

Page.

*C'est ainsi que toute une honnête famille est hon-
nie par un homme crapuleux, qui s'y est introduit
par surprise!*

39. Un honnête homme, honoré de ses concitoyens,
se voit obligé de conduire en corvée la garde nationale qui pouvait être ailleurs plus utilement occupée!
On allait le mener chez son épouse, sans M. Cholet
de Jepfort.

40. Il a fallu cet acte de justice pour convaincre
Augé qu'il était reconnu pour calomniateur. Et cepen-

dant, nous avertissons le district de Saint-Louis-la-Culture, ainsi que MM. les représentants du comité de police de la ville, qu'Augé, sorti de prison le 3 novembre soir, continue ses calomnies, et de soutenir que nous sommes l'auteur de *D. B. aux États Généraux*, brochure qu'on nous a dit être infâme; car nous ne l'avons pas lue. En raison de quoi, vu l'atrocité de son crime, et l'inconvenance qu'il y aurait à nous de le poursuivre par-devant les tribunaux, nous avons résolu de le dénoncer à l'Assemblée nationale, comme parricide, non en vue de vengeance (loin de nous ce bas et vil motif!) mais pour préserver à jamais de ses attentats notre infortunée famille, composée de sa femme notre fille aînée, de notre fille cadette, et du fils dudit Augé, notre petit-fils unique, qu'un pareil homme ne peut que mal élever et perdre.

Lettre à M. Augé père

« Monsieur! Quand on a le malheur d'avoir un fils comme le vôtre, assassin en projet, calomniateur, délateur en effet, on est obligé de le réprimer efficacement. Je vous avertis que MM. du comité de police m'ont déclaré, en me remettant les preuves de ses crimes à mon égard, que j'avais de quoi le faire mettre au carcan. Je le dénoncerai donc, Monsieur, si vous n'y mettez ordre. Et d'abord, j'exige de vous qu'on lui ôte son fils, que le misérable ne peut que mal élever et perdre. Ensuite, que vous ne laissiez à sa disposition aucun revenu, mais que, suivant l'exemple de feue votre épouse sa mère, vous substituiez à votre petit-fils, afin que cet enfant, votre unique espérance, qui peut-être relèvera votre nom, ne soit pas un jour privé des droits de citoyen actif, par les dettes de son père.

C'est par respect pour votre malheur, que je me dis, Monsieur,

Votre Ami.

Restif de la Bretonne.

C'est le jour même de la première dénonciation de nos voisins, et un instant avant qu'elle fût portée au comité de police, qu'Augé sortit de prison, le dimanche 3 novembre.

Nous avons fait les démarches nécessaires tant pour avoir le procès-verbal ci-dessus, que les trois ouvrages sur les marges, les gardes et les fausses pages desquels Augé a écrit des horreurs contre nous. Ces horreurs sont signées de lui, et on veut garder ces infamies en dépôt, apparemment pour que la postérité les croie! De pareilles pièces devaient nous être remises, pour que nous les anéantissions, ou que les imprimant nous-même ici, nous les annulassions, en les réfutant. On nous les a promises. Comment achèverons-nous l'exécrable histoire du monstre, qui empoisonne notre vie? Nous l'ignorons, placé que nous sommes sous le fer assassin! On ne peut que le conjecturer.

Après une pareille atrocité, nous ne ménageons plus rien : nous avons lu la délation d'Augé à M. Mercier, et à un autre homme célèbre. Tous deux nous ont répondu : « Cet homme n'est plus à craindre : il vient de s'anéantir lui-même. » En effet, après une calomnie aussi détestable, que pourrait faire Augé, s'il était un homme? Mais on ne peut se figurer qu'Augé ne soit pas un homme! On ne saurait se figurer combien c'est un être atroce, vil, bas; à quel point ce sot méchant est privé de faculté de sentir, de penser, de rougir, d'avoir du repentir, des remords! Cela n'a aucuns principes. Élevé par une mère bornée, par un père faible, ayant passé sa jeunesse dans les bas emplois, avec les commis aux aides, les rats de cave, les commis de barrière, il n'a respiré que la méchanceté! Il n'est sensible qu'au plaisir diabolique de faire du mal aux autres, de les plonger dans la douleur, le désespoir!... Et le peuple est rempli de ces êtres-là. Le bas peuple a la malice du singe; c'est la nature, quoi qu'en dise J.-J. Rousseau : la bonne éducation peut seule le corriger. O malheureux que je suis! le malheur que je redoutais le plus m'est advenu! j'ai dans ma famille un homme sans éducation et sans principes! O plus malheureuses encore mes deux filles, l'une comme épouse, l'autre comme belle-sœur! Elles seront un jour les victimes de la brutalité du méchant, et de la folie d'un fou!

L'infortunée de seize ans[1]

Le 29 octobre, le jour même où l'on avait fait la visite chez nous, après une nuit passée à l'Hôtel-de-Ville, un homme de notre connaissance rencontra une femme de campagne, avec une jeune fille d'environ seize ans, qui parlaient en marchant. C'était sur le port au blé, aux environs de la rue de Longpont : elles allaient du côté de l'île Saint-Louis. Notre ami suivit la même route; il les écouta... La femme disait à la jeune fille : « Il n'y demeure plus; il s'est remarié : sa seconde femme l'a quitté; il lui a fait des horreurs. Il avait donné même un soufflet à votre mère le jour de sa mort; et il a fait passer la nuit à sa seconde, en couches, sur un escalier, au milieu de l'hiver... Il vous tuerait, mon enfant, ou il vous vendrait, comme il a voulu vendre la seconde, quand elle s'est enfuie... Restez avec moi, mon enfant! le petit bien que vous a laissé votre grand-tante vous fera trouver un labou-

reur, et vous vivrez tranquille. Voilà que la Révolution est faite; il n'y a plus d'aristocrates; vous serez
aussi heureuse femme de laboureur, que de monsieur
à la ville.

— Mais, ma bonne, répondit la jeune fille, comment se fait-il que ma grand-tante m'ait ainsi sous-
traite à mon méchant père? car tout ce qu'on dit de
lui est effrayant!

— Ce fut quand elle le vit si mauvais sujet, se
gâtant avec les commis ses camarades, tous gens de
sac et de corde, maltraitant sa femme, qui était
douce, bonne, économe, laborieuse, au point de
détruire sa santé par le travail; ce qui fait que vous
êtes délicate. Elle me dit, en vous remettant à moi :
« Voilà une enfant, que vous ne rendrez à per-
« sonne, qu'on n'ait un écrit de ma main. » Je ne pouvais pas vous rendre; car je ne connaissais qu'elle.
Apparemment qu'elle avait dit à votre vilain père que
vous étiez morte : car il n'a jamais songé à vous.
Mais aujourd'hui, que vous voilà grande et raisonnable, que votre mère et votre grand-tante ne sont plus
de ce monde, M. le curé m'a dit qu'il fallait voir... Ah!
je vais lui rendre de bonnes informations!... On dit
qu'il vit comme un bandit. Il a été dernièrement en
prison, pour avoir calomnié... »

A ces mots, l'intérêt que notre ami prenait à ces
deux personnes redoubla. Il s'approcha d'elles, et
leur offrit ses services. La campagnarde parut
défiante. Mais l'honnête homme, qui demeurait à
l'entrée de la rue des Nonains-d'Hyères, s'étant
nommé comme un des représentants de la Commune,
elle prit de la confiance, au point qu'elle accepta l'offre de loger chez lui.

M. de Jepfort était marié, père de famille, et très
aisé. Lorsqu'il vit de près la jeune Sophie, il fut
enchanté de sa figure. Il ne doutait pas qu'elle ne fût

la fille de l'homme vil et lâche qu'il avait vu. Il se fit donner des détails. Nous ne dirons pas s'ils détruisirent ou s'ils confirmèrent ses conjectures... On lui montra les actes de baptême; il vit les noms des père et mère : Sophie avait encore son aïeul paternel : sa belle-mère existait. M. de Jepfort résolut de les introduire. Il apprit que l'enfant crue morte par son indigne père était restée chez sa nourrice, ou plutôt chez sa sevreuse, jusqu'à l'âge qu'elle avait. Grande, raisonnable et formée, il fallait songer à l'établir. Mais on ne le pouvait, sans tout dévoiler. Il y avait au village un parti avantageux, que Sophie n'aimait pas, et un autre fort pauvre, qu'elle aurait préféré. La campagnarde avait été bien aise de l'éloigner de celui-ci, auquel elle craignait que la jeune fille ne se déclarât. C'est ce qui l'avait engagée à consulter le curé. Telle était la situation de Sophie.

Le lendemain matin, M. de Jepfort écrivit à l'aïeul. Ce vieillard était un homme borné. Il n'eut rien de plus pressé que d'instruire son fils. Heureusement que Quistrin fit un bruit épouvantable! Les deux femmes, effrayées, dirent qu'elles retourneraient dans leur village; mais, par un conseil salutaire, la campagnarde s'en retourna seule, après avoir mis Sophie avec sa belle-mère.

Celle-ci n'était venue à Paris que pour trois jours; elle était à la campagne auprès d'une amie mourante. Elle emmena Sophie avec elle. Et comme le monstre Quistrin avait retenu son fils, elle l'en dédommagea, en retenant sa fille, dont elle se fit adorer.

Sophie, jusqu'alors élevée avec des villageois grossiers, avait trouvé que leurs mœurs contrariaient sa délicatesse naturelle. C'était faute de connaître mieux qu'elle les supportait. Mais dès qu'elle vécut avec Mme Quistrin, elle se trouva dans son élément. En peu de temps, elle prit les manières convenables, et

devint charmante... Elle resta ainsi avec sa belle-mère
pendant cinq à six mois.

Elles étaient revenues à Paris, après la mort de
l'amie de Mme Quistrin. Un soir qu'elles étaient
allées prendre l'air à la pointe de l'île Saint-Louis,
elles furent aperçues par le monstre, qui reconnut sa
femme. Il se cacha, pour écouter la conversation. Il
comprit que la jeune personne appelait Mme Quistrin
sa mère. Aussitôt son imagination travaille. Il voit
dans les autres toutes les horreurs dont il est capable... En ce moment, le hasard le sert. Trois scélérats
ses intimes, l'Échiné, Moresquin et Lemore se trouvent ensemble à la Pointe. Quistrin leur fait part de
sa découverte. Comme ils étaient aussi méchants que
lui, tous quatre furent enchantés! Ils écoutèrent.
Sophie, qui adorait sa belle-mère, folâtrait avec elle,
et le nom de *Maman* était souvent répété.

Ce fut alors que les quatre misérables se communi-
quèrent leurs conjectures. Quistrin pensa que sa
femme avait eu cette enfant très jeune, avant son
mariage. L'Échiné assura qu'il n'y avait pas à en douter. Moresquin s'écria qu'une idée lumineuse le
frappait; mais qu'il ne la dirait pas encore. « Je la
dirai, moi, s'écria Lemore. Cette fille qu'elle paraît
aimer si fort est le fruit d'un amour incestueux...
C'est le résultat de l'union du père et de la fille.
— Voilà ce que je pensais! reprit Moresquin. — Cela
est certain! s'écria l'Échiné, malgré ce que nous a dit
Quistrin, qu'il a été trois nuits contrarié par la déesse
Angustia. — C'est qu'il s'y prenait mal! dit Moresquin. — Oui! répéta Quistrin; c'est cela! je m'y prenais mal... C'étaient des obstacles controuvés. Que
faut-il faire? — Les arrêter, les mener au district, et
les dénoncer. — Suivons-les! », ajouta Lemore. On
s'en tint à ce dernier parti.

Vers les onze heures, Mme Quistrin et sa belle-fille

se retirèrent. Les quatre scélérats, qui n'avaient qu'une âme, et qui semblaient n'avoir qu'un seul corps, lorsqu'il s'agissait de faire le mal, attendirent qu'elles fussent dans un endroit solitaire, vis-à-vis la rue Poulletier. Là, ils se jetèrent sur elles. Mais il n'en fut pas comme du temps de l'Ancien Régime, auquel l'Échiné avait ainsi arrêté sa femme, et l'avait fait traîner par le guet chez un commissaire. Aux cris des deux infortunées, la sentinelle nationale du Quai siffla, et la garde bourgeoise accourut.

On écouta d'abord les dames, qui racontèrent comment elles avaient été attaquées. Les scélérats furent entendus ensuite, et firent horreur. Le comité du district ordonna que, par provision, les deux dames retourneraient à leur demeure, sauf au mari à se pourvoir judiciairement. Les quatre hommes furent gravement réprimandés par le président.

Quistrin se pourvut en effet, par une dénonciation en adultère contre sa femme. Il fit déposer les trois témoins. Il assigna le voisinage; et le résultat fut que Mme Quistrin reconnaissait Sophie pour sa fille, et Sophie Mme Quistrin pour sa mère.

D'après ces dépositions, il y eut un décret de *soit-ouï*, décerné contre Mme Quistrin. Elle comparut avec Sophie, assistées, l'une et l'autre, du père de la dame. Interrogée, Mme Quistrin dit la vérité. Elle répondit modestement, que Sophie n'était pas sa fille; mais qu'elle avait droit de l'appeler ainsi. Que les allégations de M. Quistrin étant horribles, elles ne pouvaient être présumées, et qu'il fallait qu'il en apportât les preuves. Cette défense était excellente, et le scélérat, qui pouvait calomnier, n'avait pas également la faculté de créer des faits, et leur vraisemblance. Mais il avait pour lui cette maligne portion du public, qui veut toujours des coupables, et qui, semblable aux méchants esprits de nos écritures

sacrées, ne semble jouir que du supplice d'autrui.
Son père vit la défaveur qui devait tomber sur elle, et
sur lui-même, d'un prudent silence, sur l'origine de
Sophie, lorsque des circonstances impératives empêchaient de le garder. Il conseilla de tout dévoiler, et
Mme Quistrin découvrit l'origine de sa belle-fille.
L'odieux Quistrin voulut contester. On administra les
preuves. Alors, conseillé par un de ces avocats qu'on
donne aux coupables, gens utiles à la timide innocence, mais quelquefois dangereux! Quistrin
demanda qu'on lui remît sa fille. Sophie s'écria, pour
s'y opposer. Les juges furent frappés des motifs
que les deux dames, belle-mère et belle-fille, répétè-
rent, et donnèrent même à lire, écrits de la main de
la grand-tante : ils ordonnèrent que Mlle Quistrin
retournerait chez son père. Mais, par un *retentum*,
ils lui commirent une surveillante secrète, dame
de charité de la paroisse Saint-Paul, femme prudente
et sûre.

Ce jugement plongea dans la douleur Mme Quistrin
et Sophie : elles refusèrent de s'y soumettre. Mais on
leur fit entendre qu'il le fallait pour avoir un jugement définitif. C'est que malheureusement jamais la
justice ne présume l'atrocité! Elle a raison, pour les
actions passées, et tort pour la conduite future.
Est-ce que les juges ne savent pas mieux que personne, quelle est la perversité du cœur humain, dans
certains individus?

Sophie persuadée, alla chez son père : Mme Quistrin ne voulut pas l'abandonner; elle retourna également chez son abominable mari... Qu'en résulta-t-il?

Quistrin, tout ruiné qu'il était, ne fut d'abord sensible qu'à la gloriole de répandre, dans son voisinage,
qu'il l'avait emporté, qu'il avait forcé sa femme à
revenir, la nourrice de sa fille du premier lit à la lui
rendre, etc. Il se faisait un mérite des effets du

hasard. Mais bientôt ne pouvant suffire à sa dépense, il reprit la bassesse de ses idées. Il introduisit secrètement un autre homme à sa place, la nuit, auprès de sa femme. Il réussit avec celle-ci, elle avait trente ans, et ne se méfiait plus de pareilles horreurs. Mais il existait deux riches libertins, qui, enflammés par ce qu'ils avaient appris, voulaient être les héros de nouvelles infamies, en possédant la femme et la fille de Quistrin : c'était un ragoût pour eux.

Comme Sophie était jeune, innocente et jolie, elle fut ardemment désirée. On proposa une somme à Quistrin. « Comment voulez-vous que je fasse ? leur répondit-il, si elle sent un homme auprès d'elle, n'en devant point avoir, elle fera des cris de Mélusine, et tout se découvrira. Tâchez de la séduire. »

Cet horrible discours fut suivi de l'exécution. Mais Sophie était la vertu même; sa belle-mère d'ailleurs était là; la jeune personne prenait ses conseils en tout : Mme Quistrin, qui ne se croyait pas souillée, soutenait la vertu de sa belle-fille, et payait pour elle... Sophie inséductible, fut enfin condamnée à l'opprobre, pour une somme considérable, placée sur la tête de Quistrin. On écarta la belle-mère, sous un prétexte, et la jeune personne étant restée à la maison, elle fut circonscrite, toutes les portes fermées : on lui fit violence...

La belle-mère ne revint pas. Quistrin lui fit signifier qu'elle eût à retourner chez son père. Elle y alla. On ne songe pas à tout au même instant : occupée de sa peine, elle souffrait de la privation de la société de Sophie, sans se douter de son malheur. Ce ne fut qu'au bout de plusieurs jours qu'elle voulut absolument en avoir des nouvelles. On lui dit, dans le voisinage, que Sophie ne paraissait plus. Ce fut alors que ses inquiétudes redoublant, elle demanda une visite chez Quistrin. Sur des indices multipliés, elle l'obtint : on avait entendu des cris étouffés! on voyait entrer et sortir des inconnus, l'air intrigué...

On arriva chez Quistrin, à l'improviste, à minuit. Un voisin qui rentrait, ouvrit la porte de l'allée. On fut écouter au volet : du bruit... des cris... des sanglots... On enfonce la porte. On entre; on cherche : mais on ne trouva pas Sophie; on ne l'entendit pas. Quistrin affecta de paraître tranquille. Cette affectation même était un indice. On l'emmena. Mais Mme Quistrin étant entrée, après son départ, elle sut trouver sa belle-fille, dans un cabinet à double porte, et sans fenêtre, qu'elle ne faisait que soupçonner; car elle n'y était jamais entrée. Sophie était tenue par deux hommes, prêts à lui percer le sein, au moindre cri...

Elle fut sauvée comme par miracle. Les deux scélérats furent conduits sur les pas de Quistrin, et la belle-mère emmena la jeune infortunée chez son père...

Sophie et sa belle-mère tombèrent malades quelques jours après. On appela des gens de l'art à leur secours. Il ne leur fallait que le docteur Mittié : les deux infortunées... étaient attaquées d'une maladie... honteuse... On constata leur état. Il se trouva des témoins, qui déposèrent avoir entendu Quistrin se vanter du projet de contagier ou faire contagier sa femme. Il fut interrogé : l'on arracha de sa bouche tous les aveux... Mais à quelle peine condamner le scélérat? Toutes les lois se taisent sur de pareilles horreurs, encore plus rares que le parricide...

Il est impossible d'exprimer combien la maladie fut rebelle! On vit l'instant où elle serait incurable. Enfin Sophie et sa belle-mère sont sauvées : mais si l'habile docteur avait employé la méthode ordinaire, elles auraient sans doute été défigurées... Aujourd'hui ces deux infortunées vivent ensemble; il est défendu au scélérat de les aborder, et il a perdu envers l'une ses droits d'époux, et sur l'autre, ceux de père!

Suite des événements postérieurs a la Huitième Nuit

On a jugé le baron de Bezenval, qui est relaxé.
Accusation non prouvée.
On condamne les frères Agasse à la mort.
Pour faux billets de commerce.
(Le district a préservé cette honnête famille du déshonneur, par des grades dans la garde nationale.)
On a jugé, condamné, exécuté le soi-disant marquis de Favras, intrigant, conspirateur : il est mort en homme préparé : mais il aurait parlé, si l'on avait promis de revoir son procès. On découvre le complot insensé du comte de Maillebois, qui se sauve à Bréda. M. l'abbé Mauri[1], après avoir excité la plus forte effervescence dans certaines têtes, est poursuivi, en sortant de l'Assemblée nationale, le 13 avril au soir : il est défendu contre la fureur du peuple par la garde nationale. Messieurs Mirabeau cadet, et Cazalès[2] sont également hués et défendus, quoique le premier eût tiré l'épée. On assure qu'une femme lui cria : « Député! vous êtes au-dessus d'un particulier; mais vous êtes bien au-dessous de la nation : elle vous improuve; soyez modeste et repentant! » Le lendemain est à jamais mémorable, par le décret définitif, qui ôte au clergé une propriété scandaleuse, apostate, puisque les richesses des ministres sont diamétralement opposées au code évangélique. Le roi fait un discours attendrissant à Madame Royale, sa fille, en lui donnant sa bénédiction, avant la première communion. Les Assignats sont décrétés le 18[3]. M. Virieu se démet de la présidence de l'Assemblée natio-

nale, après avoir occupé le fauteuil une demi-séance.

Les 16, 17, et 18 avril 1790

Je me nomme Guillot[1], libraire de la Semaine Nocturne, ou Sept Nuits de Paris, qui feront suite au
Palais-Royal, que je viens de mettre au jour : je suis
grenadier de la garde nationale : des affaires m'ont
obligé à faire un voyage dans ma patrie, la ville de
Verdun. Je suis parti de Paris, au commencement
d'avril. En arrivant à Verdun, j'ai goûté un de ces
plaisirs délicieux, qu'on sent fortement, mais qu'on
n'exprime pas : je trouvai tous mes compatriotes,
tous mes anciens amis, sous mon uniforme national !
« Tout l'empire, dis-je au premier dont je pressai la
main, a le même cœur, le même langage, le même
habit ! — Comment se porte M. de La Fayette ?
s'écria-t-il. — En héros : toujours vigilant, toujours
sur pied[2]. »

On m'apprit aussitôt, que les dames de Verdun
avaient ouvert une souscription, pour donner les drapeaux à la garde nationale de leur ville, et comme je
suis un des enfants de cette chère patrie, je me hâtai
de souscrire pour ma femme.

Un instant après mon arrivée, on annonça les députés de Nancy, qui venaient inviter la garde nationale
de ma ville, à une Confédération patriotique. La proposition fut reçue avec transport : il fut décidé, qu'on
se rendrait à Nancy, le 18 avril, de toutes les villes de
Lorraine et des trois évêchés, pour y jurer une coalition constitutionnelle et sacrée, prêter le serment
civique, et jurer l'exécution des décrets de l'auguste
Assemblée nationale. On fit sur-le-champ les préparatifs du départ.

Je partis de Verdun, pour me rendre à Metz. Je
suis surpris d'en trouver la porte fermée ! J'en

demande la cause ? On me répond que la garde nationale de Thionville devant arriver, M. de Bouillé, commandant de la garnison, avait défendu de laisser
entrer les soldats citoyens, et qu'à cet effet, il venait
de mettre toutes ses troupes sous les armes, en dis-
tribuant quinze cartouches à chaque fusilier[1]...
Cependant la garde nationale de Thionville arrive, et
se présente à la porte, qu'on lui refuse. Elle délibère,
indignée... Mais le patriotisme a le dessus : elle va
déposer ses armes dans un village à demi-lieue, et
revient ensuite pêle-mêle avec la garde nationale de
Metz, qui avait été au-devant d'elle.

J'allai loger dans l'auberge, dite de Pontamousson.
Au sortir du spectacle, rentré pour souper, un coup
d'œil superbe se présente ! Je vois à table, dans une
salle immense, toute la garde nationale de Metz, qui
traitait celle de Thionville ! On me demande si je ne
suis pas soldat de la nation ? Je réponds : « Grenadier
de Paris. — De la garde citoyenne de Paris ?... Ha ! les
valeureux Parisiens sont nos frères ! — Nos pères !
— Nos pères ! — Nos bienfaiteurs ! — Les instiga-
teurs de la sainte liberté !... » On m'enlève ; on me
place au haut bout. On boit... « A la nation d'abord !
— A la nation ! — A la nation, et à son auguste
Assemblée !... — Sans flatterie, à Louis XVI, roi des
Français ! — Père de la patrie ! — Restaurateur de la
liberté ! — Le meilleur des hommes ! » Mon cœur
tressaillait d'allégresse, d'entendre louer et bénir
Louis avec la Constitution ! Alors, la larme de plaisir
à l'œil, je m'écrie : « A la santé de La Fayette !... » A ce
toast patriotique, on eût cru entendre les flots d'une
mer agitée ! Mille voix s'élèvent ! « A la santé de
La Fayette ! — Notre général ! — Le héros des deux
mondes ! — Le protecteur de la liberté naissante !
— Le réprimeur des scélérats ! — A tous les braves
soldats de la garde parisienne ! — L'exemple du

royaume!... » J'étais muet : le saisissement de la joie m'avait ôté la parole...

Cependant, j'étais le centre de la conversation : tous les regards me cherchaient. Il fut question de la qualité, de la cherté du pain . « Nous le mangeons mauvais! dit un grenadier de Thionville; vous le mangez excellent, à Paris! mais vous le méritez! »

J'abrège. Je me hâtai de partir pour Nancy[1], afin d'y annoncer l'arrivée de la garde nationale de Metz, unie à celle de Thionville. Les Nanciotes m'accueillirent comme un dieu! On me demande des nouvelles. Je parle du roi, de l'auguste Assemblée, de La Fayette, de la garde nationale de Paris, dont j'exprime les sentiments; j'annonce les gardes confédérées de Metz et de Thionville, puis je glisse un mot de mes affaires... « Point d'affaires! s'écrie-t-on : nous n'en avons qu'une aujourd'hui, celle de recevoir nos confédérés, et de montrer à toute la France combien les Lorrains sont Français! Nos frères arrivent; nous ne sentons, nous ne voyons qu'eux! Grenadier parisien! aidez-nous à les recevoir! » On s'empare de ma voiture; on m'entraîne : vingt citoyens se disputent le titre de mes hôtes; on fête, on révère dans ma personne la ville de Paris : partout la joie, l'enthousiasme, le ravissement sont peints sur les visages : on me comble de caresses; on ouvre les buffets; on me les montre regorgeant de mets destinés aux confédérés; on veut que je goûte aux vins délicieux... Enfin, les gardes nationales de toute la province arrivent!...

A leur entrée successive sur la place Royale, elles se rangent autour de la statue pédestre de l'aïeul du roi des Français. Une musique militaire, placée sur le balcon de l'hôtel de ville, mêle le son des clarinettes guerrières, aux acclamations incessantes des habitants de Nancy. Ce spectacle ravissant dura jusqu'à dix heures du soir. Ce fut alors que les attentions de la douce confraternité succédèrent aux transports bruyants du patriotisme! Chaque particulier voudrait à lui seul loger toute la garde nationale de la province! On va se plaindre à la municipalité, de ce qu'un voisin en a vingt, tandis qu'on n'en loge que six : les citoyens cèdent leurs lits, et montent aux galetas : les femmes se réunissent vingt, trente dans une seule maison, pour céder leurs chambres pendant la nuit, et laisser toute liberté à leurs hôtes. On voyait un émissaire de chaque famille parcourir toutes les rues, pour s'informer si quelqu'un n'est pas sans logement... O nuit mémorable à jamais!

Un trait frappant! Soixante villageois présumant que le pain devait être cher à Nancy, apportèrent avec eux soixante rezeaux de blé. L'abondance régnait; on les remercia. Ces bons citoyens donnèrent leur blé aux pauvres de la ville.

L'aurore cependant commençait à éclairer l'hémisphère : elle annonçait un jour pur : le soleil chasse les nuages, pour être témoin de la cérémonie auguste qui se prépare. Les oiseaux semblent célébrer par leurs chants la confédération sacrée des braves Lorrains : une musique martiale les précède à la montagne des Donnons, où ils vont, par un serment solennel, jurer de mourir pour la patrie et la liberté. Une foule innombrable suit les enfants de Mars, et mêle ses cris de joie au son perçant des clarinettes et des hautbois. On parvient au sommet : une esplanade à perte de vue, d'où l'on découvre toute la province, est le temple à la persienne au milieu duquel est élevé un autel fédératif, entouré de tentes militaires. L'auguste sacrifice commence.

Un religieux et profond silence annonce qu'un dieu va descendre! A cet instant suprême, dix bouches d'airain manifestent la présence du maître de l'univers! Une musique douce, qui leur succède, dit

aux hommes, que c'est leur père!... On se prosterne;
on se relève : tous les bras élevés attestent la Divinité
du serment qu'on va faire!... Le sacrifice s'achève, le
canon donne le signal. Soixante drapeaux, entre lesquels on remarque ceux de la garnison, quittent les
rangs, suivis d'autant de détachements et viennent
environner l'autel : le maire, premier magistrat d'un
peuple libre, les harangue, avec cette éloquence du
cœur qu'inspire l'amour de la patrie. Il dit; et le serment civique se prononce : « Je jure d'être à jamais
fidèle à la nation, à la loi, et au roi des Français.
— Nous jurons de verser jusqu'à la dernière goutte
de notre sang, pour maintenir les décrets de l'Assemblée nationale!... »

Alors, la scène change : les transports succèdent au
recueillement, et l'on retourne à Nancy, en poussant
des cris de joie : « Vive la nation! Vive le roi! Vive
La Fayette et les patriotes! » De somptueux festins y
attendaient les braves soldats... Quel spectacle ravissant offre cette ville heureuse! Elle ne fait qu'une
famille, et retrace à la fois le siècle d'or, et les beaux
jours de Sparte : toutes les tables sont communes, et
l'on y admet le pauvre! le pauvre! plus étranger à ses
compatriotes, que les Hottentots. « Voilà ce qu'on
appelle jouir de la liberté! ô Nanciotes! dit un villageois attendri : vous vous montrez dignes de ce bien
sans pareil, dont nous avons été privés si
longtemps!... » Un trait de ce bon cultivateur. La nuit
précédente, il était de garde à la porte de son drapeau : il n'avait rien pris; il faisait froid : « Entrez, bon vieillard, vous chauffer, et boire un coup,
lui dit-on. — Je garde mon drapeau. — On ne l'en-
lèvera pas! — Je garde mon drapeau, même chez
les amis. — Allons, venez! — Une sentinelle est
une cariatide : j'ai faim, j'ai soif, j'ai froid; mais
parlez à celui qui m'a donné ma consigne. » Ce

paysan était néanmoins toujours resté au village.

Un cordelier passait : on l'accueille, on lui propose de s'agréger? Il y consent : on lui ceint le sabre, et casque en tête, on le conduit au général : « Serez-vous bon soldat? — Ne suis-je pas français? » Le général l'embrassa.

La nuit invitait au repos, après une journée si bien remplie. Chaque habitant citoyen de Nancy rentre enfin, accompagné d'une foule d'hôtes : son épouse et ses filles leur prodiguent les soins de mère et de sœurs; puis vont se réunir à leurs concitoyennes, dans les gynécées préparés par la pudeur.

Le lendemain, dès que le jour commence à poindre, tous les guerriers accourent à la place, et se rangent sous leurs drapeaux. Les tambours qui battent aux champs, annoncent le départ. Ce signal avertit la municipalité, d'une séparation qu'elle ne croyait pas aussi prompte. Elle ordonne de fermer les portes. Ensuite, précédée de son vénérable maire, elle se rend sur la place : « Hé quoi! nos frères! déjà vous nous quittez! s'écrie le chef des citoyens! Nous n'avons eu que l'avant-goût de la société de nos chers confédérés, et ils veulent se séparer, avant d'avoir connu notre cœur et notre amour! Ha! restez encore avec nous! Donnez-nous tout le temps que vous pourrez dérober aux soins de vos intéressantes familles! Nancy, votre sœur, vous prie, vous supplie, par ma bouche, de l'honorer encore de votre présence! » Il se tut.

A ce touchant discours, tous les confédérés, chefs et soldats, sont attendris aux larmes : ils remercient leur sœur Nancy, d'une invitation aussi flatteuse; il n'est plus question de départ, et les plaisirs recommencent. La table, le bal, où les belles Nanciotes déploient leurs grâces provocantes, les concerts, les assauts d'armes, se succèdent avec rapidité. Le jeu, ce jeu ruineux, qui empoisonne toutes les fêtes, ne parut point à celle-ci; le patriotisme ne lui permit pas de s'y montrer. Dans l'assaut d'armes entre la garde nationale et la garnison, les champions s'avancent sur l'arène, en viennent aux mains : on se croyait dans le cirque de Rome! Tout ce que l'art de l'escrime a de ruses, toutes les ressources de l'adresse sont mises tour à tour en usage, avec dextérité, avec grâce : mille coups sont portés et parés. Les spectateurs, qui attendent en silence, cachent jusqu'à leurs vœux. Enfin, la victoire se déclare pour la garde nationale! et les vaincus eux-mêmes, aussi généreux que braves, applaudissent à leurs vainqueurs. Fait mémorable! dont nous ne tirons pas vanité! Tous, nous sommes soldats français.

C'est par le bal que finit la fête civique. Une observation qu'on y a faite, c'est qu'apparemment les grâces sont inhérentes à l'habit et aux exercices militaires; toutes les gardes nationales figurèrent avantageusement au bal. La salle était immense, et superbement éclairée. Les dames de Nancy n'avaient rien ménagé, pour y briller, c'était la plus belle des fêtes, donnée dans la plus importante des circonstances, aux hommes qu'il était le plus nécessaire d'intéresser! Aussi furent-elles autant de fées. Sexe aimable! chéri! adoré! reçois le franc et sincère hommage d'un grenadier, sur lequel tu as fait une impression, qui ne s'effacera jamais!

Le moment du départ approche. Déjà l'artillerie se fait entendre : on est assemblé : les chefs de chaque cohorte s'avancent vers la municipalité, pour exprimer tous les sentiments flatteurs du cœur humain. On s'attendrit : le signal est donné : les portes s'ouvrent : des frères se séparent! Une musique guerrière étourdit la douleur!... Les habitants de Nancy, le verre à la main, reconduisent leurs hôtes[1]... J'ai dit.

SECONDE PARTIE

VINGT NUITS DE PARIS

Je ne m'apitoie pas sur un roi : que les rois plaignent les rois; je n'ai rien de commun avec ces gens-là; ce n'est pas mon prochain.

Drame de la Vie, p. 1332.

AVIS

LES NUITS DE PARIS sont un ouvrage qui doit avoir une continuation, tant que cette grande ville existera. Pendant ma vie, j'aurai soin de les rédiger, en rendant compte de tous les événements nocturnes, et des diurnes, qu'ils auront occasionnés. Ce vaste ouvrage a été commencé trop tard; les faits intéressants et publics y pourraient être plus développés, par quelques personnes initiées dans l'ancienne administration. Quant aux nouveaux, je réponds d'en rechercher scrupuleusement les causes; lorsque je ne les aurai pas trouvées, parce que,

Le temps présent est l'arche du Seigneur,

je ne manquerai pas de les placer dans le volume suivant : c'est un avis pour mon successeur, si je n'y suis plus.

J'avertis mes lecteurs, que je ne me suis point assujetti au purisme : je rapporte les faits, comme ils sont. On en a trouvé quelques-uns d'obscènes : mais ce n'est pas moi, ce sont les acteurs, qui en font l'obscénité. Au reste, je déclare que, devenu vieux, je me suis convaincu du néant du purisme des femmes, et même de celui des hommes : je regarde comme une chose oiseuse sans but le grand châtié; je ne crois pas que les mœurs tiennent aux discours modestes, ni qu'elles soient blessées par le récit des actions libres. J'ai encore beaucoup d'autres opinions qui m'étonneraient. Mais à cet égard, je renvoie à la *Juvénale* intitulée *Les Bulles de savon*, imprimée dans *Le Paysan et la paysanne pervertis*, tome II, VIIᵉ partie, p. 420 et suivantes.

J'ai déjà donné l'avertissement, que je mettais toujours mes récits à la première personne, pour ne pas varier mal à propos le style. Mais je dois à la vérité d'avertir que certains faits n'ont pas été vus par moi. Qu'importe, s'ils l'ont été par des personnes qui me valent bien, à tous égards, pour la véracité?

Un autre avis nécessaire à donner, c'est que les faits sont écrits à mesure, et dans l'opinion alors dominante; j'ai pensé que je devais laisser ce vernis, parce qu'il est historique autant que la narration elle-même. Mais on trouvera ma profession de foi politique à la fin de cette partie. Il est quelques événements publics, dont je croyais avoir le dénouement; mais ils tardent trop : j'espère que les faits seront assez multipliés, pour que je puisse donner bientôt une nouvelle partie. Ce 28 octobre 1793 *(n.-st)*.

PREMIÈRE NUIT

13 au 14 juillet 1790.
FÉDÉRATION[1]

REPRENDS, hibou, ton vol ténébreux! Jette encore quelques cris funèbres en parcourant les rues solitaires de cette vaste cité, pour effrayer le crime, et les pervers!

Le 13 juillet, j'avais pris ma route par la rue Saint-Honoré, me proposant de passer le nouveau pont, afin de gagner le Champ de la Fédération. Je marchais pensif, sans manteau : parvenu à la barrière des Sergents, je vis la sentinelle devant la porte, et derrière moi, un homme qui me cracha derrière le dos. J'en fus étonné! Je me retournai vivement. Vis-à-vis la boutique de l'ancien confiseur Travers, je me trouvai assailli par trois, quatre, ou cinq jeunes gens, parmi lesquels je crus apercevoir un graveur. Ils m'environnent, me pressent, en se disant tout bas : « Il est marqué!... » L'un tâte au gousset, l'autre aux poches de l'habit; l'autre à celles de la veste; tout cela en un clin d'œil... « Hé! messieurs les voleurs, je n'ai rien, rien! », leur dis-je. Ils me quittèrent, après s'en être convaincus. La crieuse de journaux, qui se tient à la grille du marchand de bas, leur disait, « Hé! respectez donc au moins son caractère! » Elle me prenait pour un abbé; j'avais un vieil habit noir à brandebourgs. « Ne voyez-vous pas que ce sont des voleurs! lui dis-je. — Ça! Ce sont des messieurs! — Otez-moi un crachat que j'ai derrière le dos, je vous en prie? c'est leur marque. » Et elle me l'ôta. Je continuai ma route, jusqu'au Palais-Royal, où je vis filouter effrontément. Je m'y exposais, parce que j'étais infiloutable. Je ne portais rien sur moi, depuis qu'avec ce même habit noir, j'avais été attaqué, rue des Vieilles-Étuves, par six hommes, qui m'avaient marqué, poussé. Je m'étais aperçu à temps de leur dessein, et je les avais bravés, en les examinant ouvertement. Mais ils s'en moquaient. Je fus suivi par l'un d'eux, jusque dans une allée, où j'entrai. J'en sortis en courant, et j'allai me placer à côté de la sentinelle de la colonne Médicis, à la Nouvelle Halle... A dix heures et demie, je sortis du jardin, et à onze j'étais parvenu au Champ-de-Mars : j'avais examiné ce travail des citoyens, et l'autel de la patrie m'avait rappelé les beaux jours de la Grèce. Sans être dévôt, je crois [en] un Être-principe, seul être réel, puisque tout n'est que par lui : car il se nomme lui-même du plus expressif et du plus philosophique des noms : « Je suis celui qui suis. » Je me prosternai; mon âme s'élança vers lui, et je le priai pour ma nation : « Source de vie! vois l'union de tes enfants! Fais, ô fais, que le soleil, en parcourant sa carrière, ne voie rien sur ce globe, de plus grand que le nom français!... » Je me relevai, pour m'en revenir. Quelques lampions répandaient une lumière vacillante, par le moyen de laquelle je fus aperçu. Une sentinelle m'arrête. « Laisse, laisse-le passer, lui dit un autre, que je n'avais pas vu; il vient de faire pour la nation, la prière qu'Horace fit autrefois pour Rome. » On me laissa donc la liberté de me retirer.

J'avais été par le côté des Tuileries; je revins par celui des Invalides. Je marchais, enfoncé dans mes pensées, conjecturant les événements futurs, espérant, et tremblant quelquefois. Je me rappelais, ensuite, l'histoire des temps passés : j'y voyais la marche des gouvernements, qui ne s'arrête jamais, soit qu'elle tende au despotisme, ou à la liberté. Je me demandais ensuite, si les hommes pouvaient créer du bien ou du mal? La question était depuis longtemps décidée dans ma tête, comme le prouve ma *Juvénale des Bulles de savon*, imprimée dans l'édition du *Paysan et la Paysanne pervertis*, réunis. Je me perdais, dans ces idées morales et politiques, me sachant, ou plutôt me regardant comme assuré, que les grands mouvements produisent toujours un grand mal aux âmes faibles qui composent la masse du genre humain.

LA FILLE VIOLÉE

JE m'en affligeais, lorsque j'aperçus un homme et deux femmes, qui se traînaient à peine. Je leur offris mon secours : ils l'acceptèrent. Ils gardèrent d'abord le silence. Parvenus dans les rues, l'homme me dit : « Je crois qu'ici, je puis vous parler. Vous êtes un honnête homme, et je vous reconnais à votre manteau bleu. Je vais vous raconter une horreur, avec la permission de ces dames. » La plus âgée fit un signe d'aveu, et l'homme commença son récit.

Je passais, aujourd'hui même, à dix heures du soir, devant les Tuileries, allant au Champ de la Fédération. J'étais au milieu du grand mur de la chaussée, lorsque j'entendis des plaintes comme d'une femme, derrière de grandes pierres, dressées pour le sciage. Je m'approche, malgré ma terreur, et j'aperçois... une femme de quarante ans, tenant dans ses bras une jeune fille de quatorze à quinze, évanouie, ou morte. Un peu rassuré, je parle. « Ha! si vous êtes un être humain, venez à mon secours!... Voilà ma fille : elle est sans mouvement; mais son cœur bat encore : deux hommes... deux monstres, viennent de... la violer!... Le poignard sur le sein, ils ont empêché nos cris. Assouvis sur une enfant évanouie dès le commencement de l'attaque, ils nous ont laissées, et sont allés du côté du pont Royal. » Malgré mes craintes et la fatigue, j'aidai la mère à porter la fille, qui revint à elle-même, et je leur demandai, où elles demeuraient. « Rue de Beaune, me répondit la mère. — Je vais vous ramener chez vous. — Ha! ne suivons pas leur route! Nous pourrions les retrouver! » Elles m'obligèrent à prendre le pont (encore nommé de

Louis XVI, aujourd'hui de la Révolution). Nous sommes parvenus avec peine de l'autre côté de la rivière,
et nous commencions à remonter vers le faubourg
Saint-Germain, lorsque nous avons rencontré trois
hommes, au lieu de deux. Ils se sont dit fort bas,
mais nous les avons entendus : « La voilà ! — J'en
veux avoir ma part, a dit celui qui n'avait pas encore
paru. — Non, non ! a repris un des deux premiers ;
elle est avec son père : quand une fille n'est qu'avec
des femmes, à la bonne heure : mais quand il y a un
homme, quel qu'il soit, je sens une révérence naturelle, pour mon semblable. » Cependant celui qui voulait être aussi coupable que ses deux camarades, s'est
approché : « Maquerelle, a-t-il dit, il me faut ta fille ;
ou je vous assomme tous trois, ce vieux gueux, ta
fille, et toi. » Et il m'a renversé d'un violent coup de
poing. La mère et la fille se sont jetées à ses genoux.
Il a violé la fille ; il a donné un coup de pied à la
mère, en se relevant, à moi quelques coups d'un gros
bâton d'épine ; les autres l'ont empêché de m'assommer, en lui disant qu'il pouvait survenir du monde.
Et ils nous ont laissés.

Je frissonnai d'horreur. Je dis aux dames et à
l'homme, que je ne les quitterais pas, que je ne les
eusse remis à leur demeure... Nous marchions en
silence, et nous étions parvenus à la rue de Seine,
tout près de celle de Buci, lorsque nous entendîmes
courir derrière nous. La jeune fille vint se jeter à
moi, et je la cachai sous mon manteau. Nous tour-
nions le coin de la rue de Buci, quand nous fûmes
abordés : c'étaient les trois hommes : ils allaient se
jeter sur nous : en ce moment, j'aperçus une
patrouille, silencieusement tapie sous les auvents. Je
m'écriai : « A moi, citoyens ! » La patrouille accourt.
Les trois hommes veulent fuir. Au péril de notre vie,

nous nous jetons au-devant d'eux, la mère, l'homme et moi. Ils allaient percer la première avec un dard de canne, lorsqu'un garde arrêta le bras. Ils furent pris. Je les remis alors. Ha! quelle fut leur honte, en reconnaissant le Spectateur nocturne!... On les conduisit au corps de garde : je dis leurs noms et leurs demeures. Ils furent conduits à la ville : la mère se plaignit; nous attestâmes, l'homme et moi. Mais il était le seul qui eût vu. Les trois clercs de procureur, plus aristocrates que les nobles, avaient des amis dans leurs juges; ils ont été élargis, d'après la maxime, *Testis unus, testis nullus* (Témoin seul, témoin nul).

Mais ils ne sont pas restés impunis. La jeune personne avait un frère, alors employé dans un bureau : bien instruit de ce qu'il fallait savoir, il a guetté le soir, les trois clercs l'un après l'autre, et les a successivement poignardés. Deux de ces meurtres ont fait du bruit; mais on n'en a pas seulement soupçonné le véritable auteur : le troisième eut lieu dans les prisons; le frère eut grand soin d'être un des juges de celle où il avait contribué à faire mettre le dernier clerc.

Je n'étais plus dans l'âge où je bravais la fatigue : après que j'eus aidé de mes soins, et de mon témoignage, la mère et la fille, j'allai me reposer, jusqu'au moment où je fus éveillé par les tambours. Je me levai aussitôt, pour aller voir la cérémonie de la Fédération. Je me promenai dans tout le Champ-de-Mars : je vis arriver les différents corps, l'Assemblée nationale, enfin le roi. Ce fut le dernier beau jour de sa vie. Je le vis assez grand; je le crus satisfait. Et je crois qu'il l'était effectivement. Mais ceux qui l'environnaient ne le pouvaient être... Je le vis jurer la Constitution. C'était une belle action, ou ce fut un crime... L'événement a prouvé quelle était l'alternative. Ne nous déguisons rien; il est des principes immortels, qu'on ne peut esquiver. Un roi qui jure à sa nation, doit tenir son serment... Jamais cérémonie ne fut plus grande, plus majestueuse : la France entière réunie, portait pour la dernière fois, ses anciennes bannières, offrait la réunion de cent peuples divers, qui depuis longtemps n'en forment plus qu'un. Je fus ému, touché. Je crois que l'infortuné Louis, le fut aussi : je crus voir des larmes dans ses yeux. Étaient-elles d'attendrissement?...

Elle finit par l'allégresse, cette grande journée, la plus belle de la Révolution! La Fayette était alors dans toute sa gloire... Elle a passé comme un songe.

DEUXIÈME NUIT

SUITE DE LA FILLE VIOLÉE

J'ALLAI, le soir du 14, chez la mère de la jeune fille. Je les trouvai au lit toutes deux. La jeune personne ne sentait son malheur, que par la désolation de sa mère. Si mon ami Préval avait encore vécu, je le leur aurais amené. Je conseillai à la mère de faire appeler le docteur Mittié, dès le lendemain; ajoutant tout bas, que j'avais entendu quelques mots, entre les trois scélérats, qui annonçaient qu'ils n'étaient pas d'une santé pure. Je lui confiai également, que j'avais compris, qu'ils étaient les ennemis mortels de son fils. Elle envoya sur-le-champ chez le docteur, qui vint aussitôt. Je lui fis tous les détails nécessaires. Il commença le traitement ordinaire, qui par ce moyen, devenait un *préservatif*, au lieu d'être un *curatif*. Cette sage précaution a préservé la jeune personne des effets d'une maladie, qui ne donna que de faibles symptômes, n'ayant pas eu le temps de corrompre la masse du sang. Je l'ai revue depuis, brillante de santé. Elle a été mariée au commencement de 1793, et elle a épousé un homme en place.

En quittant cette maison, j'allai au café Robert, autrefois Manouri. J'y trouvai tout le monde dans l'ivresse. Un homme, qui avait trop dîné, y faisait beaucoup de bruit : il querellait tous ceux qui louaient La Fayette, et une sorte de quaker, imbécile et maître d'école, s'étant avisé de le contrarier, cet homme le voulut sabrer. On fit esquiver le maître d'école. J'examinais cet homme, croyant le reconnaître : c'était un des trois violeurs. « Quoi! lui dis-je tout bas, déjà sorti? Vous êtes-vous donc sauvé? — Quoi! Qu'est-ce? D'où, sauvé? » On nous écoutait. Un beau jeune homme me coupa la parole; car il m'avait entendu : « Quel est cet homme? — Silence! me dit le brutal; j'ai à vous parler. » Je ne l'écoutai pas; je me retirai à l'écart, avec le jeune homme, que cependant je n'instruisis pas. Je cherchai ensuite des yeux le bruyant personnage; mais il était disparu. Alors je racontai toute l'aventure au jeune homme, en lui témoignant ma surprise, de ce que ce coupable était déjà libre! « C'est un aristocrate outré : les gens de son parti, patriotes déguisés, qui remplissent presque toutes les places, ont redouté l'indiscrétion de ces trois scélérats, et ne les ont gardés que quelques heures en prison... » J'ai su depuis, que celui qui me parlait, était le frère de la jeune personne violée, qui sut ainsi par moi, quels étaient les auteurs du crime commis sur sa sœur. On avait refusé, au comité, de lui donner les noms des trois coupables.

Une foule d'événements se passèrent jusqu'au 27 février 1791[1] : mais les dangers de la nuit, les craintes que m'avaient inspirées mon arrestation sur l'île Saint-Louis le 14 juillet; celle du 28 octobre au soir, par la calomnie de l'infâme Augé, me retenaient les soirs au café Robert-Manouri.

TROISIÈME NUIT

27 au 28 février 1791

LES CHEVALIERS DU POIGNARD[2]

LOUIS XVI, tourmenté par les anciens nobles, par sa femme, sa sœur, ses tantes, peut-être par le regret de voir diminuée son autorité absolue, songeait à quitter Paris, pour se jeter dans les bras des puissances voisines de la France, afin de rentrer, à l'aide de leurs armes, vainqueur dans ses États. Comment cet infortuné ne sentait-il pas que ce parti était le plus mauvais de tous ceux qu'il pouvait prendre? Henri combattit pour lui-même, en employant la moitié du royaume contre l'autre; et Henri vainqueur, pour rester possesseur paisible, fut obligé de céder au parti vaincu. Que pouvait donc espérer Louis XVI, en rentrant conquérant? De céder aux vaincus, tout ce que lui ôtait l'Assemblée nationale, et de finir comme Henri. Mais le cas où il se trouvait, était bien pis! Il

rentrait avec les étrangers, qui l'eussent traité en
esclave; qui auraient été ses maîtres; qui l'eussent
avili, ainsi que la nation. Pauvre esclave couronné. Il
eût coulé dans la dégradation le reste de ses jours
empoisonnés!... Il est moins malheureux d'être
mort!... O Artois! ô Stanislas-Xavier! fous paladins,
conseillés par des traîtres imbéciles et furieux,
croyez-vous que vous eussiez régné sur un peuple
avili, foulé d'impôts? Non : esclaves vous-mêmes du
Prussien et de l'Autrichien, vous auriez été nourris
d'outrages, abreuvés de mépris; vous auriez vu les
subsides de l'État, grossir les trésors des étrangers,
et réparer leurs dissipations!

... Condé est plus coupable; il a plus d'expérience;
Bouillé est un furieux; Calonne est un fourbe coquin;
tout le reste, Broglio, La Fayette, Lucknor, etc [1], sont
des imbéciles. Le coup est porté, un dieu ne pourrait
empêcher d'être, ce qui a été... Et cette aveugle
noblesse! cette troupe d'efféminés, qui espèrent rentrer dans des prérogatives, qui ne pesaient sur les
peuples, que par un effet de l'habitude, comment ne
sent-elle pas qu'elles ne tenaient plus que par le quil-
lotin du navire prêt à être lancé? le coup de masse l'a
fait tomber; tout le pouvoir humain ne peut le reporter où il était. O nobles, le mal est fait; il fallait rester tranquilles, ou vous exposer à périr pour empêcher le coup de hache : mais il est porté; tout est
perdu pour vous, et les étrangers ne feront que dou-
bler le mal. Votre émigration a servi la Révolution
d'une double manière, par votre absence, qui lui ôtait
des ennemis, et par vos biens vendus, qui lui donnent
un subside! Et si vous aviez affaire à d'autres qu'à
des gens que vos mœurs ont corrompus, il y a deux
ans que votre perte serait consommée! Nobles! le
mal est grand pour tous, mais surtout pour vous! Car
vos prétendus amis, s'ils entraient en France, vous

sacrifieraient, pour regagner le peuple subjugué. Ils n'ont pas besoin de vous; mais ils ont besoin du laboureur, du vigneron, du cordonnier, du maçon, de l'homme de peine de tous les états, et c'est à lui qu'ils vous sacrifieront!... Et vous, nobles, qui êtes restés, robins, financiers, gros marchands, imprimeurs privilégiés, croyez-vous donc que c'est pour vous que Léopold et Guillaume, et les Anglais, et l'Espagnol, et le Piémontais feraient la conquête de la France? Vous les appelez par vos vœux; mais ils vous pilleraient les premiers, et ne daigneraient pas même vous plaindre ensuite. Voyez comme ils traitent les émigrés eux-mêmes, depuis le 21 janvier 1793[1]?... Et ces émigrés ne seraient-ils pas vos plus cruels ennemis?... Songez donc, aveugles que vous êtes, que votre ancienne considération, tenait à l'ancien ordre de choses, à l'habitude; que le fil est rompu; que vous n'êtes plus, dans un état en guerre, accablés de besoins, assiégés de toutes parts, que des bouches inutiles!... Ha! Louis XVI vous a perdus! Il a fait le malheur des aristocrates et des démocrates! Il n'avait qu'un moyen de se sauver, et nous tous avec lui, c'était de demeurer attaché fermement à la Constitution, comme à l'ancre du salut... Et vous, Marie-Antoinette, que de reproches n'avez-vous pas à vous faire?... Comme font ordinairement les femmes, quand elles se mêlent des affaires, vous avez tout gâté!... Mais vous êtes déjà trop malheureuse, pour aggraver encore votre sort...

Louis, séduit par les ducs qui l'environnaient, et par ses frères, dont un lui écrivait, l'autre le tourmentait, prêta l'oreille aux projets de fuite. Il ne se ressouvint plus de Jacques II. Il fut environné, le soir du 27 février, de la noblesse de Cour, c'est-à-dire de tâtillons imprudents, armés de poignards devenus de liège dans leurs mains débiles. Louis avait tout pré-

paré pour fuir. La Fayette y consentait : un trouble
maladroit, excité au faubourg Saint-Antoine, l'y avait
attiré : on espérait par là distraire l'attention des
Tuileries. Insensés! ils ignoraient, que lorsqu'un million d'yeux sont ouverts, ils voient partout!... Toutes
les voitures étaient prêtes. Bailli fermait les yeux, et
engageait le peuple à laisser le roi libre. Rien
n'éblouit le colosse au million d'yeux; il voit tout,
jusqu'aux poignards cachés. Alors, il entre en fureur:
Il maltraite les nobles; il prend plaisir à les humilier,
par le traitement qu'il en recevait jadis. Mais, cette
nuit-là, il ne fut pas cruel... Louis remit son projet de
fuite. Il fit lui-même désarmer ceux qui se disaient
ses amis, mais qui, dans leur aveuglement, ne son-
geaient stupidement qu'à eux-mêmes. « Ha! les
lâches! », s'écria La Fayette, voyant leur conduite.

Je fus témoin d'une partie de ce qui se passait. Je
regardais étonné. Heureusement j'étais connu de
quelques gardes nationales; car mon air observateur
m'aurait rendu suspect. Hélas! bien à tort! Jamais je
n'ai intrigué, conspiré : convaincu que les hommes ne
peuvent créer ni bien, ni mal, je laisse les choses telles qu'elles sont; je tends seulement la main à l'infortuné, quand je le puis.

LA DAME QUI PROSTITUE UNE AUTRE POUR SA FILLE

La crainte de devenir suspect me fit sortir du château. Et comme il y avait longtemps que je n'avais
été dans le jardin, je m'y enfonçai. J'étais dans la
petite allée voisine des gazons, sous la terrasse de la
rivière, marchant si doucement, qu'on ne pouvait

m'entendre, lorsque j'entrevis trois personnes, qui parlaient auprès des treillages. Je retins mon haleine, pour entendre, et j'allai me placer derrière une des statues du bassin octogone. Un homme disait : « Quoi! madame, vous prétendez me nier que Breteuil[1] n'a pas joui de ma fille ? de la fille d'un homme comme moi ? Mon ennemi personnel! m'avoir donné ce crève-cœur! — Non, monsieur le duc. Je suis instruite par le valet de chambre qui recevait Augusta, de vos mains, pour la remettre à son maître. Ce valet de chambre ne pouvait vous dire ce qu'il ne savait pas. — Ha! voyons, madame! et que votre justification soit claire comme le jour! Nous sommes ici en sûreté : la Cour part sans doute. Je n'ai pas voulu me montrer au château, à cause de Villequier, que je ne puis souffrir; mais qui cependant nous sert tous, en ce moment. — Monsieur, allons chez moi : j'ai là des preuves de fait à vous donner. — Expliquez-vous auparavant. — Alors donc; mais c'est un temps perdu.

« Breteuil, sans avoir vu votre fille, voulait absolument la posséder. Il corrompit une femme de chambre. Celle-ci employa différentes ruses pour lui livrer Augusta. Mais aucune ne pouvait réussir, parce que votre fille ne fut tentée par rien de ce qu'on lui proposait. Comme elle aimait beaucoup cette femme, elle ne me dit rien. Mais je voyais je ne sais quoi d'intrigué dans la femme, et de peiné, dans votre fille. Je me mis aux écoutes, et je découvris la vérité. Breteuil est très puissant! Ce qu'il venait de faire au cardinal, m'intimida. Je pris mon parti : je fis entrer la femme de chambre dans mon cabinet. Je pris un ton terrible. Cette malheureuse se jeta effrayée à mes genoux. Je lui dis, qu'elle avait deux alternatives, de me servir, en trahissant Breteuil, ou d'être poignardée ? Elle promit de me servir. Je lui demandai si Breteuil avait

jamais vu ma fille ? « Jamais. Il sait seulement qu'elle
« est jolie, et il veut l'avoir, parce qu'elle est votre
« fille... — En ce cas, tu peux gagner ce qu'il t'a pro-
« mis, et être en sûreté de ma part. — Ha! madame!
« l'intérêt seul me déterminait, et vous sentez que
« je suis toute à vous. »

« J'en restai là. Le jour même j'allai dans une pension d'orphelines : j'en choisis une, et je la demandai,
en me nommant. On la donna, sur une reconnaissance écrite. Je connaissais l'enfant que je prenais, et
je savais que notre ennemi ne l'avait jamais vue. Elle
était de l'âge de notre fille. Je la fis habiller; je la sty-
lai pendant quelques jours. Enfin, tout en était disposé, un soir, je la livrai masquée à la femme de
chambre, en lui disant de remettre Augusta à l'émissaire du ministre. La femme de chambre me regardait. Elle me dit enfin : « Madame, est-ce qu'elle le
« poignardera? — Non, non; elle se rendra à ses
« désirs. Remettez-la, et dites qu'on soit bien exact à
« l'heure de vous la rendre. Vous me la ramènerez
« aussitôt, sans la voir. N'y manquez pas! car vous
« serez observée. » La femme de chambre obéit. On
lui rendit ma prétendue fille à quatre heures du
matin. Elle me la remit, sans l'avoir vue; et, ce qui la
surprit, elle reçut la récompense promise, avec ordre
de la ramener dans huit jours.

« J'avais éloigné notre fille de cette femme, la substituée ne demeurait pas à la maison. Breteuil eut
ainsi la fausse Augusta pendant trois mois... Enfin la
disgrâce arriva. Je ne le craignais plus, et je voulus
jouir de ma vengeance. Elle était simple. Je lui fis
donner la fausse Augusta, encore une fois après sa
destitution, qu'il appelait démission. L'orpheline eut
ordre, de ma part, de lui remettre un paquet cacheté,
en le quittant, et de s'évader pendant qu'il le lirait.
L'orpheline, craignant d'être retenue, car elle souf-

frait beaucoup de son côté, mit le paquet sur la cheminée, sans être vue, et montée en voiture avec la femme de chambre, elle dit à l'homme qui l'avait ramenée de montrer à son maître un paquet cacheté, qui était sur la cheminée. La voiture s'éloigna.

« Breteuil averti, prit le paquet, et déplia une multitude de papiers blancs. Enfin, il trouva sur la dernière feuille, ces mots : « *Monstre : tu crois avoir possédé la fille du duc de*** ton ennemi : comment as-tu pu te persuader une chose aussi invraisemblable? Celle que tu as eue est une orpheline, prise dans une maison d'éducation. Rougis, et gémis.* »

« Une heure après l'arrivée de l'orpheline, je reçus cette réponse :

« *Je ne crois pas à ce que la fureur te dicte. C'est ta fille : mes espions me l'ont assuré : mais sache que les deux dernières fois, ce n'est pas moi qui en ai joui; mais le valet du bourreau de ***.* »

« Il m'avait répondu, avant d'avoir rien vérifié. Par réflexion, il fit chercher dans quelle pension j'avais pris une orpheline, et il le découvrit facilement. Jugez quelle a dû être sa fureur et son désespoir, quand il a eu trouvé cette enfant, qu'il l'a eu reconnue, pour celle qu'on lui avait amenée, et qu'il n'a pu douter, que ce ne fût une fille naturelle, dont il faisait payer indirectement la pension, par une ex-femme de chambre! Il avait eu cette fille d'une grande dame, qui était accouchée secrètement chez le docteur Préval. Il ne l'avait jamais vue, pour ne pas compromettre son secret; mais il se proposait de la voir, avant de la marier. Dans l'excès de sa rage, il a cherché à me faire poignarder. Mais je me défiais. Enfin, il a été obligé de fuir. Vous pouvez vous faire assurer que votre fille n'a rien souffert d'injurieux, et qu'elle est pure comme le jour de sa naissance. »

— Je m'en assurerai, répondit l'homme. Allons
chez vous. Il va se trouver que, loin de vous en vouloir, je vous devrai beaucoup de reconnaissance! »

Ils s'éloignèrent; et moi, je sortis des Tuileries, par
la terrasse de la rivière, au moyen d'une perche
d'échafaudage, que j'aperçus le long du mur. Il était
une heure du matin, lorsque je rentrai chez moi.

QUATRIÈME NUIT

17 au 18 avril[1]

Deux mois après, j'appris au café Robert-Manouri,
que le roi devait aller le lendemain à Saint-Cloud. Un
Jacobin, de ceux qu'on nomme les Enragés, se trouvait là : « On ne doit pas souffrir ce voyage! s'écria-
t-il : il cache un piège! et La Fayette, ainsi que Bailli
sont du complot! » Il déclama longtemps. Les uns
l'approuvaient, les autres le blâmaient, et donnaient
une confiance entière à Louis. Mais, avec quelque
secret qu'on eût tenu conseil, une femme, chargée du
pot-au-feu de la reine (la même qui depuis reparaîtra), avait tout entendu. Ce ne fut ni Bailli, ni
La Fayette qu'elle avertit : elle fut droit aux Jacobins,
qui ne sont qu'à deux pas; elle demanda un homme
de sa connaissance, et lui dit ce qu'elle savait, comme
elle le savait, c'est-à-dire, dans les mêmes termes prononcés. Le Jacobin ne se concerta qu'avec très peu de
ses confrères; mais en nombre suffisant pour aller

émouvoir les faubourgs Saint-Antoine et Saint-Marcel : on n'oublia pas la Section des Tuileries.

J'étais allé aux environs de ce jardin, où je ne pus entrer. Je fis le tour du château. Je regardais à travers les portes des cours qui donnent sur le Carrousel, lorsque j'aperçus dans celle qui touche à la galerie du Louvre, deux femmes qui, sorties du petit escalier de passage, venaient à la porte. Je me mis à l'écart. On leur ouvrit doucement, et elles sortirent. Le Suisse, ou son substitut, cherchait des yeux; il m'aperçut, et me donna un gros paquet, en me disant. « Ne les suivez pas de trop près : votre camarade partira dans un demi-quart d'heure. » Je pris le paquet, et je marchai à quarante pas des deux femmes, qui allaient fort vite, et sans parler. La plus âgée paraissait vingt-deux ans; elle était fort aimable et faite au tour; la seconde ne paraissait guère que seize ans. Elles arrivèrent au bureau des voitures au-delà du pont Royal, où une chaise les attendait dans l'intérieur. Je les vis alors faire face, et je leur remis le paquet. « Hé quoi? me dit l'aînée, où donc est mon... » Elle s'arrêta. « Le second paquet arrivera dans quelques minutes, lui dis-je. — Qui êtes-vous ? — Un inconnu; mais je n'ai pas cru devoir me refuser à porter le paquet. — Ha! ciel! — Ne craignez rien, mesdames! deux personnes de votre âge et de votre figure ne peuvent avoir de mauvais desseins. » La grande m'offrit de l'argent, pour ma peine sans doute; mais je me retirai. Mon second arriva hors d'haleine, chargé de l'autre paquet, qu'il jeta aux pieds des dames, très surpris de voir le premier! Il leur parla trop bas, pour que j'entendisse son discours, excepté les derniers mots : « Il faut que je le connaisse. » Il courut du côté du pont Royal; mais je m'étais caché à côté de la porte derrière des voitures J'y restai jusqu'à son retour. Les dames alors montèrent dans une chaise, et elles partirent, en traversant le pont. Je ne vis pas une patrouille. Je revins par le quai Voltaire à celui de la Vallée, à minuit... On reverra les deux jeunes personnes par la suite.

Le lendemain, excité par ce que j'avais appris le soir et vu la nuit, je me rendis aux Tuileries. La politique de La Fayette avait été de laisser approcher tout le monde. Il y avait un grand bruit, mais seulement comme de voix de gens qui parlent tous ensemble. Cependant je m'aperçus que des gens instruits disposaient de forts groupes autour de la voiture du roi, et tout le long de la chaussée sous les murs des Tuileries; je conjecturai dès ce moment que Louis ne partirait pas. J'avais alors, comme beaucoup d'autres, confiance en La Fayette, que je croyais partisan de la Révolution. Louis arrive; il monte même en voiture. Aussitôt d'horribles cris partent des groupes disposés. Le commandant général, le maire exhortent le peuple à laisser partir le monarque : mais ils parlaient à des sourds. « Ha! ben oui! répondit une femme; nous y avons été attrapés, et nous ne le serons plus. Tout se prépare; les tantes sont parties, en vertu des beaux décrets de l'Assemblée, qui laissent la liberté de partir à ceux qui doivent rester. Nous avons nos raisons! Où sont les tantes? elles disent leur chapelet à Rome. Est-ce qu'elles ne l'auraient pas aussi bien dit à Paris? » On les avait arrêtées à Moret. On est tombé sur notre Garde nationale à coups de sabre, ces chiennes de troupes vendues, qui n'auraient demandé qu'à massacrer le peuple, si la Cour l'avait osé. — Ma foi, répondit un homme aux deux femmes, c'est encore lui qui les a empêchés de l'oser, tous ces brigands de Cour : il est le meilleur des quatre : ainsi, qu'il nous reste, et que tous les autres s'en aillent, s'ils veulent. Allons, allons,

dételons la voiture!... » La foule s'écrie : « Dételons la
voiture! dételons la voiture! » La Fayette commande.
On le menace. Il est furieux, autant que peut l'être un
blond : mais on voit qu'il ronge son frein. « Ha! tu as
fait partir les tantes! lui crie un homme; mais tu ne
feras pas partir le roi! — Non! non! », s'écrient les
femmes. Une foule de voix discordantes répètent :
« Non! non! » sur tous les tons possibles. C'était un
bruit à étourdir, autant qu'à effrayer. La troupe
cependant ne paraissait pas disposée à obéir à son
état-major, qui allait de rang en rang la sonder. Les
officiers en firent leur rapport à La Fayette, qui,
après les avoir entendus, alla parler à la portière. Ce
fut alors que les cris contre les tantes fugitives
redoublèrent; elles furent accablées de malédiction.
Ce qui dut effrayer plus que tout le reste.

Ainsi se termina cette seconde tentative. Louis est
obligé de descendre de carrosse, et de remonter dans
ses appartements. Ce fut alors que Louis dit ce beau
mot : « S'il en doit coûter une goutte de sang, je ne
pars pas. »

Les Jacobins le préservèrent, ce matin-là, d'une
haute imprudence! Heureux cet infortuné, si son
secret avait toujours été aussi exactement trahi! Car
il est certain qu'il n'allait à Saint-Cloud que pour s'en
échapper : ses faux amis le conduisaient à sa perte, et
sans le savoir, scellaient la leur. Oui, quelque chose
qui arrive, les grands, les nobles, les aristocrates de
toutes les classes sont à jamais perdus, non seulement en France, mais dans toute l'Europe; si ce n'est
pas en mille sept, ce sera en mille huit : la secousse
est donnée; un nouvel ordre de choses va recommencer, quand les Français seraient anéantis. Je ne serai
plus alors, moi, le Hibou Spectateur : mais, ô vous
qui serez, rendez justice à ce que la prévision naturelle des choses m'aura montré!

Ainsi se passa la journée du 28 avril; elle mit Louis bien en colère contre les Parisiens. Il résolut plus fortement que jamais de les quitter.

LA FILLE ENLEVÉE PAR HAINE

SORTI de jour contre ma coutume, je m'en revins par le Louvre. Au milieu de la cour de la Couronne, j'aperçus une femme grasse, grosse, rouge, courte et ronde, avec une petite fille d'une douce et charmante figure, coiffée d'un grand battant-l'œil qui la rendait plus douce encore. La petite demanda de ces gâteaux figurés, qui se vendent sous le pavillon Froid-Manteau, et sa maman lui en donna deux. Elles revinrent ensuite dans la cour. Elles étaient au carré des quatre pavillons, lorsqu'une femme qui venait par celui de l'Oratoire, regarda la petite fille, et s'écria : « C'est ma fille! » En même temps, elle la saisit par la main. La petite retirait sa main de toutes ses forces. « Voyez! voyez! dit la première, comme c'est sa fille! » On interrogea l'enfant. Mais pendant les questions, la première femme disparut, et quand on fut pour les confronter, elle ne se trouva plus. La petite fille fut donc adjugée par le public à celle qui la réclamait. Alors la véritable mère, pénétrée du mauvais cœur de sa fille, qui ne voulait pas la reconnaître, lui dit en pleurant : « Si tu l'aimes mieux que moi, et qu'elle te rende heureuse, j'aime autant me priver de t'avoir : dis-moi où elle demeure, et je vas te ramener. » La petite indiqua la rue de la Monnaie, la première allée à côté du recoin occupé par un libraire. La mère y alla, et nous la suivîmes deux ou

trois. Nous montâmes au second sur le derrière, et
nous frappâmes. Mais on ne nous ouvrit pas. « J'ai
une clef », dit la petite. Elle ouvrit. On trouva les
meubles, parce que la chambre était louée garnie;
mais les deux cassettes de la femme et de la petite
étaient enlevées. On appela l'hôte. Il vint d'un air
troublé. On lui demanda des nouvelles de la femme.
« Elle vient de déloger, en emportant ses malles; elle
m'a payé le mois : ainsi, elle ne reviendra plus. » Ceci
confirmait qu'elle était coupable. Nous sortîmes, et
nous nous informâmes aux voisins : « Bon! nous dit
une menuisière, cette petite fille-là? Elle est avec une
malheureuse, qui la mène raccrocher tous les soirs;
et encore hier. — O mon dieu oui! dit une fruitière,
et je lui ai chanté pouille l'autre jour, qu'elle vint ici
m'acheter de la salade, de la barbe du Père Éternel!
Elle était marchande au Saint-Esprit. — Ha! je la
connais bien aussi! dit la mère, nous avons été amies
et du même commerce : ensuite nous sommes devenues ennemies, je ne sais pourquoi; car je ne lui ai
rien fait. Nous avons eu chacune une fille : la sienne
était blonde, la mienne était brune, comme vous
voyez, et toutes deux jolies. Un jour, je lui contais
comme je voulais bien éloigner ma fille loin du mauvais exemple, qu'elle donnait quelquefois à la sienne.
Je vis qu'elle faisait une petite grimace. Le lendemain, elle me battit froid; enfin elle quitta le quartier. Quelque temps après, ma fille disparut. Je l'ai
cherchée et fait chercher partout, sans doute parce
que ma pauvre petite Gertrude empaumée, n'a pas
voulu se déclarer... O ma pauvre enfant!... Elle n'a
pas douze ans... tu te remettras du mal qu'elle t'a
fait! Viens, ma pauvre fille. Va, je te ferai voir
comme sont les coquines, au rang desquelles la Chardon voulait te mettre, et tu verras si tu veux l'être. Je
te mènerai où on les traite; tu les verras... Va, je t'ai-

merai tant!... je te donnerai tout ce que tu voudras,
et tu n'auras pas la sujétion du vice. Tu es mon sang,
et tu n'étais pas le sien. Viens, mon enfant, nous trou-
verons sa fille; et je gage que, pendant qu'elle voulait
faire de toi une coureuse, qu'elle la faisait, elle, bien
élever, pour qu'elle te méprisât un jour. Ho! j'en suis
sûre! car je connais à présent la Chardon! C'est une
âme noire. »

Nous fûmes tous enchantés des discours et des dispositions de cette femme, et nous ne vîmes rien de
mieux à faire que de l'encourager à suivre la conduite
qu'elle se proposait si sagement de tenir. Nous exhor-
tâmes aussi l'enfant à suivre ses leçons : et dans ce
moment, une malheureuse du dernier ordre étant
venue à passer, nous l'arrêtâmes, pour la lui faire
examiner, couverte de boutons, enduite d'onguents.
La petite en eut mal au cœur... Je dis ensuite à la
mère qu'elle me ferait plaisir de m'instruire de son
succès, et elle me le promit... J'allai me mettre au travail.

CINQUIÈME NUIT

20 au 21 juin 1791[1]

ELLE est arrivée, cette époque terrible, qui a préparé
celle du 21 janvier 1793!... Il régnait dans la capitale
une sécurité profonde, causée par La Fayette, qui,
pour toute trame, en ce moment, n'employait que

l'inertie... A neuf heures, j'étais au café Robert-Manouri. Le Jacobin, que depuis nous avons appelé le Maratiste, vint à dix heures et demie, sombre, pensif. Il demanda une limonade, et se mit à déclamer contre La Fayette, avec une chaleur que son breuvage ne modéra pas. Je dis à Fabre, autre Jacobin, mais doux : « Il y a quelque chose aujourd'hui! Notre enragé est furieux! — Non; je viens, comme lui, des Jacobins; tout est tranquille. » Quelque chose me disait que non. Je sortis du café; j'allai du côté des Tuileries, et parvenu aux nouveaux cerdeaux, je m'arrêtai. J'entendais un mouvement sourd; je voyais des gens marcher isolés, mais à peu de distance : je sentais au-dedans de moi un mouvement tumultueux; il semblait que l'agitation de ceux qui fuyaient m'électrisât... Le physique quelquefois dans l'homme remplacerait-il le moral ?...

Tandis que mille idées confuses m'agitaient, j'entendis quelque bruit derrière la grande baraque d'un cerdeautier. J'allai doucement examiner ce que c'était. Je vis un homme avec l'habit de garde suisse. J'eus peur : car, outre que ces gens-là n'entendent pas raison, suivant le proverbe, il pouvait être pris de vin. Je m'éloignai de quelques pas, pour aller me tapir derrière une autre baraque. J'attendis là près d'un quart d'heure; ce qui sans doute me fit manquer une vision plus importante. Je vis enfin le Suisse sortir de derrière la baraque où était de la paille, avec une femme, grande et bien faite, qui avait les yeux bandés : « Reste là, lui dit-il durement, mais fort bas, jusqu'à temps que moi sois bien loin... Et prends-y bien garde!... » Il alla gagner le guichet neuf. Je ne le suivis pas. J'étais retenu par l'espérance de parler à la femme.

En effet, dès que le Suisse fut sous le guichet, je l'abordai. « Madame, lui dis-je, j'ai tout vu, ai-je quel-

que moyen de vous servir ? — Oui; vous me paraissez honnête : donnez-moi le bras, et portez le paquet,
que mon domestique a laissé tomber, en recevant un
coup de sabre du Suisse qui me quitte. — Mais il
vous a fait violence ? — Je ne vous cacherai pas ce
que vous avez vu; il avait la baïonnette à la main,
tournée contre ma gorge : j'ai cédé... Marchons. »
Elle me fit prendre le même guichet, par lequel le
Suisse s'était échappé. Nous étions au milieu de la
place du Carrousel, quand nous fûmes barrés par une
grosse voiture, qui allait à petits pas. Le domestique
de la dame se trouva là. Il vint à nous, et me prit le
paquet. La dame me remercia, en me priant de
m'éloigner, et m'assurant qu'il y avait du danger. Je
suivis son conseil. Je me retournai l'instant d'après,
pour la regarder aller. Elle était disparue. Mais je
crois qu'elle était montée dans la grosse voiture. Je
n'aperçus rien autre chose qui pût la cacher. Qui
était-ce ? Quelle était la voiture ? Un mot de plus
pourrait être une erreur grave; il ne faut pas le prononcer. J'observerai seulement qu'elle ne se débanda
pas les yeux.

Je m'en revins droit chez moi, très fâché de ne
l'avoir pas engagée à se rendre la lumière. Du bruit
que j'entendis sur le pont Saint-Michel, me fit
rebrousser chemin, pour prendre la rue Gilles-
Lecœur, qui me parut parfaitement tranquille. Au
coin de celle de l'Hirondelle était, sur sa porte, une
femme perdue, abbesse de la maison. Elle m'appela.
Je lui demandai ce qu'elle faisait là si tard, dans une
rue où il ne passait personne. « D'où viens-tu ? me
dit-elle. — Des Tuileries, de la place du Carrousel.
— Est-ce que tu en es ? — De quoi ? — Ha! tu peux
parler à présent; car ça doit être fait ? — J'ai accompagné une dame. — Ha! tu en es!... J'attends ici un
Suisse, qui en est aussi, et qui, pour ne pas rentrer à

la caserne, doit venir coucher ici : il ne sait pas bien
ma demeure, et il ne connaît que la rue. A qui deman-
derait-il, à l'heure qu'il est ?... » En même temps nous
entendîmes marcher du côté du quai. Je quittai aussitôt la femme, en prenant la rue de l'Hirondelle, mais
je me cachai dans le recoin que fait l'ancienne École
gratuite de dessin. L'on arriva : c'était le Suisse, le
même que j'avais vu sortir de derrière la baraque. Il
monta chez la femme, et je revins promptement à la
porte. Ils parlaient haut. La femme qui m'avait
entendu marcher, jeta les yeux par une fenêtre sans
croisée, qui éclairait l'escalier. Elle introduisit le
Suisse, et revint à moi. « Il est dans la chambre avec
une fille : mais peut-être es-tu aussi embarrassé que
lui ?... Si tu veux, je t'hébergerai ? » J'y consentis. Elle
me fit l'honneur de me donner un lit dans sa chambre, et, heureusement! ce n'était pas le sien. Nous
nous couchâmes en silence, et je m'endormis profondément. Vers les quatre ou cinq heures, je fus éveillé
par le bruit que le Suisse faisait en se levant; car son
cabinet n'était séparé de notre chambre que par une
mince cloison. Il se mit à converser avec l'abbesse.
« Moi n'avre pas goûté de ta fille un brin : j'en avre
bien soupé d'une autre l'hier au soir, qui valoir mieux
fort beaucoup! — Tout est-il fait? — Qu'est-ce que
toi fouloir dire ?... Si tu savais, ce que toi paraître
savoir, moi te couper ton tête! Ne le savre pas?
— Non, non! répondit l'abbesse effrayée. — Toi bien
faire de l'avre oublié! » Il sortit presque aussitôt, et
je m'en retournai, sans être encore instruit des événements. Je voyais seulement qu'il s'en était passé d'importants.

FUITE DU ROI

La première personne qui donna l'éveil, fut cette même metteuse de pot-au-feu, dont j'ai parlé précédemment. A six heures, c'est-à-dire au moment où je sortais de chez l'Abbesse, elle alla faire sa déclaration à sa section. « A onze heures, j'ai été doucement enfermée dans ma chambre, à la porte de laquelle j'avais laissé ma clef. J'ai ensuite entendu beaucoup d'allées et de venues pendant une heure et demie. Ma porte a été rouverte, sans que je l'entendisse; ne m'en étant aperçue qu'à une nouvelle tentative pour sortir. Je me suis aussitôt habillée, et j'ai mis le nez dehors. Je me suis informée à la première sentinelle, s'il était arrivé quelque chose? Il ne savait rien. Mais étant descendue dans la galerie, j'ai vu de l'agitation. J'ai même entendu quelqu'un dire tout bas : « On « croit le roi parti... Mais où est-il allé? Ce ne peut « être qu'à Saint-Cloud. » Instruite par ce peu de mots, j'ai vu alors pourquoi l'on m'avait enfermée; j'ai compris que le dessein de sa fuite était bien prémédité. Je viens pour vous en indiquer l'heure, qui doit avoir été entre minuit et une heure, à en juger par le mouvement que j'ai entendu. On ne peut être sorti que par les cours qui donnent sur le passage des Tuileries à la rue de l'Échelle, tandis que d'autres voitures cherchaient à se faire arrêter sur la place du Carrousel, pour distraire l'attention. » Cette femme conjecturait juste.

Je m'étais mis au travail, à mon retour. Je ne fus instruit de l'affaire qu'à ma première sortie, à midi. Je ne l'aurais même su que le soir : mais j'entendis un grand caquetage de blanchisseuses dans ma rue, et quelques mots parvinrent distinctement à mon oreille. « Il est parti c'te nuit : Monsieu' aussi, et Madame. Le roi, la reine, madame Elisabeth, Madame, le dauphin. » Je vis alors qu'il y avait eu un grand événement! Je m'habillai; je sortis; le malheur se confirma. Je rencontrai au bout du pont Neuf et de la Vallée, l'astronome Lalande, pâle, défait : j'en conclus qu'il n'était pas aristocrate. La consternation était générale : j'allai aux Tuileries, au Palais-Royal : je revins par la rue Saint-Honoré... Je vis partout abattre les armoiries royales, et jusqu'aux panonceaux des notaires. Ainsi, ce fut véritablement ce jour-là que la royauté fut anéantie en France. Trois jours de trouble et d'agitation! Cependant le soir du 22, l'on apprit la nouvelle de l'arrestation à Varenne de Louis et de sa famille. On sut comment le maître de poste de Sainte-Menehould dit au postillon : « Arrête! ou je tire dans la voiture! » Louis dit : « En ce cas, arrêtez. » Il fut mis dans une chambre du cabaret. Ce fut là sa première prison.

SIXIÈME NUIT

23 au 24 juin[1]

Un seul objet occupait tous les esprits les 21, 22, 23, 24 : c'était ce jour-là que Louis devait faire sa rentrée à Paris. Mais quelle rentrée!... Deux commissaires de la Convention avaient été le rejoindre à Varenne, Barnave et Pétion; c'étaient eux qui le ramenaient.

Paris l'attendait dès le soir du 23, et j'étais allé, comme les autres, jusqu'à l'avant-place des Tuileries. On apprit alors qu'il n'arriverait pas, et chacun se dispersa. Enseveli dans mes réflexions, je m'avançai du côté des Champs-Élysées, sans m'apercevoir que je m'écartais. Je passai devant la place où fut l'éphémère Colisée, œuvre fugitive du dernier et du plus nul des Phelypeaux, quoiqu'il ait tant fait de mal!... Je répétai ce mot du psaume, *Transivi, et non erat.* « Je suis repassé, et il n'était déjà plus. » Plus loin je foulai la place où fut le jardin usurpé de la Pompadour : « O que de gloires qui ne sont plus! m'écriai-je. Toutes les autres passeront de même. » J'allai jusqu'à la grille de Chaillot; et là, me repliant sur moi-même, je me ressouvins d'avoir fait là une partie délicieuse avec trois actrices, et mon ami Boudard. Je me rappelai un dîner plus délicieux encore avec mon ami Renaud, et la belle Deschamps, l'héroïne de l'avant-dernière nouvelle du XXIIe volume des *Contemporaines*! Je me rappelai *Zéfire*, le chef-d'œuvre de la sensibilité, et *Virginie*. Mais alors je sentis que je m'égarais; je revins : onze heures sonnaient. Je pris le long des jardins, comme la route la plus solitaire. Parvenu en deçà de la rue de Marigny, je modérai ma marche. Un homme et une femme étaient assis dans un jardin sur le parapet intérieur du fossé, qui les séparait de moi. J'allais sans bruit, et la hauteur de la haie me dérobait à leurs regards : « Voilà une terrible révolution! disait l'homme, où s'arrêtera-t-elle? Émigrer, c'est abandonner la place aux ennemis! Cependant, si je n'émigre pas, je suis déshonoré! On m'a déjà envoyé une quenouille... J'ai répondu que j'étais nécessaire ici. Je comptais partir demain; mais voilà le roi qu'on ramène! Qui sait ce qui va se passer? D'ailleurs, comment sortir? — Il fallait émigrer, monsieur, répondit la dame; on ne

raisonne pas avec son devoir. Que faites-vous ici,
auprès d'un roi faible, plus votre ennemi que les
démocrates?... Enfin, j'espère qu'il va périr, puisqu'il
est repris! Sentez-vous, monsieur, quel avantage ce
serait pour nous, et pour tous les honnêtes gens, si la
tête du faible Louis tombait? Voyez toute l'Europe
soulevée; tous les rois ligués! Voyez les soldats mer-
cenaires eux-mêmes, servir notre vengeance, comme
les chiens qu'on fait battre contre des chiens... Nous
n'avons de salut à espérer que dans la mort de
Louis XVI. Tant qu'il existera, tant qu'il conservera
une apparence d'autorité, de liberté, de bon traitement, nous sommes perdus, et les puissances agiront
faiblement. — Ha! madame, que vous les connaissez
mal!... — Je les connais mieux que vous, ces puissances, dont vous attendez le secours, pour rentrer dans
nos droits! Elles se réjouissent secrètement de l'état
affligeant d'un empire puissant qu'elles jalousaient;
elles guettent le moment favorable de se jeter sur
nous, et de tout accabler, nobles et roturiers.
— Désabusez-vous, madame. Notre position est terrible, et si je ne suivais plutôt la haine que la raison,
tout à l'heure je me mettrais avec les révolutionnaires. » Ici la dame se leva vivement, et partit.
L'homme la rappelait. J'entendis seulement ces
mots : « Non, non! je ne veux jamais vous revoir. » Il
la suivit. Je lui criai : « N'importe par quel motif,
devenez patriote. » Je m'éloignai précipitamment.

Dans la rue des Champs-Élysées, vis-à-vis la porte
de M. de la Reynière, je me rappelai son fils, mon
ancien ami, aujourd'hui mon ennemi mortel; il ne
l'était pas encore, et je lui donnai des larmes.

A cent pas de là, près de la rue du Faubourg-Saint-
Honoré, je trouvai trois femmes, dont deux emme-
naient la plus jeune par-dessous les bras. Je passais.
Elles m'appelèrent. « Aidez-nous, bonhomme », me

dirent-elles. « Non, non, il est trop vieux! », dit celle
qu'on soutenait. Je vis bien que c'étaient des fripon-
nes. Je m'éloignais, quand un homme brillant passa
auprès de moi. Je me retournai, pour voir si les trois
femmes l'attaqueraient. Elles n'y manquèrent pas.
L'homme s'arrêta; et je me mis à l'écart. Alors la
jeune se mit à se plaindre : « Monsieur, ayez pitié de
moi : je viens de Passy, avec ma mère et ma tante; au
milieu des Champs-Élysées, nous avons été attaquées
par des vauriens, qui ont voulu... qui ont voulu... Je
me suis défendue... et ils m'ont battue... battue... que
je ne puis me soutenir!... Vous demeurez par ici; ne
pourriez-vous pas nous héberger?... car nous demeurons au faubourg Saint-Marceau. » L'homme y consentit. Il entra dans une porte cochère tout près de
là, avec les trois femmes. Je frappai aussitôt. Il vint
lui-même. « Prenez garde à ces dangereuses hôtesses!
Je vous préviens que ce sont des coquines : il vous
est utile de les faire surveiller. » Je parlai fort bas, et
je me retirai. J'arrivai chez moi à une heure, sans
avoir rencontré de patrouilles.

Retour de Louis

Le lendemain, tout était en rumeur. Les jeunes gens
et les hommes au-dessous de quarante ans étaient
sous les armes. Le fugitif ne devait arriver que le
soir. Je l'attendis pour me rendre chez mon homme
brillant de la veille. Mais avant d'y arriver, je vis la
rentrée de Louis, que je regardai dès ce moment
comme détrôné. La Garde nationale formait, depuis
les boulevards, jusqu'au château des Tuileries, une

double haie, les armes renversées; un silence profond régnait, ou n'était rompu que par quelques injures étouffées. Il rentra, précédé de mille bruits faux; on prenait ses cochers pour des seigneurs enchaînés, quoiqu'ils ne le fussent pas. Louis se retrouva chez lui, n'ayant que la honte d'une fausse démarche. Cependant il n'en fut pas puni, même par la série naturelle des choses. L'Assemblée Constituante, fidèle à son principe décrété, que la France était une monarchie, excusa le monarque, et crut se l'affectionner en lui laissant toute la considération qu'elle pouvait encore lui laisser. De ce moment, les Lameth et Barnave changèrent de principes. Mirabeau, le grand Mirabeau, n'était plus, depuis le commencement d'avril. Qu'eût-il fait en ce moment ? D'après les lumières qu'on a eues depuis sur son compte, il y a grande apparence qu'il eût contribué de tout son pouvoir, à rétablir la monarchie; qu'il eût fait entrer dans ses vues les puissances étrangères; qu'il eût paralysé la force intérieure; que nous n'aurions pas la guerre. Mais que serions-nous ? Il est aisé de l'augurer, par la connaissance qu'a tout le monde du caractère despotique et dur, jusqu'à la barbarie, du grand Mirabeau : il serait aujourd'hui notre Richelieu cardinal, et Louis XVI, comme Louis XIII, ne serait qu'un Premier Esclave. Les Lameth, Barnave et quelques autres auraient été employés, par le changement des circonstances. La Fayette aurait été généralissime, ou peut-être connétable. Mais Mirabeau aurait été maire du palais; et sans la balance actuelle de l'Europe, Pépin le Bref. D'Orléans, sous tous les rapports, était perdu; Mirabeau n'aurait pas été délicat sur les moyens de s'en défaire. J'ai connu l'intérieur de Mirabeau, dès son vivant, par un de ses secrétaires, garçon de mérite, qu'il traitait en forçat.

Après avoir vu la rentrée de Louis, je revins au fau-

bourg Saint-Honoré par la place équestre, chez
l'homme qui avait reçu les trois femmes de la veille.
Je le demandai. Le portier me reçut mal; mais enfin,
il ne put se dispenser de siffler. Un valet vint me
prendre au bas de l'escalier, et me conduisit auprès
de son maître, qui prit un air sévère : « D'où connaissez-vous les trois femmes d'hier? », me dit-il. Je lui
racontai ce qu'elles m'avaient dit, et ce que j'avais
ensuite entendu; comment l'ayant vu attaquer,
j'avais cru devoir l'avertir. « Vous ne les aviez jamais
vues ailleurs? — Jamais, que je sache au moins.
— Sachez que ce sont des femmes respectables, que
vous n'étiez apparemment pas digne de secourir. Car,
qui êtes-vous? — Qui êtes-vous vous-même, pour
interroger avec cette audace le *Paysan perverti*?
— Ha! je le connais... Non, vous n'avez exercé aucun
emploi... Si vous étiez un des suppôts de la Révolution, je vous... » Il s'arrêta... Il me conduisit ensuite
lui-même par un escalier dérobé. J'avouerai que je
me crus perdu. Cependant il fallait avancer. Je des-
cendis dans un jardin, et l'homme me conduisit jusqu'au bout; m'ouvrit une porte qui traversait le long
du fossé sur les Champs-Élysées, et me remit ainsi en
liberté. Éclairé par le local, je reconnus cet homme,
pour celui que j'avais entendu converser avec une
dame, en revenant de ma promenade nocturne à la
grille de Chaillot... Je m'informai dans la suite; et j'ai
su que les trois femmes étaient déguisées; qu'elles
venaient attendre le retour de la Cour, et qu'elles
n'avaient parlé comme elles avaient fait, que pour
m'ôter tout soupçon.

SEPTIÈME NUIT

16 au 17 juillet

LE 16 au soir, j'allai dans le faubourg Saint-Germain. En passant par la rue Mazarine, pour prendre le quai, je vis sortir un homme que je connais, tenant sous le bras une jeune et jolie personne que je connaissais aussi. « Infortunée! pensai-je, tu as le malheur d'être abordée par ce scélérat! ô infortunée! tu es perdue!... » Je les suivis pas à pas, je n'entendis que des protestations, des promesses de mariage. « Elle est prise ou prête à l'être! », pensai-je. Ils suivirent le quai des Quatre-Nations, celui de Voltaire, ensuite ils prirent celui du Champ-de-Mars, ou de la Révolution. Mes précautions furent si grandes, en les suivant (car je voulais être utile), qu'ils ne m'entendirent pas. Ils avançaient. « Allons jusqu'au Champ-de-Mars, dit Scaturin à la jeune et jolie Tiervau, peut-être demain son autel n'existera plus : il y a quelque chose en l'air! » Il déclama ensuite contre la Révolution, contre l'Assemblée, et il n'épargna pas la Cour. « Cet homme est mécontent de tout le monde! pensai-je. Ha! s'il se connaît, comme il doit l'être de lui-même!... » Ils arrivèrent. Ils allèrent jusqu'à l'autel, sur lequel Scaturin cracha, observant de n'être pas vu par la sentinelle. Ils revinrent ensuite, et en revenant, il hasarda quelques libertés, qui furent faiblement repoussées. J'étais tenté d'entrer un moment après eux, pour avertir la mère. Ils frappèrent à une autre maison, et je fus un peu dérouté. Je n'osai aller chez les parents. Je me retirai chez moi, péniblement affecté; me proposant de me lever matin pour voir ce qui allait se passer.

Loi martiale[1]

Une fermentation sourde agitait les esprits, depuis la fuite et la reprise de Louis. Les Jacobins et leurs chefs voulaient la République; mais ils étaient sans moyens pour la faire déclarer. Ils firent proposer par le Club des Cordeliers une pétition, qui devait être signée au Champ-de-Mars, sur l'autel de la patrie, le dimanche 17 juillet... Les pauvres gens! ils ignoraient que toutes ces cérémonies d'autel ne sont bonnes que pour des peuples neufs, et encore enfants par la superstition[2]... D'un côté, La Fayette et Bailli; les Lameth et Barnave de l'autre, voulaient également que les pétitionnaires fussent troublés, épouvantés : peut-être même avaient-ils dessein de faire périr leurs chefs. Ils préméditèrent la publication et l'exécution de la loi martiale. Mais les Lameth, ennemis de La Fayette, ne voulaient pas que La Fayette et son cheval blanc eussent toute la gloire de cette journée. Ils sacrifièrent, dit-on, deux misérables. A l'aide de leurs agents, ils firent endoctriner deux insensés, qui le dimanche matin, allèrent se cacher sous l'autel de la patrie. Cela paraissait sans but. Ces hommes employaient si peu de précaution, qu'ils parlaient tout haut. Ils auraient été cent fois découverts par les citoyens ordinaires, que le pis qui leur pouvait arriver, était qu'on les chassât de leur poste. Mais ceux qui les avaient placés, voulaient qu'ils périssent avec un scandaleux éclat. Ils envoyèrent de leurs satellites. Ceux-ci excitèrent le peuple, ou les mauvais sujets du peuple, avant même qu'on vît les hommes. Ils les représentèrent comme des profanateurs de l'autel de la patrie. On s'attroupe. On les environne.

On les voit; on les entend, parce qu'ils ne se cachaient guère. On les tire de sous l'autel, et on va les pendre au Gros-Caillou... Grande rumeur! Le parti La Fayette, qui ne sut jamais que suivre le mal, sans jamais le prévenir, se réjouit de cet accident : « Notre loi martiale en ira mieux! » Les Lameth et les Barnave, qui avaient cru par là détourner de l'idée de porter la pétition sur l'autel de la patrie, ne savaient pas qu'ils avaient affaire à des entêtés très aveugles. Ainsi, loin d'éviter le triomphe du cheval blanc et de son cavalier, ils l'assurèrent.

Vers le soir, le Club sort. Le peuple, qui croyait la partie dérangée, était venu paisiblement voir un lieu, où il y avait eu du trouble; où, dans la même semaine, il avait vu la cérémonie du renouvellement de la Fédération, et pendre tumultuairement deux hommes. Les clubistes arrivent. Point d'émeute. Ils s'établissent sur l'autel, comme des greffiers sur leur bureau. Ils font signer par leurs gens, car le peuple ne signait pas! C'est en ce moment qu'une municipalité nulle, mue par le cheval blanc, qui avait envie de se montrer, arrive, suivie d'une Garde nationale alors vouée à La Fayette, ou à son cheval. On proclame une proclamation que personne n'entend. Personne ne remue. Cinquante garçons perruquiers, qui avaient goûté dans les cabarets du Gros-Caillou, entendent dire qu'on vient là, pour empêcher de signer une pétition qu'ils ne connaissent pas. Ils jettent des pierres à la Garde qui les offusque, et se sauvent. Quelques particuliers ivres les imitent dans leur attaque et dans leur fuite. On tire, et l'on tue... des femmes, des enfants... quelques citadins paisibles, qui ne savent où fuir, et qui ne sont venus là que pour prendre l'air... Comment La Fayette, comment Bailli, comment la municipalité d'alors ne sentirent-ils pas qu'ils ne frapperaient que des innocents?... O

La Fayette! que tu es coupable! et toi Bailli, que tu étais faible! O municipalité! que tu étais tête à perruque!... Je vis ces effets de l'intrigue et de l'esprit de parti avec indignation. Mais elle ne tomba pas, comme celle du peuple, sur la Garde nationale. Le peuple ressemble au chien, qui mord le bâton, au lieu de la main qui le dirige. Je m'en revins, après que la ridiculement cruelle affaire fut terminée, et je fus assez heureux pour sauver la vie à un jeune garde national, vis-à-vis la boutique du marchand de bas du Palais-Royal. Il était environné par un groupe de marchandes de pommes et d'harangères, qui l'étouffaient. Un polisson de seize ans allait lui porter un coup de couteau, prêté par une tripière. Je lui retins le bras, et m'emparai du couteau, avec lequel j'écartai les femmes, et le jeune garde national se sauva. Il n'eut d'autre mal, que de s'entendre appeler bleuet. Pour moi, mon vieux chapeau, mes souliers ferrés me préservèrent. Je jetai dans un soupirail le couteau de la tripière, qui parlait déjà de me tailler le foie, et je me glissai derrière le groupe des nouveaux venus, avec lesquels je me confondis, pour me jeter dans le jardin l'Égalité.

On n'aura pas encore la suite de l'histoire du scélérat Scaturin... Entré dans le jardin, que j'avais tant de fois observé déjà, j'y recherchai les abus que j'avais coutume d'y voir. A presque toutes les arcades, j'étais invité par des gens de la plus mauvaise mine, à monter auprès d'une compagnie choisie (de joueurs). Plus loin, je voyais une fille perdue conduisant une jeune fille à peine formée, mais charmante, dont elle allait immoler au vice les prémices et la santé. Un instant après, j'apercevais une horreur plus grande encore : c'étaient des enfants, des deux sexes, dans l'âge de la plus tendre innocence, provocamment habillés, confiés à des matrulles, qui profanaient leur enfance, et moissonnaient leur vie, comme la friandise de l'homme fait garnir de veaux nos boucheries. Je voulus approfondir ce dernier abus, que je n'ai fait qu'effleurer, dans *Les Filles du Palais-Royal*, imprimées par le faux assignataire de Passy, Guillot, décapité le 27 août 1792, et que vend aujourd'hui Louis, libraire rue Saint-Séverin; mais je renvoie à cet ouvrage, pour une infinité d'autres détails précieux, qui m'ont été donnés par l'Alsacienne au long visage, fille spirituelle, et qui, avant d'être matrulle, était maîtresse d'un évêque... Quelques filles mènent des enfants, comme je l'ai dit, dans l'ouvrage cité, dans la seule vue de se donner l'air honnête de mères de famille, afin de faire illusion volontaire à de vieux célibataires blasés. Mais d'autres prostituent ces tendres victimes à des Tibères modernes, qui ont ce goût dépravé : filles, garçons, tout est égal, à cet âge, pour les débauchés. Ils s'amusent de l'innocence des questions, de l'impudence que cette même innocence donne aux attouchements obscènes. Quand ils ont excité leurs sales passions au point extrême, ils se servent de la bouche, au lieu des autres ouvertures encore interdites par la nature. Quelquefois cependant, ils les forcent, et assez souvent la mort s'ensuit, pour les petites filles. On paie alors l'enfant, comme on paie un animal grevé de fatigue, un prix convenu d'avance, entre les parents et la matrulle, qui gagne toujours sur le marché; elle a ainsi son intérêt à sacrifier les enfants. Et quelles sont les victimes? Quelquefois tout uniment les enfants d'une fruitière, hôtesse de la fille perdue; ou des enfants volés dès l'âge le plus tendre; ou des enfants trouvés; ou des enfants achetés des gens les plus pauvres des faubourgs : ceux-ci sont vendus à la fille perdue, qui en fait ce qu'elle veut, sans être obligée d'instruire de leur sort. Cet infernal trafic exis-

tait dès avant le nouveau Palais-Royal; il était la partie la plus abondante des revenus de l'exempt inspec-
teur des filles; et peut-être rapportait-il au lieutenant
de police. Il était trop odieux, pour être jamais
dénoncé, ébruité, puni. Mais Mairobert, le censeur, le
même qui s'est tué en 1779, aux bains de Poitevin, le
connaissait, et il est le premier qui m'ait fait
soupçonner son existence... Jamais je n'avais songé à
le connaître par moi-même. Ce soir-là, ayant aperçu
deux enfants, garçon et fille, conduits par une grande
femme d'une assez belle figure, je les abordai. La
femme me demanda si je voulais monter ? J'y consentis. Arrivé à l'entresol sous-arcadien, elle me
demanda lequel des enfants je voulais... Et avant ma
réponse, elle me détailla leurs lubriques talents. Tandis qu'elle parlait, ces malheureux enfants se faisaient devant moi, en feignant de jouer ensemble, des
attouchements obscènes. J'étais révolté; mais je
conçus combien la marche que suivait l'infâme cor-
ruptrice devait exciter les libertins! Car les enfants
montraient successivement toutes les parties de leurs
corps nus. Il y avait cependant une chose repoussante : c'est qu'on voyait qu'ils ne jouaient pas; ils
avaient l'air ennuyés, fatigués, peinés. Quand la
femme eut fini le détail de la carte, elle renouvela la
question. Je lui répondis que j'en avais assez vu : que
j'allais la payer. Que néanmoins je la priais de me
donner quelques détails sur son état, et qu'elle n'en
serait pas fâchée, lorsque je lui aurais dit mes raisons. « Bon! bon! je te reconnais, me dit-elle : je t'ai
vu chez Saintbrieux! Tu es un bon enfant, plus bête
que malin : tu avais la chaussure d'une certaine
dame, que tu honorais comme une relique. Tu es
auteur; mais tu ne fais pas tes livres : car il y en a
quelques-uns qui m'ont amusée. Tiens, j'ai acheté ces
deux enfants à une... Mais je ne veux pas te le dire,

quoique je ne risque rien aujourd'hui! Tu as bien vu ces quatre femmes, qui ont aussi des enfants, sans compter celles qu'on ne voit pas; eh bien, il y en a une qui accapare tous les enfants trouvés qu'on expose. Elle a une femme pour ça. Elle ne les fait élever que par des chèvres, et elle s'y prend si bien, qu'elle n'en perd guère. Elle nous en vend à nous autres, quand ils ont l'âge. Cette femme est bien utile! Elle donne souvent des arrhes à des femmes qui cachent leur grossesse à leurs maris, et qui viennent accoucher chez elle. Ce n'est pas tout : elle empêche bien les filles de famille, ainsi que les filles de maison, femmes de chambre et cuisinières, de détruire leur fruit, en retenant leurs enfants, et en favorisant leurs couches. Il y en a d'autres qui achètent les enfants des pauvres gens, qui ne peuvent les nourrir, en choisissant les plus jolis. Si dans ceux retenus au ventre de leurs mères, il s'en trouve de difformes, on les porte aux enfants trouvés; mais si tard, qu'ils périssent tous. Quelquefois on parcourt, ou l'on fait parcourir les provinces, pour en avoir de superbes! Alors on gagne la nourrice, qui vend l'enfant, qu'on fait voir malade au curé; elle part, et l'on ensevelit des haillons, dont le curé envoie l'extrait mortuaire. On fait ici quelquefois ce petit commerce avec les servantes et les gouvernantes d'enfants, mais cela est rare, à cause du risque. L'enfant tombe malade, paraît languir quelques jours, puis mourir. On ensevelit des chiffons. — Mais quel usage fait-on de ces enfants? » Alors la malheureuse me détailla les horreurs dont j'ai donné l'aperçu. « Nous sommes heureuses, ajouta-t-elle, quand, dans les efforts, on ne nous rompt, on ne nous estropie pas un joli enfant. Ce n'est que demi-mal, quand un libertin ne fait que leur donner la vérole : nous avons des gens pour les traiter. Quand un enfant est trop délicat, nous ne faisons que le blanchir, pour le faire durer six mois, un an, pendant lesquels nous le mettons à toute sauce... » Je ne voulus pas, ou je ne pus en entendre davantage : je me trouvais mal, et j'allais tomber. Je sortis, et comme la femme tendait la main, je lui remis, déjà dans l'escalier, un coupon de trois livres. Je me retirai tout malade.

HUITIÈME NUIT

26 au 27 septembre

La Constitution est revue[1]; elle est toute à l'avantage de Louis : il reparaît sur son trône environné d'une gloire nouvelle. Marie-Antoinette goûte un léger mouvement de joie. Cependant son cœur ulcéré n'est pas content. C'est aux Lameth, qu'elle abhorre; c'est à Barnave, sur les genoux de laquelle (sic), Madame encore Royale, est revenue de Varennes; c'est à La Fayette, pour lequel elle a le dégoût qu'inspirent les odeurs fades, qu'elle doit des avantages, qu'elle regarde comme insuffisants.

« Ha! dit-elle à un ex-duc qui lui parlait de l'apparente faveur de ces hommes, peut-on penser que jamais nous nous rapprochions sincèrement, que jamais nous aimions nos mortels ennemis! Non! non, duc! ils ne sont point en faveur; ils n'y seront jamais! » Et son regard vers le ciel, son œil humide confirmèrent son discours... Il est certain que Louis XVI, s'il avait été prudent, se serait contenté

des immenses avantages que lui donnait la revue insi-
dieuse et perfide, quoique peut-être sage alors, de
notre Constitution. Car on avait pour but d'éviter la
guerre. Louis devait user prudemment et sagement
de son veto, surtout lorsque le décret était voulu du
peuple. Malheureusement d'imprudents conseillers,
de chaudes et mauvaises têtes l'égarèrent, et le firent
égarer par Marie-Antoinette, bien excusable de croire
ce qu'elle désirait... Mais, je le répète, pourquoi donc
la sottise, de ses doigts velus, avait-elle aveuglé la ci-
devant haute noblesse ? Ne pouvait-elle se conduire
que gouvernée par les bonnes têtes du tiers ? (car
c'était le tiers qui régnait depuis longtemps). Le valet
de chambre gagné par ses basses connaissances,
influençait le ministre, et celui-ci ne faisait que ce
que le tiers avait voulu, décidé par ses valets ou ses
maîtresses : ses commis le gouvernaient, pour les
affaires publiques, et ceux-ci étaient mus par des
agioteurs et des intrigants, qui l'étaient à leur tour,
par le marchand et le tailleur qui les habillaient.
Aussi tout le corps des marchands, des tailleurs, des
perruquiers, des libraires, et surtout des anciens
imprimeurs, tout ce qui vendait aux riches, et ne vendait qu'à eux, est-il aujourd'hui aristocrate, du moins
entre cuir et chair. Et si ce n'était le peu de confiance
qu'on a dans l'immoral d'Artois, l'inconséquent Monsieur, le roué Calonne, le fougueux Bouillé, la
machine Broglio, le roi de Prusse, l'Empereur, et
tous les étrangers, vous auriez déjà vu tous ces
gens-là se précipiter au-devant de la contre-
révolution. Mais cette masse réfléchie, ne se pas-
sionne pas, comme la noblesse : elle raisonne, et
jamais ne joue à quitte ou double, qu'elle ne soit sûre
de gagner. « Que nous feront les étrangers ?... » Elle
voit leur conduite atroce, impolitique, et elle reste
attachée à la Révolution qu'elle déteste. Voilà dire

des vérités utiles, non pas celles de Marat, dont toute
la politique se réduit à celle des Espagnols, qui trouvèrent plus court d'anéantir les Indiens de l'Améri-
que, que de les éclairer. Encore les Espagnols
étaient-ils plus excusables : ces peuples étaient durs à
former; peut-être jamais n'en serait-on venu à bout,
et si le copiste Thomas Raynal avait pesé leurs raisons, il aurait vu qu'ils n'ont osé tenter l'impossible.
Mais Marat, lui, doit savoir que nos aristocrates du
second étage et nos boutiquiers, ne sont ni des Péru-
viens, ni des Mexicains; que ce sont des gens, non à
tuer, parce qu'ils sont nécessaires, mais à ménager,
pour qu'ils fortifient nos finances par leur industrie,
et nos armées par de bons soldats.

La Constitution revue, l'Assemblée constituante
prête à se dissoudre, la seconde législature nommée,
arrivant à Paris, il y avait comme une sorte d'arrêt
dans tous les rouages de la machine politique[1]. C'est
ce moment, que l'idiote aristocratie choisit, pour
donner à Louis un moyen sûr de sortir du royaume.
Tout était disposé. Ils devaient aider son irrésolution
par un peu de violence. La Garde nationale avait été
choisie, les postes confiés à des nobles, la reine même
n'était pas instruite; elle devait partir sans être prévenue, avec sa famille, dans une autre voiture. Un
valet de chambre du roi est mis par nécessité dans la
confidence; il ne sait que penser. Il envoie un émissaire fidèle avertir La Fayette. Le commandant
arrive, et déconcerte le complot. Il ne fut plus d'avis
que le roi partît. Louis lui-même, au comble de l'indécision en ce moment, refusa de se prêter à cette
démarche, et parla même assez durement à ses
auteurs... On dit que Calonne et Bouillé en étaient, et
que ce refus les refroidit.

Je ne fus pas ici témoin oculaire. J'étais en ce
moment occupé d'autre chose.

La fille parcheminée par sa mère

En allant aux Tuileries, j'avais pris par la rue Saint-André, au lieu du quai de la Vallée, du Pont-Neuf, et du café Robert-Manouri. Au coin de la rue de l'Éperon, à l'endroit même où j'avais frémi, en voyant traîner le corps de Berthier, je vis une femme en capote, qui faisait marcher fort vite une jeune fille de onze à douze ans. L'enfant récalcitrait un peu, ce qui me fit approcher. « Non! moi, je ne veux pas! disait-elle; vous me menez comme ça tous les soirs chez ma tante Jorge, le visage couvert de votre parchemin, pendant que la petite Gigot reste chez nous bien attifée, en me prenant jusqu'à mon nom! — Tais-toi, mon enfant! tu sais bien ce que ta tante t'a dit, que c'était pour ton bien que j'agissais. Ha! si tu savais pourquoi je t'emmène!... Ma pauvre enfant!... On te dira ça un jour. » La femme et l'enfant marchèrent, sans parler davantage, et elles entrèrent dans une maison de la rue du Battoir.

Suite de Julie et Scaturin

J'allai ensuite dans la rue Mazarine, et comme j'étais connu des parents de la jeune Tiervau, je pris sur moi d'y entrer, comme pour m'informer de leur santé. Je trouvai dans une même salle le père, la mère, la demoiselle, et Scaturin. Ces deux derniers formaient un aparté vers la fenêtre. Je parlai de choses indifférentes. Scaturin feignit de ne pas me reconnaître, parce que moi-même je n'avais donné aucun signe de connaissance. Il ne quitta pas sa place, et il me parut parler à la jeune personne avec beaucoup d'action. « Julie! lui dit sa mère, tu ne dis rien à monsieur? » Alors Julie fit une révérence, et me demanda des nouvelles de mes filles. Je répondis en peu de mots, et elle reprit son cher tête-a-tête. Après être resté près d'une heure (que je regrettai beaucoup!), attendant que Scaturin s'en allât, je fus obligé de partir le premier. La mère m'ayant reconduit à la porte de la rue, je lui dis : « Il me paraît, madame, que vous allez marier votre fille : car sévères comme vous l'êtes tous deux, votre mari et vous, un aussi intime tête-à-tête, même en votre présence, ne serait pas souffert, s'il ne s'agissait du mariage? — Il est vrai : c'est un monsieur fort honnête, plein d'esprit. Il nous a demandé Julie qu'il paraît adorer, et c'est un si excellent parti, un gentilhomme. Car ils reviendront sur l'eau, que le père et moi avons cru devoir nous prêter... — Je n'ai qu'un mot à vous dire (voyant qu'elle s'arrêtait) : défiez-vous!... Cet homme est bien rusé! Je ne vous en dis pas davantage : défiez-vous! » Et je me retirais. « Ne me nommez pas à cet homme. Je l'ai vu, il y a deux mois, à la promenade avec votre fille, le soir, la veille du massacre au Champ-de-Mars. — Ce n'est pas elle : son père l'avait menée chez une voisine, et il a été la reprendre. — On vous a trompés... Adieu. » Je m'éloignai, parce que j'entrevis Scaturin, qui venait écouter.

NUITÉE AUX TUILERIES

J'ALLAI aux Tuileries par le pont Royal. Au moyen des fers qui me servent à graver sur l'île, il m'est quelquefois arrivé de grimper dans ce jardin, après qu'il était fermé. Je choisis l'endroit de la terrasse de la rivière, où il n'y a pas de sentinelle, et j'entrai sans obstacle. Je vis du monde. Je me glissai pour descendre sous les arbres, sans être remarqué. C'était là qu'il y avait le plus de monde, divisé en différents groupes, réunis sur des chaises, dans les endroits les plus couverts. Je n'osais m'arrêter, ni trop m'approcher. Mais enfin, m'étant mis derrière un gros arbre assez proche du groupe le plus nombreux, et dans lequel on parlait le moins bas, j'entendis qu'il y était question des affaires d'État. « Il est dangereux, disait un homme, d'appeler les étrangers en France : voyez avec quelle joie ils en ont reçu la première ouverture! — Mais, monsieur le Duc, dit aigrement une femme, et nous, que deviendrons-nous ? — Il faut tout risquer, tout sacrifier, dit une autre femme plus jeune, pour nous rétablir dans nos droits... — De la prudence! de la prudence! dit un second homme. Sa Majesté a déjà beaucoup regagné; notre tour viendra... » En ce moment, un gros homme se leva, pour venir uriner auprès de mon arbre. Heureusement pour moi, une femme lui dit : « Vous allez trop loin. » Et il se retourna pour lui répondre : « Voulez-vous que je reste sous votre nez ? » Je m'éloignai doucement, pendant cette réponse, qui occasionna une réplique inutile à rapporter.

Je regardai les environs de ce groupe, comme les plus intéressants; mais comme trop dangereux. Je m'écartai vers les endroits plus solitaires. Là, je trouvai une grande, jeune et belle femme, marchant tendrement penchée dans les bras d'un homme, qui la soulevait par la taille. « Je devrais être là, dit-elle; on y parle d'affaires importantes : mais vous me faites oublier tout l'univers... Et cependant, quel temps pour faire l'amour! Peut-être à la veille d'un départ...

d'une guerre sanglante?... — On sait quand on sort de chez soi, ma belle! répondit l'homme; mais on ne sait pas quand on y rentre... Si, pourtant, vous partez, je vous suivrai... au bout du monde. Mais sans vous, jamais! » Et il l'embrassa; et ils se mirent sur une chaise; et la chaise craqua, se brisa; et la dame gronda; et ils se mirent sur le gazon, qui était une couche solide... Je ne vis rien, dans toute cette conduite, que de naturel, et ce n'étaient pas les choses ordinaires que je cherchais...

Je réfléchis : je voyais qu'il se tramait quelque chose, et j'en savais assez pour chercher à m'instruire. Cependant je ne le sus que longtemps après! Je compris ensuite que c'étaient les femmes qui faisaient émigrer les hommes, et que c'étaient elles qui supportaient le plus impatiemment la Révolution.

NEUVIÈME NUIT

19 au 20 juin 1792

Un long temps s'est écoulé sans événements bien marqués[1]. Deux décrets rendus par la législature, et soumis au veto par Louis, excitaient une violente fermentation depuis le mois de novembre; c'est celui contre les prêtres réfractaires, et celui contre les émigrés. Le fourbe Duport-du-Tertre, élevé de la poussière de son grenier à l'éminente fonction de Garde des Sceaux, prévariquait, trompait tout le monde... Il en a été puni...

Le 19 juin au soir, je sortis vers les neuf heures, et je pris une route que je n'avais pas suivie depuis le 26 septembre précédent. Je passai par la rue Saint-André-des-Arcs, et celle Mazarine. Je vis en route des patrouilles fréquentes et nombreuses, dont j'ignorais le but. Mais j'appris bientôt que les faubourgs Saint-Antoine et Saint-Marceau devaient faire le lendemain une pétition à l'Assemblée, et même au roi, pour la levée des deux veto. « Une pétition n'est pas une violence », pensai-je; et je me tranquilisai. Parvenu devant la porte de Julie Tiervau, dont je n'avais plus entendu parler, j'entrai chez ses parents.

Suite de Julie et Scaturin

Je me trouvai tout en alarmes sur le compte de Julie et de Scaturin. Celui-ci venait d'annoncer un voyage. Julie se désolait; les parents avaient des inquiétudes. Je me dis alors en moi-même, en regardant Julie à la dérobée : « Infortunée! tu as tout accordé; sans cela, le monstre ne partirait pas!... Tu as changé ton rôle de maîtresse recherchée, en celui d'amante faible et suppliante! Si tu aimes, tu es perdue; car tu es tombée entre les mains du plus impitoyable des perfides : le scélérat est depuis longtemps endurci au crime, au manque de tous les procédés, qui font la sûreté du commerce, et le liniment de la société. » Transporté par mon imagination, je parlais à voix basse, mais intelligible! La mère m'écoutait. Je m'en aperçus trop tard. Elle pâlit, et alla s'asseoir. « Ma

fille est donc perdue! se dit-elle à elle-même.
— Perdue! pas encore : où va-t-on? — A Lyon, pour
affaires. — On est du Poitou : mais on peut avoir
affaire à Lyon. — Ha! nous sommes perdus! », se dit
à elle-même la mère... Je ne pus rien savoir davantage : mais mon opinion fut celle de la mère, que sa
fille était perdue. Je sortis, et j'allai, non par les
quais, mais par le pont Neuf. J'entrai au café Robert-
Manouri, où j'appris les détails connus de la pétition
armée du lendemain. « Armée! dit un homme; il est
défendu par un décret de faire une pétition en
armes! » Une mauvaise tête répondit : « C'est pour la
rendre plus efficace. — C'est renverser toute loi et
tout gouvernement, lui dis-je, que de substituer la
force aux raisons, et l'insurrection continuelle à
l'amour du gouvernement. » Je fus traité de Feuillant. Je sortis, et j'allai aux Tuileries. Tout m'y parut
tranquille. J'y entrai comme j'avais fait l'automne
précédent. Mais je n'y trouvai pas le même monde.
Quelques hommes en noir s'y promenaient isolés, ou
deux à deux. Je ne pouvais rien entendre. Je me promenai moi-même. A côté de la statue d'Arria Poetus,
deux hommes jacassaient, avec beaucoup de volubi-
lité. Surpris de ce ton, dans un endroit pareil, à
l'heure qu'il était (onze heures), je m'approchai par-
derrière la statue. C'était Scaturin et Snifl, un Allemand, son ami et son commensal, celui qui lui avait
donné l'entrée dans la maison Tiervau.

« Tu t'en es donc dégoûté? disait Snifl. — Quel
diable! veux-tu qu'un homme comme moi fasse d'une
fille comme elle? C'est bon pour un amusement...
Encore si elle était fille unique! Mais elle a des
frères; c'est encore pis que des sœurs!... Je pars pour
Lyon, où l'on me fait espérer un parti considérable,
qui rétablira mes affaires... Voilà dix ans que mon
revenu est abandonné à mes créanciers : cela ne finit

pas! les nouveaux se sont substitués aux premiers.
Cependant je ne brille pas; je n'ai jamais que cet
habit couleur d'olive... Mon parti est pris. Elle
m'avait inspiré un goût fort vif... mais tu sais que
mes goûts durent peu. — Elle est jolie! — Oui; longtemps sa figure se présentait à moi tous les matins à
mon réveil, comme une des Grâces. Je la trouvais le
type de la beauté; les autres femmes n'étaient belles
qu'autant qu'elles en approchaient... — Tu dis là précisément ce que ton ennemi disait un de ces jours de
la charmante Filon : tu fais bien? — Oui! oui! mais
celle-ci a une figure mutine et boudeuse, qui donne
du piquant à sa beauté. Au lieu que Julie... est...
— Qu'est-elle? — Trop tendre. Rien n'affadit une
femme comme la tendresse. — Tu veux donc que
toutes soient des coquines? — Non; mais... — Tu ne
sais ce que tu veux. — Ho! je veux de la fortune. On
m'en doit trouver à Lyon; j'y cours et j'épouse. »

Ils se levèrent en achevant ces mots. « Pauvre
Julie! pensai-je : destinée par la nature à savourer et
à donner le bonheur à un homme délicat, tu es tombée entre les mains d'un scélérat, et tu vas être
abreuvée de malheur!... » Je réfléchis, si j'irais avertir la mère... « Non, le mal est fait : ce ne serait plus
que bavardage inutile. »

Je ne sais pas si j'ai dit comment j'étais sorti du
jardin, la nuit du 25 au 26 septembre. Ce fut à l'aide
d'une perche, trouvée le long de la terrasse; je la mis
en dehors, et je me glissai le long. Il m'en est arrivé
autrement cette fois-ci. N'ayant pas trouvé de perche,
je cherchai un autre moyen de m'en tirer, et je
m'avançai jusqu'à la porte du château, en face de la
grande allée. Il en sortit une femme, qui me voyant
là, me prit par la main, en me disant : « Bon! bon!
fort bien! le Diable ne vous reconnaîtrait pas. » Elle
me conduisit, me fit traverser les portiques, et me

laissa dans la cour. Je ne savais si je devais l'attendre. Je m'y déterminai cependant. Elle reparut un instant après, et me remit sur les bras un enfant nouveau-né. « Partez vite, vite! de peur qu'il ne crie! » J'allais demander : Où? lorsqu'un homme aussi en manteau, arrive auprès de moi, me prend l'enfant, et disparaît. Je m'éloignai rapidement, sentant le danger. J'observai néanmoins que l'homme était sorti par la cour du Manège, et que la femme me regardait aller; mais elle ne dit mot... Je m'en retournai par la rue de l'Échelle.

Assaut prétendu des Tuileries

Le lendemain, je fus éveillé par l'inquiétude que me donnait la pétition armée des Faubourgs. Je quittai mes occupations (comme je suis forcé de le faire si souvent depuis la Révolution), et je me rendis aux Tuileries. La députation nombreuse, dans laquelle s'étaient glissés beaucoup de brigands déguisés, portait pour trophée une vieille culotte déchirée : on traînait du canon. Ici, je me demandai s'ils allaient faire un siège? J'ai l'habitude de me parler haut, en certaines circonstances. Un homme me répondit : « Non; mais c'est pour ôter au châtelain l'envie de nous fermer ses portes, et de lever ses ponts-levis... » On entra sans obstacles, et la députation fit demander audience à la législature. Celle-ci ne permit pas à la force armée d'entrer dans son sein : elle n'admit qu'une députation désarmée, qui l'assura qu'elle venait paisiblement faire connaître au monarque le véritable vœu du peuple sur les deux veto : « Si, après l'avoir connu, il n'y souscrit pas, ajoutèrent-ils, ce sera aux autres départements à parler à leur tour. » On n'approuva, ni ne désapprouva la députation armée : sans doute que la législature craignit de compromettre l'autorité souveraine... Enfin, l'heure d'entrer chez le roi étant arrivée, une foule indisciplinée monta dans les appartements. Des valets malintentionnés et des brigands enfoncèrent une porte à coups de hache. Louis parut, sans effroi, sans trouble. Il demanda ce qu'on voulait ? Un orateur de la députation prit la parole, pour demander la levée du double veto. C'était bien ici que se vérifiait l'adage : *Vox populi, vox Dei.* Louis pouvait, sans se compromettre, lever la suspension des deux décrets; car ils étaient malheureusement justes, non suivant le droit, mais d'après les circonstances. Il y a moins d'un an, et les événements postérieurs l'ont déjà prouvé... Il promit qu'il examinerait, qu'il donnerait satisfaction... J'observais tout; mais j'entendais mal. On a publié, dans le temps, qu'on insulta le roi, qu'on le tourna en dérision : mais des gens grossiers, sans le vouloir insulter, se familiarisèrent au point de l'inviter à mettre le bonnet rouge, alors simplement nommé le bonnet jacobin : ils firent plus (et dans ceci, je trouve plus de cordialité qu'on ne croit), ils le prièrent de boire un verre de vin. Il le fit gaiement, en riant, et je l'admirai... Telle fut la scène. Il ne fut en aucune manière manqué au chef du pouvoir exécutif; on ne proféra aucune injure contre sa famille, et l'on se retira vers les six heures, après environ trois heures de séjour dans les appartements.

Je n'ai jamais approuvé la forme de cette députation; elle était illégale, déraisonnable même sous tous les points de vue : mais dans une forme convenable, elle était l'exercice du rapport légitime du peuple au monarque. J'ai toujours admiré la sagesse de l'Assemblée constituante, qui, en médecin habile, n'avait pas voulu guérir trop vite. Leurs successeurs ont vu autrement. L'effet prouvera bientôt qui avait raison. Quant à moi, indulgent envers tous les hommes, parce que j'ai besoin d'indulgence, je ne blâme qu'à regret, et loue avec transport.

Je reviens. Telle fut la scène qui a été présentée à toute l'Europe, comme la plus scandaleuse qui ait jamais eu lieu!... En voyant tous les papiers aristocrates retentir de ce prétendu scandale, je ne pouvais en revenir : ce sont Royou, Durosoy, Fontenay, et les nobles, qui ont créé ce scandale après coup, et qui, par là, ont amené une catastrophe terrible : car je ne suis pas de ceux qui s'accoutument aux horreurs, même nécessaires... Je rentrai le soir chez moi presque content. Mais que j'aurais été douloureusement affecté, si j'avais su l'effet que devait produire cette journée!... Je n'ai jamais eu de rapport avec la Cour; avec les magistrats; avec ceux qui gouvernent de quelque manière que ce soit : vivre laborieusement isolé, a été mon seul vœu constant. Si j'ai observé, c'était pour connaître le cœur humain, et ramasser les faits immenses répandus dans mes ouvrages. J'ai toujours eu horreur des espions, même nécessaires, comme du bourreau, qui l'est aussi. Je n'avais aucun rapport avec ces êtres vils, et j'aimais mieux ignorer, que de savoir par eux. Pendant quinze ans, j'ai fait travailler treize pères de famille, graveurs, dessinateurs, imprimeurs, relieurs, sans compter les libraires. J'ai tiré de l'argent par mes ouvrages, jusque de la Russie : on en a traduit en Angleterre et en Allemagne : voilà mes titres auprès de mes contemporains et de la postérité. Je n'ai jamais mendié, comme D'** : je sais être courageusement pauvre, ruiné par des faillites, et par la secousse que la Révolution a donné à la littérature : je suis infirme, et je travaille. Je ne fais pas de journaux, parce que je trouve dit tout ce que j'aurais dit. Je cultive l'ancienne littérature; j'observe encore, et la mort que je vois s'approcher, ne m'épouvante guère. Tout ce qui m'arrive, la pauvreté, les malheurs, les peines de famille, ont un avantage; cela aide à mourir.

DIXIÈME NUIT

9 au 10 août 1792[1]

Nous y sommes arrivés, à cette nuit mémorable et terrible, que deux partis opposés avaient préparée. Elle fut suivie d'un jour plus mémorable encore.

BARRIÈRE DE FAVEUR

Depuis l'époque du 20 juin, on avait fermé les Tuileries, et le peuple ne pouvait plus s'y promener. D'abord on souffrit impatiemment cette privation. Peu de temps après, quelques membres de la Législature l'engagèrent à décréter que l'enceinte, les alentours et les avenues de l'Assemblée nationale, étaient sous sa police. D'après ce décret, la terrasse des Feuillants fut ouverte, et l'on put s'y promener; mais

le public fut invité à ne pas descendre dans le jardin.
On n'y descendit pas, et ce fut le public qui se constitua garde d'une faible barrière élevée par lui-même.
Cette barrière était une faveur! Un vieillard, exprès
ou par inattention, descendit. Il lui fut doucement
remontré qu'il émigrait, et qu'il allait à Coblentz. Il
remonta. Une élégante, soupçonnée de le faire exprès,
descendit aussi une autre fois : elle fut huée. Elle
voulut revenir : on ne lui permit pas de rentrer sur la
terrasse. Elle fut obligée d'aller prier les Suisses de
la faire sortir d'un autre côté. Ce n'est pas tout. Bientôt la faveur fut chargée de petits papiers, où étaient
les sarcasmes les plus violents contre les rois, contre
le veto, contre la Cour et ses protégés... Je ne les rapporterai pas : comme je n'en ai pas fait, il me siérait
mal de me parer des plumes du paon. D'ailleurs, dès
qu'ils étaient posés sur la faveur, on voyait un
homme qui venait les relever, et qui en faisait un
recueil : cet homme sera un jour auteur, comme tant
d'autres, et peut-être l'est-il déjà. Il ne faut cependant
pas qu'il porte son ouvrage à Sautereau-de-Marsy;
car le recueil serait court, et plus chargé de notes que
de vers. On voyait néanmoins, au lointain, des gens se
promener dans les allées; mais c'étaient des domestiques de la Cour.

J'examinais tout cela, et je me disais : il se prépare
une crise violente! Mais comment éclatera-t-elle?...
Un homme m'aborda un jour, et me dit : « Faites-
vous un journal avoué, ou clandestin? — Non.
— J'aurais eu d'excellents matériaux à vous donner!
— Monsieur, suivant leur nature, vous pouvez les
porter aux journaux qui existent. — Voulez-vous descendre dans le jardin; nous nous éloignerons, et je
vous montrerai tout cela?... » Je le regardai, lui tournai le dos, et ne lui répondis pas. Sa proposition ne
tendait à rien moins qu'à me faire lapider : car

j'avais des raisons pour le croire un perfide, qui voulait me tâter. Je le vis rejoindre quelqu'un, et un instant après, ne m'apercevant plus, ils abordèrent le plus lâche de mes ennemis. Je les observai : ils paraissaient mécontents de leur mauvais succès. Je m'approchai le plus adroitement qu'il me fut possible, et j'entendis Daniel le Manceau, celui qui m'avait voulu engager à descendre, dire à mon ennemi : « Il est plus fin que vous; il n'a pas donné dans le panneau! — Il n'a jamais donné dans les pièges que je lui ai tendus. Il est pourtant aristocrate; car il dînait avec les grands. — Ce n'est pas là une raison, répondit Daniel. Si vous voulez le perdre, il faut vous y prendre plus adroitement! — J'y ai déjà tenté, et c'est moi qui fus mis en prison. » J'avais alors à côté de moi, deux de mes connaissances de café : je les pris à témoin, et je me présentai aux trois scélérats, qui disparurent... Mais nous en sommes au 10 août 1792.

En sortant de chez moi, je ne savais absolument rien. L'homme laborieux et paisible, tandis que l'intrigant excite la secousse qui doit tout engloutir, vit dans la plus profonde sécurité... Je rencontrai, comme le soir du 20 juin, des patrouilles nombreuses et fréquentes. « Il y a quelque chose! pensai-je, mais qu'est-ce? » J'allai m'informer : je passai par le quai de la Vallée; j'entrai chez le plus célèbre libraire, le citoyen Mérigot le jeune. Là, j'apprends que l'on craint pour la nuit; qu'il y a des complots; qu'une partie de la garde nationale est pour le roi : que les Marseillais, arrivés nouvellement à Paris, sont contre, etc. J'écoute, et semblable à la brebis, qui voit les chiens et les loups se battre, je fais des vœux pour les premiers.

Suite de la fille parcheminée

Je sors, pour courir au café Robert-Manouri. Mais je prends la rue de Savoie, par un sentiment religieux pour la mémoire de ma fille Zéphyre qui, à pareil jour, avait rendu à l'Être suprême son âme sensible et pure. Je la quittais, après m'être prosterné, lorsque j'aperçus, au coin de la rue Christine, une femme et une fille, que je reconnus pour celles déjà rencontrées rue du Battoir, ou de l'Éperon. Elles y retournèrent encore. Je les laissai entrer. Un instant après, je frappai. Je ne savais que le nom de la petite Gigot. Je dis à la mère de la fille parcheminée : « C'est vous, madame, que je cherche : qu'avez-vous fait de la petite Gigot ?... Il faut tout à l'heure me conduire où elle est.   Elle est chez nous, monsieur, rue de Savoie, maison du Perruquier, au troisième. » Cependant la mère et la tante étaient tremblantes. Elles se jetèrent à mes genoux, en me disant : « Mon cher monsieur ! ne faites pas de bruit ! nous ne sommes pas aussi coupables qu'on pourrait vous l'avoir fait entendre : nous allons vous mener chez moi, et vous tout conter. » Elles m'y conduisirent. Je trouvai la petite Gigot fort joliment arrangée. On lui demanda si le monsieur était venu ? « Pas encore », répondit la jeune personne. « Monsieur, me dit la mère, écoutez-moi avec patience, et jusqu'au bout, je vous en prie !... »

Histoire de la jeune fille parcheminée

« J'avais un mari terrible, et je l'ai encore ; mais il est vivandier à l'armée. C'est un *chien-à-pend*, comme vous allez voir. Nous eûmes notre fille que voilà. Il la

regarda, quand elle fut née, et me dit : « Elle sera
jolie! si tu es bonne laitière, nourris-la; sinon, je vas
chercher une nourrice. » Je lui répondis que je
croyais que j'étais bonne laitière. Il s'en assura, et
me laissa nourrir... « Votre fille n'est cependant pas
belle », interrompis-je. La femme, tout effrayée
qu'elle était, sourit; elle détacha un cordon, noué
sous le grand battant-l'œil, enleva une peau de parchemin, et me fit voir... un miracle de beauté. Elle
ôta en même temps quelques chiffons de sous un
juste, et la taille répondit à la figure. Tout le reste, le
bras, la main, la jambe, le pied, était parfait. La
petite voulut rester belle pendant le récit. Sa mère lui
dit : « Volontiers, ma Zemirette; mais allez vous
amuser, Gigotine-Rouxette et toi, pendant que je vas
causer. » Zemirette emmena Rouxette dans un cabinet voisin. La mère reprit :

« Quand ma fille fut allaitée, mon mari me fit deux
autres enfants; c'étaient des garçons. Non seulement
il ne me les laissa pas nourrir, mais il les porta, je
crois, aux Enfants-Trouvés : il n'a jamais ouvert la
bouche sur ce qu'il en avait fait. Voyant ça, le cœur
navré, je n'ai plus voulu avoir d'enfants; et je n'en ai
plus eu... Ma fille grandissait, et devenait de plus en
plus jolie. Je connaissais trop bien mon vilain mari,
pour ne pas craindre qu'il n'en fît un mauvais usage.
Je voyais souvent une dame Gigot, grande et belle
femme, qui avait beaucoup d'esprit. J'allai lui confier
ma peine. Elle soupira, en me disant : « Je suis
encore plus mal en mari que vous. Mes parents m'ont
donné au plus affreux et au plus fort des hommes,
parce qu'il était très riche. Cet homme était veuf, et
n'avait qu'une fille, très jolie. Il prétendait qu'elle
n'était pas de lui, par cette raison : il la faisait élever
au loin dans un couvent; et quand elle a eu quinze
ans, il y a dix-huit mois, il en a fait sa catin, sans en

être connu. Je m'en suis aperçue, parce que je n'ai plus été tourmentée par ce satyre, comme je l'étais auparavant... Vous allez savoir comment j'ai été instruite... Cependant nous avions une fille. Cette enfant a quatorze ans aujourd'hui. A mesure qu'elle grandissait, elle ressemblait plus parfaitement à sa sœur aînée d'une autre mère. Son père la regardait avidement. Je ne savais ce que cela voulait dire. Enfin, un jour, l'ayant vu faire entrer mystérieusement sa maîtresse, je me suis mise à portée d'écouter ; et voici ce que j'entendis : « Ma chère Émilie ! je vais changer de « conduite avec toi !... Pardonne une erreur, qui m'a « fait te traiter... en fille publique, et exiger de toi « des complaisances dégradantes ! Cela ne m'arrivera « plus. Tu es fille de ma première femme : et comme « elle ne m'a jamais aimé, que tu es jolie, et que je « suis laid, je te croyais adultérine. J'ai voulu, en « conséquence, me venger de ta mère, en te faisant « servir à mes plaisirs. Mais il m'est venu des preu- « ves que tu es ma fille. Je vais en agir en père. Ma « seconde femme, qui me déteste, était enchantée « que j'eusse une maîtresse, pour la préserver de mes « caresses ; mais il faudra qu'elle les souffre, « jusqu'à une certaine époque. Je sens que la justice « veut que tu ne sois pas la seule qui m'ait servi. Ta « sœur aura le même sort, pour vous rendre égales ; « elle a huit ans ; j'attendrai qu'elle soit nubile... « Allons, je feindrai de te retirer de ton ancien cou- « vent, et tu vas rentrer dans tes droits. »

« Ma belle-fille parut très contente de ne plus être assujettie aux brutalités de M. Gigot... Pour moi, je fus effrayée pour moi-même, et plus encore pour ma fille. Je me résignai à mon sort ; et pour écarter l'horrible crime prémédité par un monstre, je me donnai comme je n'avais jamais fait. Il fut content de moi : il me le témoigna, en m'assurant, que je valais mieux que toutes les femmes qu'il avait connues; il méprisa surtout les jeunes filles sans expérience, disant qu'il n'y avait que les goûts dépravés qui aimassent les fruits verts, et non en maturité. Je fus charmée de ces nouvelles dispositions... Ma fille eut alors la petite vérole, mais assez légèrement. M. Gigot me dit : « Je voudrais qu'elle enlaidît : elle est trop « bien. » Ce mot fut pour moi un trait de lumière. Elle guérit, et ne fut pas gâtée : mais je fis faire une mince pellicule, qu'on trouva moyen de lui appliquer sur le visage : elle fut affreuse... M. Gigot ne la regarda plus. Je la conduisis ainsi jusqu'à seize ans, que je l'ai mariée hors de Paris. Je révélai le secret à l'amant, dès la première visite. Il vit qu'une taille parfaite était masquée par des chiffons, etc. J'ai donné mon secret à des mères, dont l'une souffrait impatiemment qu'on eût trop d'attentions pour sa fille; la seconde voulait préserver la sienne de la séduction d'un grand seigneur, qui ne la regarda plus; et la troisième, dont la fille était plus jeune, voulait seulement garantir la sienne de la vanité. Je vous offre de vous en faire faire une pour votre fille ? » J'acceptai. « Voilà, monsieur, comment j'ai eu occasion de parcheminer ma fille.

« Ma Zemirette n'avait que treize ans, quand il me fut signifié de la donner à un monsieur, qu'on me montra. Je fus bien désolée! Je ne savais à qui me confier. Mais mon mari était absolu : on lui faisait mille francs par mois, pour six ans au moins. Il m'aurait tuée, si j'avais refusé. Je ne savais que devenir, quand Mme Gigot m'amena une pensionnaire.

« Ma bonne dame Raisin, me dit-elle, je vais vous confier un secret : quand on a marié Émilie, la fille aînée de mon mari, elle était grosse de trois mois. Son mari s'étant absenté peu de temps après son mariage, elle accoucha secrètement au cinquième mois et demi; elle a caché cette enfant, et ne s'est confiée qu'à moi. Je la mets en pension chez vous, et je paierai. N'en parlez à personne... Je vous le dis, à vous, parce que vous êtes instruite. » J'acceptai la jeune fille. Quand j'eus reçu l'ordre de mon mari, j'étais bien embarrassée! Il partit alors; mais il m'avait signifié qu'il viendrait me tuer, s'il ne recevait pas ses mille francs, dont il me laisserait deux cents livres par mois. Que voulez-vous? Je ne pus supporter l'idée de prostituer mon sang à un gros vilain homme... Je parcheminai Zemirette (à laquelle mon vilain mari avait donné exprès ce nom, la destinant à être fille de plaisir), et je parai Rouxette, comme vous voyez. L'homme est venu. Il n'avait qu'entrevu ma Zémire; il a pris Rouxette pour elle, et s'est jeté sur cette pauvre enfant, qui m'a fait pitié!... Cependant, elle était déjà si amoureuse, qu'elle souffrait tout, sans trop se plaindre... Mais (je vous le dis, parce que vous savez tout) : voici bien le pis... — Je le sais, interrompis-je : c'est que je le devinais, ayant vu l'homme sortir de la maison... » Je frémis de cette aventure : je défendis de redonner Rouxette à l'homme, et je me promis d'effrayer celui-ci. J'y suis parvenu; et pour ne pas exposer la femme, il continua de payer le mari, qui ayant fait une action d'éclat à l'armée, appartient au public, et ne doit pas être désigné... On ne l'a jamais connu.

Ma soirée s'était consommée à cette aventure. Je m'en revins à une heure. J'évitai les patrouilles, qui m'eussent infailliblement arrêté; j'arrivai chez moi à deux heures, et je commençai d'entendre sonner le tocsin. Plus jeune, j'aurais couru savoir ce que c'était : mais j'étais accablé.

Le lendemain, je fus éveillé dès le matin, par le bruit de l'artillerie. J'entendis, dans la rue, le peuple qui se racontait ce qui se passait. Je me lève alors, et je cours... Arrivé au bout du pont Royal, je vois la fusillade. Je m'informe. Je ne reçois que des détails confus. Enfin, je comprends, que la Cour, sur le bruit d'une nouvelle députation des faubourgs, s'est mise en défense; qu'elle avait appelé au château les nobles, vulgairement dits les Chevaliers du poignard, et tous ceux dont elle était sûre; qu'elle comptait sur une partie de la Garde nationale, dont l'état-major était pour elle; sur les Suisses, dont elle s'était environnée... J'apprends que, tandis qu'elle faisait sonner le tocsin à Saint-Roch, pour rassembler ses partisans, les Marseillais le sonnaient à Saint-Sulpice, pour rassembler les patriotes; j'appris que le faubourg Saint-Marceau avait pris les Marseillais aux Cordeliers; que le bataillon de Henri IV, avait braqué ses canons sur ceux-ci, et que son commandant Carle venait d'être tué : je vis les Suisses égorgés... la Garde nationale toute réunie... J'étais confondu! Je ne concevais pas comment, à la veille d'un si grand tumulte, j'avais vu tant de monde tranquille!... Je m'informe de la Cour? Louis et sa famille se sont réfugiés dans la salle de l'Assemblée nationale, avant le premier coup de fusil... Je fus alors moins tremblant pour le salut public... Je m'avance : je vois des morts entassés... Je passe sur le quai du Louvre. Je vois tirer par les fenêtres des galeries. Je me colle aux murailles, et une femme, qui prenait la précaution contraire, est tuée à vingt pas de moi. Je vois tomber un garçon boucher au passage Saint-Germain-l'Auxerrois, à deux cents pas de la colonnade du Louvre, d'où on l'avait tiré... Voilà de ces actes lâches, dont les Chevaliers du poignard ne se sont rendus que trop coupables... Ha! pourquoi ces meurtres inutiles? Prétendaient-ils anéantir la classe du peuple? Ç'aurait été une folie, et un malheur pour eux-mêmes... A présent, jetons un coup d'œil impartial sur la démence de cette conduite. Qui avait donné à la Cour l'idée d'éviter la députation des faubourgs, par les moyens extrêmes qu'elle employait? Des gens sans expérience, sans connaissance, ni des vraies dispositions du peuple, ni de ses forces. On dirait, que dans toute sa conduite d'alors, la Cour n'avait suivi que le conseil d'enfants furieux, de femmes, ou d'hommes-femmelettes, plus imprudents que les femmes. Rien ne la corrigeait, rien ne l'instruisait. Il fallut que ses propres partisans secrets massacrassent eux-mêmes leurs complices... O mes concitoyens! une chose cause vos malheurs; c'est l'incertitude de ceux qui craignent les suites de la Révolution : cette incertitude les fait agir par façade, suivant les événements. Ils retardent la marche, quand ils la voient prompte et facile. Si les révolutionnaires s'irritent et les menacent, eux-mêmes poussent à la roue, pour retenir ensuite le char de la liberté. Par ce moyen, ils font toujours du mal. Je pose en fait, que le parti que prend une nation, fût-il mauvais, il faut que ses membres poussent tous du même côté : les réfractaires sont tous dignes de mort, parce qu'ils causent le plus grand des maux, la division. On demande si la noblesse était un mal? Je n'en sais rien; je ne suis pas assez habile pour décider cela. Mais je dis, qu'elle a divisé la nation en deux partis, qui maintenant, 1er avril 1793, se battent avec acharnement dans nos départements maritimes. La noblesse héréditaire est-elle un bien?...

Louis demeura deux jours et une nuit dans la loge du logographe, et dans un appartement voisin : il fut ensuite conduit au Temple. La Convention nommée, va succéder à la Législature : un tribunal révolutionnaire fait tomber différentes têtes coupables, ne fût-ce que du crime de division, toujours capital. Les affaires vont s'aggraver, et parvenir à un point, dont quelques chefs seulement pouvaient avoir la prescience.

Aussitôt après la Révolution du 10, la Législature déclara, qu'elle se trouvait insuffisante pour les affaires publiques, et qu'elle allait, suivant son droit, décréter la convocation d'une Convention nationale. Aussitôt les assemblées primaires se formèrent, les intrigants s'agitèrent : on nomma des électeurs, et par le mauvais mode adopté dans les sections, le bruit tint lieu de majorité. Les Électeurs nommés, autre agitation pour nommer les députés! Paris choisit les siens. J'en suis trop près pour les juger : comment savoir si un représentant du peuple est bon ou mauvais, avant qu'il ait fini sa représentation[1] ?... Qui juge trop tôt, calomnie, et je ne voudrais pas calomnier même Marat. Mais pendant ces nominations, d'autres choses se passaient. On renversait les statues des rois; Henri IV lui-même, si longtemps idolâtré, subit le sort des Louis XIII, des Louis XIV et des Louis XV! de ce Louis XIII, qui ordonna le massacre des habitants de Nègrepelisse[2], où l'on pendait les hommes aux arbres de leurs jardins, et violait leurs femmes au-dessous, avant de les égorger : où l'on amoncelait les frères poignardés, pour violer leurs sœurs sur leurs membres palpitants... où... le dirai-je!... Il le faut bien... où le soldat, las de violer, se fit remplacer par de gros chiens!... Et Louis XIII était fils d'un homme, à qui les Nègrepelissets avaient sauvé la vie!... de ce Louis XIV, si vain, mais qui eut souvent la dignité d'homme; qui vécut libertin, et mourut bigot; avec cette ressemblance à Samson, qu'il fit plus de mal à sa mort, que pendant toute sa vie*!... de ce Louis XV, qui fit de sa Cour un

---

* On veut dire, sa mort à la gloire, par la révocation de l'Édit de Nantes, par la bulle *Unigenitus*.

mauvais lieu, après avoir fait de Paris son sérail...
Tout fut renversé! Les fastueuses inscriptions de
Louis XIV furent ôtées, et les Bataves furent vengés.
L'agitation était grande! mais telle cependant, qu'un
homme qui ne voulait pas s'en apercevoir, ne la
voyait pas. C'est dire que le tableau de Paris, dans
ces circonstances, parmi les nations étrangères, et
même dans les départements, était horriblement
exagéré!... Nous éprouvions cependant au-dehors des
revers terribles! Longwy fut abandonné aux Prussiens, qui bientôt s'emparèrent de Verdun. On vit,
dans ces deux villes, le stupide Monsieur venir donner sa main à baiser aux habitants à genoux... J'anticipe sur les événements. Les choses changèrent de
face. La contagion se mit parmi les troupes prussien-
nes, et Dumouriez parvint à pouvoir les détruire! Il
ne le fit pas : fût-ce par humanité? Non : un être
immoral, comme Dumouriez, ne connaît pas la sainte
humanité! Le perfide dès lors commençait ses trahisons... Les Prussiens se retirèrent : on rentra dans
Verdun, dans Longwy; mais sans gloire; on nous les
rendait; nos généraux ne les reprenaient pas. C'est
ainsi que depuis, l'infâme Dumouriez a rendu la
Belgique[1]!...

ONZIÈME NUIT

28 au 29 août

Visites domiciliaires[1]

Un instinct secret éclairait les commissaires des sections à la commune. Ils sentirent, que dans le besoin où l'on était d'armes, il fallait ramasser toutes celles qui étaient inutiles entre les mains des citoyens restant à Paris. Nous fûmes avertis qu'on devait visiter la nuit dans nos maisons, et nous nous attendions à une fouille rigoureuse. Elle ne fut que superficielle. C'était mettre de l'urbanité dans la visite, mais peut-être en anéantir l'effet. Comme je savais que mon tour ne viendrait que sur les deux heures après minuit, je sortis le soir, malgré qu'on m'eût prévenu qu'on arrêtait. Je ne le fus pas. Je revins par les rues Dauphine, de la Comédie, Fossés-Monsieur-le-Prince, dont le nom n'était pas encore changé, de la Harpe, place Sorbonne, et Saint-Jacques. Ce fut dans la troisième de ces rues, que je fus témoin d'une singulière scène.

Un chef de patrouille, jeune, fringant, petit-maître, avait résolu de se faire un amusement de cette corvée. Pour y parvenir, il ne manqua aucune des maisons des actrices, danseuses, filles entretenues. Il vint chez une des premières, jeune, jolie, qui maladroitement avait ce jour-là un jeune et riche Anglais en hébergement. L'*Englishman*, qui aimait les précautions de sûreté, avait apporté quatre pistolets, un fusil de maître pour lui, à deux coups, et un fusil de munition des anciennes Gardes-françaises, qu'il avait acheté pour son domestique. Celui-ci, aussi précautionné que son maître, avait de plus un autre fusil. Quand la visite arriva, on fit cacher les deux hommes : mais les armes n'étaient que recouvertes par la couverture du lit, sur une table de nuit.

Le petit-maître. — Mademoiselle, n'avez-vous pas des armes ?

L'actrice. — Non, monsieur.

Le petit-maître. — Ha ! votre belle bouche me trompe : vous avez au moins celles de l'amour.

En même temps, il déclare qu'on doit fouiller jusque dans le lit ; que c'est l'ordre. La belle de se récrier. Le petit-maître de lui dire de prendre les précautions décentes de Polyxène tombant sous le couteau de Pyrrhus. La belle était bien embarrassée ! Enfin elle se glisse à la ruelle. Le petit-maître, un peu au fait, enlève la couverture, et fait tomber avec fracas, la table de nuit, les armes, le pot de chambre.

« Ha ! ma belle ! vous ne vous contentez pas des armes de l'amour, à ce que je vois ! Vous êtes une aristocrate, une contre-révolutionnaire. Je ne saurais me dispenser de vous conduire au comité ; habillez-vous, si mieux n'aimez y venir nue... ce qui, je crois, serait le plus sûr. » L'actrice tremblante protestait de son innocence : elle assura que ces armes n'étaient point à elle.

Le petit-maître. — J'entends ; c'est à un aristocrate, avec lequel vous étiez tout à l'heure en liaison intime... Il faut venir au comité, ou nous le livrer... En attendant, confisquons les armes.

En ce moment, sort d'une garde-robe l'*Englishman*, qui dit : « Moi, monsir, en qualité d'étranger, je réclame mes armes, qui sont à moi.

— A vous ? dit un garde national. Lisez sur ce

fusil : *Régiment des Gardes françaises* : Étiez-vous Garde-française ? »

L'Englishman. — Moi ? non, monsir : mais mon valet l'a acheté d'un homme, qui a dit l'avoir eu aux Invalides, le 13 de juillet 1789.

Le petit-maître. — Nous ne pouvons vous le laisser, mylord. Vous êtes étranger : c'est un titre à notre considération : mais tant d'armes !

L'Englishman. — Monsir, quand on couche chez des filles...

Le petit-maître. — Chez des filles ? c'est mademoiselle E. C... Pardon, mylord, de vous avoir dérangé : pour votre argent, vous devez être libre. Nous nous retirons : nous vous laissons la fille... mais les armes, nous en avons réellement besoin.

L'Englishman. — Je les vous donne, afin que vous ne les me preniez pas.

On se pressa la main; beaucoup d'excuses qui faisaient sécher mademoiselle E. C... Enfin, on se retira.

Cette petite scène fit diversion aux noires idées qui depuis si longtemps abreuvaient mon âme. J'observerai que j'étais entré, parce que le petit-maître avait dit à la sentinelle laissée à la porte, de laisser entrer tout le monde.

En sortant, j'allai jusqu'à la rue de la Harpe, sans rien rencontrer. En tournant le long de la place des fiacres, je vis descendre de voiture comme deux gros fagots noirs, vêtus en femme. Ils allèrent à quelques maisons plus bas, et après avoir observé si le cocher ne les regardait pas, ils entrèrent dans une allée laissée ouverte, dont ils refermèrent la porte. Je regardais cette vision, quand l'idée me vint d'aller demander au fiacre-cocher, où il avait pris ces deux masques. « Ma foi, je le sais et ne le sais pas : elles descendaient d'un autre fiacre, à ce que j'ai vu, et elles n'avaient pas fait vingt pas, quand elles sont

montées dans le mien. » Je quittai le cocher, véridi-
que ou discret, et je retournai à la porte, qui s'ouvrit
un instant après. J'en vis sortir deux jeunes cavaliers,
qui descendirent la rue de la Harpe, jusqu'à la place
Sorbone; ils y entrèrent, et se dirigèrent vers la rue
fermante. Je m'arrêtai à l'écart, pour voir ce que cela
deviendrait. On l'ouvrit, et ils disparurent. Je gagnai
la rue Saint-Jacques, par celle des Maçons. J'allais
doucement : la sentinelle des Mathurins ne me dit
mot. Comme j'arrivais au coin de la rue, j'entendis
quelque bruit, je m'arrêtai. Je rétrogradai même
quelques pas. C'étaient les deux jeunes gens que la
garde, sur le cri de la sentinelle, venait d'arrêter. Ils
furent conduits au comité central, qui les envoya aux
Carmes. C'étaient deux abbés réfractaires, à ce que
j'entendis. Ils ne savaient pas, les infortunés, qu'on
les envoyait dans une prison, dont ils ne devaient
jamais sortir!... L'heure s'avançait. Mais je n'aurais
pas dormi chez moi, en attendant la visite. Cependant
je rentrai, et je m'occupai à revoir quelques
épreuves.

A deux heures sonnantes, j'entendis qu'on entrait
chez mes voisins. J'allai ouvrir ma porte. On vint
enfin. Je n'avais pas d'armes, pas même mon épée,
que mon neveu m'avait perdue. On prit mon nom,
mon âge. On me demanda, quelles étaient les personnes que j'avais chez moi? Je satisfis à toutes les questions. On se retira.

Le sommeil était loin de mes paupières. Je descen-
dis, pour aller aussi loin que je le pourrais, sans être
arrêté. Je parcourus librement tout mon quartier. Je
vis passer à pied, une voiture de prêtres insermentés,
sous tous les costumes, en hommes du monde; en
femmes, et même en uniforme. Mais ce qui me
frappa davantage, c'était une poissarde, mise avec la
plus grande vraisemblance, qu'on me dit être un ex-

chanoine de Notre-Dame : sa trogne bachique, sous
cet accoutrement, avait une vraisemblance si grande,
que je ne concevais pas comment on avait pu la
reconnaître. On me dit, qu'aussi ne l'aurait-on pas
reconnue, sans un accident tout à fait plaisant. Le
mari de la poissarde était venu à rentrer pendant la
visite. C'était un gaillard encore vert. Voyant une
créature sous les habits de sa femme, il n'avait pas
douté que ce ne fût elle. Or il avait un usage, quand il
voulait rire : c'était de dire à sa femme : « Jacqueline,
baisse-toi, pour me donner quelque chose. » Or, Jacqueline, qui savait ce que c'était, se baissait toujours.
Le chanoine se baissa aussi. Alors le poissard alla
pour l'empogner. Mais quelle fut sa surprise de sentir et de voir une culotte noire! Il s'écria. La garde,
qui descendait, remonta. « Et messieurs, vous avez
donc endiablé ma femme, qu'elle a le c... tout noir? »
On examina la dame... C'était un homme. La dévote
poissarde voyant la mèche découverte, accourut au
bruit. Son mari la reconnut; et sans l'en prévenir, il
lui donna le coup de Jarnac, comme il l'appelait. Ce
qui fit voir à toute la compagnie, que la dame n'était
pas une négresse sous le linge... On emmena le chanoine sous les habits de la poissarde.

Tel fut le récit, que me fit un des gardes de l'escorte, que j'accompagnai jusqu'à la rue de la Parche-
minerie... Je le répète, ces traits n'avaient rien
d'affligeant : mais il aurait été inhumain d'en rire, si
l'on avait su par quelle terrible catastrophe ils
devaient se terminer, sous peu de jours. Un prêtre
aux Carmes, se plaignait à P. Manuel, procureur de la
commune, qu'ils manquaient de beaucoup de choses.
« Cela sera fini dimanche, ou lundi », répondit Pierre.
Il le savait apparemment.

DOUZIÈME NUIT

MASSACRES DU 2 AU 5 SEPTEMBRE[1]

LE 10 août avait renouvelé et achevé la Révolution : les 2, 3, 4 et 5 septembre jetèrent sur elle une sombre horreur. C'est avec impartialité qu'il faut décrire ces événements atroces, et l'écrivain doit être froid, lorsqu'il fait frissonner son lecteur. Aucune passion ne doit l'agiter; sans cela, il devient déclamateur, au lieu d'être historien.

Le dimanche, à 6 ou 7 heures, je sortis, ignorant, comme de coutume, ce qui se passait. J'allais sur mon île, cette île Saint-Louis si chérie, dont un infâme m'a fait expulser par les enfants de la populace! Oh! que l'homme sans éducation est méchant!... Dans ce séjour tranquille, où j'avais pénétré, en évitant tous les regards, je n'entendis rien, si ce n'est une femme de service, qui disait à une autre de sa croisée : « Mais, Catherine, on dirait qu'on sonne le tocsin!... Est-ce qu'il y aura encore quelque chose? » Catherine répondit : « J'crais qu'voui : Monsieu' fait tout fermer. » Je m'éloignai, sans paraître écouter. Je ne fis pas le tour entier; je pris par le pont Marie et le port au Blé. On y dansait. Je me rassurai. Arrivé au grand cabaret à marches, qui termine le port, j'y vis danser encore. Mais aussitôt un passant s'écria : « Voulez-vous bien cesser vos danses? On danse ailleurs d'une autre sorte! » La danse cessa. Je poursuivis ma route le cœur serré; ne sachant rien exactement, je suivis les quais Pelletier, de Gèvres, de la Mégisserie ou Ferraille, et j'arrivai au café Robert.

J'avais là un petit homme, Suisse d'origine, mais né à Paris, qui savait toutes les nouvelles de son quartier, qui est la section du Théâtre-Français. « On tue aux prisons, me dit-il : ça a commencé par mon quartier, à l'Abbaye. On dit que ça vient d'un homme d'hier mis au carcan à la Grève; qui a dit qu'il se f... de la nation, et d'autres injures. Le monde s'est ému; on l'a fait monter à la ville, et il a été condamné à être pendu. Il a dit avant, que toutes les prisons pensaient comme lui, et que sous peu, on verrait beau jeu; qu'ils avaient des armes, et qu'on les lâcherait dans la ville, quand les volontaires en seraient partis... Ça a fait qu'aujourd'hui, on s'est attroupé devant les prisons, qu'on a forcées, et qu'on y tue tous les prisonniers qui ne sont pas pour dettes. » J'écoutais le petit Fraignières avec émotion, avec effroi : cependant l'image qu'il me présentait était loin de la vérité!... Après avoir lu les journaux, je lui demandai s'il s'en retournait ? car j'étais effrayé. « Volontiers, me dit-il : mais passons à l'Abbaye; je vous ramènerai ensuite jusque chez vous. » Nous allâmes, de compagnie. Tout paraissait dans une sorte de stupeur, dans la bruyante rue Dauphine, qui portait encore ce nom. Nous allâmes jusqu'à la porte de la prison, sans obstacles. Là, était un groupe de spectateurs en cercle : les tueurs étaient à la porte, en dehors comme en dedans. Les juges étaient dans la salle du geôlier. On leur amenait les prisonniers. On leur demandait leur nom. On cherchait leur écrou. Leur genre d'accusation décidait de leur sort. Un témoin oculaire m'a dit, que souvent les tueurs de l'intérieur prononçaient avec les juges. Un grand homme, à l'air froid et sérieux, leur fut amené : il était accusé de malveillance, et d'aristocratie. On lui demanda s'il était coupable. « Non, je n'ai rien fait : on a seulement soupçonné mes sentiments, et depuis trois mois, que je suis emprisonné, on n'a rien trouvé contre moi. » A ces mots, les juges penchaient pour la clémence; quand une voix provençale s'écria : « Un aristocrate! A la Force! à la Force! — A la Force soit, répondit l'homme; je n'en serai pas plus coupable, pour changer de prison! » Il ignorait, l'infortuné! que le mot, A la Force, prononcé à l'Abbaye, était l'arrêt de mort; comme le cri, A l'Abbaye, prononcé dans les autres prisons, envoyait à l'égorgeoir! Il fut poussé dehors, par celui qui avait crié, et prit le guichet fatal. Il fut étonné du premier coup de sabre : mais ensuite il ravala ses deux mains, et se laissa tuer, sans faire un mouvement...

Moi, qui n'ai jamais pu voir couler le sang, jugez de ce que je devins, en me voyant poussé, par le curieux Fraignières, jusque sous les sabres! Je frémis! Je me sentis faiblir, et je me jetai de côté. Un cri perçant d'un prisonnier plus sensible à la mort que les autres, me donna une indignation salutaire, qui me procura des jambes, pour m'éloigner... Je ne vis pas le reste...

On commençait alors à tuer au Châtelet : on se rendait à la Force. Mais je n'y allai pas : je crus fuir ces horreurs, en me retirant chez moi... Je me couchai... Un sommeil, agité par la furie du carnage, ne me laissa prendre qu'un pénible repos, souvent interrompu par le sursaut d'un réveil effrayé. Mais ce n'était pas tout. Vers les deux heures, j'entends passer sous mes fenêtres, une troupe de cannibales, dont aucun ne me parut avoir l'accent du Parisis; tout était étranger. Ils chantaient; ils rugissaient; ils hurlaient. Au milieu de tout cela, j'entendis : « Allons aux Bernardins!... Allons à Saint-Firmin! » (Saint-Firmin était une maison de prêtres; les galériens étaient alors dans le premier endroit.) Quelques-uns de ces tueurs criaient : « Vive la Nation! » Un d'entre

eux, que j'aurais voulu voir, pour lire son âme
hideuse sur son exécrable visage, cria forcènement :
« Vive la mort!... » Je ne l'ai pas ouï-dire; je l'ai
entendu, et j'en frissonnai... Ils allèrent tuer, et les
galériens, et les prêtres de Saint-Firmin. Parmi ces
derniers, était l'abbé Gros, ex-constituant, autrefois
mon curé, à Saint-Nicolas-du-Chardonnet, chez lequel
j'avais soupé avec deux dames d'Auxerre : il me
reprocha même ce soir-là, d'avoir dit un mot, dans *La
Vie de mon père*, improbatif du célibat des prêtres.
Cet abbé Gros vit, parmi les tueurs, un homme avec
lequel il avait eu quelque rapport. « Ha! mon ami! te
voilà! hé! que venez-vous faire ici, à l'heure qu'il est ?
— Ho! répondit l'homme, nous venons ici, à la male
heure... — Vous m'avez fait du bien... Aussi, pourquoi avez-vous rétracté votre serment ? » Cet homme
lui tourna le dos, comme autrefois les rois et Richelieu à leurs victimes, et fit un signe à ses camarades.
L'abbé Gros ne fut pas poignardé; on lui donna une
mort plus douce; il fut précipité par la fenêtre... Sa
cervelle jaillit du coup; il ne souffrit pas... Je ne parlerai point des forçats : ces malheureux virent abré-
ger une vie, qui n'était pas même à regretter pour
eux... Mais auparavant, dans la soirée, une autre
scène d'horreur, que je n'ai pas vue, que j'ignorais en
ce moment, s'était passée aux Carmes-Luxembourg.
C'est là, que depuis quelques jours, on avait rassemblé tous les prêtres réfractaires arrêtés, soit aux Barrières, soit pendant la nuit des visites domiciliaires.
L'évêque d'Arles s'y était rendu volontairement, pour
consoler et encourager ses frères. Et qu'on ne pense
pas qu'en rapportant cet acte touchant, je prenne le
parti des prêtres fanatiques! Ce sont mes plus cruels
ennemis! les êtres, à mes yeux, les plus
méprisables! Non! non! je ne les plains pas! Ils ont
fait trop de mal à la patrie : avant, par le scandale de

leur conduite, qui a ôté tout frein aux peuples; après,
par leurs menées. Il n'y a rien de bien, ou de mal,
dans le vœu de la société; quand une société, ou sa
majorité, veut une chose, elle est juste : celui qui s'y
oppose, qui appelle la guerre et la vengeance sur sa
nation, est un monstre : celui qui veut venger Dieu et
sa religion, est un sacrilège impie, un blasphémateur
insensé, qui prétend s'ériger en protecteur de Dieu!
Dieu n'aime qu'une chose, c'est l'ordre; l'ordre qui
est sa perfection à lui-même; et l'ordre se trouve toujours dans l'accord de la majorité : la minorité est
toujours coupable, je le répète, eût-elle raison mora-
lement. Il ne faut que le sens commun pour sentir
cette vérité-là. Les prêtres s'imaginent que leur culte
est essentiel; ils se trompent; ce qui est essentiel,
c'est la charité fraternelle. Ils la violent, même en
disant la messe. Tout le mal nous est fait, en ce bas
monde, par les sots, les mauvais raisonneurs, les
esprits faux et aheurtés; car voilà ce qui compose la
tourbe immense des sots... Revenons. Les tueurs entrèrent aux Carmes vers les cinq heures. Les prêtres ne
se doutaient pas du sort qui les attendait; et plusieurs commençaient à converser avec les arrivants,
qu'ils regardaient comme une escorte, qui les allait
accompagner à leur destination. Un d'eux, gagné sans
doute, proposa à l'évêque d'Arles de le sauver. Il ne
daignait pas l'écouter. « Mais, monsieur l'abbé, ce
que je vous dis est sérieux. » Un autre tueur, qui
n'avait pas compris le discours, s'approcha, pour
s'amuser cruellement de sa victime, qu'il prit par les
cheveux, la perruque ou l'oreille : « Allons, ne faites
pas l'enfant, monsieur l'Abbé! » (mot célèbre, dit à
un abbé faussaire, montant à la potence). L'évêque
fut apparemment un peu trop ému, car il répondit :
« Qu'est-ce que tu dis, canaille ? » (Je parle d'après un
témoin oculaire.) Ce mot fut répondu par un coup de

sabre, qui fit tomber l'évêque : on l'acheva. Un autre
prêtre traita aussi les bourreaux de canailles. Il reçut
plus de vingt coups, toujours en répétant : « Canaille!
Canaille! Canaille!... » Deux ou trois échappèrent,
sans doute par la bonne volonté de quelques tueurs...
Non, je le répète, ce ne sont pas ces prêtres, membres inutiles, et souvent dangereux de la société
qu'ils trompent, que je plains davantage : ils
n'étaient pas innocents. D'après les principes, je ne
dis pas révolutionnaires, mais du droit public de toutes les nations, l'on n'a pas droit de s'opposer autrement que par le raisonnement, et avant la décision,
au vœu de la majorité. Mais il y a plus; ces prêtres
étaient coupables, d'après leur propre code religieux : ils ne peuvent, selon l'Évangile, employer les
armes, même pour défendre leur vie ou leurs dog-
mes. Les nôtres ont excité des troubles, encouragé au
meurtre; ce sont des scélérats, que Jésus, assis à la
droite fulminante de son père, punira de ce crime
abominable à ses yeux : les lois ont le droit de sévir :
ils moururent donc justement, aux yeux de Dieu,
d'après leur code et leur croyance, et des hommes,
d'après le droit; ils furent seulement illégalement
punis. Ceci n'excuse pas leurs assassins, qui subverti-
rent, en les massacrant, toutes les lois de la sociabi-
lité...

   Les tueurs étaient à la Conciergerie, à la Force : ils
tuèrent, à ces deux prisons, ainsi qu'au Châtelet,
toute la nuit. C'est à la Conciergerie que périt Montmorin de Fontainebleau, et peut-être Montmorin le
ministre. Dans cette nuit terrible, le peuple faisait le
rôle des grands d'autrefois, qui s'immolaient dans le
silence et sous le voile de la nuit, tant de victimes
innocentes ou coupables! C'est le peuple qui régnait
cette nuit; et qui, par un horrible sacrilège de ces agitateurs, était devenu despote et tyran!

Reposons-nous un moment. D'autres scènes nous attendent le matin du 3 à la Force...

Je me levai, avec l'égarement de l'épouvante. La nuit ne m'avait point rafraîchi; elle m'avait enflammé le sang. Je sors... J'écoute, je suis les groupes qui couraient voir les desastres; car c'était leur mot. En passant devant la Conciergerie, je vis un tueur, qu'on me dit être un matelot de Marseille, ayant le poignet enflé de fatigue... Je passai. Le devant du Châtelet était garni de morts entassés. Je me mis à fuir... Et cependant, je suivis les groupes. J'arrive dans la rue Saint-Antoine, au bout de celle des Ballets, au moment où un malheureux, qui avait vu comme on tuait son prédécesseur, au lieu de s'arrêter étonné, s'était mis à fuir à toutes jambes, en sortant du guichet. Un homme qui n'était pas des tueurs, mais une de ces machines sans réflexion, comme il en est tant, l'arrêta par sa pique. Le misérable fut attrapé par les poursuiveurs, et massacré. Le piquier nous dit froidement : « Moi, je ne savais pas qu'on voulait le tuer. » Ce prélude allait me faire retirer, quand une autre scène me frappa : je vis sortir deux femmes; l'une, que j'ai connue depuis pour l'intéressante Saintbrice, femme de chambre du cidevant Prince royal, et une jeune personne de seize ans : c'était Mlle de Tourzel. On les mena dans l'église Saint-Antoine. Je les suivis : je les considérais, autant que pouvaient me le permettre leurs voiles. La jeune personne pleurait : Mme Saintbrice la consolait. Elles étaient consignées là. Je sortis au bout d'un moment, je ne pus rentrer... Je retournai au fond de la rue des Ballets. Je vis alors deux autres femmes monter en voiture, et l'on dit tout bas au cocher : « A Sainte-Pélagie. » Je ne sais si je me trompe, mais je crois que c'était le municipal Tallien, qui donna l'ordre.

Il y eut une suspension de meurtre : il se passait quelque chose dans l'intérieur... Je me flattais que tout était fini. Enfin, je vis paraître une femme pâle comme son linge, soutenue par un guichetier. On lui dit d'une voix rude : « Crie Vive la Nation! — Non! Non! », dit-elle. On la fit monter sur un monceau de cadavres. Un des tueurs saisit le guichetier, et l'éloigna. « Ha! s'écria l'infortunée, ne lui faites pas de mal! » On lui répéta de crier Vive la Nation! Elle refusa dédaigneusement. Alors un tueur la saisit, arracha sa robe, et lui ouvrit le ventre. Elle tomba, et fut achevée par les autres... Jamais pareille horreur ne s'était offerte à mon imagination. Je voulus fuir : mes jambes faiblirent. Je m'évanouis... Quand je revins à moi, je vis la tête sanglante... On m'a dit qu'on fut la laver, la friser, la mettre au bout d'une pique, et la porter sous les croisées du Temple. Cruauté inutile! elle ne pouvait en être aperçue... Cette infortunée était Mme de Lamballe[1]... J'eus, en m'en retournant, la satisfaction de voir qu'on menait chez ses parents Mme de Saintbrice avec Mlle de Tourzel. Elles tremblaient : le sort de d'Angremont, de Laporte et de Durozoi avait effrayé tout ce qui avait rapport avec la Cour.

On continuait de massacrer. J'appris, en revenant, d'un inconnu assez honnête qui me l'attesta, que tous les filous de Paris s'étaient mêlés avec les tueurs, pour faire échapper leurs camarades emprisonnés : ils occupaient l'intérieur et l'extérieur; de sorte qu'ils étaient maîtres de la vie et de la mort. Quelquefois, quand les filous s'étaient trouvés plusieurs de suite, et que les tueurs s'ennuyaient de ne rien faire, ces scélérats, à l'insu des juges, sacrifiaient un innocent; et c'est ainsi que plusieurs patriotes ont été massacrés... Je rentrai chez moi abîmé de douleur et de lassitude; sans doute parce

que depuis longtemps je n'avais pas goûté de véritable repos.

Ai-je oublié quelque chose de cette nuit fatale, et de
la journée qui la suivit ? Je l'ignore! Il m'est trop
pénible de reporter ma mémoire sur ces faits atroces,
ordonnés cependant par quelqu'un; ordonnés de
sang-froid, à l'insu du maire Petion, du ministre
Roland! Qui donc les ordonna ?... Ha! les lâches se
sont cachés! Ils n'osent se montrer... Mais on les voit
derrière le voile qui les cache... S'ils croient avoir
bien fait, comme leurs émissaires l'insinuent, qu'ils
se montrent donc, et déduisent leurs raisons. On
plaindra leur erreur, et peut-être les éclairera-t-on!...

Quel est donc le véritable motif de cette
boucherie ? Plusieurs personnes pensent que c'était
effectivement, pour que les volontaires, en partant
pour les frontières, ne laissassent pas leurs femmes
et leurs enfants à la merci des brigands, que les tribunaux pouvaient renvoyer absous; que des malveillants pouvaient faire évader, etc. J'ai voulu savoir la
vérité, et je l'ai enfin trouvée. On ne voulait qu'une
chose, se débarrasser des prêtres réfractaires : quelques-uns même voulaient se défaire de tous. Or on
sentit, qu'il y avait encore du fanatisme, et qu'un acte
pareil, dirigé contre les prêtres, nommément, et contre eux seuls, révolterait certaines gens. La déportation, loin de remplir le but, ne faisait que mettre les
prêtres dans le cas d'une émigration, plus dangereuse
peut-être que leur séjour. Qu'en fallait-il faire ? Les
anéantir. Si on l'avait pu autrement qu'en les tuant,
on ne les aurait pas tués. On les tua donc; et pour
étourdir sur cette exécution illégale, on arrangea l'affaire des prisons... Que dire, de cet événement
affreux ? Qu'il est affreux. Mais ce qui nous fait frémir d'horreur, aujourd'hui, 11 mai 1793, c'est que
nous voyons que ce massacre... horrible... était

nécessaire[1], et qu'il ne fut pas assez général, assez complet... Un commissaire du pouvoir exécutif disait hier : « Je voyais, à Nantes, les femmes porter de l'argent pour des assignats, et pour rien, aux prêtres destinés à la déportation : je les voyais se mettre à genoux devant eux, et recevoir leur bénédiction. Et je disais à la Garde nationale : « Pourquoi souffrez-vous « cela ? — Ho! ho! que voulez-vous ? c'est assez de la « loi. — Vous en gémirez! » et ils en gémissent. Il fallait, morbleu! continue le même homme, les mettre dans le vaisseau d'Agrippine, et les abandonner en pleine mer... » Ce mot manqua de me causer la mort. Sans sa fermeté, et ma science dans les armes, j'étais *flambé*! Ha! voilà le mot fatal pour les Nantais : *Et ils en gémissent!* La conduite de ces gens-là est telle aujourd'hui, qu'ils ne laissent dans les cœurs des patriotes, que la rage et le regret de ne pas avoir exercé une plus grande barbarie... Les misérables!...

TREIZIÈME NUIT

Du 3 au 4 septembre

La Salpêtrière

Je m'étais renfermé, le reste du 3, croyant le massacre cessé, faute de victimes. Mais le soir, j'appris que je m'étais trompé; il n'avait été suspendu que quelques instants. Je ne pouvais en croire les récits qu'on faisait, que quatre-vingts prisonniers de la Force s'étaient retirés dans un souterrain, d'où ils faisaient

feu sur les assaillants, et qu'on allait les étouffer,
avec de la fumée de paille mouillée, mise à l'ouverture. J'y allai. On tuait encore, mais on sauvait
davantage; et je crus m'apercevoir de la vérité de ce
qu'on m'avait dit: que les filous sauvaient tous leurs
camarades. Mais il y avait aussi une autre manière
d'agir : tous les faiseurs de faux assignats faisaient
massacrer les leurs, en feignant de les vouloir sauver... On avait cessé de tuer à l'Abbaye, à la Conciergerie, au Châtelet, où il n'y avait plus personne.

Le soir, on se porta sur Bicêtre. Là, on fit sortir les
Cabanistes; mais on les jugea moins exactement
qu'aux prisons ordinaires. A peine furent-ils exami-
nés : par deux raisons : l'économe, tué d'abord, ne
put faire donner les registres; ensuite, on savait en
général, que c'étaient d'exécrables sujets, que la
Révolution n'avait pu faire sortir : ils furent fusillés
dans la cour. Ceux de la Force, qui est au rez-de-
chaussée, dans la cour des cabanons, avaient tenté de
se défendre, en s'armant; mais ils furent anéantis.
Voilà ce qui arriva dans cette maison de Force, mal à
propos amalgamée avec un hôpital.

Mais il restait à faire une opération qui flattait
davantage les scélérats et les brigands : j'appris
qu'on la réservait pour le 4, au retour de Bicêtre.
Tous les souteneurs de Paris et les anciens espions se
préparaient à cette opération.

Il existait là une malheureuse, la femme de
Desrues, qui, après une longue prison, où elle s'était
divertie, et avait fait un enfant, de la Dixmerie
(dit-on), avait enfin été fouettée, marquée sur ses
blanches épaules, comme depuis la Lamothe, et mise
à la Force de la Salpêtrière, pour le reste de ses
jours. Ce fut cette femme (dit-on), qui fut le principal
motif d'une expédition contre les femmes d'un hôpital... On disait qu'elle était intrigante, méchante,

capable de tout; qu'elle avait maintes fois témoigné combien elle aurait de joie à voir Paris nager dans le sang, et à y mettre le feu... Ce qui m'étonne encore, c'est que tout le monde savait ce projet, et que personne ne l'ait prévenu : au contraire, le lendemain à sept heures, les brigands furent accompagnés de deux écharpés, pour empêcher le désordre, disait-on. On arrive : un homme du peuple criait à tue-tête, au milieu des cours : « La supérieure! la supérieure! c'est par elle qu'il faut commencer! » Cela n'entrait pas dans le plan : la supérieure et les sœurs, qui s'étaient présentées, témoignèrent les craintes que leur causait cet homme. « Attendez, attendez, dit un Marseillais (et ceci est à la lettre; je parle d'après un témoin oculaire), je vais vous en débarrasser. » Et il lui fendit le crâne d'un coup de sabre, puis le rangea contre un mur... On se fit ouvrir la porte de la Force des femmes : toutes tressaillirent de joie (comme on avait d'abord fait aux prisons), croyant qu'on venait pour les délivrer. Ici on suivit le registre. On les appelait par rang d'ancienneté. On lisait la cause de la détention, on les faisait sortir de leur cour, et elles étaient tuées dans une autre. La Desrues fut la quatre ou cinquième, et celle qui annonça leur sort à toutes les autres, par ses cris horribles, parce que les brigands s'amusèrent à lui faire des indignités. Son corps n'en fut pas exempt après sa mort. Était-ce l'horreur du crime de son mari? Non! non! de pareilles gens n'ont pas horreur du crime : mais ils avaient ouï dire qu'elle avait été belle... Ha! si la fameuse Lamothe s'était encore trouvée là, comme elle aurait été traitée!... Quarante femmes furent tuées.

Mais pendant que cette scène sanglante se passait dans une partie de la Force, toutes les autres étaient parcourues par les libertins, les sacripants de la France et de toute l'Europe. D'abord les souteneurs

mirent en liberté leurs catins : il fallait voir cette
scène! Elle n'était pas sanglante; mais jamais il n'y
en eut d'aussi obscène : toutes ces malheureuses
offraient à leurs libérateurs, et au premier venu, ce
qu'elles nommaient leur *pucelage*... Mais détournons
nos regards de ce tableau, et jetons-les sur un autre,
qui ne sera pas plus décent, pas plus rassurant, pas
plus moral, mais qui du moins n'offrira pas la dégoûtante image d'une double corruption.

Les souteneurs et les hommes grossiers de la populace, n'étaient entrés qu'à la Force des filles. Mais
d'autres libertins, plus délicats, quoique peut-être
encore plus corrompus, avaient pénétré dans l'asile
des filles de la maison, c'est-à-dire, de celles qu'on y a
élevées. Ces infortunées mènent là une triste vie!
Toujours à l'école, toujours sous la verge d'une maîtresse, condamnées à un célibat éternel, à une mauvaise et dégoûtante nourriture, elles n'attendent d'autre bonheur, que celui d'être demandée par
quelqu'un, pour être servante ou apprentie de quelque profession dure. Et alors même, quelle vie! A la
moindre plainte d'un maître ou d'une maîtresse
injuste, on les reprend, pour les punir à la maison...
Il est aisé de sentir, combien ces êtres sont flétris et
malheureux!... C'est donc auprès de ces êtres dégra-
dés, qui jetés par hasard dans la société, y sont toujours vils, qu'est entré tout ce que l'Europe a de plus
immoral et de plus scélérat... Les libertins parcouru-
rent tous les dortoirs, au moment où les jeunes filles
venaient de se lever. Ils choisissent celles qui leur
plaisent, les renversent sur leurs couchettes, en présence de leurs compagnes, et en jouissent. Aucune de
ces filles ne fut violée; car aucune ne résista. Avilies
comme des négresses, elles obéissaient au signe de se
renverser... Celles qui plurent solidement, furent
emmenées par les libertins.

Quelques jeunes gens honnêtes et seulement curieux, en préservèrent, en les emmenant : mais celles-ci étaient les plus jolies... Comme il y a, parmi ces filles, beaucoup d'enfants de pauvres gens mariés, il se trouve souvent qu'elles ont des frères et des sœurs, dans la ville, ou à la campagne. Un garçon brasseur du faubourg Saint-Marcel, errait dans les dortoirs, en cherchant. Enfin, il aperçoit une jeune fille, qu'un gros Allemand renversait. Cette fille faisait quelque résistance. L'Allemand la menaça de la souffleter. En ce moment, le garçon brasseur s'élance sur lui, et le frappe d'un court bâton. Toute la cohue des opéreurs était contre le garçon. « Hé mon dieu! c'est ma sœur! voulez-vous que je la laisse baiser devant moi? » Alors tout le monde fut pour lui, et il l'emmena.

Une autre scène se passa en présence de mon témoin, qui même y fit un rôle. Une des plus jolies filles se trouvait poursuivie par un garçon boucher, qui l'attrapa, comme elle traversait une couchette. Il la saisit par où il put; elle fit un cri. Le boucher, sans s'en embarrasser, allait l'exploiter, lorsqu'elle se retourna. « Ha! mon frère! », s'écria-t-elle. Le boucher s'arrête. Il se rhabille, et emmène sa sœur.

Mon témoin assure que quelques autres faubouraines furent moins heureuses; elles ne reconnurent leurs plus proches parents qu'après.

Mais une, une seule a été très heureuse! C'était une jeune blonde, peut-être la seule parfaitement jolie des filles de l'hôpital. Elle sentait aussi mieux son prix que les autres. A la vue des violeurs, elle se couvrit le visage d'un emplâtre, et barbouilla tout ce qui restait à découvert. Elle observa ensuite tous ceux qui entraient. Elle distingua parmi les autres, un homme de quarante ans, très frais, qui cherchait des yeux, et paraissait sourire aux moins laides. Jacinte

Gando (c'est le nom de la jeune fille), se hâta de se débarbouiller, se cacha le visage de son mouchoir, et courut se jeter à lui, en lui disant : « Mon papa! sauvez-moi! » Elle lui montra en même temps sa charmante figure. L'homme la couvrit de son manteau et l'emmena, en disant : « C'est ma fille!... » Arrivée chez lui, Jacinte se jeta à son cou : « Faites de moi ce que vous voudrez; mais seulement ne me remettez jamais à l'hôpital. » L'homme s'informa, s'il ne lui était rien arrivé et s'en fit assurer. Il la traita ensuite fort lestement, car il la fit coucher avec lui, dès le soir même, au su de ses domestiques. Mais il ne s'y attacha pas moins. Il lui trouva un excellent cœur, et autant de qualités que de charmes. Lorsqu'il l'eut habillée en demoiselle, ce fut une des plus jolies personnes de Paris... Qu'est-il arrivé? C'est que l'ayant rendue mère d'un fils, né au commencement de mai, il vient de l'épouser...

Cette image console un peu, encore que la conduite de l'homme ne soit pas absolument pure... La scène des filles de la maison abrégea le sac de la Salpêtrière. Quittons ce malheureux septembre, qui sera si fameux un jour dans notre histoire.

QUATORZIÈME NUIT

5 au 6 octobre

Louis a la Tour

Cependant, la Convention nationale[1] marchait. On y voyait Marat à côté de Petion, Collot à côté de

Mercier;... assemblage expressément défendu par Moïse, dans le livre des Nombres. Il est vrai que nous ne sommes peut-être pas juifs...

On s'était aperçu, que des maisons voisines, des femmes en chapeau, et des hommes ayant l'air et le costume de l'Ancien Régime, faisaient des signaux aux prisonniers du Temple; qu'on recevait des lettres dans les paquets de la blanchisseuse, etc. Pour éviter ces inconvénients, la commune du 9 au 10 août décida qu'ils seraient resserrés. On prépara la Tour, et Louis y fut transféré, ainsi que sa famille. Ce redoublement de précautions lui annonçait son sort... Louis cependant s'occupait à la lecture : il devint le maître de son fils. Sa vie domestique était réglée; elle aurait été heureuse, sans une perspective cruelle. Jamais il n'avait été mari et père, comme il l'était... Et qu'on ne croie pas, aristocrates ou patriotes, que je veuille exciter ici sur son sort une stérile pitié! Ha! je connais trop la vanité de la pitié des hommes! et leur opinion, depuis des années, ne me touche plus!... Je dis ce qui est. Je ne plains pas Louis. J'ai trop peu connu les rois, et j'ai même écrit à quelqu'un : « *Que les rois s'apitoient sur le sort des rois; ce n'est pas là mon prochain : mais je donne des larmes à un ami malheureux.* » Louis entra dans la tour, sans paraître ému. Il y était d'ailleurs bien logé. Il continua de voir sa femme et ses enfants. On a vu le catalogue de ses livres. Il aurait pu mieux choisir pour quelques-uns; mais son goût était dirigé. J'allai voir, pour la première fois, ce palais du Temple devenu prison. Je l'examinai : une foule de réflexions se présentèrent. Il y a dix ans, qu'elles auraient été profondes! J'aurais considéré l'instabilité des choses humaines!... La nuit du 5 au 6 octobre 1792, elles se fondirent dans une seule, la vanité de la vie des êtres raisonnables ou brutes : un, deux, trois, dix, quinze,

vingt, trente, quarante, cinquante, soixante ans
d'existence, par hasard, quatre-vingt-sept et cent de
végétation surajoutée, pendant lesquelles l'être
s'agite, comme s'il était éternel... Voilà ce que j'ai
considéré. L'heureux vit plus délicieusement; mais
son uniformité le fatigue; le malheureux souffre,
mais il est agité par les craintes, les espérances; il vit
davantage : voilà quelles furent toutes mes réflexions
fondues en une. Je me persuadai, que la somme des
biens et des maux est toujours égale, dans toutes les
positions. Et après avoir compté sur une secousse
violente, je m'en revins, un peu plus insensible que je
n'avais jamais été... La mort m'occupait en revenant.
Je me transportais après la mort... Et j'y voyais le
néant de la vie, à moins qu'elle n'eût été fortement
agitée; agitée de manière à créer dans l'imagination
des autres hommes, une existence morale, pour l'être
malheureux. Je ne plaignis plus Louis, qu'autant qu'il
vivrait, et qu'il sentirait son malheur! Ha!
l'infortuné! quelle existence lui restait-il? Il n'avait
pas pris les moyens de vivre paisible avec la révolution, peut-être ne l'avait-il pu : mais quelle existence
aurait-il eue avec la contre-révolution, sous la verge
de ses vainqueurs? Abreuvé d'opprobre et de mépris,
il aurait végété quelque temps.

Suite de Julie et Scaturin

Je marchais, enseveli dans ces idées : Je me trouvai à
ma porte. J'entre. On me remet une lettre*. Elle est

---

* Voyez, pour connaître ces personnages, *La Femme infidèle*,
ouvrage plus estimable qu'on ne l'a cru : l'ami dont je parle y est
désigné sous le nom de l'Élisée; un autre sous celui de Milpourmil,
etc. Cet ouvrage était bien naturel!

d'un ancien ami, qui a cessé de l'être. Je l'ouvre, et je lis, entre autres choses, que Scaturin est à Lyon; que j'ai des torts avec cet homme, et avec Nairefon, complice de ses trahisons envers moi**. Je frémis. Mon ancien ami ajoutait, *que Scaturin allait trouver une récompense à son rare mérite, dans un excellent parti, qu'il allait épouser à Lyon...* Ici, je m'arrête. Je sors; je cours à la rue Mazarine; j'entre chez Julie, alors un peu rétablie, et je demande sa mère. Je la prends en particulier. Je lui lis la lettre. Elle veut voir la date. Elle est du 28 septembre. Elle pâlit. « Nous en avons une de M. Scaturin, qui nous annonçait son retour pour la Sainte-Catherine... Cette lettre a ressuscité ma fille. — Celle-ci la tuerait; ne lui en parlez pas! qu'elle n'en reçoive plus de ce scélérat. Je viens vous avertir, pour que vous preniez vos précautions. Le terme n'est pas éloigné... Une amante est moins sensible à la mort, qu'à l'infidélité (dit-on) : nous ferons en sorte de lui faire croire la mort du traître, et peut-être la sauverez-vous... » La bonne femme me remercia. Je sortis.

En revenant par la rue Guénégaud, j'aperçus un homme caché sous un vaste chapeau rond. Mais je crus reconnaître sa taille. Il m'aborda, et me dit, en soulevant son chapeau : « Vous me voyez! vous savez tous les bruits qui ont couru sur mon compte? Hé bien, je suis blanc comme la neige. — Tant mieux!

** Cette lettre, et la réponse que j'y ai faite, se trouvent dans la Cinquième Partie du *Drame de la vie*. J'avais imprimé les lettres de mon ancien ami, par amitié, à la fin des XXVII à XXX volumes des *Contemporaines* : j'ai mis la suite à la fin de la Cinquième Partie du *Drame de la vie*, sans les relire. Mais quel a été mon étonnement, en voyant que les dernières lettres le compromettaient! J'ai gardé l'ouvrage près d'un an tout imprimé, sans le faire paraître : mais enfin, je viens d'y être contraint par l'impérieuse nécessité, après son refus d'anéantir l'édition.

lui dis-je. Mais cependant, je vous trouve imprudent de vous montrer. — C'est moi qui vous fis avertir par ma domestique, un jour que vous passiez dans la rue Saint-Jacques. — Ha! parbleu! vous m'avez diablement intrigué!... Je supposais que c'était le vieux Dexpilli, qui voulait me parler; et comme je n'ai jamais aimé les banqueroutiers et les m...aux, je refusai net. — C'était moi... Voulez-vous venir chez moi ? — Non; et je ne veux pas savoir votre demeure. » Je l'empêchai de me la dire. Il me pressa de lui permettre de m'envoyer prendre par sa cuisinière. Je m'y refusai absolument : « Pour vous, comme pour moi, lui dis-je : je suis si reconnaissable, que me voyant aller chez vous, on pourrait me suivre, et vous découvrir. Adieu. » Et je le quittai. Je l'ai rencontré deux fois depuis, rue Saint-Honoré. Cet homme, c'était le trop fameux abbé Roi. Je ne sais ce qu'il est devenu. Je n'ai pas entendu parler de lui, depuis le 3 septembre.

Je termine là cette nuit, qui paraît moins intéressante par les faits : mais elle mène à d'autres événements.

QUINZIÈME NUIT

25 novembre 1792

ÉVÉNEMENTS DE LA GUERRE

Nous n'avons ici à raconter que des prodiges; et l'histoire de la fin de la campagne de 1792, peut être nommée la Féerie de la France... Longwy et Verdun venaient d'être pris : Thionville arrêta les efforts des

ennemis. C'est à Thionville que commencent les miracles des Français : et ce qui met le comble à leur
gloire, c'est que ces miracles n'ont cessé que par la
plus lâche, la plus subite, et la plus incompréhensible
des trahisons; celle de Dumouriez.

Wimpfen arrêta les Prussiens à Thionville, au
moment où ils allaient entrer dans un pays abondant,
qui les eût rétablis. D'un autre côté, Dumouriez, Kellermann, Dillon, Valence, La Bourdonnais, campés
avantageusement, contenaient Brunswick et Cassel.
Était-il déjà traître, ce Dumouriez? On le dit : car il
pouvait peut-être faire prisonniers et Frédéric-
Guillaume, et Brunswick. Dillon, d'un autre côté,
écrivait à Cassel de se retirer, et paraissait la lui donner belle. On disait alors à Paris, qu'on ménageait le
Prussien, pour s'en faire un allié. Mais peut-être
étaient-ce les agents de Dumouriez qui donnaient le
branle à l'opinion. Quoi qu'il en soit, Frédéric-
Guillaume et Brunswick évacuèrent successivement
Verdun et Longwy, et tout le territoire de la République. Ils furent poursuivis mollement. Mais le brave
Custines s'élance, prend Spire, Worms, Mayence,
Francfort, et eût pris Coblentz, Cologne, et toute l'Al-
lemagne, si le douteux Kellermann l'avait secondé.
Paris était dans l'ivresse...

D'un autre côté, Dumouriez... Ha! était-il traître
alors! vient promettre à la Convention d'hiverner à
Bruxelles. Il part. Mons est pris par la victoire de
Jemmapes; on entre dans Tournai, dont le Grand
Aigle vient d'être fondu à Paris. Bruges, Bruxelles,
Malines, Gand, Anvers, Namur, Liège, ce pays déjà
français, Aix-la-Chapelle, le séjour de Charlemagne;
tout cela se réunit à ses anciens co-États, comme par
enchantement.

Un petit revers : Francfort est repris... Mais
Dumouriez... Ha! était-il donc traître déjà!... s'élance

dans la Hollande. Breda, Gertruydemberg sont pris, Maëstricht est assiégé... On le dit pris à Paris... Amsterdam va ouvrir ses portes...

Mais n'oublions pas la Savoie jointe à la République; le comté de Nice à la Provence : la Sardaigne attaquée... Tous ces succès ne prennent pas six mois... Arrêtons-nous : un nuage épais, en ce moment, se forme sur notre gloire[1].

MORT DE JULIE

JE sortis sur les cinq heures, pour faire le tour de mon île. J'en fis le tour, en commençant par la partie orientale. J'étais profondément occupé des événements de la guerre; Verdun repris; les ennemis chassés du territoire de la République... Je songeais qu'elle avait été déclarée par la Convention, le 21 septembre au soir. Collot fit négligemment, au moment où l'on mettait fin à la séance, la motion de l'abolissement de la Royauté; et la Convention la décréta, en s'en allant. Que de réflexions, cependant, à faire, pour tout autre que moi, sur cet important changement!... Mais, pour moi, qui suis convaincu que les hommes ne peuvent faire aucun bien, sans des inconvénients; aucun mal, sans des compensations avantageuses, je trouvai que du moins on avait évité la perte du temps... C'est une terrible philosophie que cela! et cependant c'est la seule vraie : les hommes ne peuvent créer ni mal, ni bien, et la sage nature l'a voulu, pour que ces pygmées doués de raison, ne se crussent pas des dieux. Tout être raisonnable est comme un cheval puissant attaché au piquet; il ne peut aller qu'à la longueur de son lien; encore s'il ne l'accourcit pas, en tournant la corde autour du pieu. Pauvres humains! sentez une bonne fois votre nullité!...

Ce fut en faisant ces réflexions, que je fis presque le demi-tour de mon île, et que je revins à la date du 25 novembre-7. Je la lus, et la baisai; car j'aime les commémorations. J'allais m'occuper d'autres idées excitées par la jeune personne, dont la date me rappelait le souvenir, lorsque j'aperçus à l'entrée de la rue des Deux-Ponts, un fiacre arrêté, d'où j'entendis sortir une voix de femme, qui criait : « Monsieur Scaturin! Monsieur Scaturin! » Je ne reconnus pas sa voix; mais le nom du plus infâme de tous les hommes venait de me frapper douloureusement. Je m'élançai vers la voiture; je vis Scaturin sur le marchepied, qui parlait à une jeune et jolie personne, qui n'étais pas Julie... Je ne saurais dire tout ce qui me passa par la tête!... Que l'homme est souvent près du crime!... La réflexion, la raison, ma philosophie tolérante me retinrent; je me dis même : « Pourquoi le dévouerais-je aux remords, et m'y condamnerais-je à sa place, en le punissant!... » Scaturin entra dans la voiture. Placé, Scaturin m'aperçut, et voulut me faire voir à la jeune dame. Je compris qu'elle lui témoignait le désir de me voir, car il lui répondit : « Si vous voulez, j'irai le prendre. » « Monstre! m'écriai-je en fuyant, ne t'en avise pas! » Je ne sais ce qu'ils devinrent. Je n'achevai pas le tour de mon île, profanée par cette rencontre, et je m'en revins par les rues de la Femme-sans-Tête et Guillaume.

Rappelé à Julie par cette vision, j'allai rue Mazarine pour voir sa mère. Je m'avançais hâtivement, après avoir salué la maison jadis embellie par la jolie Victoire Letort, lorsque j'aperçus une grande lumière... J'arrive. Des cierges! une bière recouverte d'un poêle blanc. Je m'arrête, et m'approchant de l'aimable Châtelet cadette, alors mariée à un médecin, et qui rentrait chez elle, je lui demandai : « Quel était ce convoi ? — C'est celui de la jeune et malheureuse Julie, que vous connaissez... Elle est morte d'hier, subitement, après avoir lu une lettre, remise par un commissionnaire, à l'insu de sa mère. » La narratrice rentra l'œil humide. « O le monstre! m'écriai-je, il l'a tuée! Le scélérat! Veuille le ciel le punir!... » Je rougis ensuite de cet élan déraisonnable! Car si, par impossible, le ciel exauçait tous les vœux insensés des mortels, la Terre serait dépeuplée!... J'allai devant la porte, et je m'agenouillai. J'aspergeai d'eau les restes de Julie; puis élevant la voix, je dis : « O belle et trop tendre Julie! si tu avais placé ton bon cœur dans un autre, que le plus vil et le plus lâche des hommes, tu vivrais heureuse, et tu embellirais encore la terre! O Julie! moissonnée comme les roses, du moins tu n'as senti que l'aurore des peines de la vie; et tu n'es pas réduite à pleurer la mort inopinée et douloureuse d'une fille unique et charmante, comme l'est à présent ta malheureuse mère! » Je m'éloignais, en achevant ces mots. Mais la mère m'avait entendu. Elle vint me prendre par le bras, sans parler, et m'attira dans la maison. Là, sans dire mot, elle me remit la lettre... qui avait tué sa fille... Je la lus. « *Voilà, mademoiselle, plusieurs lettres que je vous ai écrites, tant de Lyon, d'où j'arrive, que de Paris, depuis trois jours. Vous recevrez sûrement celle-ci. Je me suis marié, il est vrai : mais il le fallait, pour mes affaires délabrées. Je n'en suis que plus en état de vous aimer et de vous rendre heureuse. Ne vous inquiétez de rien. Je saurai aplanir toutes les difficultés. Ma femme est fort laide, quoique jeune, et je ne l'aime pas. Songez que je n'ai pu faire autrement. Un mot d'entretien, et je vous jure que vous serez contente.* »

NIRUTACS.

La mère ne me parla pas. Mais elle me donna un papier.

« *Ma chère mère! je me meurs! Scaturin que j'ai pleuré, n'est pas mort! Il est marié! il m'écrit... Mais je me trompe! C'est... une illusion... Il m'écrit de l'autre monde... et je vais le rejoin...* »

Ce mot n'était pas fini : on voyait encore quelques mots illisibles sur le papier...

La mère, après un sanglot profond, me dit : « Elle est morte avant de l'achever... » Ensuite, perdant elle-même la tête, elle entra en fureur : « Que je le déchire! Que je le déchire!... » Son mari vint, et tâcha de la calmer... Le prêtre et les porteurs arrivèrent, et ce que la Nature avait formé de plus aimable, alla... pourrir au milieu des débris des plus vils mortels!... Je m'en retournai l'âme affaissée, et si endolorie, que jamais je n'ai souffert davantage... Ha! je n'ai pas dit ici toutes mes relations, avec... On les verra dans un autre ouvrage, si la mort, donnée par les ennemis de Paris, ne m'empêche pas de le faire!... Les temps d'alors étaient calamiteux; mais pas tant que ceux-ci : car j'écris le 2 avril, après les funestes nouvelles d'hier lundi de Pâques.

SEIZIÈME NUIT

25 au 26 décembre 1792

Je sortis le 25 au soir, en me rappelant qu'à pareil jour, en 1768, j'avais composé dix-huit pages à la case, de ma *fille naturelle*. Les jours d'un grand tra-

vail furent toujours pour moi d'heureuse mémoire :
car les effets restent. J'allai encore me ramentevoir
sur mon île, malgré les insultes auxquelles je m'exposais, d'une pareille journée en 1763, passée avec
Batilde, à laquelle [je] remontrais à lire et à écrire,
avant son mariage. Je marchais ainsi doucement, pro-
tégé par le froid et l'obscurité, qui avaient chassé mes
ridicules ennemis de mon cher laboratoire, lorsque,
arrivé sous le balcon de l'ancien hôtel Lambert, j'entendis deux hommes qui parlaient haut : « C'est
demain qu'il va à la barre. — Mais ira-t-il ? — Oui; ou
bien on l'y mènera. » Ce court dialogue (car les deux
hommes rentrèrent), changea toute la féerie de mes
idées. Je m'oubliai moi-même, pour ne plus songer
qu'aux affaires publiques. Je fis le tour de l'île. Cependant, ému par mille idées funestes, j'écrivis sur le
parapet, au même endroit rebâti, où je l'avais écrit en
1784 : *Dii boni! servate in annum*!...* Je sortis aussitôt
de l'île, et j'allai pour gagner le Temple, en prenant les
rues des Nonains-d'Hyères et de Jouy. Je passai devant
la porte de Beaumarchais; à chaque objet, ayant des
ressouvenirs; rue Michel-le-Comte, devant celle de
Marchand, mon ancien censeur : je revins par les rues
des Vertus et celle Philippeaux au Temple.

Les gardes étaient doublées. Un profond silence
régnait dans tout ce canton. Je n'étais venu là que
pour me pénétrer d'idées : en vieillissant, l'imagination se dessèche : je regardai cette demeure... Mais je
passai rapidement. Je pris par la rue de la Perle.
C'est là, qu'à l'angle formé par cette rue avec celle du
Chantier, je rencontrai une femme noble, une fille
grande et jolie, et un petit jeune homme, ci-devant à
l'École militaire. La mère, assise sur un banc de

---

* Je ne suis point polythéiste : le pluriel est indifférent.

pierre, venait de se trouver mal. « Paix, maman! lui
disait la grande demoiselle, paix! Voici quelqu'un. »
Je m'approchai. « Puis-je vous être utile, mesdames?
leur dis-je. — Hélas! oui », me dit la demoiselle, que
je reconnus pour l'avoir vue quelquefois; mais elle ne
me remit pas, n'étant pas de mes connaissances
directes. « Voulez-vous, monsieur, donner le bras à
maman d'un côté; je la soutiendrai de l'autre? » Je
donnai le bras. Le jeune homme me dit : « Citoyen,
nous vous aurons beaucoup d'obligation! »

« Citoyen! Citoyen! murmura la mère; pourquoi ne
pas appeler monsieur, monsieur? — Maman, c'est
l'usage », reprit la demoiselle. Nous marchions lente-
ment. Vis-à-vis le palais Cardinal, ci-devant Soubise,
la dame me dit : « Monsieur, croyez-vous que demain
le roi aille à la barre? — Oui, madame. — Pourquoi
le croyez-vous? — Je l'espère de sa raison. — Ha!
vous n'êtes pas son ennemi!... Soutenez-moi, je vous
en prie! — Moi, son ennemi! Hé! pourquoi le
serais-je? Ha! il est assez malheureux, d'être placé
dans les circonstances où il est! Quel homme, à sa
place, pourrait s'en tirer? Il est, d'un côté, entre le
couteau de la loi, qu'il a lui-même jurée; de l'autre,
entre le fer meurtrier des assassins!... Personne n'est
pour lui, ni les siens, ni les étrangers!... Exemple terrible donné aux humains! Jamais on n'a réussi, en
voulant contenter tout le monde! — Oui! oui! il
devait faire sabrer les États Généraux! — Paix, paix,
maman! dit la demoiselle... Citoyen, depuis quelque
temps sa tête se perd; excusez-la! — On dit que ma
tête se perd, parce que depuis que le chef de la
noblesse est là, je viens tous les soirs prier, et me
trouver mal devant sa prison! — Madame! lui dis-je,
calmez-vous! Personne, comme moi, ne compatit aux
faiblesses humaines! Je les plains et tâche de les consoler... Ha! malheureux moi-même, non pas comme

vous, madame, mais par d'autres causes, je tolère
tout! Vous êtes noble; je connais vos sentiments :
mais vous êtes chrétienne, puisque vous venez prier.
Connaissez-vous bien la religion chrétienne? — Je la
connais comme on me l'a apprise. — L'avez-vous
apprise dans l'Évangile? car toutes les autres sources
sont impures. — J'ai lu quelques épîtres et évangiles
dans mes heures. — Cela ne suffit pas : il faut
prendre le Nouveau Testament, le lire de suite, en
entier; et vous y verrez que le Christianisme est une
religion de douceur, de fraternité, d'humilité, de
désintéressement; vous y verrez que du temps des
premiers chrétiens, il ne fallait pas être noble, ou
qu'il fallait abjurer la noblesse, pour devenir l'égal de
ses frères; qu'il fallait être humble, pauvre, le dernier, le serviteur de tous, non par une vaine formule,
comme les papes successeurs de Pierre, mais en réalité. Lisez l'Évangile : si vous y croyez, comme je n'en
doute pas, vous verrez que c'est le livre le plus républicain, le plus démocrate qui existe : vous y verrez
que les prêtres, pour lesquels l'infortuné Louis perd
sa couronne, et perdra peut-être la vie, sont des four-
bes, des apostats, des scélérats ou des ignorants. » Ici
la dame me quitta le bras. « Retire-toi, Satan, me dit-
elle, et ne me tente pas!... » En même temps, elle se
mit à courir très légèrement. La demoiselle, en me
quittant, me dit : « Citoyen, vous savez ce que je
vous ai dit : elle perd la tête, et nous en sommes au
désespoir. » Elle s'éloigna : mais je les suivis d'un
peu loin pour les préserver, en cas d'attaque. Elles
rentrèrent, et je me retirai par où j'étais venu, par
l'île Saint-Louis. Je fis le demi-tour occidental. Minuit
sonnait à la Métropole. J'allai me coucher. A six heures le lendemain, j'étais debout. J'allai me poster sur
le passage. « Faut-il, pensais-je, que d'impérieuses circonstances me fassent quitter mon travail, nécessaire

à ma subsistance?... Mais je travaillerai encore ici. »
J'attendis pendant quatre heures. Par un hasard heureux, je me trouvai à côté d'un secrétaire de M. de Liancourt, l'ex-constituant. Il avait logé dans la maison du père de Julie. Il connaissait l'homme riche, qui avait emmené une jeune fille de l'hôpital général. Il me raconta ce que j'ignorais. La mère de Julie était morte de douleur; l'aîné de ses frères avait tué Scaturin en duel; et l'on était parvenu à faire abhorrer à la jeune veuve la mémoire de son exécrable mari. Je fus bien aise que l'éternelle justice fût satisfaite. Il me parla ensuite de l'homme de la Salpêtrière, et il me fit pressentir qu'il le croyait disposé à rendre son union avec Jacinte Gando légitime.

Nous vîmes passer Louis. Nous allâmes à la Convention, où le secrétaire me fit entrer. Je vis interroger Louis. Je l'entendis répondre, et je convins, en moi-même, qu'il avait plus de sang-froid que je n'en aurais eu. Tout le monde a entre les mains les demandes qu'on lui fit, et les réponses; je n'en grossirai pas ce volume.

Il ne m'arriva rien de remarquable le reste de la journée, si ce n'est que je pris à ma section la défense d'un bon citoyen, lâchement attaqué par des calomniateurs. C'est dire que je ne réussis pas. Les sections étaient dès lors menées par quelques agitateurs, par quelques désorganisateurs, fécondés par les sots.

J'allai de là sur mon île. Je m'y plongeai dans mes réflexions. « Quel spectacle j'ai eu aujourd'hui! Un monarque, naguère redouté, même des puissances étrangères, a paru en criminel devant les représentants de son peuple, peuple eux-mêmes, électifs, amovibles, et qui bientôt rentreront dans la classe commune! Mon profond étonnement était unique : personne ne le partageait. Tous mes cospectateurs regardaient ce qui venait de se passer, comme une chose ordinaire! Point d'émotion! J'étais seul ému, ou si d'autres l'étaient, ils le cachaient... Je ne suis point aristocrate, malgré l'indifférence de mes principes : je ne suis point un sot, que tout étonne. D'où vient donc étais-je ému? Ha! c'est que je sens forte-ment, et que tant d'autres ne sentent pas!... D'où vient me promené-je ici, en m'exposant aux insultes, depuis 1785, que j'y fus injurié pour la première fois, après que j'eus été désigné aux enfants, par le scélé-rat qui me fit passer une nuit à la ville le 28 au 29 octobre 1789? C'est que je suis avide de sensa-tions : c'est que, par mes dates, que je revois tou-jours avec transport, à la lueur de ces réverbères, je me rappelle les années où je les ai décrites, les pas-sions qui m'agitaient, les personnes que j'aimais : en revoyant une date, d'aujourd'hui, par exemple, je vois qu'en 1777, j'étais heureux, en composant le *Nouvel Abeillard*[1], en aimant l'aînée Toniop, si pro-pre, si élégante; qu'en 1778, mon bonheur était trou-blé par une imprudence; qu'en 1779, je perdis Mairo-bert, et l'espérance d'achever un ouvrage important, dont on voit quelques lambeaux dans le *Paysan-Paysanne*, les *Françaises*[2], etc., qu'en 1780, j'étais dans l'ivresse, causée par Sara; qu'en 81, j'étais dans la douleur causée par la même; qu'en 1782, j'étais tranquille; qu'en 1783, j'étais doucement agité par mon goût pour madame Maillard; qu'en 1784, j'étais tremblant pour ma *Paysanne pervertie*, qui était menacée; qu'en 1785, j'étais étonné des pertes que j'avais évitées cette année; qu'en 1786, je composais les *Parisiennes*[3]; qu'en 1787, je commençais les *Nuits de Paris*; qu'en 1788, je les achevais; qu'en 1789, je venais ici en tremblant; qu'en 1790, j'avais des peines cruelles et une sorte de désespoir; qu'en 1791, j'étais encore dans la douleur; qu'en 1792, j'ai fini d'impri-

mer le *Drame de la vie*[1]; qu'en 93, qui est aujour-
d'hui, j'ai trouvé un ami généreux, qui vient à mon
secours, pour achever d'imprimer mon *Année des
Dames nationales*[2], et commencer *Les Ressorts du
cœur humain dévoilés*[3]. Je vis, en un seul instant,
dans quinze années différentes : je les goûte, je les
savoure... Voilà pourquoi je reviens ici, à tous ris-
ques. Il est vrai que la tranquillité dont les enfants
de la populace m'y privent, diminue ma jouissance;
mais ils ne l'anéantissent pas tout à fait. Je ne saurais plus goûter ici les rayons bienfaisants du soleil;
je n'y puis venir que le soir, au risque d'y être assassiné par des bandits; mais cette crainte n'anéantit
pas entièrement ma sensibilité[4]. J'achevai tranquillement mon demi-tour, et j'allai au café Robert-
Manouri; puis voir Filette; ensuite au palais-l'Égalité.
Enfin, me reposer, pour recommencer le lendemain*.

---

* C'est dans une simple note que je dois raconter, non les
anciennes injures qui m'ont été faites sur l'île, mais les nouvelles.
Le 3 novembre 1792, je passais, revenant de la pointe orientale. Les
enfants faisaient une patrouille factice. Je m'en croyais oublié, ou
inconnu. Mais un seul, qui était des anciens galopins qui m'insul-
taient, avertit les autres. Aussitôt tous ces enfants se mirent à
m'injurier, et à me jeter des pierres. Je me hâtai de me retirer par
la rue des Deux-Ponts. Ils me poursuivirent, me couvrirent de
boue, et ils auraient exposé ma vie, s'il s'était trouvé là quelqu'un
des grands vauriens qui m'avaient autrefois insulté. Je connais
trop bien le peuple, pour avoir réclamé le secours de la garde. La
sentinelle me vit, mais elle eut la bonté de me laisser passer. Je me
dérobai par la rue Guillaume... Le 5, je fus encore plus grièvement
injurié, et j'entendis ces petits ogres, dire entre eux, qu'il fallait
aller chercher des hommes, pour me tuer. Je fus assailli de pierres,
et blessé. Je ne dus mon salut, qu'à l'idée d'aller chercher des hommes. Je rentrai dans l'île, par la rue occidentale Saint-Louis. J'entendais les ogres galoper après moi sur les quais. Je courus comme
eux, afin qu'ils ne me devançassent pas, et j'eus le bonheur d'attra-
per le pont de la Tournelle, au moment où ils arrivaient au corps
de garde. Aussi depuis, je viens tard, et en quittant l'île, je l. b. et j.
m. f. inf. H.

DIX-SEPTIÈME NUIT

25 au 26 janvier

AU PALAIS-L'ÉGALITÉ

IL était environ cinq heures. Je passais tristement sous les arcades, enveloppé dans mon manteau, lorsque vis-à-vis le n°... je vis sortir un homme sans armes, et fuyant. J'avais tant vu fuir, et poursuivre des hommes, dans ce Jardin l'Égalité, que je ne m'étonnai pas : « Encore un infortuné! », pensai-je. Je ne savais pas que je plaignais un assassin!... Quelques personnes sortirent ensuite en courant. Je ne dis mot. J'aurais peut-être pu faire prendre Pâris, en indiquant son passage; mais je ne savais rien. Ce ne fut qu'au rassemblement qui se fit, que j'appris le crime. J'avais si peu remarqué le premier fuyant, que je n'aurais pu dire comment il était habillé. J'entendis les détails : comment Pâris, espèce d'escroc, mauvais sujet (ici je m'enflammai; je connais cette espèce d'hommes, et je l'aurais arrêté au péril de ma vie), avait dîné chez le restaurateur Février, où était Lepelletier; comment celui-ci étant à payer, l'assassin était venu lui demander, s'il n'était pas ce scélérat de Lepelletier? « Je suis Lepelletier, mais je ne suis pas un scélérat. » Comment Pâris avait ajouté, s'il n'avait pas voté pour la mort? « J'ai cru le devoir, d'après ma conscience. » Enfin, comment Pâris, à ce mot, avait tiré un demi-sabre de sous son surtout, et en avait ouvert le bas-ventre à Lepelletier... Je m'éloignai, après ce triste récit, qui ne fit qu'augmenter ma tristesse. A la porte du café du Caveau, je rencontrai une jolie fille, nommée Cécile, qui m'aborda la larme à l'œil : « Mon papa, me dit-elle, un vilain homme, ce coquin de Pâris, vient, en passant par le pourtour, de me donner un coup de poing : si je ne l'avais pas évité des trois quarts, il m'aurait tuée! — Où est-il? où est-il? m'écriai-je. — Il est retourné sur ses pas, en disant : « Je ne voulais pas que tu me survécus- « ses. » Et il allait comme un fou, revenant, retour- nant. — Voyons, voyons! — Non! dit la jeune fille, en me retenant; il nous tuerait! » Et elle m'embrassa par le milieu du corps. Je me serais débarrassé, sans un autre incident. Pendant que Cécile me retenait, trois libertins du dernier genre, passèrent près de nous, et la saisirent, en lui disant : « Tu veux avoir ce vieux ragotin! Viens avec nous, ou mène-nous chez toi; nous valons mieux. » Cécile, sans me quitter, leur cria : « Laissez-moi! laissez-moi! je ne suis pas une fille! — Toi! nous te reconnaissons. » La pauvre Cécile se borna pour lors à leur dire que j'étais son père, et que je l'avais retirée de cet état. « Tant mieux! (et ils nous entraînaient); s'il est ton père, et qu'il t'ait retirée du commerce, il nous verra confir- mer ta conversion, en te dégoûtant du vice. Il tiendra la chandelle... N'est-ce pas, papa? », dit un d'eux, en me frappant. Je n'ai jamais éprouvé un pareil degré de fureur. Je me dégageai par un mouvement violent, et j'appelai au secours. Le hasard faisait passer une patrouille. Les trois scélérats s'enfuirent, non sans vouloir arracher les oreilles à Cécile, en lui tirant ses pendeloques; mais ils manquèrent leur coup.

Délivré, je me fis conduire par elle à l'endroit où elle avait vu Pâris, qu'elle connaissait d'ancienne date. Nous nous informâmes à d'autres personnes : on l'avait vu, mais les libertins nous avaient retenus

trop longtemps; il était disparu... Je reconduisis
Cécile chez sa maîtresse, et lui fis des remontrances
sur son reste de coquetterie, qui la faisait sortir le
soir, mise comme elle l'était. « J'use mes anciens
habits. » Je lui défendis de porter ses pendeloques, de
jamais sortir sans son mantelet, et sans avoir la tête
recouverte de son coqueluchon. Je lui fis comprendre, qu'elle était connue par son ancien état, de tous
les libertins du Palais-Royal, et qu'elle ne devait
jamais y passer. Elle promit de m'obéir en tout...

Après l'avoir remise chez sa maîtresse, rue de la
Vrillère, je revins sur mes pas, examinant tout le
monde : car il me sembla que j'aurais reconnu Pâris
à son air égaré. Comme je descendais au passage
Valois, ou des Marchands-d'Argent, je vis un homme
qui prenait le passage Montansier : il me sembla que
c'était Pâris. Je l'abordai, et feignant d'être un provincial, je lui demandai, par où je prendrais, pour
aller au Palais-Royal. Je l'avais traité exprès de Monsieur, pour ne pas l'irriter. Il me prit par la main
sans parler, s'avança jusqu'à l'entrée du passage, m'y
poussa, en disant le seul mot : « Va. » Était-ce Pâris ?
Je le crois.

Je quittai le Palais-l'Égalité, et me rendis à l'Assemblée nationale.

DÉFENSE DE LOUIS

DEPUIS que Louis a paru à la barre de la Convention,
on s'est occupé de son procès[1]. On a permis aux
défenseurs de se présenter. Le vieux Malesherbes a
quitté sa retraite, pour venir demander ce pénible
ministère, bien au-dessus de ses forces : Louis a

nommé Target, qui refuse; puis Treilhard et Desèze, qui acceptent. Ses conseils entrent auprès de lui. Les pièces d'accusation leur sont communiquées. Vingt années auparavant peut-être, Malesherbes aurait su comment s'y prendre. Desèze et Treilhard ne s'en doutaient seulement pas[1]. Était-ce de ses efforts pour rétablir son autorité, qu'on devait défendre un roi, dont on avait réglé, et diminué le pouvoir ? Personne ne doutait qu'il n'eût fait comme cela tous ses efforts en public, comme en secret... Ha! si Louis était coupable en cela, c'était d'erreur, d'aveuglement! C'était de n'avoir pas connu ses véritables intérêts; c'était de n'avoir pas vu qu'il n'avait qu'un parti raisonnable à prendre, celui de se jeter dans les bras de la nation, et de regagner par sa franchise, par son zèle pour une constitution qui le protégeait, comme tous les citoyens, ce qu'il avait perdu par les mauvais conseils des aveugles et des sots qui l'entouraient! de n'avoir pas pris les moyens efficaces, ou de conserver la paix au-dehors, ou de repousser les ennemis! C'était d'erreur, que Louis était coupable : c'était de n'avoir pas senti quel sort lui préparaient les étrangers; comment, en faisant triompher ses frères et la noblesse, il se fut donné des tyrans, qui auraient anéanti et son autorité, et les droits des peuples. Louis! Louis! vous n'aviez que le même intérêt, le gros de la nation et vous, et vous ne l'avez pas senti... La constitution faite, acceptée par vous, votre intérêt n'était plus celui de la noblesse, de vos frères, ni du clergé : si la religion vous attachait aux intérêts de ce dernier, vous étiez encore dans l'erreur. Le clergé chrétien ne doit pas être riche... Vous avez vu Catherine mettre son clergé à la pension : l'avez-vous traitée d'impie ?... O Louis! vous étiez aveuglé, mais vous n'étiez pas criminel!... Ce n'était donc pas d'une faute certaine, connue de tout le monde, que votre défenseur maladroit, sinon coupable, que Desèze devait chercher à vous laver; il était sûr de n'y pas réussir. Mais il devait dire, ce que nous avons tous senti : c'était notre intérêt politique à votre conservation, qu'il devait traiter; c'étaient les raisonnements de ceux qui voulaient la mort, qu'il fallait renverser, par des raisons claires, lumineuses, qui eussent persuadé toute la France. Mais vous n'étiez pas l'homme qu'il fallait pour cela. Il fallait un génie, et vous n'en aviez pas. Substituez-vous Mirabeau, ou seulement Linguet, dans ses beaux jours, il eût fait trembler la Convention, et toute la France! Voilà comme quelquefois des demi-talents perdent tout... Je rapporte d'avance les réflexions que je ne fis que pendant et après avoir entendu les discours de Desèze[1]. Le 16 janvier, j'étais sorti de chez moi, pour aller l'entendre, et j'y parvins. Je jetai un coup d'œil sur cette vaste enceinte, où sept cents hommes assis, allaient juger un roi! Je vis ce monarque, naguère si grand, placé en criminel devant ses juges. Je m'étonnai! Mais l'instant d'après, je me dis : « C'est un homme devant des hommes, c'est le plus faible devant le plus fort. C'est un roi, devant des hommes qui ne veulent plus de roi : celui-ci les embarrasse. Qu'en feront-ils ? » Ces idées me fatiguaient horriblement!... Pour me soulager, je m'enfonçai dans la suite des siècles : je vis les hommes de 1992, lire notre histoire; je m'efforçai de les entendre, et je les entendis. La sévérité de leur jugement m'effraya! Il me sembla que les uns nous reprochaient d'avoir manqué d'humanité, tandis que les extrêmes, tels qu'il en est aujourd'hui, nous approuvaient. Je crus voir que toute l'Europe avait pris un gouvernement nouveau; mais je voyais sur les pages de l'histoire, les horribles secousses qu'elle avait éprouvées! Il me semblait entendre les lecteurs, se dire entre eux : « Que nous sommes heureux, de

n'avoir pas vécu dans ces temps horribles, où la vie
des hommes était comptée pour rien! » Un de leurs
philosophes s'écriait : « Il faut de temps en temps de
ces secousses, pour faire sentir aux hommes le prix
de la tranquillité, comme il faut une maladie pour
sentir le prix de la santé. — Mais, lui dit un de ses
confrères, aurais-tu voulu être le secoueur, ou le
secoué? — Non, non, je ne voudrais pas l'être! mais
je ne serais pas fâché de l'avoir été. Le mal passé,
quand on n'en est pas mort, est une jouissance...
— Ha! les beaux raisonneurs! s'écria un songe-creux,
tapi dans un coin; vous l'avez été. Vous étiez les hommes d'il y a 200 ans. Vous êtes composés de leurs
molécules organiques : et vous êtes en paix, parce
que ces molécules sont lasses d'avoir été en guerre.
Vous y reviendrez après un long repos... »

Ici Desèze me réveilla.

Après le discours de Desèze, que j'écoutai attentivement, on fit retirer Louis et ses défenseurs; un calme
parfait régnait. On ne voyait pas de ces grands mouvements, causés par l'éloquence; le discours de
Desèze n'avait touché que lui et moi : j'étais douloureusement affecté de la perte des grandes images, des
grandes idées d'intérêt national perdues! Car, dans
les affaires publiques, comme celle de Louis, laissez
l'homme, fût-il roi; ne parlez que des intérêts
publics! La compassion, la justice même, non, la justice, ne font aucune impression sur une nation, qui
croit voir son avantage dans la destruction de l'un de
ses cheveux. Je sortis, pénétré de douleur; et en me
retirant, je me disais : « J'aurais mieux fait. » La sortie fut longue, et le soir vint. J'allais dîner chez moi,
plutôt épuisé qu'affamé, quand je rencontrai un
homme qui me connaissait, sans que je le connusse.
Il me frappa sur l'épaule : « L'auteur du *Pied de Fanchette*, des *Contemporaines*, du *Paysan* sort de la

Convention? — Oui. — A-t-il dîné? — Non. — Veut-il
dîner avec moi au Palais-l'Égalité? — Je ne vous connais pas. — Ne voit-il pas que je le connais, moi?
— Ce n'est pas assez : il faut que je vous connaisse.
— Je suis un homme mort : les morts n'ont plus ni
nom, ni qualités. — Non; mais ils ne donnent pas à
dîner aux vivants : serviteur. — Don Juan accepta
bien l'invitation du Commandeur : venez. — Mais le
Commandeur se nomma. — Je me nommerai... » Et
il m'entraîna, je puis le dire, par force. Nous entrâmes chez le restaurateur, et on nous servit. « Citoyen!
dis-je au mort, je ne mangerai pas une bouchée, que
je ne sache votre nom. — Après le potage. » Nous
mangeâmes le potage. On servit une entrée. « Votre
nom? — Au gigot, je sais que vous l'aimez; j'en ai
demandé. » Nous mangeâmes et nous bûmes. Le gigot
vint : « Votre nom? — Mangeons ceci. » Je me lassai
de demander. Cependant au dessert, j'insistai fortement. L'homme se leva. Je crus m'apercevoir qu'il
payait. Mais comme il avait entamé une poire, je crus
qu'il viendrait l'achever. Il ne reparut plus. Un
garçon vint me dire : « Citoyen, le citoyen qui vient
de dîner avec vous a payé. Une affaire lui est
survenue; il vous prie d'excuser; il est parti. » Alors
je mis mon esprit et ma mémoire à la torture, pour
me rappeler les traits de cet homme. Mais rien ne lui
ressemblait, dans ce que j'avais connu. Je me levai, et
je sortis.

A la porte, j'entendis un ft! Je me retournai vivement, et ne vis personne, qu'une jolie femme, qui
n'avait pas l'air d'une habituée du Jardin-l'Égalité.
Comme elle me regardait, j'allai à elle : « Madame ne
m'a-t-elle pas appelé? — Non, citoyen. — Je l'ai
pensé, parce que vous me regardiez? — Je vous
regardais, parce que je crois que c'est vous qu'on
appelait, mais je ne vois plus la personne : c'est un

de vos amis qui s'amuse? — Le connaissez-vous, citoyenne?» La dame parut embarrassée, et elle rougit un peu, en répondant : « Non. » Je ne la quittai pas, et continuai de lui parler, en marchant dans l'allée du jardin, dite autrefois des Soupirs. Elle me demanda si j'écrivais. « A l'ordinaire : j'avais des ouvrages commencés d'imprimer, lors de la Révolution, et je ne pouvais les abandonner, sans achever de me ruiner. — Vous êtes donc mal dans vos affaires? — Très mal. — C'est bon! — C'est très mauvais, citoyenne! — Je m'entends. — Avez-vous reconnu l'homme avec lequel vous venez de dîner? — Non, absolument. — Vrai? — Je vous le dirais. — Et moi, me remettez-vous? — Non!... non!... en vérité. — Je vous crois : l'homme que vous avez vu, avec lequel vous avez dîné, est... — Hé bien donc, madame? — Un ex-conseiller au parlement. — Ha! serait-ce? » Je dis un nom. « Cela se pourrait. — Mais il est mort. — Oui, pour tout le monde. Il vous a voulu faire parler par un homme, que vous avez constamment refusé de voir. Il prétendait aujourd'hui connaître vos sentiments par lui-même, et il n'y a pas réussi. Vous n'avez pas paru entendre les demi-mots. On nous a très fort assurés que je réussirais mieux. Vous pouvez me parler en assurance : quoique je sois en grande dame, et que j'aie à ma suite ces deux laquais que vous me voyez, je ne suis que la petite Sainfrai, que vous avez vue deux fois chez sa tante, rue du Four-Saint-Honoré, près le *Journal de Paris* d'alors. — Je me rappelle... Mais je ne vous reconnais pas du tout... De quoi vous a-t-on chargée? » Elle me dit tout bas la commission, que je refusai net; d'une grande importance alors, et qui n'est plus d'aucune aujourd'hui. Après sa demande, et ma réponse, elle s'éloigna. Les deux hommes, qu'elle appelait ses laquais, firent en sorte de m'embarrasser le passage, pour que je ne pusse la suivre; et lorsque je m'en aperçus, ils disparurent eux-mêmes, par deux issues différentes.

Il suit de là, que certaines personnes ne négligeaient rien, pour remplir leurs vues, toujours détournées, et qu'ils ne communiquaient jamais qu'à demi, en allant jusqu'au point où ils pouvaient donner le change. Ici, par exemple, je devais être un instrument aveugle, quoique intelligent. Je ne devais apercevoir ni l'un ni l'autre, des deux bouts de la chaîne. On me demandait un acte isolé, pour lequel il fallait de l'intelligence, et après lequel je serais demeuré tranquille. Je ne fis rien, précisément parce que je ne savais pas ce que produirait mon action. On me pressentait, parce que ne m'étant jamais mêlé des affaires, n'étant d'aucun club, d'aucune société, j'étais moins suspect qu'un autre.

Je crus voir que la dame m'avait trompé, qu'elle n'était pas la petite Sainfrai, mais une ci-devant attachée à la Cour, et que l'homme n'était pas non plus celui qu'elle m'avait voulu faire entendre; mais un autre.

Je quittai le jardin, où je craignis de ne pas être en sûreté, après mon refus, et j'allai aux Tuileries, qu'il y avait longtemps que je n'avais vues le soir. Je me promenai sous les arbres, pensant aux événements de la journée. Heureusement que, malgré l'obscurité, j'observais de marcher avec précaution; je ne pouvais être entendu. Un petit bruit me fit me tenir encore plus sur mes gardes. Je m'approchai; un homme et une femme étaient adossés à un arbre. Je crus d'abord que c'était une scène crapuleuse de libertinage, et j'allais me retirer, quand j'entendis une voix de femme, qui disait : « Je ne sais pas comment nous aurions fait, s'il m'avait reconnue! car enfin, par là il aurait tout compris. — Il ne pouvait

vous reconnaître, ne vous ayant vu qu'une fois et aux
lumières, qui rendent une femme si différente
d'elle-même! — Aussi ne m'a-t-il pas reconnue.
— Pour moi, il y a plus de dix ans qu'il ne m'a vu,
deux ou trois fois à la vérité, mais sans trop me
remarquer; parce que je ne lui parlais pas. C'est un
impromptu que j'ai fait aujourd'hui, en le voyant
arriver à la Convention. — Vous m'en avez dit les
raisons... mais nous avons assez resté ici, pour couper le fil à ceux qui pourraient nous avoir suivis,
comme vous le soupçonnez. — Encore quelques instants. D'ailleurs, je n'ai pas entendu le carrosse arriver au pont Tournant. » Ils marchèrent, et je ne pus
les entendre, n'osant les suivre de trop près. J'entendis alors un carrosse. L'homme et la dame ouvrirent
une petite porte, auprès des Glacières, et sortirent, en
repoussant la porte. J'allais passer par le même
endroit, quand une sorte de femme concierge la
referma. J'allai vers le pont Tournant, où ils montèrent en voiture, et comme ils prenaient le chemin de
Paris, je courus à la Terrasse de la rivière, et je les
côtoyai jusqu'au pont Royal, où je les perdis de vue,
n'étant pas sorti assez tôt...

Quand je fus sur le quai Voltaire, je trouvai sous
mes pieds un papier plié en quatre. Je le ramassai, et
j'allai le lire à la lueur d'un réverbère : il contenait
ces mots : « Le discours tant attendu, est prononcé;
rien! rien! *Tempus et aer, solitudo mera*[1]. Le pauvre
homme est perdu! perdu! Il ne faut plus le flatter! »

DIX-HUITIÈME NUIT

20 au 21 janvier 1793

Le moment est arrivé : l'arrêt est prononcé! Quelle est donc la cause de cette conduite, que tout le monde regardait comme impolitique?... La voici. Un bruit s'était répandu, l'automne dernier, que Louis devait être tiré du Temple, conduit à l'armée prussienne, et que Dumouriez devait le laisser passer : qu'on négocierait ensuite[1]. Ce bruit avait persuadé tous ceux qui le voulaient être. Pour moi, je suspens mon jugement. Mais avant la fin de cet ouvrage, j'en serai instruit (car les événements malheureux vont rapidement aujourd'hui), et je le dirai. Ce qui empêcha le coup de réussir, ce fut Louis lui-même : on devait tuer deux geôliers apparemment incorruptibles. Louis, dit-on, protesta, que si on versait une goutte de sang, il crierait lui-même, et avertirait la garde. Ce trait est beau! et s'il est vrai, Louis valait mieux que bien des rois plus heureux... On prétend que ceci transpira; mais que la conduite de Dumouriez, qui repoussait l'ennemi, imposa silence. On assure que les hommes portés à faire mourir Louis XVI, en conclurent qu'il était impossible de le garder; que son sort décidé pour la réclusion, il se prêterait aux vues de ceux qui voudraient le tirer de prison, pour le mettre à la tête des armées ennemies, ou des émigrés; que c'est la raison de la haine violente que les *pour-la-mort* portent aux *pour-la-réclusion*, qu'ils regardent comme de véritables contre-révolutionnaires... Telles ont été les raisons de l'événement terrible, que je vais exposer. Sont-elles véritables? Nous le verrons bientôt. Sont-elles suffisantes? On sait mon opinion sur les lois humaines et sur la majorité, toujours à respecter. Je me tais donc.

Le 20 janvier, je quittai le travail à dîner; je sortis de ma triste demeure, avec le frémissement de l'inquiétude. Tout était tranquille, comme à l'ordinaire : et par exemple, ici j'en sais la raison. C'est que les agitateurs des deux partis avaient intérêt de ne rien agiter : le révolutionnaire outré voulait que l'exécution se fît. L'aristocrate outré voulait aussi qu'elle se fît, pour indigner toute l'Europe contre notre nation. Le citoyen paisible, qui craint toujours les troubles, et qui compose le grand nombre, n'avait garde de remuer!... Et voilà une vérité que les chefs des armées ne devraient jamais oublier; c'est que le gros d'une nation est toujours composé d'hommes paisibles, et que lorsqu'on met une ville à sac, on punit les innocents... J'allai d'abord par ma route accoutumée, la rue des Noyers, celle du Foin, la rue de la Harpe, celle de l'Hirondelle, le quai de la Vallée, le pont Neuf, la rue de l'Arbre-Sec, la rue Saint-Honoré, le Palais-Royal. Là, je m'arrêtai pour écouter. Tout retentissait du coup porté à Lepelletier, par Pâris[1]. On ne parlait presque pas de Louis. J'en fus profondément étonné!... Je quittai le café de Foi, et j'entrai dans celui de Chartres, au coin de la Montansier. Là, j'écoutai, comme ailleurs. Même entretien, mais on y parlait un peu plus de Louis. Je n'apprenais rien; je regardai sous les piliers à travers les carreaux. Henriette et Adélaïde m'aperçurent, et vinrent me faire signe. Elles étaient plus jolies que jamais; cependant elles avaient l'air triste. Je sortis pour leur parler.

« Nous sommes perdues! me dirent-elles. — Hé! pourquoi? — Allons dans le jardin, il n'y a personne,

dit Henriette; nous allons vous le dire. » Nous y allâmes, et nous prîmes les allées les plus solitaires...
« Depuis que vous ne nous avez rencontrées, ma sœur
et moi, il nous est arrivé la plus heureuse aventure!
Un homme, pauvre autrefois, qui nous aimait en
père, est tout à coup devenu riche : il nous voulait
autant de bien que vous nous en voulez vous-même;
et de plus, il avait le pouvoir de nous en faire. Il nous
en a fait. Nous sommes devenues nos maîtresses, ma
sœur et moi, non pour mal faire, mais pour être... ce
que nous avons toujours désiré. Depuis quelques
mois, nous étions heureuses... — Ha! trop heureuses!
s'écria Adélaïde; cela ne pouvait durer! — Imaginez,
reprit Henriette, que devenues indépendantes, par
ses bienfaits journaliers, nous n'avions autre chose à
faire, qu'à profiter de nos maîtres de danse et de
musique, puis à travailler en modes, pour nous;
ensuite nous allions dîner avec lui, enfin, au spectacle
dans sa loge! Imaginez, qu'au sortir de là, c'était un
souper à souhait : nous demandions notre goût. Indépendantes (ô le grand bonheur!) nous pouvions regarder tout le genre humain avec fierté. Jugez, si nous y
manquions, vous qui nous connaissez! De là, nous
nous en retournions, en bravant toutes les attaques,
en méprisant toutes les offres, et nous avions une
nuit destinée au repos et au sommeil rafraîchissant.
Voilà le bonheur... Et voici le malheur. Louis est condamné : Louis, que nous n'aimions, ni ne haïssions;
nous ne le connaissions pas... va mourir. Et notre
protecteur a juré... de ne lui pas survivre... ou tout au
moins d'émigrer... Nous allons retomber dans le
gouffre! Jugez de notre désespoir!... Ha! il est
inexprimable, et nous avons déjà délibéré, de nous
faire mourir nous-mêmes, d'une manière... où l'on ne
souffre pas beaucoup... Quelle est celle où l'on souffre le moins ? — Je ne saurais vous donner cette indi-

cation-là : mais ne pourrais-je pas dire un mot à votre protecteur ? — Je vais y voir, répondit Adélaïde, et vous annoncer. » Elle y courut. Je marchai doucement du même côté, avec Henriette.

Adélaïde reparut comme nous étions à la porte. « Il veut bien vous voir; montons. » Je trouvai au premier, au passage dit de Beaujolais, un homme, que je crus reconnaître. Je lui avouai la confidence des deux jeunes filles, et je le priai de me dire les motifs de sa douleur ? « Je n'en ai point d'autres, que le désespoir du salut de la France. — Vous n'y pensez pas! nos affaires prospèrent! — Ne croyez pas à cette prospérité-là! Dumouriez est furieux! Dumouriez joue à un jeu qui vous ferait trembler!... Mais je mourrai avant ces malheurs... Vous êtes connu de mes deux filles : qui êtes-vous ? » Je me nommai. « Je vous connais : un homme de nos amis, rue Bergère, m'a parlé de vous. Il vous a vu chez Gemonville : il m'avait d'abord dit du bien, aujourd'hui, son opinion est changée à votre égard. Que lui avez-vous fait ? — Rien. — Soyez discret, sur ce que vous ont dit mes deux enfants, jusqu'à ma mort : le secret ne vous pèsera pas longtemps. » Je le lui promis. En effet, je n'ai porté le poids de son secret que vingt-quatre heures. Mais il a eu soin de ses deux filles.

En le quittant, je voulus voir ce qui se passait aux environs du Temple, et je me rendis hâtivement dans le Marais, où je vis une scène dont le dénouement fut encore plus prompt que celui de la précédente. Parvenu à l'extrémité de la rue Sainte-Avoie, je vis sortir de celle des Rosiers, Adélaïde et sa dévote mère. Elles ne prenaient pas leur route ordinaire, pour aller au Temple; sans doute, parce qu'elles avaient été remarquées. Elles étaient suivies par leur domestique. Je les voyais aller, mais elles ne m'aperçurent pas. Arrivées à la rue Phelipeaux, elles s'agenouillèrent, leur domestique placé devant elles, et la mère pria très ardemment. Elle se leva ensuite avec peine, et alla s'asseoir sur les marches d'une église, je crois Notre-Dame-de-Nazareth. Elle s'y mit encore en prières, tournée du côté du Temple. En ce moment, il passa une patrouille, ou un piquet, avec lequel étaient deux hommes en écharpe!... « Ha! ils vont le prendre, pour l'exécuter aux flambeaux. — Non, non, maman! soyez sûre que non! », lui dit sa fille. Elles avancèrent, et parvinrent vis-à-vis le Temple, où la patrouille n'entra pas. Cependant la dame s'était levée, et elle observait tout d'un œil avide. On ouvrit alors les portes : il en sortit trois personnes. « C'est lui! c'est lui! dit la dame : il ne reparaîtra jamais. » Sa fille et le domestique gardèrent le silence. La dame crut qu'ils confirmaient par là ses craintes; ses genoux s'affaissèrent : elle tombe, en abandonnant leurs bras; et... elle expire... On s'empresse : j'accours moi-même : bien résolu de m'éloigner, dès qu'elle rouvrirait les yeux... Elle les avait fermés pour toujours! Nous la reportâmes, Lapierre et moi, suivis d'Adélaïde, qui, fondant en larmes, lui soulevait la tête. A onze heures, nous la déposâmes chez elle, où son mari, qui rentrait, la vit roide et sans mouvement...

Je m'enfuis de cette maison de douleur, et je regagnai la rue Saint-Honoré : je ne me couchai pas cette nuit, devant aller, avec ma compagnie, former la haie, sur le boulevard, à cinq heures du matin[1]. Je remontai jusqu'à la place Vendôme, ou des Piques, où j'attendis, avec d'autres, des nouvelles de Lepelletier. Il y avait dans le groupe, une jeune personne avec sa mère : toutes deux paraissaient fort émues, et la fille pleurait. La mère tâchait de la rassurer : « La blessure est légère, mon enfant! », disait-elle. Quelqu'un l'entendit, et cria durement : « Légère! il ne

sera pas au monde au jour. » La jeune personne fit
un cri étouffé. La mère alla demander à entrer. On la
refusa. « Du moins, dit-elle, faites parvenir au blessé
cette carte, où sont nos noms. Le Suisse la prit. Quelques instants après, il revint, et dit aux femmes :
« S'il vous demande, son domestique vous appel-
lera. » Les deux femmes se retirèrent, pour s'asseoir
à côté de la porte. J'allai leur tenir compagnie; mais
sans les interroger. « Monsieur, me dit la mère, vous
êtes étonné que ma fille et moi, nous nous intéres-
sions si fort à la vie de M. Lepelletier ?... N'ayez
aucune mauvaise idée. Vous voyez ma fille, et vous
me comprenez sans doute ?... — Oui, madame, mademoiselle est très bien! — Et elle est très sage, grâces
au Ciel, monsieur. Je l'avais mise en apprentissage
pour la couture; non pour en faire une ouvrière, mais
pour qu'elle sût se suffire dans son ménage un jour.
Elle venait dîner chez nous, et coucher le soir. Un
homme riche la remarqua, et crut facile de séduire
une petite apprentie couturière. Il lui fit parler :
mais ma Civine repoussa bien loin ses propositions.
Cet homme avait un joli jockey : il le fit habiller en
Anglais, et lui ordonna de faire poliment la cour à la
petite apprentie, et de l'avertir de ses progrès. Civine
remarqua ce jeune homme, qui la saluait obligeam-
ment, et la préserva une fois d'un gros soufflet de
son maître, qui ne paraissait pas l'être. Ma fille,
depuis ce moment, lui rendait son salut; mais sans
causer avec lui. Cela ennuya l'homme riche, qui ne
croyait pas qu'il fallût tant de façons pour une petite
couturière. Un jour, il fit faire un embarras de chevaux dans la rue, au moment où elle sortait pour
revenir chez nous le soir : le jockey ne manqua pas
d'aller à elle, et le danger s'approchant, il la fit entrer
dans la cour. Dès qu'elle y fut, deux laquais la portèrent en haut, en lui disant qu'ils la montaient chez

leur jeune maître, qui la voulait épouser (faisant
entendre le jockey); effectivement, il la suivit : mais
Civine criait; ensuite, elle le pria de la laisser aller. Il
répondit que cela ne se pouvait pas : mais qu'il allait
m'envoyer chercher. Effectivement, on vint me dire
que ma fille était dans un hôtel, où on me demandait.
J'y courus, ne sachant ce que cela voulait dire. On me
mena au gros monsieur; qui ne tergiversa pas : il me
dit tout de suite ce qu'il voulait : « Comment donc,
monsieur, est-ce que ma fille est séduite? — En pouvez-vous douter? Elle est là avec mon neveu, qui en
est fou. » Il me fit regarder par une ouverture faite
en portière, et je vis ma fille assise sur un sofa, à
côté d'un beau jeune homme, qui lui tenait les mains.
Le monsieur referma aussitôt la portière, en me
disant : « Vous voyez?... — Hé bien, monsieur, que
voulez-vous?... D'ailleurs, d'après ce que j'ai vu, ma
fille peut être trompée, mais non séduite. » Alors
l'homme riche rouvrit la portière, et me fit voir... ce
que je n'ose pas vous dire... mais le jockey et la fille
étaient... vous m'entendez?... et si bien posés, que je
ne voyais que les jambes et les cuisses de la drôlesse... Je me mis à me désoler. « Cédez-la-moi, pour
mon neveu, me dit le monsieur : elle est jeune et
jolie; il l'aime, et cela le préservera du libertinage...
Je vous fais cinq cents francs par mois, dont voilà le
premier : quant à elle, j'en aurai soin. » Je repoussai
son argent, et je demandai à parler à ma fille. Il ne
voulut pas. Je m'en allai.

Je connaissais M. Lepelletier, pour avoir travaillé
pour son épouse. J'allai le trouver : je lui dis ce qui
se passait. « De la prudence! me répondit-il. Il me
paraît que votre fille est séduite! Voyons ce que nous
pourrons faire. » Il fit mettre les chevaux, et il alla,
avec moi, chez le monsieur. Il lui parla en particulier.
Le résultat de leur court entretien fut que le gros

monsieur, tout rouge de honte, alla chercher ma fille.

Dès qu'elle me vit, la pauvre enfant, elle vint se jeter dans mes bras, en me disant : « Maman! maman! est-il vrai que vous avez vendu votre fille? — Non, lui répondis-je; mais je vous ai vue tantôt en bel état, avec le jeune monsieur! — Moi! maman! Ha! ce n'est pas moi. Il m'a fait asseoir sur le sofa; il m'a pris les mains... Mais aussitôt il m'a dit : « Vous me mettez au désespoir! je vais en aimer une « autre. » Il m'a laissée aller dans un cabinet à porte vitrée, et il est venu une... pas grand-chose, avec qui... Je n'ai pas voulu voir ça! — Ha! ma chère enfant est innocente! », me suis-je écriée. M. Lepelletier a malmené tout bas le gros monsieur, qui a dit que ce n'était pas son neveu, mais son jockey. A ces mots, je me suis levée, et j'ai emmené ma fille. M. Lepelletier est venu chez nous, et nous a demandé quelle satisfaction nous voulions? Je refusais tout. Il nous a fait le revenu du séducteur, contre lequel il nous protégeait. Mais, à présent, nous n'avons plus rien! Car nous ne voulons plus de revenu malhonnête : notre protecteur ne sera plus là! Et peut-être serons-nous opprimées et perdues, pour ce que nous avons reçu. »

La mère se mit à pleurer. Mais la fille sanglotait profondément. Je les consolais...

En ce moment, un laquais vint avec une carte.

« *Que Civine et sa mère soient tranquilles : leur sort est assisté; et elles n'ont rien reçu d'un homme indigne de leur faire du bien.* »

Je crus que ces mots allaient consoler la jeune fille : au contraire, elle se désola davantage, et ses sanglots redoublèrent. J'entendis alors annoncer la mort de Lepelletier. Je le dis bien bas à la mère, en l'exhortant d'emmener sa fille. Ce qu'elle fit.

Il était l'heure de retourner dans mon quartier. J'y

arrivai à cinq heures. On commençait à se rassembler. J'allai prendre ma pique, et je me mis en rang, quoique harassé de fatigue. Notre capitaine parut à six heures. Ma pâleur et mon tremblement fit qu'il me renvoya. « Vous êtes infirme, me dit-il; allez vous reposer. » Je quittai la ligne; mais j'allai, comme volontaire, avec ma pique, pour voir ce qui se passerait.

A sept heures, nous étions au Temple. A huit, Louis en sortit... Mais il faut donner ici quelques détails, que je tiens d'un oculaire.

Louis après avoir entendu la lecture du décret, qui le condamnait à perdre la vie, avait soupé, s'était couché, avait dormi avec ronflement. Cependant, ayant été seul, un moment, après la fatale lecture, on l'avait entendu se promener, en s'écriant : « Les bourreaux! les bourreaux! » Il avait demandé pour confesseur un prêtre insermenté, qui demeurait rue du Bac : ce qui lui fut accordé. Il s'enferma seul avec lui. Il avait fait son testament, à l'aide de ce prêtre, le 26 décembre au soir. Il vit sa famille, et ne lui dit pas adieu. Le matin, il fut éveillé par Cléri, sur l'ordre que lui en donnèrent les deux municipaux envoyés par la Commune. Il se leva. Les deux commissaires de la Commune s'étant présentés, Louis pria Jacques Roux, l'un d'eux, prêtre, de se charger d'un paquet à remettre au corps municipal. Jacques Roux répondit : « Je ne le puis : je suis envoyé ici pour vous conduire au supplice. » Louis reprit : « C'est juste », et il chargea quelqu'un d'autre du paquet, qui fut porté à destination.

Il partit à huit heures, dans le carrosse du maire Chambon, seul, avec son confesseur. L'avant-veille, on avait renvoyé ses conseils. Il passa par les boulevards, entre deux haies de gardes nationales, qui faisaient retirer le monde des croisées. Il allait douce-

ment. Il arriva dans la place des Tuileries, ci-devant
Louis XV, à neuf heures un quart. Il descendit de voiture. On lui lia les mains au pied de l'échafaud; les
mains libres nuiraient à l'exécution par la guillotine.
Il monta. Les instruments militaires bruissaient. Il
s'avança pour parler au bord de l'échafaud, qui
regarde le nord : les instruments s'arrêtèrent une
seconde; mais l'ordre du commandant général les fit
reprendre. Louis parla : le mot *pardonne* fut le seul
qu'on entendit. Les exécuteurs avertis, le ramenèrent
au poteau, et en un clin d'œil, il cessa de vivre[1]...

Louis n'était pas un tyran ordinaire : il était né sur
un trône. Coupable, comme roi, il l'était infiniment
plus, comme particulier[2]. Aussi fut-il condamné
comme tel; et il y a cette différence entre lui, et Charles Ier, que celui-ci est mort roi, et que Louis XVI ne
l'était plus! Mal à propos, les Desèze, les Malesherbes
argumentèrent-ils de la royauté. Et quand il eût été
roi?... On n'est jamais innocent, quant on contribue à
plonger sa nation dans l'anarchie et le malheur!... Il
était parjure, parjure à la nation! c'est le plus grand
des crimes. La nation a-t-elle pu le juger, l'exécuter?
Cette question ne peut se faire par un être qui pense.
La nation peut tout chez elle; elle a le pouvoir qu'aurait le genre humain, si une seule nation, par un seul
gouvernement, régissait le globe. Qui oserait alors
disputer au genre humain, son pouvoir?... C'est ce
pouvoir, indisputable, senti par les anciens Grecs,
qu'a une nation de perdre même un innocent, qui
leur fit exiler Aristide et condamner à mort Phocion.
O vérité, que n'ont pas assez sentie mes contemporains, que ton oubli leur a causé de maux! Les émigrés, les prêtres se sont amusés à calculer ce qu'on
pouvait leur faire justement, suivant les lois de particulier à particulier, et ils ont crié à l'injustice contre
la nation! Ils se sont révoltés contre elle! Et quand

on a puni de mort ce nouveau crime, le plus grand de tous! on a crié *à la barbarie!* Concitoyens, posez les vrais principes, et ne vous en écartez plus! Ne confondez pas les temps de révolution, avec ceux du règne paisible des lois! Surtout, n'invoquez pas, comme on a fait de nos jours, contre l'oppression, la protection de lois que vous ne voulez pas reconnaître : c'est une inconséquence puérile! Vous êtes hors de la loi que vous méconnaissez; elle ne vous doit aucune protection; bien pis, elle vous prive même de l'application de celles de la nature! Voilà des principes rigoureux! mais ils sont justes.

Je m'en revins étonné : tout le monde l'était; oui, la stupeur fut universelle!... « Ce n'était qu'un homme! », disaient les raisonneurs demi-philosophes. D'accord : mais cet homme avait une relation directe avec tous les individus de la France : chacun voyait en lui une connaissance intime; un homme dont le nom retentissait sans cesse à ses oreilles; au nom de qui s'était fait pendant longtemps tout le bien et tout le mal! Ce n'était qu'un homme; mais c'était le point de ralliement de vingt-quatre millions d'hommes! Voilà pourquoi la stupeur était universelle. Mais Louis justement condamné par la nation, n'était plus un criminel. On pouvait lui donner enfin le nom odieux de tyran, et il avait fait assez de mal, pour le mériter. Je suis bon citoyen, doux, humain, point fédéraliste, encore moins anarchiste, point désorganisateur. Quoique persuadé de l'insuffisance des lois humaines, je sens qu'une société ne saurait exister sans elles. Je sens plus : c'est qu'il ne faut y toucher qu'avec la plus grande réserve; la secousse que donne leur changement produisant toujours le mal réel, et si sensible, d'ôter aux hommes leurs habitudes.

DIX-NEUVIÈME NUIT

27 au 28 janvier

VISITE NOCTURNE. PALAIS-L'ÉGALITÉ[1]

LE 27 au soir, j'allai de bonne heure au Palais-Royal,
et n'y ayant trouvé personne de ceux ou de celles qui
m'y retiennent quelquefois, j'allais en sortir, avant
neuf heures, lorsque tout à coup je vis arriver des
gardes nationales, qui s'emparèrent de toutes les
issues. On laissait entrer, contre l'ordinaire, mais on
ne laissait sortir personne. J'appris que cette visite
du Palais-Égalité, se faisait par l'ordre du comité de
surveillance de la Convention, qui, de vingt-quatre
membres, venait, par un décret, de se réduire aux
douze, qui le composaient auparavant. Les motifs, ou
le prétexte, étaient de trouver l'assassin Pâris, qui
était, dit-on, caché là : de surprendre en flagrant délit
toutes les maisons de jeu, de trouver les émigrés, ou
personnes suspectes réfugiées dans ce centre du
chaos d'une grande ville.

D'abord, je n'eus pas envie de sortir : je voulais
voir le résultat de la visite. Pâris ne fut point trouvé;
ou bien il n'y était plus, ou bien il s'échappa. Mais on
trouva des joueurs en profusion, et quelques émigrés.
En attendant, je parlais à différents groupes de
citoyens et de citoyennes, qui désiraient fort d'aller
se coucher. On ne songeait pas encore que l'on pouvait sortir en montrant sa carte. Cependant à tout
moment, nous avions des scènes nouvelles et diffé-

remment amenées. Les visiteurs, comme les visités, étaient de tous les genres. Tantôt c'était un prêtre constitutionnel, couché avec un tendron de quatorze ans : « Hé, mais, monsieur l'abbé, vous pouvez vous marier! — Ça cause trop d'embarras! — J'entends; vous n'êtes pas assez chaste pour prendre une honnête femme. » Ici, dans l'intérieur, c'était un amant secret qui avait suivi sa jeune maîtresse à la promenade, à l'insu des parents, gros marchands aristocrates, de la rue Saint-Denis : il est en habit de garde nationale, élégant, bien fait; il enchante la jeune personne, par son air guerrier : ils n'avaient espéré que se voir : mais dans le tourbillon, la belle perd ses parents, et va... perdre autre chose à l'écart... Elle les cherche ensuite, et les retrouve, en les faisant appeler par des aboyeurs. Ho! comme l'amant bénissait le comité de surveillance!... Dans un autre endroit, on faisait sortir de chez une fille, un gros horloger fort riche; la fille qui craignait d'être arrêtée, le suivait demi-vêtue : en débouchant dans le jardin, tous deux sont rencontrés par l'horlogère, qui était venue avec le plus élégant de ses garçons : elle court sur son mari. « Avec qui êtes-vous donc là, monsieur? Avec une catin? — Ça n'est pas vrai, madame, je ne suis pas une catin! Je suis entretenue. — Comment, drôlesse! — Paix, paix, ma femme! point de scandale : ne vois-je pas avec qui vous êtes? — Avec qui je suis! avec qui je suis! monsieur, j'ai pris le bras d'un de vos garçons, pour venir vous chercher... Quittez-moi cette fille-là. — S'il me quitte, qu'est-ce que je deviendrai donc, moi? Il m'a prise chez ma mère; il m'a donné une jolie chambre, et un louis par semaine; à présent un billet de vingt-cinq francs : retournerai-je chez ma mère?... S'il n'y avait qu'elle!... Mais mon père me fera mettre à l'hôpital. — Catin! — Catin vous-même, madame! Si votre

mari m'entretient, je gagerais que vous, vous entrete-
nez ce joli garçon-là : car c'est un miroir à... » Un
soufflet appliqué par la dame l'empêcha d'achever. Il
y avait un cercle immense de rieurs. Un officier de la
garde nationale, qui connaissait le gros marchand,
s'approcha : « Fi! monsieur et madame Bultel! la
scène que vous donnez là est scandaleuse! Vous,
monsieur, ramenez votre petite fille dans sa
chambre; cette visite n'est ni pour elle, ni pour vous;
et vous, madame, qui étiez si gaie tout à l'heure chez
le restaurateur Février, retournez-y; vous avez encore
une bouteille de champagne à finir... » Et il la prit
par le bras, l'éloigna, et lui dit : « Quand on est coupable soi-même, il faut être une effrontée, pour venir
se donner en spectacle! » D'un autre côté, l'officier
envoya chercher la mère de la petite fille : on vit bien
que cette femme l'avait vendue, elle fila doux. Alors
on la renvoya, en disant au gros marchand : « Vous
pouvez la garder : vous ne faites tort ni à votre
femme, qui se dédommage, ni à cette jeune fille, que
sa mère perdrait toujours sans vous. »

Cette scène m'avait fort occupé. Pendant qu'elle
durait, j'avais été abordé par un jeune homme, connaissance de café, qui avait recueilli deux femmes
isolées, la mère et la fille, parce qu'un frère et oncle
s'étaient séparés d'elles dans la foule. Comme le
jeune homme était très honnête, et d'une vertu scru-
puleuse, les dames le goûtaient fort, et prenaient confiance en lui. Elles se mirent avec d'autres femmes, à
qui j'avais parlé; ainsi elles formèrent une compagnie nombreuse et rassurante. Nous nous promenâ-
mes. Le jeune homme saisit l'occasion où j'étais éloigné de lui, pour me nommer, et parler de mes
ouvrages. Plusieurs de ces femmes en avaient lu quelques-uns, et les plus jeunes en avaient entendu parler, comme d'ouvrages dangereux pour elles. Ce qui

avait redoublé l'envie de les lire. En me rapprochant, je fus surpris du silence universel qui se fit, et de la manière dont on me regardait. Une mère de famille me questionna sur ma morale. Je répondis, en m'expliquant sur le respect qu'on devait à la pudeur des jeunes personnes, devant lesquelles on ne devait jamais se permettre de discours libres, encore peut-être moins des équivoques. « Hé! pourquoi donc avez-vous fait des ouvrages, qu'elles ne doivent pas lire? » Parce que, madame, elles ne doivent pas toujours être jeunes et sans expérience. Dès qu'elles seront mariées, ou parvenues à vingt-cinq ans, elles peuvent, elles doivent peut-être me lire; parce qu'elles apprendront dans mes ouvrages, et les moyens d'être heureuses en ménage, et toutes les voies de la séduction qu'emploient les hommes; elles y verront la punition des écarts où donnent certaines femmes... Il est toujours aisé aux mères d'empêcher à leurs filles de lire mes ouvrages : mais il est toujours facile aux mères de les lire, pour en digérer la morale, et la faire passer plus épurée dans le cœur de leurs filles. Je dis plus. Il est utile à une fille isolée de me lire; parce qu'elle a besoin d'une instruction précoce : ma morale est sévère, quoique je raconte des mauvaises actions. Mais plus souvent j'en expose de bonnes, et ces *Nouvelles* sont toujours les plus agréables à lire. » J'eus la satisfaction d'entendre une mère de famille dire tout bas : « Il a raison! » Les jeunes filles recommencèrent à me sourire, et l'espèce d'effroi que mon nom avait causé, se dissipa. Nous étions presque au bout du jardin, du côté des galeries de bois, près du théâtre, quand un homme, qui, sans doute, voulait s'échapper d'une maison de jeu, tomba devant nous. Nous eûmes une grande frayeur; car s'il fût tombé sur nous, il aurait tué quelqu'un de notre compagnie... Nous ne poussâmes pas un cri. Nous étions là, stupidement, à le regarder. Il remue. Nous allions pourtant à lui, quand deux hommes parurent, sortant des arcades; ils le prirent, et l'emportèrent par le même endroit, sans en être empêchés; car nous ne vîmes là aucune sentinelle. Nous nous aperçûmes que nous pouvions sortir par là. Mais nous fûmes arrêtés par une sentinelle extérieure, qui nous demanda nos cartes de citoyens. Nous comprîmes alors comment nous pouvions sortir; et nous rentrâmes pour en avertir ceux de nos codétenus qui ne le savaient pas. Nous restâmes une demi-heure volontairement, tant pour que nos dames retrouvassent leur compagnie, que pour voir emmener les joueurs et les émigrés.

Jamais je n'ai vu de figures comme celles des premiers; c'étaient presque tous des gens faits exprès : leurs traits, la mobilité de leurs fibres, tout était disposé pour exprimer une escroquerie, par une contraction sans regard; ou pour faire lire une joie concentrée, ou pour déguiser leur rage par la tranquillité. Lorsque les peintres ont peint les diables, ils ont pris des joueurs pour modèles. Nous vîmes parmi eux quelques femmes. Une était jolie. Mais quelle beauté! Elle inspirait la crainte, et repoussait le désir. Les autres avaient cet air... affairé des plaideuses; mais pis encore : on aurait dit, à voir un peu de leur bras, que la main ne pouvait être qu'une griffe de harpie... Une jeune fille de quatorze ans se trouvait dans cette bagarre, avec deux ou trois jeunes garçons de son âge. On nous dit que c'était une friponne et des fripons stylés à distraire les joueurs, à les duper par des naïvetés risibles, et quelquefois par de feintes étourderies... Il y avait un vieillard, en cheveux blancs, l'air vénérable, la figure honnête. Mon jeune homme, qui avait été une fois ou deux dans son tripot, sans y jouer, nous dit qu'il ne concevait pas comme ce coquin avait pu le devenir, sans altérer ses traits. Il avait autrefois mené une vie honnête; mais s'étant ruiné, par une entreprise folle, il était devenu escroc au jeu, enfin tripotier. On prenait confiance en lui, par la bonté de son ton, l'honnêteté de ses propos; il n'avait changé ni de ton, ni d'écorce; il avait le cœur profondément gâté, tout en exprimant la saine morale, sans affectation, avec un naturel qui séduisait. Ce scélérat aurait pu faire un bon livre.

Après ces détails, les maris de nos dames les ayant retrouvées, nous sortîmes en montrant nos cartes. Nous nous séparâmes presque aussitôt, nos quartiers étant différents. Le jeune homme m'accompagne, ainsi que ses dames. Nous étions sur le quai des Orfèvres, quand nous entendîmes un cri dans la rivière. Nous courûmes au parapet, et nous regardâmes. Un homme tout habillé traversait le bras de rivière à la nage. Un autre le poursuivait de même, ayant une arme à la main. Ces hommes étaient d'habiles nageurs. Mon jeune homme courut de l'autre côté, pour les voir de près. Mais ils atteignirent un escalier. Le premier arrivé le monta rapidement, et se précipita dans les rues : le dernier, arrivé au haut du quai, et ne voyant rien, hésita : enfin, il tourna par le pont Neuf, en venant au-devant du jeune homme. « Ha, monsieur! lui dit celui-ci, comme vous êtes mouillé! » L'homme ne répondit rien, et doubla le pas. Il entra dans la place Dauphine, et se voyant suivi, il signifia au jeune homme, par un geste, de rétrograder. Celui-ci, qui le savait armé, n'osa pas désobéir. Il vint nous rejoindre. Nous nous séparâmes. Je rentrai à trois heures du matin.

VINGTIÈME NUIT

26 au 27 février

Pillage des épiciers[1]

UNE sombre mélancolie s'était emparée de moi : malgré les nouvelles du succès de nos armes, certain trouble m'agitait. Était-ce un pressentiment de nos malheurs ?... La ville l'était de même. Une horde de désorganisateurs se répandait partout, envoyée, soldée, dit-on, par les Anglais, ou par la cour d'Angleterre; car ce n'est pas la même chose. Je sortis vers les cinq heures, un peu avant la fin du jour. A peine eus-je fait quelques pas sur le quai, que je vis la boutique de l'épicier vis-à-vis le pont de la Tournelle, assaillie. J'entends que le prétexte est la cherté du savon. Je vois les femmes du peuple de Paris, de ce peuple tout différent de celui des campagnes, parce qu'il est anciennement avili; parce qu'il est obscur et caché; parce que l'ancien homme riche, par une ancienne et mauvaise habitude, le tutoyait, avec l'air et le ton dont on parle à un chien... attaquer bruyamment et détruire, sans songer au lendemain!... Je fis alors cette réflexion : voilà deux épiciers attaqués; car celui du coin des Grands-Degrés l'est aussi, et je n'y faisais pas attention. Ce sont des agitateurs, qui viennent émouvoir ce peuple imbécile, ces femmes de bateau, aigries par la peine, et qui ne voient, comme l'animal, que le lieu et l'instant présent; qui ont contre l'épicière, mieux habillée, mieux vêtue, la même jalousie qu'une bourgeoise avait contre l'avocate et la conseillère; que celles-ci avaient contre la financière, et la noble! La femme du peuple croit ne pouvoir en trop faire, pour ravaler l'épicière à son niveau; elle ne sent pas que si l'épicière n'est pas plus aisée, elle ne pourra pas lui tenir des marchandises toujours prêtes à vendre, parce qu'elles sont en magasin; que faute de magasin, elle, blanchisseuse, sera souvent obligée d'attendre qu'on en ait été chercher; qu'elle perdrait des journées, du temps et des pratiques! qu'elle manquera de pain! Rien de tout cela n'entre dans sa tête stupide, et les agitateurs, les traîtres, qui viennent la mettre en mouvement, n'ont garde de lui dire qu'elle agit contre elle-même!... Mais d'où vient les sections ne le font-elles pas, au lieu de s'occuper de tant de choses oiseuses, dans leurs longues, ennuyeuses et bruyantes séances!... C'est que les agitateurs sont continuellement aux sections...

J'avançai par le pont de la Tournelle. Dans l'île, les épiciers n'étaient pas encore attaqués; mais sur le port au Blé, dans la rue de la Mortellerie, c'était un pillage! Un misérable manœuvre-maçon, sortait de chez l'épicier du coin de la rue des Barres, avec sept pains de sucre!... Je le fis arrêter par des femmes, qui le dépouillèrent... J'ai toujours vu, pensé, dit, écrit, que le bas peuple, sans instruction, est le plus grand ennemi de tout gouvernement. C'est à lui, c'est à ces êtres stupides, que l'agitateur s'adresse, habillé comme eux. Je ne connais qu'un remède au mal, dans un pays où la populace commande, c'est non le partage égal des fortunes, cela est impossible, et il faudrait recommencer tous les jours; mais la communauté, telle que je la proposais, en 1782, dans mon *Anthropographe*. Ce projet seul, mis en sage exécution, et perfectionné, pourrait tout concilier. Si l'on n'en veut pas, il faut employer la coaction contre le

peuple; et alors plus d'égalité : car jamais le peuple
ne comprendra que dans le système actuel, où toutes
les propriétés sont isolées, il faut des riches, qui sont
des magasiniers politiques. Que ce serait le plus
grand des malheurs que tout le monde fût dissipa-
teur, ou sans industrie, comme les ancêtres des pauvres, ou les pauvres eux-mêmes; qu'il faut, dans le
système actuel, protéger les propriétés, et n'empêcher les trop grandes fortunes, qu'en terres; parce
que ceux qui en ont trop, en mettent une partie en
terres de luxe, perdues pour la culture. Voilà quelle
est la grande, l'éternelle vérité! Si un autre que moi
avait composé l'*Anthropographe*, je le prônerais sur
les toits, et je l'aurais présenté à la Convention
nationale; mais je n'aime pas à me montrer.

On ne saurait nombrer les abus et même les crimes
qui ont eu lieu dans le pillage des épiciers!... Nos
mauvais sujets, réunis aux agitateurs étrangers, exerçaient un vrai brigandage, comme au pillage d'une
ville prise d'assaut. On m'a dit que chez un épicier
fort riche, mais qui ne veut pas ébruiter son malheur,
étaient entrés six scélérats qu'on croit de son voisinage, dont trois maîtres et trois domestiques; qu'a-
près avoir pillé son argenterie de toute espèce, et
laissé néanmoins les assignats, ils avaient lié sa
femme encore bien, deux filles très jolies, d'une première femme, aux quatre colonnes de lits; qu'ils les
avaient violées, c'est-à-dire, les maîtres, pendant que
les valets étaient là, le sabre à la main et le pistolet
à la ceinture; que ce crime s'était commis avec des
ménagements qui marquaient de la passion, mais en
sa présence, lui garrotté; qu'ils avaient récidivé trois
fois, laissant reposer et caressant leurs victimes, tantôt doucement, tantôt avec emportement; qu'après
cette action, ils les avaient déliées, et invitées à se
tranquilliser, puis s'étaient retirés les premiers à

reculons; escortés par leurs domestiques, le pistolet au poignet et prêts à tirer; que sa femme et ses filles s'étaient d'abord occupées à le délier; ce qui avait donné le temps aux trois scélérats de se retirer : « Car, dit-il, je ne mets pas au nombre des hommes leurs lâches valets!... » Que c'est avec bien de la justice, qu'on n'a pas admis cette classe au rang des citoyens!

Dans une autre maison de ce commerce, trois bandits attirèrent le maître et la maîtresse dans leur chambre, au premier, les lièrent, et leur chauffèrent les pieds, jusqu'à ce qu'ils eussent indiqué tout ce qu'ils avaient de précieux, or, argent, assignats, linge fin, dentelles, robes de soie; tout fut enlevé, et les deux infortunés, à qui l'on avait cependant fait plus de peur que de mal, furent jetés liés sur leur lit, où on les laissa.

Je ne finirais pas de rapporter d'autres traits de pillage, d'escroquerie : mais ce ne seraient que des répétitions. Il faut à présent passer à ce que j'ai vu.

Je parcourus, cette soirée-là, les rues Saint-Antoine, et les quais Pelletier, de Grève, de la Ferraille; les rues de l'Arbre-Sec, Saint-Honoré, la Nouvelle Halle, les rues J.-J.-Rousseau, Verdelet, des Vieux-Augustins, des Petits-Champs, etc. Dans celle Montmartre, je vis sortir de l'allée d'un épicier assiégé, deux personnes, la fille et la mère; ce n'étaient pas la femme et la fille de l'épicier; c'était, la mère, une de mes anciennes connaissances, que je n'avais vue qu'une fois, depuis son mariage, en 1786; c'est-à-dire au bout de six ans; car elle avait été mariée le 11 juillet 1780, comme il est écrit sur l'île. « Hé! madame! où allez-vous? — Ha! monsieur! je cours à la section, avertir qu'on assassine l'épicier chez lui au premier! sa femme et sa fille poussent des cris affreux. — Allez, madame : vous me retrouverez ici;

je vais tâcher d'entrer, en me réclamant de vous. »
J'allai dans la maison; je pénétrai dans la boutique,
et je pris l'escalier intérieur du premier. En arrivant
dans la chambre, je vis trois bandits qui tenaient
l'épicier, et trois autres qui contenaient sa femme,
son fils et sa fille. J'en connus un, que j'avais autrefois employé. Je me retirai vers la porte, et de là, je
lui criai : « Un tel ? je te connais; tu es perdu, toi et
tes complices. » En même temps, je me précipitai au
bas de l'escalier. J'entendis un peu de bruit; c'était la
porte de l'escalier qu'ils se faisaient ouvrir. Un instant après, le fils de l'épicier cria : « Monsieur! le
monsieur! ils se sont enfuis! » Je remontai. En effet,
les six brigands étaient partis. On me remercia,
comme un libérateur. Qu'étaient-ce que ces hommes ?
Six ouvriers débauchés, qui profitaient de l'occasion,
pour faire de l'argent frais. Tel est le funeste effet du
trop payé aux ouvriers, dans certaines professions!
La facilité de gagner les rend débauchés; les malheureuses fêtes viennent; ils exigent un surcroît pour
travailler ces jours-là, et le lendemain, ils vont manger cette gratification, et au-delà; leur gosier
s'échauffe, et leurs bras se cassent; ils emploient
tous les moyens, jusqu'au crime inclusivement, pour
faire ressource. Je l'ai déjà dit : « Rien de plus immoral, de plus déraisonnable, que deux fêtes de suite :
jugez trois! Une fête au milieu de la semaine, dans
les grandes villes, est un jour de désordre indiqué
par le gouvernement et la religion : c'est un crime de
lèse-société! » Qu'on s'en rapporte à moi, qui connais
mieux que personne la classe des ouvriers. Je suis
tous les jours étonné, que les électeurs de Paris
n'aient pas cherché, pour la Convention, le plus
éclairé des ouvriers, le plus éclairé des artisans, le
plus éclairé des marchands, le plus honnête homme
des gens de plume; car, s'il y en a, c'est un phéno-

mène si rare, qu'il doit être connu. Cela valait mieux
que des... Il n'est peut-être pas à propos de les nommer, malgré la liberté de la presse; suivant le proverbe : *Toutes vérités ne sont pas bonnes à dire.*

Madame Maillot (celle dont j'ai parlé) revint désolée avec sa fille : toute la garde était en patrouille; il
n'y avait au corps de garde que la sentinelle. « Tout
est réparé, lui dit-on, par un hasard heureux, qui
nous a envoyé ce monsieur. » Ils surent que ce hasard
heureux, c'était madame Maillot, qu'ils remercièrent.
Je quittai mon ancienne amie et ces bonnes gens à
onze heures, et je m'en retournai, sans vouloir entrer
chez madame Maillot : je n'aime plus à me retirer
tard, depuis que l'infâme héros de la huitième nuit de
la *Semaine nocturne* (XVe partie des *Nuits*), me fait
guetter pour m'assassiner. Je repassai par la rue
Saint-Honoré, où je vis une cohue autour de la boutique de l'épicier qui fait le coin de celle des Poulies :
ce qui me surprit le plus, ce fut une dame *dame*, qui
excitait le peuple à enfoncer les portes. Je m'approchai, pour lui demander les causes de son acharnement. « Comment! citoyen, me dit-elle, cet homme a
aussi un magasin de souliers! — Madame est donc
cordonnière? — Non, dit sèchement l'homme qui
l'accompagnait; mais madame ne veut pas qu'un
homme fasse plusieurs états. — Monsieur est donc
ancien juré de la communauté? » L'homme et la
dame s'éloignèrent. « C'est bien pis! me dit très haut
un homme qui nous avait écoutés; c'est un ancien
commissaire! c'est N... ch » (Il me dit un nom extrêmement connu.) « Ah! m'écriai-je, j'entends : monsieur et madame veulent ramener l'Ancien Régime. »
A ces mots, il aurait fallu voir courir N... ch et sa
femme! Ils disparurent en un instant.

Je ne fis plus qu'une rencontre, et ce fut presque
dans mon quartier : au bas du pont Saint-Michel,

était un grand rassemblement. La porte de l'épicier à
côté du café cuisinier était fermée, et devant était un
homme seul, armé d'un sabre, qui se défendait, car il
était lâchement assailli. Je l'entendis crier : « Ah çà!
vous commencez à m'ennuyer! Voulez-vous vous retirer, et me laisser passer ? » Les femmes lui répondirent par des injures, et les hommes par des efforts
pour saisir son sabre. Quatre mains empoignèrent la
lame. L'homme la retire, et coupe les mains qui la
retenaient. Puis bravant la foule de ces malheureux
Auvergnats aveuglés, qui voulaient avoir leur part du
pillage, il espadonne autour de lui. La populace en
cédant, le dégage. Il joue alors du sabre, sans pourtant frapper, mais menaçant de fendre en deux le
premier qui s'avancerait. Quarante hommes forts et
furieux cédèrent au vrai courage; les femmes furies,
dont une reçut un coup de plat, s'enfuirent les premières. Trois hommes honnêtes se mirent à côté du
héros; je les joignis pour faire nombre, et l'attroupe-
ment disparut. Je félicitai le brave jeune homme.

VINGT ET UNIÈME NUIT[1]

28 février 1793

Dévastations

Nous sommes à la veille des plus grands malheurs, et
déjà ils sont commencés à notre insu. Hélas! le jour
même qu'une heureuse nouvelle nous arrive de loin,
un malheur nous accable à l'endroit d'où elle est par-

tie quelques jours auparavant!... Le pillage des épiciers annonçait les mouvements des révoltés dans les départements de la Vendée, de la Loire-Inférieure[1], etc., mais ils n'annonçaient pas nos pertes extérieures[2]. Au moment où Paris paraissait un peu se rasseoir; où les sections venaient de jurer de défendre les propriétés, un coup inattendu, inexplicable, inconcevable, vient porter l'effroi dans tous les esprits!... Un samedi, à dix heures du soir, quatre-vingts hommes armés arrivent dans la rue Serpente; vingt bouchent un bout de la rue; vingt barrent l'autre. Ils avaient l'uniforme de Dragons. Quarante entrent dans l'imprimerie de la *Chronique*, journal d'abord patriote, mais qui, passé en des mains suspectes, était devenu fédéraliste, brisent les formes, les presses, déchirent le papier imprimé, même pour d'autres ouvrages, font ce ravage en cinq minutes, et disparaissent, aux cris d'un particulier, qu'ils empêchaient de sortir pour ses affaires[3]... Une commission de la section du Théâtre-Français a constaté le dégât. Il ne serait pas difficile de remonter à la source; un particulier, du coin de la rue des Mathurins, savait le projet du pillage dès la veille (il s'en est vanté). D'où le savait-il? Je ne conçois pas l'imprudence de certaines gens! Il faut leur en faire honte; car ils devraient prévenir le mal, ou se taire...

Pendant que cette scène se passait rue Serpente, ou après qu'elle fut achevée, elle se rejetait chez un homme bien plus coupable encore, puisqu'il était député charlatan et perfide. Celui-ci fut obligé de s'enfuir, en entendant menacer sa vie. Il passa, inconnu, à travers les dévastateurs, deux pistolets au poing; et comme il craignait d'être reconnu à la porte, il sauta par-dessus un mur de jardin.

Pankouke, pour son *Moniteur*, et Prudhomme, pour ses *Révolutions*, évitèrent le sort des deux autres, en s'armant : le premier avait même un canon braqué dans sa cour.

Mon étonnement fut extrême, en passant devant la rue Serpente, de la voir barrée. Je ne savais à qui m'informer. Pourquoi n'a-t-on pas établi la règle, que toute exécution militaire, qui se fait de jour, et surtout de nuit, dans la République, doit être déclarée au premier citoyen interpellant? On saurait alors, quand un crime se commet par des brigands; car le défaut de réponse les décèlerait. Pourquoi n'est-il pas défendu d'interdire le passage des rues aux particuliers isolés? Le jour du pillage des épiciers, un sergent de piquet voulait m'empêcher de m'en revenir par la rue des Vieilles-Étuves-Saint-Honoré. Il m'a dit brutalement, que j'avais déjà passé trois fois, et je n'avais pas encore paru. Et quand j'aurais eu passé trois fois, dès que j'étais seul et paisible?... Mais la brute répétait ce qu'elle avait dit à d'autres; elle voulait profiter de son moment d'autorité, pour gourmander quelqu'un. Il reste encore bien des lois de détail à établir, avant que les citoyens libres jouissent de leur liberté!... Je passai donc sans être instruit. Je ne le sus pas même de la soirée, n'étant pas revenu dans ce quartier. J'allai au café Robert-Manouri, que sa nombreuse population rendait aussi amusant qu'instructif. Après un moment de repos, je fus au Palais-Égalité, puis j'en sortis par la rue Vivienne, et j'allai jusqu'à celle Saint-Fiacre.

Suite des Hommes a la nage

Ce fut au bout de la rue Notre-Dame-des-Victoires, près celle Montmartre, dans l'endroit le plus solitaire, que je vis deux hommes sauter l'un sur l'autre, s'accoler, se terrasser, s'étouffer. Je m'approchai.

« Retire-toi! », me dit-on. Faible et sans armes, je me retirais, lorsque j'entendis le plus âgé dire à l'autre : « Tu m'as échappé en traversant la rivière, l'autre jour, mais je te tiens! — Tu es mon père! répondit l'autre; mais si tu ne me laisses!... » Je m'étais anussé[1]; ils ne me voyaient plus. « Malheureux! dit le père, tu ne périras que de ma main! Lâche! tu trahis ton roi, ton dieu!... — Je ne trahis que les abus... Mais toi! toi, misérable! plein de vices... qui as joui de ta fille... empoisonné ma mère... Oui, tu périras de ma main... » En même temps, il le mit dessous, et allait le frapper d'un stylet. Je m'écriai de toutes mes forces. Le fils quitta le père, et s'enfuit à toutes jambes du côté de la place Victoires, aujourd'hui de la Révolution, je crois. Le père le poursuivit. Mais je crus voir que le fils avait trop d'avance, et d'ailleurs, courait beaucoup mieux, quoique le père fût jeune et fort. « Ha! pensai-je, Paris est encore peuplé de plus mauvais sujets que sous l'Ancien Régime!... Non que je le regrette; il avait trop d'abus!... » « Tu as bien fait, vieillard, d'ajouter ce dernier mot, me dit un jeune garde national bien armé; car je t'aurais pris pour un aristocrate! » Il m'accompagna, et nous causâmes.

« Qui mieux que moi, lui dis-je, a senti les abus de l'Ancien Régime[2]? Je n'ai été libre à Paris, que quelques années; de la fin de 1765 au commencement de 1766; du milieu de 1767 au mois d'avril 1769. Depuis cette époque, la main du despotisme s'appesantit sur moi, et me persécuta jusqu'en 1785. Tous mes jours furent troublés, toutes mes nuits furent agitées; au moindre bruit de carrosse s'arrêtant devant ma porte, je croyais que Dhemeri venait me prendre. Je n'imprimais cependant rien sans l'attache d'un censeur. Mais on m'avait convaincu, en 1776, qu'un censeur ne préservait pas de la Bastille : l'exempt Goupil, avec un ordre en blanc, signé Albert, lieutenant de police allait m'y mener pour le *Paysan*, si averti par un de ses satellites, je n'avais pas nancé.

Je m'étais fait de mortels ennemis du commis Demarolles, et de l'exempt Dhemeri, par un *Contre-avis* aux gens de lettres, en réponse à l'*Avis* de Falbaire, sur le commerce de la librairie, dont ces subalternes voulaient se faire une mine de richesses. En 1783, trahi par Terrasson, que je croyais mon ami, je vis ma *Paysanne*, imprimée, et les gravures faites, rayée des permissions! J'étais à l'aumône : j'attendis deux ans un changement d'administrateur : Villedeuil succéda enfin à l'avide Neville; un censeur, bien différent du vil et bas Sanci, qui fut nommé secrètement censeur de mon *École des pères*, et qui l'abîma, me fut donné par ce dernier administrateur, en place du perfide Terrasson, instituteur du marquis de Louvois (ce fut le citoyen Toustain Richebourg), et ma *Paysanne*, ainsi que mon existence, furent sauvées pour lors. Mes peines finirent : je fus moins esclave... J'en profitai. Puis les troubles vinrent : d'abord l'affaire du cardinal-collier; puis les notables; puis Calonne, Necker; enfin les États Généraux, l'Assemblée nationale, la Révolution, première, seconde, et bientôt troisième. Tout fut secoué. Je perdis tout ce que j'avais, par non-valeur, par non-achats, par non-lecteurs; je congédiai tous ceux que j'occupais, et je fus tout à la fois auteur, imprimeur, assembleur, brocheur, libraire, afficheur, colporteur; or un homme qui fait tant de métiers, les fait tous mal : c'est ce qui m'arriva. J'étais absolument perdu, quand au mois de janvier, un homme généreux est venu à mon secours. Béni soit-il! C'est M. Arthaud, que vous connaissez...

Mais je ne vous ai parlé que de moi. Repassons à présent tous les abus de l'Ancien Régime.

1°) La Cour; ses dissipations, son immoralité, son mauvais exemple, son mépris pour le genre humain, la seconde noblesse et la roture : elle regardait la haute noblesse, comme la première espèce des singes; la seconde noblesse, comme la seconde espèce, l'orang-outang; la roture, comme les singes cercopithèques, ou les premiers des quadrupèdes.

2°) Les ministres; leur despotisme, leur cruauté, leur avarice, leurs rapines, leurs dévastations.

3°) Les intendants, pis que les ministres, parce qu'ils avaient moins de pouvoir : ils étaient plus vindicatifs, plus cruels.

4°) Les magistrats; des brigands insatiables; des despotes, ne respirant, ne pensant, ne parlant, n'écrivant, ne lisant, ne travaillant, ne se reposant, ne mangeant, ne buvant, ne dormant, ne caressant une femme, que pour mal faire. Ils ne voyaient jamais un être vivant, jeune, vieux, beau, laid, spirituel, stupide, bon ou méchant, que pour lui mal faire. Il n'y eut jamais de bête féroce plus cruelle, plus avide de sang, qu'ils l'étaient de larmes, et surtout d'argent. S'ils vous aimaient, femmes! il fallait trembler; votre pudeur sacrifiée à leur lubricité; votre pudique résistance vous perdaient également. Je trempe ma plume dans le fiel, quand j'écris sur ces scélérats, et je tremble que nos nouveaux juges ne leur ressemblent.

5°) La basse plumaille. Ha! nous n'en sommes pas délivrés, et nous n'avons rien gagné ici à la Révolution! L'avide procureur existe sous un autre nom; l'exécrable avocat écrit et verbiage encore; il ment encore à la justice : l'huissier exploite encore, souffle encore des sommations, des assignations, des sentences; il saisit encore, vend encore les meubles, et en absorbe encore le prix par les frais! Il prévarique encore, avec les acheteurs, aux encans, aux ventes par saisie, ou après décès. Voyez mon *Thesmo-*

graphe, où je rapporte toutes ces coquineries; elles sont encore les mêmes. Nous n'avons pas secoué le joug le plus pesant; nous ne sommes pas délivrés des brigands les plus dangereux...

6°) Les impôts; ils sont plus forts. Il est vrai que nous avons une guerre terrible... Je paie soixante-dix livres. Je payais trente-six sols pour toute imposition, en qualité de compagnon imprimeur. Je paie trente-cinq ou quarante livres pour travailler sur mon ouvrage chez moi. Je suis ruiné, et je paie davantage. On est dans le même cas, dans les départements. Les gens de la campagne, qui ont gagné les dîmes, sont les seuls qui éprouvent un soulagement. Mais aussi ce soulagement est tout : c'est la liberté au lieu de l'esclavage : l'habitant des campagnes n'est homme que depuis la Révolution, et il l'est dans toute la plénitude du mot, les huissiers et les procureurs exceptés, ces derniers sous d'autres noms. Vous allez en convenir.

6° *[bis]*) La chasse. Quel monstrueux abus existait autrefois! Pour le plaisir d'un noble orgueilleux, sot, ou plein de vices, l'habitant des campagnes était mis au-dessous des bêtes fauves; il était obligé de leur voir dévorer ses récoltes, sans pouvoir même les chasser : un garde-chasse lui aurait dit : « Ils sont chez toi, il faut les y laisser; pourquoi prétends-tu les pousser chez un autre? » Ce vil noble diminuait, pour son plaisir, la subsistance du genre humain, et condamnait au néant des générations, à la faim, celles qui existaient, pour avoir le plaisir de tirer et de manger quelques bêtes fauves dévastatrices!... Ce n'était pas tout; ce seigneur grevait le paisible habitant des campagnes, non seulement par ses gardes-chasses, mais encore par ses procureurs fiscaux, ses baillis, obligés d'être injustes pour lui complaire, lui faire leur cour, et satisfaire ou sa cupidité, ou sa méchanceté. Cependant ici, sur notre théâtre italien, c'était toujours le seigneur qui était bon; le bailli, toujours méchant; c'était la bête noire; jamais il n'était question du procureur fiscal, qui était l'homme du seigneur, et sans lequel le bailli ne pouvait rien. D'où vient ce ménagement ? Demandez-le, comme moi, à Favart père. C'est que ledit seigneur aurait été aussi sensible au mal de son fiscal, que de lui-même : c'est que l'on aurait vu trop clairement par là, quelle part il y avait. Les abus de l'Ancien Régime, pour les paysans, étaient aussi atroces qu'impolitiques. Mais il fallait nourrir les seigneurs, parce que les rois étaient seigneurs eux-mêmes; qu'ils avaient eux-mêmes des chasses encore plus désastreuses que celles des seigneurs, et qu'on nommait d'un nom à faire tout trembler, les plaisirs du roi.

7°) Les prêtres. Par ce mot, j'entends tout le clergé. L'Ancien Régime, qui voulait user et abuser de tout, même de la superstition, qui le soutenait, allait stupidement à la destruction de cette même superstition, en favorisant les richesses scandaleuses des prêtres, des évêques, et des abbés. Quelle en était la raison ? C'est que la Cour voulait avoir des récompenses à donner à ses maq...aux, comme à ses catins, qui vendaient les bénéfices. C'est qu'elle comptait sur l'aveuglement du peuple, qui écouterait avec autant de confiance un sermon de l'abbé Mauri, ou de l'abbé de Calonne, que celui d'un saint prêtre, comme le curé de Courgis · c'est qu'elle comptait davantage sur les discours de ces vauriens, que sur celui d'un bon ecclésiastique; le vaurien n'attaquait jamais les abus; il ne faisait qu'épaissir le voile de la superstition. Ce qui d'abord paraît une inconséquence, était donc une vue assez fine, pour un temps, et ce temps avait toujours été, jusqu'au moment, où les lumières furent générales dans les villes. En un instant, celui où l'on put parler, le prêtre tomba dans le mépris le plus profond. Mais il se soutint dans une partie des départements, surtout dans les plus isolés, comme la Vendée, l'Aunis, la Saintonge, et tout l'ancien Poitou. Les Mauri et les Calonne peuvent et doivent encore avoir là le plus grand succès, tandis qu'un prêtre simple et un peu quaker, tel que le bon Creuzot, curé de Saint-Loup d'Auxerre, sera honni, vilipendé, sans crédit. La Cour a donc été stupide; mais c'est pour s'en être rapportée à des gens qui n'approfondirent rien. Pourquoi, aujourd'hui 13 avril 1793, crois-je à la durée de l'ordre nouveau, malgré les dangers imminents qui le menacent? C'est que le rétablissement de l'ancien est impossible. La Cour rétablie par force, ne pourrait jamais rétablir son clergé, ses parlements, ses intendants, etc. La violence ne peut pas toujours durer, et dès que la Nation aurait un instant pour se reconnaître, le despotisme serait perdu; mais d'une manière plus terrible que la précédente. Je le dis tous les jours aux anciens nobles : « Ne vous flattez donc pas d'une vaine espérance! Si l'on vous rétablit, tant pis pour vous : c'est prononcer votre extermination totale. Les siècles roulent toujours les mêmes, et toujours différents. Le monarchisme, la féodalité vont cesser à jamais, précisément parce qu'ils ont trop longtemps duré... — Mais à la Chine, le gouvernement est toujours le même? » Je le nie, puisqu'elle a été conquise par les Tartares!... Mais il n'est pas monarchique, il est paternel : il n'y a pas de féodalité, de noblesse héréditaires : car il ne faut pas regarder le tartarisme comme une noblesse; c'est une simple nationalité. Le turquisme, dans les États barbaresques, ressemble davantage à notre féodalité, sans néanmoins être la même chose. La féodalité est un gouvernement fou, qui n'a duré longtemps, que par les circonstances. A la Chine, le gouvernement paternel de l'État est semblable au gouvernement des familles, et c'est cette ressemblance qui le maintient. Le Tartare conquérant a senti, en entrant à la Chine, que cette similitude était l'idée la plus heureuse qui pût entrer dans la tête des hommes, et il n'a rien changé à un gouvernement qui est éternel de sa nature, puisque chaque chef de famille, c'est-à-dire tout le monde, excepté les petits enfants et les femmes, est intéressé à le conserver. Je suis le premier qui dise cette incontestable vérité. Les changements ont pourtant lieu à la Chine; c'est le sort des choses humaines, et je suis sûr, qu'un Chinois d'il y a trois mille ans, replacé sur son sol avec sa mémoire, en ferait de grandes plaintes! mais c'est le pays où l'on change le moins, et je viens d'en donner la raison. Il y a d'autres causes, qui toutes la fortifient; l'extrême population nécessite l'extrême occupation, et celle-ci interdit toute nouveauté, etc. Mais nos gouvernements européens! le républicisme excepté, je m'étonne qu'ils puissent durer plus d'un siècle! Encore le républicisme ne doit-il durer, qu'autant qu'il sera bien réglé. Quittez donc un vain espoir, ô nobles! Tout ce que vous ferez, pour conserver vos droits, ne fera qu'augmenter vos maux et les nôtres.

8°) L'Ancien Régime avait une infinité d'autres abus; les privilèges, qui tiraient les riches de la classe des imposés, et dont la quote foulait ceux-ci; les péages, qui gênaient le commerce; les gabelles, qui condamnaient le vigneron à ne jamais boire de vin, et quelquefois à ne pouvoir saler une frottée d'ail; la protection, qui faisait perdre au pauvre toutes les contestations qu'on lui intentait injustement; les corvées, tant publiques que seigneuriales, qui ôtaient le temps au malheureux, qui ne peut vendre que son temps; l'assujettissement des dernières classes, par

progression, à toutes les autres, de sorte néanmoins,
qu'en raison inverse de la nature, la plus élevée
pesait la moins. Et telle est la raison prochaine de
l'extrême insolence que montre aujourd'hui la
populace; elle se venge des classes qui la touchaient
de plus près; la nullité des sujets, telle, qu'ils ne pouvaient se dire citoyens, etc., etc. On a senti tout cela,
et l'on veut que l'Ancien Régime puisse revenir! C'est
l'impossible!... Je ne parlerai pas de la raison (c'est
ce dont on s'embarrasse le moins), qui crie depuis si
longtemps contre la noblesse de race!... Encore si,
comme dans l'*Anthropographe*, on avait établi la
dégradation progressive du noble, qui ne raviverait
pas sa noblesse, par de bonnes ou de belles actions!...
Mais non; une longue suite d'imbéciles ou de monstres, transmettait un sang de plus en plus noble à
leurs descendants. J'ai toujours remarqué que le
moyen de tout perdre était de vouloir trop avoir. J'ai
indiqué cette vérité plus haut, en parlant des richesses apostates du clergé. La Cour les leur conservait,
pour les motifs déjà exposés; mais encore, pour favoriser sa noblesse, dont elle pensionnait les cadets par
des évêchés et des abbayes : par ce moyen, la
noblesse avait tout, le seigneuriage féodal, et le pouvoir sur les consciences; elle avait seule le droit, un
soufflet renversé sur sa tête, de bénir la roture pros-
ternée, en disant, quelquefois assez haut : « Courbez-
vous, vilains!... Vilains, courbez-vous devant un
gentilhomme! » Elle remplissait les hautes cours de
judicature, où elle avait le plaisir de faire rouer, brûler, pendre, fouetter et marquer la roture; de la flé-
trir, de la ruiner, et de plus, de catiner sa femme et
sa fille. C'était trop! beaucoup trop! Qui trop
embrasse, mal étreint.

PREMIÈRE NUIT SURNUMÉRAIRE

2, 3, 4 avril 1793

ÉCHECS

Nos succès ont cessé à la fin de février 1793; et nos pertes ont été si rapides, qu'elles effraient l'imagination. Mais, console-toi, ô nation française, elles ne sont l'effet ni de ta faiblesse, ni de ton manque de courage!... Des scélérats ont causé tes revers, qu'ils paieront de leurs têtes.

La reprise de Francfort, par les Prussiens fut notre premier échec : il étonna les Français!... Le second, fut la tempête qui écarta le vaisseau de Truguet de la Sardaigne... Le troisième fut terrible! Nous étions plongés dans une sécurité profonde. Nos armées, disait-on, conquéraient la Hollande! On nous en imposait; et tandis que nous croyions un monstre aux portes d'Amsterdam, qui brûlait de les lui ouvrir, l'infâme s'abouchait avec les émissaires de François et de Frédéric-Guillaume!... Périssent tous les traîtres! Périssent tous les aristocrates de l'intérieur, qui se réjouissent des désastres de leur patrie!... Mais périssent également les anarchistes, ces insensés, qui croient que nous pouvons exister dans un état de choses, qui n'est avantageux qu'à eux seuls!

Notre quatrième échec eut lieu à Aix-la-Chapelle, où nos troupes furent surprises, par l'effet de la trahison des généraux, la plupart de concert avec le plus infâme des hommes, l'immoral Dumouriez!... Les commissaires de la Convention à Liège virent le coup; ils firent enlever de cette ville le trésor... Liège, notre amie, notre confédérée, retomba sous la puissance de ses tyrans! O Liège! je t'ai pleurée comme ma patrie!... On nous flattait; le traître Dumouriez, qui s'amusait exprès en Hollande, publiait qu'il allait couvrir le reste de la Belgique : et le traître la livre! Louvain, Malines, Bruxelles, Bruges la fanatique, tout est livré, jusqu'à Anvers et Ostende. Là même, le douteux commodore Moreton est livré, avec ses vaisseaux, à la flotte anglaise et hollandaise! Breda, Gertruydemberg sont évacués, et laissés à la fureur du stathouder!... Oui, Dumouriez nous sauve l'honneur; sans la trahison, qui nous disculpe, nous étions avilis aux yeux de l'Europe, de l'univers, et nous mériterions le sort de la malheureuse Pologne!... Enfin, il s'est démasqué, le traître! Non content de désobéir à la Convention, il a fait l'action la plus lâche; il a commis le crime le plus horrible! il a fait saisir les commissaires, et les a envoyés, dans une voiture fermée, à Tournai, au général ennemi, à Cobourg; qui, s'il les garde, est un monstre infâme, comme Dumouriez!... J'écris ceci le 5 avril, et j'attends les événements[1]...

Le 2 au soir, on eut connaissance du procès-verbal des commissaires du pouvoir exécutif. Personne n'y crut. Le soir du 3, tout ce que j'ai rapporté fut connu. A la réception de ces affreuses nouvelles, tout Paris était en groupes dans les rues. Je m'approchai de tous ceux que je vis, pour entendre le sentiment public. Je m'aperçus que celui du bas du pont Saint-Michel, était rassemblé autour d'un agitateur payé, qui tâchait de l'égarer. Je parlai bas à quelques citoyens raisonnables, qui le désertèrent, et en emmenèrent d'autres avec eux. Celui de la place du Pont-Neuf, était beaucoup mieux composé; je n'eus qu'à le seconder. Il ne respirait que pour l'union, la

concorde; au lieu que l'autre engageait les citoyens à
courir sus à tous les soupçonnés d'aristocratie, pour
les poignarder. C'était un brigand sans doute... Le
groupe de la place des Trois-Maris était furieux. Mais
il ne me parut pas qu'il y eût de brigands; j'y entendis seulement beaucoup de ces ouvriers indisciplinés,
qui voudraient taxer les travaux à tel degré de cherté,
qu'il serait impossible à personne de faire travailler,
à moins qu'il n'y eût qu'une nation dans le monde, et
par conséquent, point de concurrence. Car lorsque la
main-d'œuvre est trop chère dans un pays, tous ses
arts et métiers tombent; les citoyens se fournissent à
l'étranger, et aucun de ceux-ci ne peut acheter de la
nation qui a une façon trop chère. Voilà ce que le stupide ouvrier ne conçoit pas. Rien ne m'irrite, comme
les ignorants et les sots, malgré la folie qu'il y a de
s'irriter contre les trois quarts et demi du monde.
Leur dire cela dans un groupe, ils ne vous entendront
pas; vous ne pouvez même vous faire entendre de
personne, parce qu'il faudrait une discussion froide.
Le groupe était d'ailleurs dans de bons sentiments
sur les affaires publiques.

Le Palais-Égalité était rempli : mais ce n'était rien
auprès des Tuileries. Partout le même langage; partout des agitateurs là, d'honnêtes gens ici. J'engageai
cinq à six groupes de ces derniers, à se rendre au
groupe opposé, pour honnir les malveillants, et je
réussis assez bien... Je fus reconnu aux Tuileries par
un homme, qui m'adressa la parole, en me nommant.
Je n'en fus pas flatté; son ton me déplut, et son intention me parut mauvaise. Je dis à une femme, qui était
à côté de moi, et qui m'avait parlé : « Connaissez-
vous cet homme ? » Elle le regarda, et me frappa du
coude. J'approchai mon oreille, et elle me dit : «Il
est de ma section, celle des Piques; je ne sais pas son
nom; mais je le saurai dès demain. Il y parle quel-

quefois, et n'est pas fort estimé. » L'homme s'aperçut qu'elle me parlait de lui, et la croyant ma connaissance, il s'éloigna. Je le suivis des yeux. Il alla près de la porte du café qu'avait interdit la Cour en juillet 1792, et se cacha derrière quelqu'un, avec lequel il me parut converser bas. Je les montrai à la femme. « Ha! je connais l'autre, me dit-elle : c'était un commis du Bureau de la guerre; on l'a renvoyé. » Comme je n'avais aucune relation avec les hommes de cette classe, je me tranquillisai. Cependant j'avais les yeux sur ces deux hommes. Le même qui m'avait nommé se leva, et vint me chercher. Je circulais à mesure qu'il avançait, et je l'évitai. Il retourna vers l'autre homme, auquel il dit : « Il n'y est plus; ce sera pour une autre fois. » Je me tins tranquille, observant toujours. Enfin je vis un troisième homme les joindre : il me parut leur parler vivement. Je tâchai de prêter l'oreille : « Vous me niez cela, à moi, qui suis de Fontenay-le-Comte! — Comment a-t-il été connu dans ce pays-là? — Je m'en vais vous le dire : par un médecin appelé Monet, homme de mérite, mais un peu lourd; ce qui rend son entretien fatigant. Il en est très passionné. Il est de Chef-Boutone : il remua ciel et terre, pour le faire nommer député. Il y avait réussi, lorsqu'il arriva dans le pays une espèce de commissaire, qui, je crois, s'était donné la commission à lui-même. Cet homme se dit connaissance intime, de l'homme que Monet était parvenu à faire nommer. Il se chargea de lui écrire, pour lui demander son consentement à sa nomination. Monet en fut charmé; sa dernière lettre à l'homme en question était restée sans réponse. Huit jours après, le prétendu commissaire revint, avec une lettre, par laquelle notre homme refusait net. On fut très irrité! Monet en paraissait tout honteux... Le commissaire partit, emportant la lettre. Monet songea pour lors qu'il aurait dû la lire. Il trouva quelqu'un qui l'avait lue. Il lui vint en pensée de lui en montrer une véritable du personnage. L'homme qui avait vu la lettre, assura que cette écriture ne ressemblait point du tout à celle de la lettre que le Bourguignon bas-normand avait montrée... Monet doit écrire à l'homme, pour savoir de lui, s'il a réellement refusé. »

Je compris alors qu'il était question de moi, et je m'approchai : « Non, elle n'est pas de l'homme, cette réponse; j'en suis sûr, leur dis-je : l'ennemi perfide et méchant qui m'a joué ce tour, a cru me desservir. Il m'a obligé : mais il a peut-être fait tort à la nation; car j'ai un plan de communauté générale, que j'aurais peut-être fait goûter, outre que naturellement laborieux, je me serais tellement comporté, que j'aurais déjoué les anarchistes et les impudents. Je n'aurais pas souffert, dans la Convention, ce qu'on y souffre... » En achevant ces mots, je me retirai. Je ne sais d'où vient l'extrême surprise des trois hommes. Aucun d'eux n'ouvrit la bouche. Ils paraissaient comme frappés de la foudre... Peu m'importe : mais si j'avais su ne les jamais retrouver, je me serais informé de ce qu'ils étaient.

Je retrouvai la femme qui m'avait parlé. « Savez-vous une singulière chose qui est arrivée, me dit-elle, sur l'île Saint-Louis ? Je vais vous la conter, car bien que je ne vous connaisse pas, je vous y ai vu souvent. On y a remarqué un homme... Comme on me l'a dépeint, il vous ressemblait; votre manière de vous mettre, votre figure. — Je sais ce que c'est, lui répondis-je; c'est à Dupont de Nemours, ex-constituant, qu'on en voulait : c'est pour lui qu'on a cru tuer un autre homme. Mais j'aurais pu être cet autre, si je m'étais encore promené sur l'île, tous les soirs, comme je le faisais. Du temps du despotisme, elle était mon unique consolation. J'y inscrivais mes craintes et mes douleurs. A présent, je n'ai plus besoin de ce soulagement. Mais en eussé-je besoin, il faudrait m'en priver. La canaille, qui devrait ne plus l'être, depuis la Révolution, existe encore; elle est même plus dangereuse : il faut que cette génération-ci passe, avant que la populace soit épurée. Je ne saurais vous exprimer mon mépris pour les vauriens, qui salissent, dénaturent, déshonorent, empoisonnent les meilleures choses!... On croit communément, que ce fut l'ambition des rois, des puissants, qui produisit le despotisme? Non; ce fut l'insolence de la canaille : je crois que tous les hommes commencèrent par être égaux : car pourquoi ne l'auraient-ils pas été? Mais la canaille, composée de fainéants, des gourmands, des méchants en tout genre de l'espèce humaine, étant restée mal aisée, tandis que les diligents, les soigneux, les laborieux s'étaient procuré l'aisance, l'abondance, la canaille mal aisée s'aigrit; elle insulta, elle vola, elle tua. Alors les Ayant-quelque-chose se coalisèrent; ils se donnèrent un chef, des armes, des soldats... De là le gouvernement royal ou magistral; de là le despotisme même, l'opulence et l'aisance ayant préféré la domination absolue d'un seul, à l'anarchie de la canaille. Elle n'a pas cru pouvoir aller trop loin, pour réprimer celle-ci, et à la fin, elle s'est elle-même trouvée esclave. Elle en a gémi, mais elle a préféré son esclavage, au danger perpétuel du pillage et du massacre... Ho! combien nous devons en vouloir à la canaille sans mérite, sans capacité, sans vertu, qui nous a réduits à cette cruelle extrémité!... Tel est encore le sort affreux que nous préparent aujourd'hui nos anarchistes, les Brissot, les Guadet, les... — Je crois que vous avez raison, répondit la femme. Il faut que je vous conte un trait qui est arrivé ce carnaval. Vous savez qu'avant la trahison de Dumouriez, il était arrivé beaucoup de militaires de son armée, surtout des libertins, qui s'ennuyaient de ne plus mener la vie de Paris.

LA FILLE CULOTTÉE

IL n'y a pas eu de masques : mais il y a eu quelques déguisements. J'en connais un, qui fut nécessaire. Un des libertins qui revenaient de la Belgique, avait dit souvent à une de ses voisines, qui l'empêchait d'approcher de sa fille : « Je voudrais que les ennemis prissent Paris, rien que pour avoir le plaisir de faire violer votre fille devant vous. » Ce langage grossier faisait horreur, sans effrayer, parce qu'il partait de la bouche d'un sot méchant. Mais on sut, qu'à son trimestre d'hiver, il avait amené avec lui des libertins tout exprès, pour remplir sa menace. Il guettait sa jeune voisine, pour la montrer à ses camarades. Mais elle ne sortit jamais; et enfin y ayant été obligée, sa mère, qui était malade, lui emprunta les habits d'un de ses cousins, et la jolie Césarette ne sortit qu'en petit garçon. Elle ne fut pas reconnue. Mais elle ne s'aimait pas en garçon : dès qu'elle était rentrée, elle remettait sa jupe et son caraco, laissant les culottes, les souliers plats, et les bas de couleur. Mais enfin un jour, pressée de faire une commission d'une rue à l'autre, elle sortit comme elle était. Il faut dire que Césarette avait la plus charmante figure; cet air virginal, qui est tant du goût des libertins. Elle courait, tant à cause du danger, que parce qu'elle était fort pressée. Le mauvais sujet l'entrevit, du café où était la jolie limonadière, au coin de la rue de Grenelle. Il dit à ses camarades :« Je crois qu'la v'là! » Ils sor-

tirent aussitôt, au nombre de cinq. C'était le jour
même du Mardi gras. Mais Césarette avait couru si
vite, qu'elle était disparue par la rue du Pélican, au
moment où ils furent dehors. Ils ne surent où la
prendre. Ils l'attendirent à l'entrée de la rue du Coq
où elle demeurait. Mais ce fut bien en vain! La petite,
sans doute inspirée, avait traversé le cloître Saint-
Honoré, pris la rue du Chantre, et elle était revenue
chez elle par le bout de rue qui est vers le Louvre.
Elle échappa donc. Mais elle l'ignorait. Le soir, tout à
la nuit, elle fut encore obligée de sortir; et quoique la
mère lui criât de mettre son habit de garçon, elle n'en
tint compte. Elle fit sa commission, qui était rue
Champfleury. Mais au lieu de prendre par le côté du
Louvre, elle s'en revint par le côté de la rue Saint-
Honoré. Elle n'était pas encore sortie de la rue
Champfleury, qu'elle fut rencontrée par deux des tri-
mestriers. « Sacr-u! dit un d'eux, voilà une petite fille
qui vaut bien la Césarette de la Giroflée! — Oui! elle
est jolie! », dit l'autre. En même temps ils l'arrêtèrent. Césarette, qui avait entendu son nom, sentit
bien que c'était fait d'elle, si elle était reconnue. Se
voyant arrêtée, elle se mit à rire, et se troussant jusqu'au nombril, elle montra ses culottes. Le plus grossier des sacripants dit à l'autre : « Ma foi, ça n'est
pas là d'mon gibier. C'était bon pour un jésuistre...
— Ou pour le duc d'Elbœuf, ajouta l'autre; ça n'est
que de l'Ancien Régime. » Et ils la laissèrent aller. En
arrivant, Césarette était pâle. « Qu'as-tu donc, ma
fille ? — Hô! maman! je l'ai échappée belle! Sans ma
culotte, j'étais frite! — Comment donc cela ? » Elle
raconta comment elle avait été arrêtée; comment elle
s'était troussée, etc. Et combien elle avait été heureuse d'être restée culottée. Elle ne sortit plus sans
être en garçon, et le moins possible... Giroflée a su
depuis, le trait de ses camarades, qui avaient lâché

Césarette, et il en a juré pendant plus de deux heures, en employant des expressions terribles. Ses deux amis étaient encore pis, à cause des railleries qu'on faisait d'eux. Ils ont même fait une action atroce à un écolier, qu'ils ont pris pour Césarette. Mais celle-ci s'est tenue cachée jusqu'à leur départ.

Je notai ce trait, qui marque à quel excès d'anarchie nous sommes réduits.

24 avril.
TRIOMPHE DE MARAT[1]

PAR un décret précédent, Marat (ce nom dit tout) avait été décrété d'accusation. Un mandat d'arrêt était décerné contre lui. Il ne crut pas devoir obéir. On aurait dit qu'il aurait été le servile imitateur de Socrate. Ne vaut-il pas mieux être un véritable original ? Il prétendit même, que c'était par générosité, qu'il ne se soumettait pas au décret. *Il voulait éviter un crime à ses ennemis!* (Il avait raison; on a vu par l'événement, que c'était un véritable crime, puisque Marat était un vrai patriote.) Quelles ressources n'a pas l'innocence, quand elle veut éloigner une fausse démarche qui lui déplaît!... Le tribunal révolutionnaire ne fit pas languir le patriote Marat, son tour vint bientôt : ce ne fut pas un jugement; ce fut un triomphe : le décrété arriva, entouré de gardes; des femmes célèbres par leur patriotisme, le couvraient de fleurs : ce furent elles qui l'introduisirent dans la salle d'audiences. Là, Marat, placé où il voulut, répondit comme il voulut; il interrogea même les juges : tout ce qu'il fit, fut bien fait; tout ce qu'il dit, fut bien dit. Tout ce qu'il avait écrit, avait été d'une sagesse profonde; et quant à ce qu'il y avait peut-être d'exagéré, l'événement l'avait vérifié. Il se déchargea de l'accusation; on lui décerna une couronne civique. Il revint en triomphe, promené par les rues comme Mardochée; et peu s'en fallut que les accusateurs n'eussent le sort d'Aman... (mais cela ne tardera pas)... Ha! qui pourra pardonner au *Journal du soir* d'avoir rapporté ses défenses, avec l'affectation de les affaiblir! quelle perfidie! Est-ce donc ainsi qu'on sert les patriotes?... Pour moi, je consacre cet alinéa au triomphe de Marat, et, si je voulais, j'y ajouterais ce que j'ai dit au citoyen Dubois, son ami. Mais, qu'il suffise de savoir, en ce moment, que cet homme célèbre le serait devenu dans tout état de choses, par ses rares connaissances.

Lorsque le 31 mai, le 1er juin et le 2 juin, il sera question de l'arrestation et de l'expulsion de la Convention des vingt-deux ou trente-deux membres, Marat n'insultera point au sort des punis. On le verra s'exclure volontairement de l'Assemblée, et par une conduite, pour laquelle il n'a eu l'exemple de personne, joindre le rôle d'accusé, à celui d'accusateur! Jamais il n'y eut rien de pareil : c'est un phénomène sans exemple. Il a continué de faire ce rôle pendant le reste admirable de sa vie[1].

Le 1er mai, il arriva un événement d'un genre tout différent de ceux qui ne fixaient que trop mon attention. J'étais sorti de bonne heure, pour aller célébrer sur mon île, le premier du plus beau mois de l'année. Je me promenais silencieusement, évitant la rencontre des enfants du peuple, lorsque je vis devant moi deux femmes, qui causaient avec gaieté. Je les écoutai pendant environ une demi-heure, et je vais rédiger le récit que fit l'une d'elles, autant mot à mot que je le pourrai.

Le ci-devant, qui épouse une sans-culotte

Un riche noble (quand il y en avait), qui n'avait pas encore voulu se marier, fut effrayé des menaces qu'on faisait aux aristocrates. Il résolut de prendre femme, et de se mettre sous la protection des sans-culottes, en s'alliant avec eux. Cependant les moyens lui paraissaient difficiles : car, quoiqu'ils ne fussent pas fiers, il ne savait comment les aborder. Pendant qu'il y rêvait, un jour, en passant par la rue de la Bûcherie, il aperçut une jeune nymphe sans-culotte, qui passait avec sa mère. Elle était mise en toile rouge, mais *propre comme un sou* (du temps qu'il y en avait). Indépendamment de tout autre motif, il la trouva charmante, et sentit que le bonheur serait d'en être aimé. Autrefois, il aurait parlé, il aurait offert sa fortune, supposé qu'il eût été assez amoureux, et la fille assez vertueuse pour cela. Aujourd'hui, le ci-devant cache sa qualité. Il était heureusement en habit de garde nationale. Il les suivit jusqu'à leur porte. Elles habitaient une petite maison à un étage. Là, il salua la mère d'un air riant. « Citoyen, lui dit-elle, vous paraissez me connaître; mais moi, je ne vous connais pas. — Peut-être me trompé-je, répondit le ci-devant : je vous ai prise... » Il allait dire un nom, lorsqu'une blanchisseuse en fin, qui avait un petit panier au bras, arriva là; et se croyant, en qualité de jolie fille, le droit d'interrompre la conversation, elle dit : « Madame Chantocé, voilà vos bonnets ronds et vos tours de gorge, que je vous rapporte... Bonjour, Marie-Louise : Hé ben? tu ne veux donc pas avec ce... comment? graveur, peintre, dessinateur? — Non, non, répondit Mme Chantocé : un bel état, dans le temps où que nous sommes! c'est pour mourir de faim! J'aimerais mieux un soldat qui aurait du mérite. — Je n'en veux pas non plus, dit modestement Marie-Louise... Mais le citoyen vous parlait, ma mère : répondez-lui, pendant que je vas compter nos affaires. — Arrange ça, ma fille, dit la mère Chantocé... Citoyen, vous en étiez à... pour qui que vous me preniez? — Pour une Bretonne, de Vanade, à quatre lieues de Chantocé, et trois d'Ancenis. — Hâhâ! vous connaissez mon pays, au moins! Je suis d'Oudon; mais mon homme, lui, était de Chantocé, dont on lui a donné le nom. — Madame, je suis charmé de vous voir : permettez-moi d'entrer chez vous, et nous causerons. — Volontiers, citoyen! C'ment que vous vous appelez? — Gémonville, à vous servir. J'ai demeuré longtemps à Nantes, puis à La Roche-Bernard, aujourd'hui La Roche-Sauveur, à cause du brave patriote Sauveur, que les rebelles ont massacré, parce qu'il ne voulait pas crier comme eux. — Hâ! je vois que vous êtes patriote, et bon Breton. — Ne vous ai-je pas vue à Marillac, madame? — Non, je suis toujours restée à Paris, où je suis née; mais mon père était de Pontchâteau, à trois lieues de La Roche-Sauveur, comme vous dites qu'elle s'appelle à c't'heure. — Nous sommes pays, citoyenne Chantocé, et si bien pays, tenez, que me voilà tout d'un coup tombé amoureux de mam'selle votre fille, que je vous demanderai en mariage, dès que vous me connaîtrez. — Hô! qué chute! citoyen Gémonville! et comme vous amenez ça!... N'est-ce pas que le citoyen est drôle, Marie-Louise? » Marie-Louise rougissait sans répondre... La mère reprit : « Allons, allons, citoyen, quand nous nous connaîtrons. — Oui, reprit Gémonville : c'est tout ce que je demande, que d'avoir occasion de faire votre honorable connaissance, citoyenne Chantocé; ainsi que celle de la citoyenne Marie-Louise, votre aimable fille : car du depuis que je suis bon à marier, je n'ai encore vu qu'elle que je voulus avoir pour compagne de ménage. Il me semble qu'on ne pourrait qu'être heureux, en rentrant au logis, le soir, ou à toute autre heure, d'y trouver une aussi jolie receveuse qu'elle, et une aussi bonne mère que vous, citoyenne Chantocé. — Ha çà, mais, écoutez donc, citoyen, on dirait que vous parlez sérieusement ? — Si sérieusement, que j'offre le mariage, comme vous voudrez, fait devant la municipalité, fait même à l'église, si vous croyez ça plus ferme, citoyenne ? — Dis donc, Marie-Louise, il est joli garçon ?... Ha çà, citoyen, pour c'mencer la connaissance, ma fille a son trousseau; elle est unique; elle ara tout; nous avions en Bretagne un petit bien-fonds, à Pontchâteau, qui rapportait par année, bon an, mal an, trois cents livres d'affermage : mais nous ne l'avons plus. Qu'avez-vous, vous, citoyen ? — Moi, citoyenne ? j'avais, à Lorient, quatre maisons, qui rapportent trois mille livres, bon an, mal an; à Nantes, deux maisons, qui sont des magasins, qui rapportent quatre mille livres; je vous prouverai ça, avant le mariage, citoyenne Chantocé. — Je vois, citoyen, que vous étiez riche : mais l'êtes-vous toujours ? — Oui, citoyenne : et si je n'étais pas en état de donner du pain à une jolie fille, comme la citoyenne votre fille, je ne me proposerais pas comme ça de but en blanc. Je vous prouverai tout ça quand il vous plaira. — Dame! dis donc, Marie-Louise ?... Nous verrons ça, citoyen. En attendant, v'là des petits pois qui cuisent, si vous en voulez manger; c'est de bon cœur. — C'est donc ça qui sent si bon ? », dit naïvement Gémonville. Et il pensa en lui-même : « Je vais voir à la manière empressée, ou lente, dont Marie-Louise mettra le couvert, si je lui conviens... »

Marie-Louise, vermeille comme la rose, ou comme une belle cerise encore sur l'arbre, eut mis le couvert en un clin d'œil : elle posa sur table trois gobelets d'argent, enveloppés dans du coton, la belle salière, et la soupe fut mise dans une soupière à fleurs, qui n'avait pas coutume de servir; les assiettes de fine faïence, furent tirées du buffet. Elle alla à la cave, et les deux bouteilles qu'elle apporta avaient été ensablées. « Bon! dit Gémonville; ça ira! » On dîna gaiement, c'est-à-dire le galant et la citoyenne Chantocé; car la fille était un peu troublée. Il demanda permission de revenir le lendemain, avec ses papiers, priant la citoyenne d'avoir quelqu'un en qui elle eût confiance. Ce qu'elle promit; et il s'en alla, avant que d'avoir ennuyé.

La mère et la fille ne parlèrent que de lui. Marie-Louise convint qu'il était aimable, qu'il avait de l'esprit, et qu'il n'était pas intéressé. La mère, qu'il était poli, et joli garçon. « Nous verrons ce que ça deviendra, ajouta-t-elle. Mais il est ben riche!... Au reste, comme on s'enrichit toujours, à la demande, nous serons encore assez heureuse s'il en reste le tiers, le lendemain des noces... » Pour Gémonville, il était enchanté de Marie-Louise, et très content de sa mère. Il se confirma dans l'idée de l'épouser, et de s'environner de tous les sans-culottes de la connaissance de sa femme, en fraternisant avec eux.

Il ne manqua pas de revenir le lendemain. Il trouva la citoyenne Chantocé environnée de sa famille, outre un avoué, appelé pour parler d'affaires. Il se fit bien venir de tout le monde, par sa politesse et sa franchise, sans néanmoins parler de sa qualité passée. Il se montra comme un bon Breton, ami de la patrie, et prêt à se sacrifier pour elle. Il supprima son nom de terre, et n'employa que son nom de Gémonville. On dressa les articles, parce qu'il pressa la mère. Il avantagea la future plus qu'on ne demandait; enfin, il montra tant de droiture et de bonne volonté pour elle, que tout le monde félicita Marie-Louise... On avait un joli dîner, pour la compagnie : Gémonville demanda la permission de l'augmenter, et le reste de la journée se passa dans la joie. Le soir, avant de se séparer, la mère laissa un moment de tête-à-tête au futur. Gémonville l'employa bien. Il montra des sentiments si tendres, si généreux, si honnêtes, qu'il toucha un cœur que sa bonne mine avait déjà prévenu. Il attendrit Marie-Louise, et lui communiqua de sa délicatesse...

Le lendemain, il vint dès le matin, inviter ces dames à l'honorer d'une visite. Il s'était logé convenablement; ce qui était très bien, pour un noble, qui voulait devenir sans-culotte. Elles consentirent à sa demande, et il promit de les venir chercher en fiacre, avec deux de leurs plus intimes connaissances. On était donc cinq dans la voiture, et Marie-Louise fut sur les genoux de son prétendu. En arrivant, la mère Chantocé, ainsi que les deux amies, visitèrent toute la maison, en se récriant sur la commodité, sur la quantité de choses qu'il y avait. Pendant ce temps-là, Gémonville, lui, montrait à Marie-Louise le petit appartement qu'elle aurait, quand elle serait sa femme; trois pièces, une belle chambre, un beau cabinet pour lire et écrire, et celui pour sa toilette. Il lui montra les étoffes qu'il avait achetées pour la robe de noces, celle du lendemain, du surlendemain, et les déshabillés de la *mise-en-ménage*; les toiles, les mousselines, le bazin, les dentelles, les gazes, etc. Elle était enchantée, et ne faisait que rougir. La mère Chantocé remarqua pourtant qu'elle n'avait pas suivi, et elle eut de l'inquiétude; elle vint doucement pour épier. Elle vit sa fille enchantée déployer les étoffes, se récrier sur leur beauté;

Gémonville lui répondre : « Hô! comme ça vous ira! » et lui dire, combien il l'aimerait; comme il respecterait sa mère! enfin lui baiser la main. La citoyenne Chantocé, qui avait à côté d'elle ses deux amies, entra aussitôt : « Fi donc, la main! O mon cher enfant! je te connais, par ce que je viens d'entendre! baise-la au visage; allons, et point de façons, ma'm'selle! » L'amant obéit, et sa bouche pressa les lèvres, après les deux joues... La citoyenne Chantocé frappa dans ses deux mains : « C'est bon! c'est bon! car c'est en ma présence. » Le dîner fut délicieux : les trois vieilles dames furent folles; Marie-Louise demeura modeste et réservée, et Gémonville respectueux. « Ils nous ont appris à vivre, ces deux jeunes barbes », disait la mère en s'en allant le soir.

Gémonville vit sa maîtresse tous les jours, et l'épousa le dixième. Marié, ce fut encore mieux : il forma le cœur et l'esprit de sa femme, qui avait d'excellentes dispositions; leur bonheur enchanta toutes les connaissances de la citoyenne Chantocé, qui eut à sa disposition, un grand jardin au faubourg Saint-Marcel, où elle avait la commission de faire préparer un bon dîner tous les dimanches, pour toutes les personnes qu'elle voulait inviter; son gendre l'avait priée de ne pas craindre de le gêner, pour un peu plus un peu moins de dépenses. Ces dîners environnèrent Gémonville d'une force imposante, qui le tranquillisa. Il fut président de sa section, il rédigea des adresses à la Convention; il les entendit applaudir, et son nom vola de bouche en bouche. Quand il s'agissait de dons patriotiques, il était toujours le premier. « Je dois mon bonheur à la Révolution, disait-il; sans elle, j'aurais épousé mon égale, et jamais je ne me serais douté des vertus propres aux conditions ci-devant inférieures : non, ce n'est que dans ces états médiocres qu'on trouve des cœurs de femme comme celui de la mienne, des caractères joyeux et réjouissants comme celui de sa mère! Jc ne connaissais pas le genre de bonheur que ces deux femmes me procurent; il est trop éloigné des mœurs et de la tournure de la ci-devant haute noblesse. »

Je m'en allai au café Robert-Manouri, où j'écrivis tout d'un trait ce qu'on vient de lire. Revenons aux affaires publiques.

DEUXIÈME NUIT SURNUMÉRAIRE

6 et 23 mai 1793

Je passai le soir, vers les sept heures, sur le pont Neuf. Au milieu de la place des Trois-Maries, était un groupe de jeunes gens de tous les états. Je m'approchai pour écouter. Un orateur parlait. Voici ce qu'il dit :

« Il avait été décidé que Paris fournirait douze mille hommes, pour envoyer contre les rebelles de la Vendée[1]. Les registres sont ouverts, pour recevoir les inscriptions militaires spontanées. Mais on s'est bientôt aperçu qu'il fallait employer un autre moyen. On décida que personne ne serait exempt, ni commis, ni clercs... Qui le croirait? Ce sont ces derniers, qui ont l'aveugle insolence d'exciter des troubles, en réclamant... Quoi? un privilège, dans une république, qui les a tous anéantis! Ils s'assemblent, sans réfléchir, qu'un rassemblement contre l'arrêté des sections légalement assemblées, est une insurrection coupable, pour agiter entre eux, s'ils obéiront à la loi du recrutement forcé! Les clercs délicats des notaires, et même leurs saute-ruisseau, représentent qu'ils sont accoutumés à une vie molle, qui les rend incapables de soutenir les fatigues de la guerre. Les femmes trouvent ces raisons excellentes!... Les commis objectent qu'ils sont d'une indispensable nécessité à leurs bureaux. « Et nous donc! s'écrient les sous-garde-notes : qui passera vos transactions, vos procurations générales et ad hoc? vos contrats de mariages? vos protestations des 8 mille et des 20 mille? vos substitutions?... — Il n'y en a plus! leur cria-t-on. — Vos testaments... — Il n'y en a plus! — Quoi donc! le mort ne saisit-il pas toujours le vif? — Et non! c'est le vif qui saisit le mourant et le mort, aujourd'hui! — Hé bien, vos donations entre vifs, toujours excellentes, pourvu qu'elles soient acceptées et que la tradition s'ensuive : car, donner et retenir ne vaut. — Ce n'est plus cela! leur cria-t-on : car, voyez, si nous ne donnons pas nos pouvoirs à la Convention, et si nous ne les retenons pas! — Cela n'est pas vrai, dit un Jacobin : d'abord, le peuple ne délègue pas sa souveraineté; il n'en délègue que l'exercice temporaire[1]... » On allait politiquer, lorsque la force armée des sections arriva : les clercs craignirent pour leurs membres délicats; les commis pour leur frisure; tout s'enfuit; l'on n'arrêta que quelques traîneurs, saute-ruisseau et surnuméraires, moins amolis que les autres. « Ha! dit un homme, en les voyant courir, laissons ces lâches à nos dames et aux catins; ils ne sont pas dignes d'être soldats!... » Et le lendemain, on relâcha ceux qu'on avait arrêtés, et la classe entière fut regardée comme composée d'hommes nuls. Honneur aux bons soldats! Éternelle infamie aux clercs, aux commis, à tous les lâches!... »

Ici l'orateur fut interrompu. « Lâche toi-même! lui dit un clerc. Un de nous, le général Salomon, se dis-

tingue, et montre qu'il ne faut pas être un géant,
pour avoir du cœur... » Comme je vis qu'on allait se
battre, je passai.

Un peu plus loin, je rencontrai un homme, qui me
frappa sur l'épaule, en me disant : « Vous connaissez
sans doute, citoyen Spectateur nocturne, Dupont
de Nemours, l'ex-constituant, ci-devant économiste,
très aristocrate, dit-on, mais qui embrassa la Révolution de tout son cœur, dans l'espérance qu'on allait
réaliser les chimères de sa secte. Cet homme s'est
depuis repenti de sa démocratie, et il a fait tout ce
qu'il a pu, pour réhabiliter l'aristocratie; témoins ses
fréquentes affiches. Croiriez-vous qu'on a voulu
l'assassiner ?... Je vous avertis, dans le temps, par un
mot, de ne pas vous promener, comme autrefois sur
l'île, à des onze heures-minuit. Quelqu'un me dit que
vous aviez quitté cette habitude, depuis la scène du
14 juillet 1789, à onze heures un quart, que vous avez
rapportée dans votre XVᵉ partie des *Nuits de Paris* :
j'en fus très aise! car, moi, j'ai été tué, et jeté à l'eau,
pour Dupont. — Comment, *tué!* — Tué... Et ce qui
est également certain, c'est que quelqu'un vous a
noirci dans l'esprit des insulaires, petit peuple de l'île
de la Fraternité : un garçon marchand de vin vous y a
dénoncé comme conspirateur, et deux ou trois hommes de rivière, initiés, dans l'affaire contre Dupont,
avaient résolu de vous faire sauter le pas, à cette
même occasion. Voyez à combien peu tient notre vie,
dans les temps d'anarchie et de trouble! Le conseil
que j'ai à vous donner, c'est de ne jamais venir sur
l'île le soir. Je sais que vous n'avez rien fait aux habitants de la Fraternité, bas et hauts. Mais un scélérat,
que vous connaissez, vous a désigné aux enfants du
peuple. Il n'en faut pas davantage, pour faire tuer un
homme. — Je savais tout cela, lui répondis-je : je ne
me priverai pas d'aller sur l'île fraternelle : j'ai tou-

jours désiré d'y mourir. Toutes les fois que je la quitte, je crois échapper un naufrage, et je la bénis. Mais je maudis les scélérats! Maintes fois j'ai été insulté par des particuliers, sur l'île, sur le pont de la Tournelle, sur celui dit Marie : sur le premier, par un grand jeune drôle, qui menait deux femmes. Il m'apostropha de tout loin, en criant : « Voilà le grand, le fameux, le célèbre......! » Je ne dis mot, et ne le regardai pas, en passant à côté de lui. Je m'arrêtai à quelque distance. Le bravache faisait jouer la badine. Je le soupçonne d'être un certain Valluiq fils, ou neveu. La même chose m'est arrivée en 1793 sur le pont Marie. Une parfaite inattention est toute la réponse qu'on doit à ces êtres méprisables. Valluiq père ne vaut pas mieux, non plus que les Drallab père et fils, les Durenroche, etc., qui m'ont également insulté, quoique je ne les connaisse pas. Je laisse tous ces êtres immoraux à leur profonde obscurité. S'ils me lisent, ils se reconnaîtront; c'est toute la vengeance que j'en veux tirer; mais je ne les ferai pas connaître à d'autres.

En quittant cet homme, je me rendis chez moi, où je trouvai la lettre que voici :

Lettre au Spectateur

« *Citoyen Spectateur nocturne : nous sommes dans une crise terrible! Les scélérats de la minorité, qui, par cette raison seule ne peuvent être que des rebelles, ont levé l'étendard de la guerre civile; rien n'égale leur cruauté : ils tuent, ils violent, ils pillent, et ce qui est pis encore, ils forcent les ignorants et les faibles à les féconder. Ils ont pris Fontenay-le-Peuple, et ils y ont commis des horreurs. Voici deux traits*

*qu'on m'a racontés, sans me dire bien sûrement le
lieu de la scène. Cependant je vous nommerai les
endroits qu'on m'a cités.*

A Fontenay-le-Peuple, il y avait un horloger,
nommé Filon, qui avait une très jolie femme. Deux
émigrés rentrés d'Angleterre la connaissaient, et leur
plus grand désir était de l'avoir en leur possession.
Ils furent des plus ardents pour attaquer; et étant
enfin entrés dans la ville, ils coururent à la maison
que Mme Filon occupait. Ils l'y trouvèrent, avec son
mari. Sa beauté, sa douceur les désarmèrent; c'est-à-
dire, qu'ils ne purent se résoudre à lui faire violence
devant son mari, comme ils se l'étaient proposé. Ils
lui dirent : « Madame, nous venons pour vous préserver, sachant qu'il y a des desseins contre vous : nous
allons vous placer dans une maison, avec d'autres
personnes de votre sexe. » Ils l'emmenèrent effectivement dans une maison dont ils étaient les maîtres.
Mais, dès qu'elle y fut, ils lui firent violence, après
avoir tiré au sort, à qui commencerait. Ils s'assouvi-
rent assez longuement. Après quoi, se ressouvenant
combien ils l'avaient désirée, et considérant combien
elle était jolie, ils allaient la tuer, par une sorte de
jalousie; quand une autre pensée vint à l'un des
deux; ce fut de tellement l'avilir, qu'ils n'y eussent
plus aucun regret. Ils la firent violer devant eux par
leurs valets, ensuite par leurs charretiers : après
quoi, ils la firent ramener chez elle mourante. ... Elle
n'en est pas morte. Mais elle a eu l'esprit aliéné pendant plus de deux mois; elle marquait, au moindre
coup de tambour, ou de fusil, ou seulement au moindre bruit, une frayeur à se cacher sous les lits, ou
dans les caves. Un jour, elle fut prête à se jeter dans
un puits. On ne l'a guérie, qu'en l'envoyant dans un
endroit tranquille, où elle n'a plus rien entendu. Vous
pouvez la voir; elle est aujourd'hui à Paris.

Un autre trait est arrivé à Champigny, au moment où les rebelles s'approchèrent de Tours. Une dame veuve de Grandpont s'était réfugiée dans la ville, à l'approche des furieux, avec deux grandes et jolies filles de vingt-cinq et vingt-sept ans; celle de vingt-cinq était la plus grande. La mère était encore bien, surtout, elle avait beaucoup de grâces. Il y avait dans l'armée des rebelles un grand ennemi de feu M. Saussaie, le mari de la veuve. Ayant appris qu'elle avait quitté sa campagne avec ses deux filles, pour se mettre plus en sûreté dans la ville voisine, il la fit guetter, surtout dans le temps où toutes les apparences étaient plus tranquilles! En effet, la dame ne voyant pas un danger présent, profita d'un moment de calme, pour aller seule à Grandpont. Elle y mit ordre à quelques affaires, et s'en revint. L'ennemi l'avait su; la voyant seule, loin de l'insulter, il retint ceux de son parti, qui auraient pu l'attaquer. Il lui fit ainsi une escorte invisible.

Madame Saussaie prit de la sécurité, et ayant eu affaire une seconde fois à Grandpont, elle s'y fit accompagner par ses filles. C'était là où le scélérat l'attendait. Elle ne voulait pas coucher au village : mais au moment de son départ, une petite troupe qui se montra, lui fit peur. Elle resta, bien fâchée de son imprudent voyage!... Au milieu de la nuit la maison fut attaquée, ses portes enfoncées : les soldats pillèrent, burent, mangèrent; les officiers entrèrent dans la chambre des dames, allumèrent tous les flambeaux, les mirent nues, et le poignard ou le pistolet à la main, les forcèrent à toutes les attitudes, auxquelles les mousquetaires avaient coutume d'assujettir les nymphes des mauvais lieux. Ils faisaient leurs remarques sur la mère et sur les filles, qu'ils obligèrent toutes trois à marcher à quatre, les cheveux ramenés en devant, et se traînant; non sur les genoux, mais

sur les mains et les pieds; ce qui satisfaisait la bru-
tale curiosité des scélérats. Ils obligèrent la mère à...
faire des infamies à ses filles. Cela fini, leur brutalité,
portée au comble, ils les violèrent toutes trois, en les
souffletant, au moindre manque d'obéissance à leurs
ordres obscènes... Ils les allaient livrer aux soldats,
quand le son lointain du tambour les effraya. Ils les
attachèrent, nues, et les laissèrent, pour aller se mettre sous les armes. Ils s'étaient promis de revenir.
Mais les patriotes ne leur en donnèrent pas le temps.
Les voisins vinrent aux cris, et délièrent les trois
dames.

Voilà un échantillon du sort que préparent les contre-révolutionnaires aux villes et villages où ils péné-
treront. »

TROISIÈME NUIT SURNUMÉRAIRE

31 mai, 1, 2, 3, 4, 5 juin 1793

Le 31 de mai est un jour célèbre, dans mes *Annales*,
ou mes *Fastes*, comme je les nommais dans ma jeunesse... Je m'étais couché tranquille, quoique j'eusse
vu de grands mouvements dans les rues, en revenant
du café Robert-Manouri. A trois heures, j'entends
sonner le tocsin de toutes parts, comme au 10 août
dernier. Je ne savais ce que cela voulait dire. Je restai
éveillé. Dès les quatre heures, tout le quartier était en
rumeur. J'entendis frapper à la porte de notre capitaine, qui mit la tête [à] la fenêtre, en se plaignant :
« *On ne frappe pas aux portes!* », dit-il. Il se leva
néanmoins. Je fus bientôt sur pied.

Descendu, je m'informe. Mes camarades ignorent ce qui les met en action. Pour moi, j'avais bien quelques doutes, mais point de certitude. D'ailleurs, ne connaissant pas encore les divers intérêts, et les dispositions des membres les plus célèbres, que je croyais de véritables patriotes, puisque moi-même, je les avais loués comme tels, j'étais loin d'imaginer ce qui allait arriver!... On demeura sous les armes tout le jour. Vers les neuf heures du soir, la Convention fut entourée de troupes et de canons. Tout le monde était surpris; car le nombre des gens au fait était si petit, qu'on peut employer cette expression. On s'imaginait que le but de la Commune de Paris, était de violenter la Convention : mais on a su depuis, que ce n'était que pour empêcher les aristocrates, et les autres malveillants de tous les genres de se montrer. Ce motif rendait légitime la circonscription de l'Assemblée...

Cependant les Petion, les Guadet, les Vergniaud, les Lanjuinais criaient qu'ils n'étaient pas libres. Lacroix et quelques autres membres de la Montagne, s'étant présentés pour sortir, ils furent repoussés dans la salle, par des hommes à moustaches, qui n'étaient pas de la garde ordinaire. Ils rentrèrent effrayés, et se plaignirent. Par qui ces hommes avaient-ils été placés? Ce ne pouvait être que par un des comités de la Convention, ou par la Commune. C'était une grande opération, que celle d'expulser de la Convention, des membres inviolables, et de donner prise sur soi-même par là! Mais les représentants firent ce grand sacrifice, et s'immolèrent pour ainsi dire eux-mêmes...

Telle fut l'opération commencée le 31 mai. Petion, Guadet, Lasource, Brissot, Lanjuinais, Vergniaud, Buzot, etc., furent décrétés d'accusation, eux que nous croyions de vrais patriotes, et les plus fermes

soutiens de la liberté!... Ils nous avaient trompés!
Leur conduite postérieure a prouvé leur félonie! Ils
ont voulu déchirer le sein de leur mère. Ils ont causé
à la patrie des maux incalculables : Caen et le Calva-
dos sont revenus; mais Lyon est perdu! Marseille,
Bordeaux ont senti le danger : mais les lâches Toulonnais se sont livrés à nos ennemis éternels et les
plus dangereux, aux perfides Anglais dont la foi puni-
que est bien au-dessous de celle des Carthaginois!...

Les jours suivants, le 2 et le 3 juin, on fit décréter
les douze membres de la Commission dite des Douze,
dans laquelle entre autres, était Rabaud. Cette commission avait fait arrêter le municipal Hébert, et ce
fut même l'occasion prochaine de la grande commo-
tion. Les Jacobins virent qu'on en voulait aux ardents
patriotes, à ceux qui, comme le maire Pâche, avaient
parlé contre la partie de l'Assemblée dite la Plaine,
par opposition à la Montagne. L'Assemblée tenue
chez le maire, avait été dénoncée à la Convention,
comme une conjuration contre elle; c'est-à-dire, contre les membres depuis expulsés : s'ils en avaient
encore eu la force, ce sont eux qui eussent expulsé les
autres... On sait quelles ont été les suites de
l'expulsion; la révolte temporaire des départements
de l'Ouest, celle de Bordeaux, de Marseille... Mais si
la commission des Douze l'avait emporté, qui peut
dire à quels maux nous aurions été exposés?... La
pensée en fait frémir! Peut-être aujourd'hui la République déchirée, dépiécée, serait-elle la proie des
tyrans. Bénissons donc la Montagne, qui a prévenu
notre perte entière, et tâchons de réparer celles que
nous avons éprouvées.

Mais on sait, que laissant à d'autres les affaires
publiques, je m'occupe plus volontiers des affaires
particulières.

LES JACOBINES DES TRIBUNES

LE 31 au soir, je trouvai un rassemblement assez considérable à la porte du café Robert-Manouri. Je fus surpris, non d'y voir des femmes, mais d'y en remarquer deux, entre autres, jeunes, jolies, et si ardentes patriotes, que tout le monde les regardait avec admiration; excepté néanmoins quelques aristocrates, qui disaient assez haut : « Elles sont payées. » Une d'elles entendit le muscadin, qui l'accusait : « Tu te trompes! lui dit-elle. Personne ne me paie : mais le ministre Choiseul a fait périr mon oncle; Condé a réduit mon père au désespoir; Calonne a fait perdre leur place à deux de mes frères; d'Artois a fait enlever ma sœur aînée, et Monsieur s'est emparé de notre maison de campagne. » L'autre femme, plus grande, et ayant l'air très délibéré, s'approcha pour lors du muscadin, et lui releva le menton d'un coup de poing. On lui conseilla de se retirer. Ce qu'il fit. Mais je m'aperçus que l'amazone le cherchait. Quelques expressions qui lui échappèrent, me firent penser que c'était la sœur jadis enlevée. Pour m'en assurer, je m'approchai des deux belles, et je leur adressai la parole, de la manière la plus honnête. « Qu'es-tu, toi? me dit l'aînée. A ton costume, je te croirais abbé? — Non, citoyenne : je suis le *Paysan perverti*, et le *Contemporaniste*. — Vrai? Ha! tu n'es pas aristocrate... Le connaissez-vous? dit-elle au maître du café. — Oui, citoyenne : c'est... (Il me nomma). — En ce cas, mon ami, reconduis-nous : je suis bien aise de causer avec toi. » Et elle me donna le bras.

Nous prîmes le Louvre, la rue du Chantre, celle des Bons-Enfants, et celle du Mail, où demeuraient les deux sœurs; car elles l'étaient... En chemin, l'aînée me dit : « Tous les jours nous allons, soit à la Convention, soit aux Jacobins, pour y soutenir le patriotisme de toutes nos forces. Vous allez voir mon père : c'est un vieillard respectable : mais si fort ulcéré contre l'Ancien Régime, qu'il n'est pas de moyen qu'il n'emploie pour empêcher son retour... » Nous entrâmes auprès du vieillard; une de ses filles lui dit qui j'étais.

« Citoyen, me dit-il, ma fille aînée vient de me dire à l'oreille qui vous étiez : cette connaissance sera le motif de ma confidence : car je ne suis point bavard... J'eus un frère aîné, qui aurait été l'honneur de son nom : un gentilhâtre d'Artois, qui se flattait d'approcher la Pompadour, lui demanda un plan de réformation des Finances, que cette vieille maîtresse, devenue bonne à la fin de ses jours, voulait présenter, et faire goûter à Louis XV, à l'insu de Choiseul. Mon frère le fit, ou plutôt le corrigea, d'après le canevas d'un inconnu, qui n'était que simple ouvrier à l'Imprimerie royale. Quand ce projet fut en état d'être examiné, mon frère fut chargé de le lire. La dame le mena, le présenta comme l'auteur, et le fit lire. On y proposait, pour payer les dettes de l'État, de vendre les biens du clergé, de faire une pension de 6000 livres aux évêques, et une de 1200 francs aux curés; de supprimer absolument moines et chanoines, et de les obliger à se marier avec les religieuses; de mettre les réfractaires aux travaux convenables à leurs talents et à leur âge, par condamnation générale, etc. Ce projet fit frémir Louis XV : c'était en 1763 : il demanda si l'on voulait encore le faire assassiner?... Contre sa promesse, il en parla au Choiseul; mon frère fut pris, renfermé à Vincennes, et livré aux prêtres; après de longs tourments, pendant lesquels il ne compromit pas le véritable auteur du Mémoire, il fut poignardé par Foulon, que l'archevêque de Paris avait prié d'en débarrasser l'Église, sans lui dire comment.

« Nous étions regardés d'un mauvais œil par le gouvernement : mais trop jeunes alors, nous n'avions eu part à rien, ni moi, ni ma femme, à peine âgée de dix-huit ans, mais déjà mère de mes quatre enfants. Tout le mal qu'on nous fit, près de cinq ans après le Mémoire, et huit jours après la mort de mon frère, fut de venir la prendre pour le Parc-aux-Cerfs, où Louis XV l'humilia, en dédaignant ses attraits, sur lesquels il cracha. On l'ôta de ses yeux, et elle fut violée par deux galériens, pris à la Tournelle; ces scélérats l'outragèrent par les écarts du plus affreux libertinage, *os, anus, concha,* rien ne resta pur. On me la renvoya ensuite : telle fut la vengeance du Choiseul, qui s'étendit particulièrement sur la Pompadour, morte empoisonnée, et si peu regrettée de Louis, qu'il regarda, de son balcon, le convoi en riant...

« Il s'écoula six autres années, pendant lesquelles ma femme mourut en langueur. A cette époque, Condé, qui, de même que toute la Cour, me regardait comme une victime dévouée, et un homme de l'existence duquel on pouvait abuser, me fit ordonner de venir lui parler. J'y allai sur-le-champ. Il s'enferma très secrètement avec moi; et là, il me déclara qu'il m'avait choisi pour assassiner la du Barry, qui déshonorait Louis XV, et la France. J'allais parler. « Point « de réplique! Si tu réussis, je te sauve; si tu « échoues, je te fais poignarder; si tu refuses, tu es « mort. Si tu parles, tout est prévu; tu ne feras que « hâter ta destruction... Au reste, tu as tous les « moyens, et l'on ne t'en prescrira que par forme de « conseil... » Ces moyens étaient le poison, le fer, la trahison, la violence ouverte, un coup de pistolet, de fusil : l'attaque par des brigands, qu'on m'offrait des prisons; enfin, par moi-même : me promettant qu'alors je serais observé, pour être conduit hors de France. Pour moi, je ne vis dans tout cela, que la mort et la ruine de ma famille. En sortant de chez Condé, je n'allai pas même chez moi : je pris la poste pour Calais, où j'arrivai le soir, et le matin, je me jetai dans le paquebot prêt à faire voile... Arrivé à Londres, je fis écrire à un ami, une lettre pour ma famille : je me cachai ensuite, non à Londres, mais dans un village du comté de Bedford, où je suis resté jusqu'à la Révolution.

« Mes enfants étaient à Paris. Mes amis placèrent avantageusement mes fils, en déguisant leur nom; nos ennemis n'étaient plus, et on croyait n'avoir rien à craindre de ceux qui gouvernaient. Ce fut alors que l'ancienne copie du plan de réforme tomba entre les mains de Calonne. Il sut combien on en avait persécuté l'auteur. Il découvrit que mes fils étaient ses neveux. Il voulut les voir, et leur trouvant de la sagacité, il résolut de leur donner un emploi dangereux, en leur confiant la fabrication de faux billets de la Caisse d'escompte, billets dont il concevait alors le projet, pour s'enrichir d'une manière inconnue. Il se promettait bien de les faire périr, dès qu'il en aurait tiré le parti qu'il espérait. Mais les deux frères étaient trop éclairés pour donner dans le piège. Ils acceptèrent néanmoins en apparence. Mais ils mirent ordres à leurs affaires, et partirent la nuit même déguisés en femmes, par le coche de Lille, deux dames leur ayant cédé leurs noms, et les places qu'elles avaient payées. Ils vinrent me joindre à Londres.

« Restaient mes deux filles. Il faut savoir que pendant ce temps, vers 1779, le Monsieur et le d'Artois donnaient dans la plus crapuleuse débauche; on nommait tout par son nom, dans les parties du Monsieur, et d'Artois était pire encore. Il y avait au faubourg

Saint-Antoine une débauche, où allait d'Orléans-Buffon, d'Artois, et autres, à ce que j'ai su par ouï-dire : là, on se livrait à toutes les infamies depuis décrites par de Sade, dans son exécrable roman, intitulé *Justine, ou les Malheurs de la vertu*. Mais une chose singulière, et qui passe toute conception humaine, c'est qu'on y commettait une bestialité sur des coqs dindes, auxquels on coupait la tête, au moment où la bestialité se consommait... Cette dégoûtante horreur donna l'idée à un ennemi, parce qu'il était ami de Choiseul, de faire servir ma fille à cette horrible jouissance. On l'enleva, de l'ordre de d'Artois, auquel rien ne résistait alors, et on la conduisit au faubourg : là, on la mit au milieu des orgies; elle vit tout, et frémit, sans connaître son sort. On la déshabilla entièrement; elle devait être immolée, quand... il faut le dire, d'Artois entra : on lui montra sa victime; on lui dit tout bas, à quel usage on la destinait : « Non! non! », s'écria-t-il. Et sur-le-champ, il lui fit rendre ses habits. On la ramena dans sa pension...

« Quant à ma maison de campagne, j'y suis rentré, à mon retour... D'après tout ce que vous venez d'entendre, vous jugez comme nous sommes portés pour la Révolution, mes enfants et moi. Mes deux fils servent tous deux avec distinction. Quant à mes filles, elles ne quittent pas les tribunes, aux heures des séances, et le temps qu'elles passent ici, est employé à coudre des chemises pour les soldats. »

Je répondis au vieillard : « Vous avez de justes raisons de détester l'Ancien Régime. Quant à moi, un mot vous dira tout : ce projet de finances, qui fit périr votre frère, était mon ouvrage; je le fis, en travaillant à l'Imprimerie royale, à la sollicitation de l'Artésien, auquel je l'envoyai, sans me faire connaître; l'intermédiaire était un ami, nommé Boudard. — Et c'est ce Boudard, que je ne vous ai pas nommé, que j'en croyais l'auteur! — Non : il m'en avait chargé... Et jugez si je dois aimer la Révolution? Sans elle je n'aurais jamais pu donner au public, de mon vivant, le plus important de mes ouvrages, celui où le *Cœur est dévoilé*. » Le vieillard parut enchanté... Je me retirai. Mais, il y a quelques jours, que je reçus une de ses lettres.

« *Venez dîner chez moi, demain 22 septembre (1793). Je viens d'apprendre une nouvelle, qui me met dans un étonnement d'admiration : Latude, qui, entre nous, méritait une correction, vient d'obtenir, sur les héritiers de la Pompadour, une indemnité, pour les persécutions qu'il a souffertes. La législature avait écarté la demande de Latude, parce qu'on avait vu, que cet homme, jeune alors, était un intrigant, qui avait voulu obtenir quelque chose de la grande catin, en lui donnant un faux avis d'empoisonnement. Mais ce qui me plaît, c'est qu'il ait eu tort, et que les restes des favoris des tyrans soient muletés! C'est ce que je n'aurais jamais osé espérer... A dimanche.* »

Je n'ai pu me rendre à cette invitation, étant indisposé.

Les quatre soirées suivantes, j'examinai ce qui se passait, et j'allai même à la Convention. J'entendis les discours que prononça la municipalité. On les trouve dans les journaux. Je vis les canons braqués dans la place du Carrousel, que je traversai...

LES TROIS TRIBUNESIENNES

LE 1ᵉʳ juin, trois jeunes filles sortaient des tribunes. « Je suis là depuis quatre heures du matin, dit une

d'elles, assez jolie : je n'en puis plus... Mais tout va
bien. — Ha! Robespierre est un dieu! dit une autre.
— Et Barrère donc? — Voilà les hommes d'État
coulés bas! — Lanjuinais ne veut pas donner sa
démission! — Qu'est-ce que ça fait? On le démet-
tra... » En ce moment, une des trois jeunes filles me
regarda : « Tiens! dit-elle aux deux autres, voilà le
Contemporain, autrement le *Hibou* : s'il nous a vues,
ou entendues, il nous historiera. — Oui, oui, il nous
historiera... Mais nous reconnaît-il? — Je n'en sais
rien : parlons-lui. » Elles m'abordèrent. Je feignais de
ne pas les entendre. « Citoyen, me dit la plus jolie,
nous reconnaissez-vous? — Non, mesdames; car je
ne crois pas vous avoir jamais connues. — Il ne nous
reconnaît pas! dit tout bas la même, qu'à sa manière
je reconnus alors pour Florence Vetoilli, la seconde
des trois sœurs : amusons-nous... Nous vous connaissons un peu, nous, de vous avoir vu passer au Palais,
où nous vendions des brosses et des éponges... Si
vous voulez, nous allons vous raconter notre
histoire? — Volontiers, mes belles : je préfère la
vérité à l'imagination. — Hô! nous le savons bien. »
Placidie, l'aînée, commença :

« Nous sommes trois sœurs et un frère : nous
étions brossières au Palais marchand. Notre père est
un libertin; et notre mère très économe. Comme je
suis l'aînée, mon père me dit un jour : « Placidie, va-
« t'en porter ces trois éponges fines, et ces deux
« brosses à miroir aux arcades du Palais-Royal, près
« le passage Penthièvre. Tu demanderas M. Béna-
« vant, n° 16, et tu recevras ce qu'il te donnera. » Je
partis, bien propre; car mon père m'avait dit de me
requinquer. J'arrivai chez le citoyen à neuf heures du
matin. Il était encore au lit. « Ha-ha! c'est vous,
« Placidie? — Vous savez déjà mon nom! — Ho!
« que oui, ma petite; et mieux que cela : que vous

« chantez comme une serine. Passez là. » Il me fit
avancer sur un petit carré. Aussitôt une poulie se
tira; je voulus sortir, mais je me vis environnée de
fils de fer, qui formèrent une cage, et je fus enlevée
au plancher, par la poulie. Il entra une jeune fille,
qui joua un air sur une serinette. Et le monsieur
me dit qu'elle le jouerait jusqu'à ce que je le susse.
« Ho! je le sais! lui criais-je. Citoyen... » Et je le
chantai, recommençai, au moins dix fois, pendant
que... Puis on me descendit, on me paya, et je m'en
allai.

— A moi la parole, dit Florence, la seconde des
sœurs. La semaine d'ensuite, ce fut mon tour. Mon
père m'envoya tout comme ma sœur, je fus encagée
tout comme elle; pendant que... Mais quand je fus
descendue, il y eut une petite différence. Comme je
passais sur un autre carré, pour aller recevoir mon
paiement, quatre crochets s'attachèrent au bas de
mes jupes, et je fus enlevée au plancher. L'homme
prit une machine, qu'il appela téléscope, il la braqua
(c'est encore un de ses mots) sur moi et resta dans
cette contemplation plus d'un quart d'heure. Ensuite,
il débraqua, et je restai encore là un autre quart
d'heure, pendant que... Après cela, je fus redescendue
doucement; on me paya, et je m'en allai.

— Pour moi, dit Rosalie, la troisième sœur, après
que tout ce qu'elles vous ont conté là me fut arrivé,
que j'eus été encagée, que j'eus chanté, que j'eus été
mise au croc, l'homme me fit entrer dans un cabinet
tout en glaces, où je fus mise au bain. Au bout d'un
quart d'heure, on retira la cuve, et je me trouvai là
seule et nue, pendant un autre quart d'heure. Après
quoi, une porte s'ouvrit, sans que je visse personne,
et je traversai trois grandes pièces : dans une quatrième, je trouvai mes habits, que je me dépêchai de
mettre. Je voulais sortir, quand j'entendis enfoncer

les portes du côté de la rue. J'eus bien peur!... Mais
enfin, je vis entrer des hommes armés. On me fit garder à vue; puis on me mena devant des commissaires, comme on les nomma, pour être interrogée. Je
contai tout ce qui m'était arrivé. On me renvoya chez
nous... Mais dès le lendemain, on nous fit venir, mes
deux sœurs et moi, pour déposer. Pendant que nous
étions là, un homme nous dit : « Vous avez été les
« victimes d'un aristocrate libertin; il faut devenir
« bonnes patriotes, et l'on aura soin de vous. Tenez,
« pour vous instruire, prenez ce billet de tribunes,
« et allez aux Jacobins : vous écouterez ce qu'on
« dira, et vous en ferez votre profit. » Nous y allons,
et chaque semaine, une citoyenne riche nous donne
une petite rétribution : ce qui avec notre travail jour-
nalier, nous a procuré un petit bien-être, sans aller
chez les aristocrates... Quelques Jacobines, qui nous
voyaient tous les jours, nous ont menées avec elles
aux tribunes de la Convention, et une d'elles, qui
était riche, ayant su notre position, nous donna aussi
une petite rétribution. Nous avons vu par là, que tout
ce qu'on dit, des tribunes payées n'est pas vrai; ce
sont de zélées, ou de zélés patriotes, qui viennent au
secours des habitués qui ne le sont pas... Vous pouvez
faire usage de cela. Car quelqu'un qui vous [a] vu,
nous a dit qui vous étiez. Adieu. »

Les trois Jacobines me quittèrent, et je m'en
revins.

QUATRIÈME NUIT SURNUMÉRAIRE

13-16 juillet 1793

PASSONS légèrement sur les événements connus, le soulèvement aveugle et bien repenti de quelques départements; la suite de quelques membres arrêtés, leurs manœuvres dans les départements où ils se sont sauvés, une visite, faite pendant le jour au Palais-Égalité, etc. Laissons également ce qui regarde nos armées, qui n'est pas du ressort du Hibou-Spectateur dans les rues de Paris. Nous en sommes au 13 juillet[1].

Je sortis le soir à huit heures. J'entrai chez le citoyen libraire qui vend les *Nuits* : l'on n'y savait rien encore du sinistre événement. Parvenu au pont Neuf, j'entendis un serrurer de boutique dire à la marchande. « Elle s'en allait; on l'a arrêtée sur la porte : il est mort... » Je ne savais ce que cela voulait dire : d'ailleurs, la première circonstance était fausse... J'avançai jusqu'au café Robert-Manouri. Ce fut là, que cent bouches racontaient l'accident terrible... Mais respirons un moment.

Depuis 1789, j'entendais parler du citoyen Marat. J'avais soupé, rue de Tournon, avec des gens qui le connaissaient : chimiste habile, ce physicien avait fait des découvertes dans un art difficile, et il en avait reculé les bornes. C'était par la physique qu'il avait obtenu à Paris ses premiers succès en médecine. Il suivait la nature, et sa réputation fut telle, la seconde année de son exercice, qu'il gagna 40 000 francs. Mais la nature sans charlatanisme ennuie à Paris. Il fut quitté la troisième année; et la quatrième il commença son journal intitulé, *L'Ami du peuple*. On sait ce qui lui arriva; comment il fut persécuté par La Fayette, qui, secondé de toute la force armée, ne put s'emparer de cet homme seul. On se contenta de briser son imprimerie; et ce fut la première violation de la liberté de la presse. Marat se tint ensuite caché, au point que les trois quarts du monde le crut un être imaginaire... Enfin, il parut au grand jour à la Convention nationale. Il ne fut plus possible alors de douter de son existence. La prévention contre lui était générale, et ses propres amis se virent un instant forcés de l'abandonner. Il se soutint néanmoins. Enfin la commission des Douze le décréta d'accusation, comme je l'ai rapporté, p. 341, article écrit, et même imprimé, dans le temps de son triomphe. Il sortit. Mais certaine partie du public tournait son triomphe en ridicule. Qu'a-t-il fallu pour rendre à Marat, habile physicien, médecin intelligent, ardent patriote, toute la pureté de sa réputation? La mort; la mort patriotique qu'il a reçue le 13 juillet 1793, entre sept et huit heures du soir.

Il en est peu d'aussi glorieuses. Lepelletier fut assassiné par un mauvais sujet, un bravache, infâme spadassin, méprisé de tout le monde, le débauché Pâris; Marat, au contraire, avait exalté la tête d'une jeune personne intéressante, qui l'eût admiré, défendu, si elle l'avait mieux connu. Une main infâme et flétrissante ne trancha pas ses jours; le monstre fut une fille vertueuse de la vertu des femmes, c'est-à-dire chaste. Il semblait que cet homme, dévoré du feu sacré du patriotisme, ne dût voir trancher ses jours que de la main d'une vierge... A sept heures, Marianne-Charlotte Corday vint chez le citoyen Marat, à qui elle avait écrit une lettre qui, si elle est vraie, est le cachet du crime, puisqu'elle y trompait. Ce fut avec des peines infinies, et par les ordres de Marat lui-

même, qu'elle parvint auprès de lui; son air, ses discours, tout tranquillisa. Les femmes s'éloignèrent du
malade au bain, et dès que Marianne-Charlotte en vit
le moment, elle tira un petit couteau longuet, acheté le
matin au Palais-Égalité, et le plongea dans la poitrine
du patriote, qui fit un cri aigu, et ne survécut que quelques minutes. On accourut. Marianne-Charlotte, dans
un premier mouvement de peur, s'entoura dans un
rideau de croisée, où on la trouva bien vite. La garde
accourt, un témoin oculaire, le citoyen Laferté, présent au procès-verbal, et à la conduite à l'Abbaye, l'entendit convenir de tout. Quand elle sortit, pour aller en
prison, elle s'évanouit. En revenant à elle, la malheureuse dit, avec étonnement : « J'existe encore! je
croyais que le peuple m'aurait mise en pièces. »

Elle resta en prison, de la nuit du 13 au 14, jusqu'au 19 au soir, qu'elle fut exécutée, le surlendemain
de la pompe funèbre de sa victime. Elle avait écrit à
son père, pour lui demander pardon de l'avoir
trompé, en lui disant qu'elle allait à Londres. On
regarde cette lettre simplement comme une précaution disculpante... Cette fille méritait la mort. Elle le
sentait, et se rendait justice. Mais d'où vient une conduite aussi ferme, admirée avec horreur de toute la
capitale, que le fut la sienne, après son crime, n'est-
elle pas l'apanage exclusif de la vertu? D'où vient,
dans ce siècle d'amazones, n'a-t-elle pas compris,
qu'une femme assassin est le plus effrayant des
monstres? O femmes! qui voulez être hommes, et
vous homelettes, qui les y encouragez, le crime de
Marianne-Charlotte est le vôtre autant que le sien*...
Le bourreau souffleta sa tête séparée : il en fut puni,
et mis en prison. Ce n'est pas à l'exécuteur à rien
ajouter à la sentence[1].

---

* On trouvera son histoire dans l'*Année des dames.*

CINQUIÈME NUIT SURNUMÉRAIRE

20-28 août 1793

Fête de la République

Le 14 juillet avait été consacré au deuil : d'un commun accord, on remit la fête de la République au jour à jamais célèbre où les rois ont fini en France. Tous les départements furent avertis, et tous accoururent, malgré les semences de division. Lyon, cette ville infortunée, encore sage, ou du moins, ayant encore de la pudeur, y avait trente-quatre députés ; Toulon, l'infâme cité de Toulon y envoya, pour mieux tromper... Mais les députés de Lyon repartirent la veille, avertis par leurs complices : car déjà les aristocrates s'en étaient emparés, ils y étaient les maîtres... La fête fut superbe, et l'on ne s'aperçut pas de l'absence des Lyonnais. Mais les détails s'en trouvent partout[1].

La jolie Calvadienne dévouée

Je tâche de recueillir tous les faits extraordinaires pour les consigner dans cet ouvrage, qui sera un jour de la plus grande importance.

Une jeune personne de Caen, vraie patriote, mais un peu exaltée, vint à Paris dans l'intention de réparer le tort qu'avait fait à la République l'égarement temporaire de son département, et le crime de Marianne-Charlotte. Les moyens qu'elle voulait prendre étaient singuliers : c'était une brune ardente, d'environ vingt-six ans. Elle prétendit, comme les anciennes druidesses gauloises, qui chaque année accordaient solennellement leurs faveurs aux guerriers les plus distingués, donner les plaisirs de l'amour aux héros du patriotisme. En conséquence de ce généreux projet, elle s'informa. Ensuite, elle voulut voir et savoir : ses informations furent assez exactes. Mais celui-là était nouvellement marié à une jeune et jolie personne, qu'il adorait; celui-ci avait une ou deux maîtresses jalouses; cet autre dédaignait les femmes, et jamais ne fléchissait devant elles, quoiqu'il ait employé un autre mot, qui a fait bien rire! Plusieurs autres... etc., etc. Bref, elle ne vit pas qui favoriser, en se donnant, ou à qui se donner, en le favorisant, comme on voudra.

Elle était dans cette fluctuation d'idées, quand le hasard me la fit rencontrer. Je ne sais de quoi j'avais l'air : mais enfin elle me crut du genre favorisable, et même qu'il y aurait beaucoup de courage dans cet acte de dévouement. Elle me parla. Je la pris pour une fille de la rue de l'Arbre-Sec, qui m'attaque quelquefois, et ma réponse fut conforme à cette idée. « Je vois que vous vous trompez, me dit alors Félicité Prodiguer, et je me trompe peut-être aussi moi-même ?... Qui êtes-vous ? » Je me détaillai. La jeune personne rêva : « Vous en valez peut-être bien un autre. Mais, avant tout, je crois devoir vous demander conseil. »

Alors elle me conta comment elle était venue à Paris, pour réparer, par un dévouement dans le goût de quelques-uns de ceux des anciens, les torts de son département. Elle m'exposa l'état de sa fortune, etc. Je l'écoutais attentivement. « Je crois, lui dis-je enfin, citoyenne, qu'il serait plus à propos de destiner votre jolie personne, et votre ronde fortune à un jeune patriote, dont vous feriez le bonheur, et qui ferait le vôtre, et de donner ainsi tous deux de bons sujets à l'État ? Qu'en dites-vous ? Et pour entrer dans vos vues, je vous conseille de prendre un Parisien qui ait déjà servi avec distinction; cela vous fera ressembler davantage aux anciennes druidesses. » (Je lui expliquai ce que c'était.) Elle me pria de la mener dans quelques endroits publics, comme les spectacles, les cafés, les sections... J'y consentis, et nous partîmes sur-le-champ.

Nous entrâmes au café Robert-Manouri, où elle fit ses premières observations. De là, nous allâmes à ma section, où elle remarqua beaucoup un jeune homme du bureau... Rendez-vous au lendemain : nous allâmes aux Italiens, les Français venant d'être supprimés, pour avoir joué différentes pièces, où perçait un goût aristocratique, et avoir montré des dispositions à l'avenant. Ils ont fini le [...] septembre, par la *Pamela* de l'ex-législateur François Neufchâteau. Le mardi, nous allâmes à l'Opéra. Le mercredi au théâtre National de la rue Richelieu; le jeudi à celui de la République; le vendredi, à celui des Variétés du Palais; le samedi au théâtre de Molière; enfin le dimanche, nous revînmes à ma section, où elle jeta le mouchoir au jeune bureautier. Ils se sont mariés, car elle lui a très convenu, et je crois qu'ils seront heureux.

Telle est la petite aventure, que j'ai vue se réaliser dans les temps de la fête du 10 août, et jours suivants. Car cela n'est terminé que le 30 septembre 1793.

PUNITION DE CUSTINE

CEPENDANT le général de l'armée du Nord, avait été mandé à Paris : il avait été arrêté, et mis au Luxembourg, le 22 juillet; au tribunal révolutionnaire le

18 août; condamné le 27 à huit heures, et exécuté le 28 entre dix et onze du matin... Autant Marianne-Charlotte avait montré de fermeté, sans affectation, autant Custine parut frappé! Il appela au secours de son désespoir la religion chrétienne. Il avait reçu sa sentence avec un étonnement de stupeur. Il s'écria : « Moi! traître! » En sortant du palais-justice, pour aller à l'exécution, il leva les yeux, et tendit les mains vers le ciel, en répétant l'expression : « Moi! traître! » Il ne s'occupa ensuite que de son confesseur. Arrivé au lieu de l'exécution, il donna toutes les marques de dévotion possibles. Quel en était le motif?... Custine, à sa mort, avait 25000 livres, dont le geôlier s'était emparé, en accusant de ce vol le confesseur, qui fut arrêté. Celui-ci justifié, le concierge fut mis en prison. J'ignore comment il a été puni ensuite[1].

Conspirateurs de Rouen : Jacobines

Pendant que tout cela se passait, je fus à l'Hôtel-de-Ville, pour le divorce de ma fille aînée, d'avec l'homme qui fait le sujet de la *Nuit surnuméraire* de la XVᵉ partie. J'allais dîner une fois la semaine avec l'ami qui me donne le moyen d'achever d'imprimer mes ouvrages commencés, M. Arthaud, dont l'épouse a succédé à la marquise des quinze premiers volumes des *Nuits*.

Le 2 septembre, deux Jacobines vinrent se rafraîchir au café Robert-Manouri[2]. Les hommes leur parlèrent en plaisantant; elles répondirent en marquant autant d'esprit que d'usage. Elles piquèrent ma curiosité. Lorsqu'elles sortirent, je les suivis. Elles traversèrent le Louvre, et entrèrent dans une maison obscure de la rue Fro ou Froidmanteau. Je remis à un autre jour, à m'informer.

Le 6 septembre[1], on exécuta huit des conspirateurs de Rouen (la femme ne le fut que le dimanche matin, trois jours après, s'étant dite grosse). Je vis sortir ces trois malheureux, à midi. Je les observais en frémissant. J'ai toujours vu que, Marianne-Charlotte exceptée*, tous les êtres pensants qui allaient à la mort, étaient moitié morts déjà. J'avais fait la même observation sur les douze de Bretagne, auxquelles le public a donné de la fermeté. Au moment où j'allais me retirer, j'aperçus derrière moi, les deux Jacobines du 2. Je les abordai, en leur demandant si elles avaient retrouvé leur parapluie? « Comment notre parapluie? — Sans doute! En sortant, l'autre jour, du café Robert-Manouri, il vous manquait, et je me souviens que vous dîtes : « Tu l'auras laissé chez ma « sœur. » Elles rirent, en disant : « C'est vrai... Oui, citoyen, il y était. — J'ai encore compris que l'une de vous avait son mari, ou son amant aux frontières : se porte-t-il bien? En avez-vous eu des nouvelles? — Ha! il est drôle! dit la moins jolie; il sait toutes nos affaires. — Non pas toutes, citoyennes. Je sais néanmoins encore que vous allez habituellement aux tribunes des Jacobins, et à celles de la Convention : pourriez-vous me donner quelques renseignements sur les journées des 31 mai, 1er, 2, 3, 4 juin suivants? — Il faudrait, pour cela, nous mieux connaître. — Je suis un excellent patriote, car je l'étais avant la Révolution, et je l'aime comme un amant aime sa maîtresse. — Fort bien!... En attendant que nous vous connaissions mieux, il est certaines choses que nous pouvons vous dire... Aux environs du 31 mai, et après

---

* Et une jeune fille de vingt-deux ans, Charlotte Vautant, exécutée le 15 du premier mois de l'an II de la Liberté.

la nomination de la commission des Douze, le parti
était pris, dans la Convention même, d'arrêter tous
les ardents patriotes : plusieurs l'étaient déjà comme
des turbulents, lorsque la commission fit la haute
imprudence de faire emprisonner Hébert, *Le Père
Duchesne*, et municipal. Ils se croyaient assez forts,
pour ce coup d'autorité, motivé sur une des feuilles
de ce magistrat, dont le grand crime était d'avoir
assisté à l'Assemblée d'avisance, chez le maire Pache.
Ce premier magistrat de la ville aurait été arrêté lui-
même, si on l'avait osé; mais on voulait tâter l'opinion, par l'arrestation de Hébert. Vous savez que
cette arrestation fut son triomphe, comme l'avait été
l'accusation de Marat. Les membres de la Montagne
sentirent alors le danger : ils surent que Custine et
Wimpfen étaient du complot. Ils prévinrent leurs
ennemis, et la finesse de Custine, qui n'avait rien
écrit, ne l'a pas sauvé. Voilà tout ce que nous pouvons dire, en ce moment. » Je n'insistai pas, et je leur
offris de les quitter, à moins qu'elles n'aimassent
mieux me dire un mot de leurs affaires particulières ?
« Comment donc cela ? dit la jolie; il veut notre con-
fession générale ? — Non pas, mais vous me paraissez avoir eu des aventures : si, par événement, elles
étaient singulières, je les transmettrais au public,
sans vous compromettre, ou bien, en vous compro-
mettant, comme vous le jugeriez à propos ? — Ha!
ma compagne, il est drôle! reprit la même. — Dis-lui
quelque chose. — Tenez, le drôle de corps, je veux
bien vous dire deux mots; mais si vous êtes chanteur,
et que ce soit pour faire de mon aventure une chan-
son, je ne veux ni être nommée, ni que mon ami le
soit. — A la bonne heure. — Mais faites-la bonne, et
que tout Paris la chante... Vous saurez donc... En
vérité, je ne sais comment faire pour lui dire ça...
Conte-le, toi, Catherine, qui le sais tout aussi bien

que moi. — Je le conterai; mais pour le savoir aussi
bien que toi, ma foi non. — Voyons, voyons,
madame? dis-je à Catherine.

— Vous saurez que mon amie, que voilà, est d'Ar-
mentières, où elle est née, mariée, et enterrée... Elle
avait un mari jaloux. Il était jaloux, parce que
Gudule, que vous voyez, avait un galant, qu'elle
aimait, dame! comme on aime un joli garçon, qu'on
ne voit pas la moitié son appétit. Barbelard (c'est le
nom du mari) dit un jour à sa femme : « Ha çà,
« Gudule, si tu parles encore une seule fois, ou si tu
« te laisses reparler à Lambrechin le blondin, je
« t'étouffe, je te noircis le visage, je t'empaille, je te
« fais sécher, et je te garde toute nue sous ce grand
« bocal, que j'ai acheté exprès, entends-tu? — Oui,
« répondit Gudule. Je ne lui reparlerai plus : mais
« puis-je empêcher qu'il ne me parle, lui? — Hô! si
« tu t'enfuis, en te bouchant les oreilles, quand il te
« parlera, je ne te ferai rien. » Elle le promit. Mais
elle prit si bien son temps, qu'un beau soir, pendant
que Barbelard était occupé à son métier de charpen-
tier, elle conta tout à Lambrechin, qui lui dit : « Je
sais ce qu'il faut faire. — Fais tout ce que tu voudras », répondit Gudule.

« Lambrechin s'en alla droit à l'hôpital; il y trouva
une jeune fille, qui venait de mourir. Il la prit, en
payant, bien en secret, il lui noircit le visage, la fit
vider par le chirurgien, embaumer, empailler, sécher,
et la garda. Il dit ensuite à Gudule : « Gudule, je
« t'aime bien; tu as un brutal : si tu veux m'en
« croire, nous nous en irons ensemble à Paris, où
« nous vivrons comme mari et femme. Mais afin que
« Barbelard ne nous poursuive pas, j'ai une momie,
« que j'ai préparée. Nous la mettrons sous son grand
« bocal, avec une lettre. Et il verra ça, et croira que
« c'est toi, comme je te dirai. » Gudule consentit à

tout cela. Elle fit sa main; puis un beau soir, ils partirent, elle et Lambrechin.

« Barbelard vint pour se coucher un peu tard! Il n'avait pas de lumière. Il tâta pour trouver sa femme. Le lit était froid, et il n'y avait, ni il n'y avait eu personne. Barbelard bâtit son briquet à pipe, et alluma sa lampe. Il ne vit personne : mais les sabots et les pantoufles de Gudule étaient aux pieds du bocal, lequel était recouvert d'un grand rideau de serge verte. Barbelard chercha encore; à la fin, il leva le rideau, et sauta en arrière par un grand soubresaut, en voyant une jeune femme toute nue, le visage noir, le corps séché, sous le bocal; et un grand papier devant elle, où était écrit bien lisiblement :

« *Barbelard mon mari, je te déclare que j'ai forfait en mon honneur, avec Lambrechin le blondin; ce qui est bien pis que de lui parler! et que j'en ai eu tel remords, après la chose faite et refaite, que je me suis fait étouffer, noircir le visage, empailler, sécher, et mettre toute nue sous ton grand bocal, que tu as acheté exprès; à celle fin, que m'ayant toujours toute nue devant les yeux, tu voies par où j'ai péché, et par où te sont venues les cornes grandes et cerviques que tu portes. Adieu, Barbelard; car quand tu liras ceci, la pauvre Gudule sera étouffée, noircie de visage, empaillée, séchée, et gardée toute nue sous ton grand bocal, que tu as acheté exprès. Entends-tu? »*

« Après avoir lu cet écrit (car il savait lire), Barbelard ne douta pas un moment de la vérité. « Soit, se « dit-il en lui-même; je ne saurais regretter, puisque « tu as telle vilainie commise! Mais du moins ton « écrit me servira, au cas où voudrait la justice m'in- « quiéter. » Et il est resté tranquille; et il l'est encore... Voilà un beau sujet de complainte. Et vous y pouvez ajouter que l'amoureux de mon amie, après être resté

quelque temps à Paris avec elle, toujours l'aimant
bien, a été se battre dans la Vendée. Elle a été l'y
voir. Mais ayant manqué d'être prise par les ennemis
dans une action, où Barbelard était avec les rebelles
(car il est aristocrate), Lambrechin, qui est aujour-
d'hui général, dit à son amie : « Retourne à Paris, ma
« poule : car je mourrais enragé comme un chien, si
« tu allais tomber entre les mains de ce jaloux cocu
« de Barbelard. Retourne à Paris. Pendant que je
« servirai ici la patrie : toi, tu iras tous les jours de
« séance aux Jacobins, après avoir été à la
« Convention; tu serviras ainsi la patrie de ton côté.
« Et quant à ce qui est de ton divorce, tu ne le feras
« pas. Je veux un décret, qui permette d'épouser les
« femmes des aristocrates, des émigrés et des rebel-
« les à leur nez et à leur barbe, sans divorcer. »

« Voilà où en sont les choses : il y a là matière!
hem ? — Certainement, répondis-je, et je vous pro-
mets d'employer votre histoire à ma manière. » Je
quittai ces deux femmes très content d'elles et de
leur histoire.

3 octobre 1793[1]. Les événéments qui se sont succédé,
depuis le 7 octobre, sont la défaite des Anglais
devant Dunkerque; la poursuite par nos troupes, qui
ont vaincu malgré les généraux; succès trop compen-
sés par la trahison, et les prises de Condé, de Valenciennes, du Quesnoi, peut-être de Cambrai; l'arrestation du général Houchard, et de presque tout
l'état-major de l'armée du Nord; la continuation de
la rébellion de Lyon, prête à être réduite, en ce
moment, 6 octobre : la reddition perfide de la ville de
Toulon aux Anglais; la résipiscence des Marseillais,
des Bordelais, etc. Le 3 octobre, la Convention, qui
cherche à s'épurer, a décrété d'accusation quarante-
huit de ses membres, savoir : Brissot, Vergniaud,

Gensonné, Guadet, Duperret, Carra, Sillery, Condorcet, Fauchet, Doulcet, Ducos de la Gironde, Boyer-Fonfrède, Gamond, Mollevault, Gardien, Valadi, Valazé, Duprat, Mainvielle, Bonnet, Chambon, Lacaze, Delahaye, Lidon, Fermond, Mazuyer, Savari, Lehardy, Hardy, Boileau, Vallée, Rouyer, Antiboul, Lasource, Isnard, Leterpt-Beauvais, Duchastel, Deverité, Dulauré, Grangeneuve, Duval de la Seine-Inférieure, Vigée, Resson, Noël, Coustard et Andréi, d'avoir conspiré contre l'unité, l'indivisibilité de la République, la liberté, l'égalité et la souveraineté du peuple. II. Elle les renvoie devant le tribunal révolutionnaire pour être jugés suivant la rigueur de la loi. III. Il n'est rien changé par ce décret à celui qui déclare traîtres à la patrie, Buzot, Louvet, Gorsas, Pétion et autres. IV. Les députés signataires des adresses contre-révolutionnaires et protestations faites les 6 et 19 juin contre les journées des 31 mai et 2 juin, et contre les décrets alors rendus, seront mis en état d'arrestation, et il sera fait un rapport par le comité de sûreté générale. Billaud-Varennes : « Je demande que Philippe d'Orléans, un des chefs de la conspiration, soit compris dans le décret d'accusation. Je demande que ce décret contre les députés conspirateurs, soit prononcé avec solennité et appel nominal. Un autre membre demande que l'on décrète d'accusation tous les députés qui ont signé la protestation contre le 31 mai. Ils n'avaient, dit-il, d'autre but que d'allumer la guerre civile. » Robespierre : « L'appel nominal est inutile. Je ne vois pas la nécessité de supposer que la Convention puisse être divisée en deux partis. Nous devons présumer qu'il n'y a pas d'autres traîtres ici. Je crois inutile aussi le décret d'accusation en ce moment, contre ceux qui ont seulement signé la protestation. C'est surtout sur les chefs qu'il faut frapper : c'est leur supplice qui doit effrayer ceux qui seraient tentés de les imiter. Il est parmi ces signataires, des personnes trompées, qui n'ont été que les dupes de la faction la plus criminelle et la plus astucieuse qui ait jamais existé. On délibère par assis et levé. Tous ces députés, ainsi que ceux qui sont mis en arrestation et dont on ne met pas ici les noms, seront transférés dans les prisons.

Il a été décrété sur la motion de Billaud-Varennes, que Marie-Antoinette sera jugée dans la semaine prochaine[1].

Tel est l'état des choses, au 9 octobre.

PROFESSION DE FOI POLITIQUE DE L'AUTEUR

Comme je l'ai dit, en commençant, j'ai écrit cet ouvrage à mesure que les événements arrivaient, et il a été très long à imprimer. J'y donnais plus le sentiment public d'alors, que le mien. Mais ici, je dois présenter ce dernier dans toute sa pureté.

Je crois que la vraie représentation nationale est dans la Montagne[2] : que les Jacobins, et les clubs patriotes dans le même sens, ceux qui pensent comme eux, sont les vrais patriotes; que les Petion, etc., loués il y a un an, étaient des traîtres; que Marat et Robespierre, etc., ont sauvé la patrie; que les exécutions des 2, 3, 4, 5 septembre étaient malheureusement nécessaires, surtout pour les prêtres réfractaires, les laïcs contre-révolutionnaires, etc.; que la mort de Louis Capet a été juste et nécessaire, et qu'en le défendant, comme on l'a dit dans cet ouvrage, on n'aurait pas dû néanmoins le sauver, mais seulement prouver à la nation que son intérêt était que le dernier tyran des Français pérît; que lorsqu'on a dit, qu'il n'était pas tyran, étant né sur le trône, on a seulement voulu dire, qu'il n'y était pas monté par violence : mais, on soutient qu'à présent tous les anciens rois français doivent être nommés des tyrans; que les journées du 31 mai, 1er, 2, 3, 4 juin, etc., 3 et [suivantes d'] octobre, qui en ont été la suite, ont sauvé la patrie; que le crime de Marie-Antoinette, de Brissot, etc., est constant; et que la commune de Paris a bien mérité de toute la République, par sa vigueur, son zèle, et son brûlant patriotisme.

P.S. Les événements arrivés depuis cette époque sont, le soir du 6, l'arrestation de l'ex-député Gorsas, auteur de *L'Ane promeneur*, puis du *Courrier de Versailles à Paris*, ensuite *des Départements*, qui avait usurpé, l'on ne sait pourquoi, dans ces mêmes départements, une sorte de réputation. Après le 10 août 1792, il embrassa la secte dite Brissotine. Le lendemain 7, il fut conduit au tribunal révolutionnaire, avec trois témoins, pour affirmer que c'était bien Gorsas. Son nom fit son procès : on lui déclara que, mis hors de la loi, on lui appliquait le décret qui le condamnait à mort... Il voulut parler. Il dit, croit-on, que « sa mort serait bientôt vengée ». Le président ne répondit que deux mots : « Emmenez l'accusé. » Il fut exécuté à trois heures.

Le matin du même jour, avaient été exécutés deux jumeaux, pour crime de contre-révolution. Avec eux, mais non leur complice, quoique coupable du même crime, Charlotte Vautant, jeune fille de vingt-deux ans, dont la mort sans confesseur a été ferme avec décence. Les Françaises vraies patriotes sont bien estimables, puisque celles qui se le disent faussement, tâchent de le paraître. Je ne parle du curé de

Saint-Barthélemy, prêtre assermenté, que pour répéter ce que j'ai déjà dit : c'est que les prêtres ne peuvent enlever de sur leur âme la crasse aristocratique. Elle y tient comme les couleurs incrustées sur le corps des sauvages.

Le second jour de la troisième décade du premier mois (samedi 12 octobre) Marie-Antoinette a subi l'interrogatoire secret.

Le lendemain 3 de la troisième, on a reçu la nouvelle de la reddition de Lyon : quatre mille aristocrates se sont échappés par le quartier de Vèze; mais ils ont été poursuivis, et quinze cents ont été taillés en pièces. On a repris le trésor qu'ils emportaient, et l'on espère que les habitants des environs détruiront ce qui restera. On a remporté une victoire dans la Vendée, où l'on a repris Châtillon. Des députés de Nantes sont venus dire les raisons du succès trop lent des armes de la République dans la Vendée. Le 4 de la troisième, Marie-Antoinette est au tribunal révolutionnaire. Elle sent enfin, cette femme hautaine, dans toute sa force, ce mot d'un ancien : « *Nil humani a me alienum.* » Rien d'humain ne m'est étranger, pas même le malheur et la honte... Et elle l'a méritée.

Marie-Antoinette d'Autriche de Lorraine, interrogée, ajouta aux noms exprimés, sa qualité, qui ne fit aucune impression. Ses réponses furent courtes, par *oui* et par *non*, quelquefois elle ajoutait : « Cela n'est pas ainsi. » Elle donna, entre autres, une réponse par écrit. Le président lui observa que ce n'était pas l'usage, et lui renvoya son écrit par son défenseur officieux. Et elle dit la chose de bouche, sans lire. Ceci était relatif à une inculpation grave au sujet de son fils. Son interrogatoire commencé le lundi 3, continué le 4, a fini le 5 à trois heures du matin. Elle a été jugée à quatre heures. On l'emmena dans sa prison. Elle a demandé à ses deux défenseurs « si elle n'avait pas montré trop de dignité dans ses réponses? » Vouland, au nom du comité de sûreté générale, a demandé, que ces deux défenseurs fussent retenus, pour savoir d'eux si elle leur avait confié quelque chose. Ils ont assuré qu'elle avait conservé une dissimulation profonde. Elle se coucha et dormit environ deux heures. Elle prit du chocolat. Elle a été deux heures avec l'ecclésiastique. Elle fut habillée en blanc avec un petit ruban noir, pour attacher son bonnet. Elle n'a point demandé à voir ses enfants. Elle est sortie du palais-justice à onze heures et demie : elle avait demandé un carrosse. Elle a été mise dans la voiture avec un confesseur, vieillard blanchi. Elle s'est tenue fort droite, et n'a point parlé au prêtre en particulier, quoiqu'elle lui ait répondu quelquefois. Elle devait être pâle, comme toute femme qui a mis beaucoup de rouge, et qui a passé par de grandes angoisses. Elle a été exécutée, vis-à-vis la statue de la Liberté, place de la Révolution, à midi un quart, pour avoir « constamment travaillé contre la Révolution; tenu un comité autrichien à Paris; engagé son mari à fuir à Varennes; ouvert seule et fermé toutes les portes; avoir, à son retour, continué à conjurer; corrompu des membres constituants pour la révision de la Constitution, pour en détruire l'effet, etc. » Elle est encore accusée d'un crime horrible, qu'on a fait entrevoir plus haut*. On dit qu'un jeune gendarme, dans la prison... Mais ceci n'est pas prouvé. On saura mieux toutes les circonstances dans quelque temps. Son corps a été emporté sur-le-champ, et mis dans la chaux. Périssent tous les

---

* Interpellée de répondre, elle nia; ajoutant avec un regard sur le peuple : « Cela est impossible; j'en appelle à toutes les mères. » Elle n'a pas, comme Marie Stuart, décliné le tribunal.

384 Les Nuits révolutionnaires, II

tyrans, rois, reines, électeurs, landgraves, margraves, czars, sultans, daïris, lamas, papes, etc., etc. *Amen! Amen!*

Deuxième P.S. Elle était évanouie au moment du coup, à ce qu'on dit.

On a arrêté un ex-gendarme, qui trempait son mouchoir dans le sang. Exaltation, tête perdue.

Le 8 de la troisième décade, on a reçu la nouvelle de la levée du blocus de Maubeuge.

ADDITIONS

Depuis la fin de l'impression, les événements ont couru avec rapidité. On sait que les rebelles de la Vendée, après avoir été défaits à Mortagne et à Cholet, s'étaient portés dans l'île de Noirmoutier, où ils ont été reçus par les perfides habitants... Mais chassés de Beaupréau, et d'Ancenis, ils n'ont plus que cet asile, où ils sont peut-être forcés aujourd'hui, de sorte que la Vendée est détruite. Ce pays fertile, mais habité par des gens superstitieux et grossiers, faciles à égarer, n'est plus qu'un monceau de ruines et de cendres. Les contre-révolutionnaires n'ont donc plus ni Lyon, ni la Vendée : Bordeaux vient de manifester le patriotisme le plus ardent. Notre armée du Nord, après avoir chassé l'ennemi des environs de Maubeuge, le poursuit vigoureusement, tandis qu'une autre colonne, qui a pris Furnes, s'avance vers Nieuport, et va peut être prendre Ostende... Du côté du Rhin, on a tâché de réparer l'échec reçu par la trahison d'un officier.

Les vingt-deux députés décrétés d'accusation sont au tribunal révolutionnaire depuis trois jours (aujourd'hui sextidi, 6, de la première décade du deuxième mois, 27 octobre vieux style), Vergniaud a fait hier, quintidi, un discours de cinq quarts d'heure très véhément; mais je n'en ai encore aucune connaissance, n'ayant pu l'entendre.

L'affluence anticivique, occasionnée à la porte des boulangers, continue; il semble qu'une classe de gens se fasse un plaisir d'avoir péniblement du pain.

Le général Gartaud a remporté le 22 octobre (vieux style) un avantage considérable sur les Toulonnais rebelles : six vaisseaux anglais ont été abîmés par les boulets, et sont au radoub. Il leur a tué environ trois cents hommes. Ainsi nous sommes sur le point de reprendre cette place importante, à jamais l'opprobre des traîtres qui gouvernent l'Angleterre.

Le roi de Prusse a quitté son armée, qu'il a laissée sous le commandement de Brunswick, et a été commander celle qui lui doit assurer le vol d'une partie de la Pologne.

Cobourg a été forcé dans ses lignes devant Maubeuge : « Si les républicains français me forcent ici, je me fais républicain moi-même. » Il a été forcé, et il est encore le lâche qui a reçu des mains du perfide Dumouriez quatre députés, qu'il retient prisonniers.

Le nouveau calendrier de la République a été établi, pour le premier mois, à commencer le 22 septembre (vieux style), qui est devenu le 1er de la première décade de l'an II de la République, autrement le 1er de vendémiaire. On sait, que j'avais proposé une réforme de l'année et des mois, dans *Les Nuits de Paris*; j'y avais proposé de faire commencer l'année au 21 ou 22 décembre, au moment du solstice d'hiver. J'y proposais de changer les noms des mois, de les égaler les uns aux autres, etc. Les noms que je leur donnais étaient *primobre* (du 22 décembre au 22 janvier), *duobre, triobre, quartile, quintile, sextile, septembre* (du 22 juillet au 22 août), *octobre, novembre, décembre, unzobre, douzobre* (ce dernier, du

22 novembre au 22 décembre). Les noms donnés par le nouveau calendrier sont plus heureux. Ce sont VENDÉMIAIRE (du 22 septembre au 22 octobre) BRUMAIRE, FRIMAIRE, NIVÔSE, VENTÔSE, PLUVIÔSE, GERMINAL, FLORÉAL, PRAIRIAL, MESSIDOR, THERMIDOR, FRUCTIDOR. Comme on a divisé les mois en *décades*, on a également donné de nouveaux noms aux jours de la décade, substituée à la semaine. Ce sont PRIMIDI, DUODI, TRIDI, QUARTIDI, QUINTIDI, SEXTIDI, SEPTIDI, OCTIDI, NONODI, et DÉCADI, qui est le jour de repos... On a battu le tambour, hier sextidi, 6 brumaire, pour faire ouvrir les boutiques, que les partisans de l'ancien dimanche tenaient fermées.

Il ne me reste plus qu'à donner le jugement du tribunal révolutionnaire envers les vingt-deux députés, qui sont à présent devant lui. Les vingt-deux députés traîtres condamnés à mort hier nonodi, à dix heures et demie du soir (30 octobre vieux style) ont été exécutés à midi : Valazé (l'un d'eux) s'est tué, en entendant le jugement. Les autres se sont levés furieux, et ont jeté leurs assignats. Ils ont marché à la mort avec une gaieté apparente; neuf chantaient dans la première voiture. Carra avait l'air d'un étonnement stupide; Sillery et Fauchet avaient un confesseur. Vergniaud a voulu parler au moment de l'exécution; les tambours l'en ont empêché. C'est ainsi qu'ont fini ceux qui n'avaient pas marché droit et franchement dans le sens de la Révolution.

On annonce, le premier décadi de brumaire à huit heures, que nous sommes dans Mons, et que les dispositions pour rentrer dans Toulon s'accélèrent. VIVE LA RÉPUBLIQUE ET LA MONTAGNE!

NOTES

P. 18.

1. L'entreprise de Restif de la Bretonne est très vaste. Voici comment il l'expose, lui-même, dans l'*Analyse de ses ouvrages* qui termine *Monsieur Nicolas* : « *Les Nuits de Paris* sont une de ces productions majeures, une de ces vastes compositions destinées à peindre les mœurs d'une nation : ce qui rend cet ouvrage important pour la postérité, par la vérité des faits. J'ai été vingt ans à les recueillir ; chaque matin, j'écrivais ce que j'avais vu la veille, et je faisais de ce trait, soit un roman, soit une *juvénale*, pour le *Hibou spectateur nocturne*, soit une *nouvelle*, soit une page ou deux des *Nuits*... On sait comme j'ai distribué le *Hibou spectateur nocturne* : j'en ai disséminé les *juvénales* dans *Le Paysan-Paysanne pervertis*, dans *La Découverte australe*, dans *Les Françaises*, à la fin de *La Malédiction paternelle*, au lieu de les faire entrer dans les *Nuits* où il ne s'en trouve pas une. »

En 1788, Restif a publié *Les Nuits de Paris ou Spectateur nocturne*, tomes I à VI. En 1789, il fait paraître le tome VII; en 1790, *La Semaine nocturne* « sept nuits de Paris qui peuvent servir de suite aux 380 déjà publiées » qui constitue un nouveau volume des *Nuits* dont il fera encore paraître un volume en 1794. Ce sont donc les *Nuits* de 1790 et de 1794 que nous publions ici ensemble puisqu'elles constituent un tableau incomparable des événements révolutionnaires vus par l'homme de la rue. Dans la liste de ses *ouvrages*, Restif caractérise ainsi les *Nuits* et *La Semaine nocturne* : « La XVᵉ partie décrit les événements du commencement de la Révolution, et le temps où le roi, devenu constitutionnel malgré lui, gouvernait à contrecœur une République, en qualité de son premier fonctionnaire. »

P. 19.

1. Tandis que se poursuit la campagne électorale qui précède la réunion des États Généraux, une grave crise sociale se déclenche,

due à la misère : chômage, mauvaise moisson en 1788. Des troubles éclatent à Paris et en province dans les premiers mois de l'année 1789. Le peuple demandait la taxation des grains. Les événements que rapporte Restif, sont relatifs à une des premières insurrections ouvrières : celle de la fabrique de papiers peints Réveillon qui s'amorça dans la nuit du 27 au 28 avril 1789.

P. 20.

1. Restif est ici le reflet de l'opinion populaire qui attribuait toutes les misères dont souffrait alors le peuple à un complot aristocratique. La convocation des États Généraux avait été très bien accueillie et avait donné espoir aux masses. L'opposition de la noblesse au doublement du Tiers, son hostilité encore plus violente au vote par tête renforça la population dans l'idée que les nobles ne cherchaient qu'à maintenir leurs privilèges. La misère était grande à Paris, un ouvrier gagnait 30 à 40 sous et le pain coûtait 4 sous la livre. C'est surtout après la convocation des États Généraux que l'idée d'un complot aristocratique se répandit dans la foule. On remarquera le soin avec lequel Restif distingue la populace de « l'artisan utile ». Ce sont les artisans justement qui fournirent des cadres aux insurrections populaires dans cette prise de pouvoir par la bourgeoisie qui caractérise la Révolution de 1789.

2. Bicêtre qui avait été, sous Louis XIII, un asile pour blessés militaires, était, au XVIIIe siècle, une prison pour vagabonds.

P. 21.

1. Le 2 mai, les députés des États Généraux se présentent au roi. La séance d'ouverture eut lieu le 5 mai 1789. Un discours de Louis XVI, puis du garde des Sceaux, Barentin, laissèrent le Tiers insatisfait. Vint ensuite le rapport financier de Necker qui fut fort long. C'est dès le soir que le Tiers marqua sa déception : le doublement du Tiers n'avait guère d'intérêt, en effet, s'il n'était accompagné du vote par tête.

2. Le 27 juin 1789, Louis XVI ordonne la réunion des trois ordres. Le 7 juillet, l'Assemblée crée un comité de constitution et le 9 juillet se déclare Assemblée nationale constituante. Le Tiers État semblait donc l'emporter; mais le 22 juin, Louis XVI avait fait venir une troupe de 20 000 hommes, autour de Paris et de Versailles, et le 1er juillet 1789, Marat avait lancé un appel à la vigilance

intitulé *Avis au peuple ou les ministres dévoilés* : « O mes concitoyens! Observez toujours la conduite des ministres pour régler la vôtre. Leur objet est la dissolution de notre Assemblée nationale, leur unique moyen est la guerre civile. » Le 8 juillet, l'Assemblée nationale, à l'instigation de Mirabeau envoyait une adresse au roi, pour lui demander de disperser les troupes : « Eh! pourquoi un monarque adoré de vingt-cinq millions de Français ferait-il accourir à grands frais autour du trône quelques milliers d'étrangers ? » Le 11 juillet, Louis XVI renvoya Necker et nomma ministre le baron de Breteuil que l'on savait très hostile à la Révolution. Le maréchal de Broglie était nommé à la Guerre. Mais le renvoi de Necker ne fut connu que le 12. Le peuple aimait Necker et les financiers craignaient la banqueroute. La Bourse fut fermée, de même que les salles de spectacle : un peu partout des réunions se formèrent. Au Palais-Royal, Camille Desmoulins prend la parole. Dans les jardins des Tuileries a lieu le premier affrontement révolutionnaire entre la foule des manifestants et le Royal-allemand du prince de Lambesc. On fit sonner le tocsin; les boutiques d'armuriers furent pillées. Le 12 au soir, les électeurs du Tiers État, réunis à l'Hôtel-de-Ville décident la création d'un comité permanent : « Il sera demandé à chaque district de former un état nominatif de 200 citoyens connus et en état de porter les armes. » Ainsi se forme une « milice parisienne », chargée de veiller à la sécurité publique.

P. 22.

1. *Les deux qui n'en font qu'une* : L'un des charmes de ces *Nuits* révolutionnaires consiste dans l'art avec lequel Restif intercale au milieu de la chronique politique au jour le jour, de petites nouvelles extrêmement vivantes, tant par l'art de camper les personnages que par la technique du récit. On retrouvera dans ce texte le fantasme de l'inceste si fondamental chez Restif : Sophie est la sœur de Julie que Maribert a aimée — platoniquement est-il spécifié — et Maribert la considère d'abord comme une sœur, ou même comme une fille, dans la mesure où elle est nettement plus jeune que lui. « M. Maribert offrit à ma sœur, dit Julie, l'amitié d'un frère, la tendresse d'un père, et la main d'un époux. » Le rêve incestueux est un moyen de réunir en un seul être toutes les affections familiales possibles.

Mais grâce à la magie du souvenir s'opère une confusion dans l'identité même des deux femmes aimées : « Depuis que je ne voyais plus Julie, je ne l'oubliais pas; mais je m'accoutumai à vous confondre avec elle : je ne me la rappelais qu'avec vous et vous qu'avec elle », explique Maribert, qui conclut : « Les deux n'en font qu'une. » On n'est pas si loin du vertige que Nerval exprimera dans *Sylvie* : « Et si c'était la même. » Aussi bien dans sa quête de la femme, que dans ses errances nocturnes à travers la capitale, Gérard de Nerval rencontrera plus d'une fois l'ombre de Restif. Il a d'ailleurs, très honnêtement confessé son dû, dans l'article qu'il consacre à Restif au cours de ce recueil intitulé *Les Illuminés* — article si perspicace et si émouvant, où l'on ne sait plus très bien parfois si Nerval parle de Restif ou de lui-même.

Tout dans cette nouvelle, *Les deux qui n'en font qu'une*, est très réussi : la présentation même de la jeune veuve qui intrigue le lecteur, à travers le regard de Maribert ; l'évocation de l'entourage des caquetages des dames « atroces » par leur malveillance. S'il n'y avait déjà tant d'autres exemples (dans les *Contemporaines*, en particulier), ce texte suffirait à prouver que Restif possède toutes les qualités du conteur et du nouvelliste, et qu'il est capable d'exceller dans le récit bref, tout autant que dans les vastes ensembles romanesques.

P. 36.

1. Voir note 3 de la page 47. Restif a traduit ici admirablement les mouvements de foule et la panique collective. Necker était fort populaire, le Tiers État voyait en lui un appui. Une lettre de Mme de Staël, du 18 juin 1789, évoque bien l'état d'esprit dans les jours qui précèdent le renvoi de Necker : « La douceur hypocrite du clergé, l'ignorance opiniâtre de la noblesse, la colère aveugle du Tiers État donnent un triste spectacle. Jamais nation n'a été placée entre tant de maux et tant de biens : d'un côté la famine, la banqueroute et la guerre civile ; de l'autre la paix, la liberté et la puissance. Et cependant son choix est incertain, ou plutôt elle veut le but sans consentir aux moyens, sans se résoudre à se départir de ses systèmes et de ses intérêts particuliers. C'est déplorable. Tout ce qui entoure la reine et le roi sont pour la noblesse. Le ministère seul soutient le Tiers, en blâmant cependant ses excès. » C'était Necker qui avait obtenu du roi le doublement du Tiers. Les Cahiers de doléance lui sont déjà très favorables, ainsi celui de Vittel : « Que les députés aux États Généraux soient spécialement chargés d'assurer monsieur Necker, ce ministre le plus éclairé et le plus digne du meilleur des rois, que la nation a les yeux sur lui, qu'il a toute son estime et sa confiance. » Dans les fermes, on trouvait souvent le portrait de Necker.

Necker était renvoyé pour la troisième fois, et avec l'ordre de quitter la France immédiatement et en secret. Il part donc pour la

Suisse, en compagnie de son gendre, M. de Staël. Il passe par Bruxelles où sa femme et sa fille Germaine de Staël, le rejoignent.

P. 47.

1. Restif de la Bretonne est un grand inventeur de mots. Ici, à partir du latin, il fabrique un adjectif qui signifie : non mariées.

2. Apparemment, Restif reprend, en l'augmentant d'une unité, le titre précédent « Les deux n'en font qu'une ». C'est toujours cette obsession de l'unité à travers la polygamie. Mais, en fait, l'histoire est beaucoup moins touchante; elle est empreinte de réalisme bourgeois, et non sans quelques éléments comiques. On notera cependant l'obsession de la paternité si fondamentale chez Restif.

3. Le 13 juillet, l'Assemblée fit savoir que Necker emportait avec lui « son estime et ses regrets »; elle décréta les ministres en fonction responsables. Parallèlement, l'agitation populaire reprit de plus belle. Des groupes un peu partout dans Paris, cherchent des armes. On fabrique des piques; les armes à feu, on les réclame au prévôt des marchands, et comme il refuse, on ira, le 14 juillet, s'emparer de 32 000 fusils aux Invalides : mais dès le 13, les boutiques d'armes avaient été pillées. Les gardes-françaises, le 13, reçoivent l'ordre d'évacuer Paris; ils refusent d'obéir et se mettent à la disposition de l'Hôtel-de-Ville.

P. 49.

1. Les patrouilles bourgeoises avaient été organisées, certes, contre le pouvoir royal; mais plus encore pour défendre la propriété privée contre les attaques de malfaiteurs du genre de ceux que vit Restif. Déjà se marque cette caractéristique fondamentale de la Révolution de 1789 : la défense de la propriété. Le 14 juillet, au matin, la députation de Paris, affirmait fièrement auprès de l'Assemblée nationale : « L'établissement de la milice bourgeoise et les mesures prises hier ont procuré à la ville une nuit tranquille. Il est constant que nombre de ces particuliers qui s'étaient armés ont été désarmés et ramenés à l'ordre par la milice bourgeoise. »

P. 51.

1. Restif, sur sa lancée, après avoir envisagé le cas de deux sœurs, puis de trois, passe maintenant à huit. Mais, décemment, il

ne peut les donner à un seul homme; d'où l'idée de les marier à huit amis. Néanmoins, rapprochée des deux anecdotes précédentes, cette histoire prend tout son sens : c'est toujours le rêve de la pluralité et de l'unité; mais l'imagination progresse dans l'enchaînement mathématique, et il semble que rien ne puisse arrêter le fantasme reproducteur de l'écrivain.

P. 56.

1. Voici la définition de Littré : « Battant-l'œil : coiffure négligée des femmes, dont les côtés avancent beaucoup sur le visage, surtout vers les tempes et les yeux, que la moindre agitation de l'air lui fait battre. »

P. 58.

1. Les récits de la célèbre journée sont nombreux et assez variables. L'intérêt de Restif, ici comme ailleurs, c'est de présenter le point de vue du badaud, effrayé, lorsqu'il se trouve nez à nez — si l'on ose dire — avec des têtes promenées au bout d'une pique. On connaît, à l'inverse, les réflexions du grand seigneur qu'est Chateaubriand : mais le vicomte est lui aussi un spectateur : « J'assistai, comme spectateur, à cet assaut contre quelques invalides et un timide gouverneur : si l'on eût tenu les portes fermées, jamais le peuple ne fût entré dans la forteresse. Je vis tirer deux ou trois coups de canon, non par les invalides, mais par les gardes-françaises, déjà montés sur les tours. De Launay, arraché de sa cachette, après avoir subi mille outrages, est assommé sur les marches de l'Hôtel-de-Ville; le prévôt des marchands, Flesselles, a la tête cassée d'un coup de pistolet : c'est ce spectacle que des béats sans cœur trouvaient si beau (...) On promenait dans des fiacres *les vainqueurs de la Bastille*, ivrognes heureux, déclarés conquérants au cabaret; des prostituées et des *sans-culottes* lui faisaient escorte. » Ce qui ne l'empêche pas plus loin, dans les *Mémoires d'outre-tombe* de reconnaître la valeur symbolique de l'événement : l'émancipation de tout un peuple.

P. 61.

1. Restif était un grand amoureux de l'île Saint-Louis. Il s'y promenait inlassablement, gravant sur les pierres du parapet le souvenir de ses amours. Nous avons vainement cherché les traces de son

écriture; les pierres avaient été changées. Mais *Monsieur Nicolas* a survécu : on y retrouve mainte trace de ces promenades dans l'Ile. Parmi beaucoup d'autres : « J'y revins le soir sur ma chère île : tout m'y parut changé et beau; j'y versai des larmes de joie; j'y écrivis sur la pierre : *Avec Sara au boulevard du Temple.* » (éd. Pauvert, IV, p. 499).

On notera que dans cette phrase : « que je ne manquai jamais à circuler », Restif emploie « circuler » transitivement, emploi qui n'est pas mentionné dans le Littré.

P. 63.

1. *Le Paysan perverti*, en 1775, est le premier grand succès littéraire de Restif. Il continuera ce roman par *La Paysanne pervertie* (1784) qui est son pendant, et finalement réunira, en 1787, les deux histoires en une seule : *Le Paysan et la Paysanne pervertis*.

2. Une fille de Restif avait épousé un certain Augé. Ce ménage fut malheureux. Le romancier raconte les mésaventures de sa fille dans *Ingénue Saxancour* et dans l'*Anti-Justine*. Augé qui s'entendait fort mal avec son beau-père tenta de le faire arrêter *(cf. infra).*

3. En employant ici « renoncer » transitivement, Restif suit un très vieil usage de la langue française. On lit, de même, chez Montaigne : « Nous enrichissons les aultres animaux des biens naturels et les leur renonçons, pour nous honorer des biens acquis. »

P. 64.

1. Restif avait dû arriver par le coche d'eau. Le frontispice de *La Paysanne pervertie* qui est constitué par cette estampe, est fort charmant. On y voit la paysanne, un coffre à la main, les yeux sagement baissés, qui descend de la passerelle, pour mettre pied sur l'île. Mais si l'île est un lieu privilégié, la ville n'en est pas moins maudite, et Ursule y trouvera son malheur.

2. Cette ravissante histoire d'amour pour une enfant est reliée très subtilement au récit des aventures révolutionnaires. A un lecteur pressé ces insertions de nouvelles semblent dues au hasard de la plume; mais si l'on examine de plus près le texte, on s'aperçoit qu'un lien subsiste entre le récit des nuits révolutionnaires et l'intrigue des nouvelles. Ici, par exemple, le parfait amour répond, en

contrepoint, à l'allusion au gendre funeste, comme la lumière aux ténèbres. D'autre part, au moment du mariage, Restif notera que, malgré la Révolution, les parents sont très heureux que leur fille devienne marquise.

P. 66.

1. La « deuxième fête de Pâques » désigne probablement le premier dimanche après Pâques. Une atmosphère printanière règne sur tout cet épisode.

P. 73.

1. Désireux d'éviter la guerre civile, et conseillé, entre autres, par le duc de Liancourt, Louis XVI décide, le 15 juillet, le renvoi des troupes. A Paris, la bourgeoisie triomphe. Le comité permanent de l'Hôtel-de-Ville devient la Commune de Paris et Bailly est nommé maire. La milice bourgeoise devient garde nationale, sous le commandement de La Fayette. Le 16 juillet, Louis XVI rappelle Necker et annonce qu'il va se rendre à Paris, le 17. Le texte de Restif est intéressant, parce que révélateur de l'esprit du menu peuple, encore très attaché au roi et qui vit là un signe de sa bonne volonté. On sait que Louis XVI fut accueilli à l'Hôtel-de-Ville par Bailly qui lui donna une cocarde tricolore, et que le roi affirma : « Mon peuple peut toujours compter sur mon amour. »

P. 74.

1. L'émigration commença dès le 17 juillet où le comte d'Artois partit pour les Pays-Bas avec ses enfants. Le prince de Condé et sa famille ne tardèrent pas à le rejoindre; le duc et la duchesse de Polignac allèrent en Suisse; le maréchal de Broglie, au Luxembourg. L'aristocratie ne pouvait tolérer les concessions que le roi avait dû faire à la bourgeoisie et à la foule de Paris. « Tout se dispersa, écrit Chateaubriand dans les *Mémoires d'outre-tombe*, les courtisans partirent pour Bâle, Lausanne, Luxembourg et Bruxelles. Mme de Polignac rencontra, en fuyant, M. Necker qui rentrait. Le comte d'Artois, ses fils, les trois Condés, émigrèrent; ils entraînèrent le haut clergé et une partie de la noblesse. Les officiers, menacés par leurs soldats insurgés, cédèrent au torrent qui les charriait hors. Louis XVI demeura seul devant la nation. »

P. 78.

1. La province suivait de très près les événements parisiens. La révolution municipale se poursuit dans les villes, à Rouen, à Dijon, à Montauban. De même, un peu partout, des gardes nationales bourgeoises furent créées. Les paroles de Restif s'expliquent par la crainte d'un complot aristocratique qui s'était répandue en province. Déjà on essayait de retenir les nobles qui voulaient gagner la frontière : ils étaient fouillés. Aux frontières, on redoutait des attaques de l'étranger : Piémontais, Anglais. C'est à la fin de juillet 1789, qu'éclatera la Grande Peur.

P. 79.

1. On retiendra cette défense de la liberté de presse, exprimée si fortement par un homme qui est à la fois écrivain et imprimeur. Mais Restif sent fort bien que cette liberté n'est pas possible sans une certaine liberté politique et économique. Les cahiers de doléances ont souvent réclamé la liberté de presse. Tel celui du bailliage de Nancy : « Que la liberté de presse soit établie, et qu'on puisse sans visa, ni permission, imprimer et faire imprimer toutes sortes d'écrits judiciaires et extra-judiciaires, à la charge que l'auteur et l'imprimeur seront tenus de mettre leur nom au bas de leurs écrits, et sauf à les punir suivant l'exigence du cas, si les imprimés renferment des choses contraires à la religion, aux mœurs, au bon ordre des familles. » Dans les derniers jours de l'Ancien Régime, la censure ne fonctionnait guère; ce que Restif attaque ici, c'est le système des privilèges qui réduit le nombre des imprimeurs. La presse fut très libre en France de mai 1789 à août 1792 — avec cette limite, non négligeable, qu'impose la peur des représailles politiques.

P. 80.

1. A la date où s'insère cette nouvelle, c'est-à-dire en juillet 1789, le mariage des prêtres n'est pas possible, puisque le mariage purement civil n'existe pas encore, et que la discipline ecclésiastique demeurera toujours intransigeante sur ce point. Les prêtres et évêques — tel le célèbre Talleyrand — mariés sous la Révolution sont soit des prêtres assermentés, soit tout à fait revenus à l'état laïc. Néanmoins l'idée du mariage des prêtres était dans l'air. On notera déjà le curieux cahier de doléances de Chalais (S. Saintes) : « Que tous les prêtres se marient; la tendresse de leurs épouses réveille-

rait dans leurs cœurs la sensibilité, la reconnaissance, la pitié si naturelles à l'homme, que les vœux de chasteté et de solitude ont étouffés chez presque tous ceux qui les ont prononcés. »

2. M. de Courson est une des nombreuses figures que prend Restif de la Bretonne. Il est bien l'auteur d'une pièce de théâtre intitulée *Le Libertin fixé* qui fait partie du *Théâtre* de Restif. Voici comment l'auteur lui-même présente cette œuvre dans la liste de ses ouvrages qui termine *Monsieur Nicolas* : « C'est un sujet tiré de mon *École de la jeunesse*, où l'amour est peint dans toute son énergie, Justine y fait un beau rôle, peut-être trop beau; il obscurcit celui d'Hélène, qui devrait être la principale héroïne. Un certain Boursaut, du théâtre Martin a refusé cette pièce comme ayant trop de métaphysique. Cinq actes. »

P. 81.

1. Voilà encore un joli néologisme de Restif!

2. On sait que le sous-titre de *Monsieur Nicolas* est précisément « ou le cœur humain dévoilé ».

P. 83.

1. Il y a probablement ici un souvenir des *Lettres anglaises* de Voltaire, et de son éloge des quakers.

P. 85.

1. *Monsieur Nicolas* est couronné par *La Philosophie de Monsieur Nicolas* qui comporte toute une partie intitulée *Physique* : selon ses propres termes, « elle montre dans l'auteur l'imagination la plus féconde, et des lumières qui ne sont pas ordinaires ». Restif se réclame de Voltaire, de Rousseau, de La Mettrie et de Lavoisier, de Buffon, également. A vrai dire, ce sont de plus solides références que Bernardin de Saint-Pierre dont il faut bien admettre que s'il est un poète admirable de la nature, il n'a, en revanche, aucun sens scientifique.

P. 87.

1. Le voyage du roi à Paris n'avait pas suffi, on le sait, pour apaiser la capitale. Le 22 juillet Louis Bertier de Sauvigny (1737-1789) intendant de la généralité de Paris et son beau-père Foulon de Doué (1717-1789), adjoint au ministre de la Guerre et chargé par le roi d'approvisionner l'« armée de siège » cantonnée près de Paris, furent tous deux pendus en place de Grève. On voyait en eux les responsables de la famine. Cette manifestation de la panique populaire fut diversement interprétée. L'horreur domine chez Restif; Babeuf y voit le signe de la dégradation d'un peuple aliéné par l'esclavage : « Les maîtres au lieu de nous policer nous ont rendus barbares parce qu'ils le sont eux-mêmes. Ils récoltent et récolteront ce qu'ils ont semé. » Le Grenoblois Barnave demande impitoyablement : « Le sang versé était-il donc si pur ? » L'attitude de Restif est différente : l'utilité ne justifie pas la cruauté. La nécessité serait une excuse. Mais y avait-il vraiment nécessité ?

P. 88.

1. Antoine de Sartine (1729-1801) avait été lieutenant général de la police de 1759 à 1774. Il eut la sagesse de se retirer en 1780 et d'émigrer en 1790.

P. 93.

1. « Soyez terrifiés, vous qui jugez la Terre. » Phrase d'un psaume.

P. 99.

1. On voit que le mot n'a pas encore exactement le sens qu'il aura en 1830. Le mot « romantique » a d'abord été employé pour des paysages, dans le sens de « sauvages, pittoresques »; c'est ainsi que l'utilise Rousseau quand il parle des rives du lac de Bienne; puis l'adjectif est employé pour des situations, des caractères; ce n'est qu'au début du XIXᵉ siècle qu'il se met à désigner un genre littéraire (le genre « romantique », assez peu différent du genre « noir »), et enfin une école littéraire.

P. 100.

1. *La Philosophie de Monsieur Nicolas* contient un article inti-

tulé : « Pourquoi le célibat est-il un crime ? » La sensibilité de Restif est bien d'accord, sur ce point, avec la sensibilité révolutionnaire : la Révolution instaurera des fêtes du mariage, des pères et mères de famille.

P. 101.

1. Restif passe donc allégrement sur une série d'événements d'importance : la Grande Peur dans les campagnes (20 juillet-début août), l'abandon des privilèges, la nuit du 4 août, la déclaration des Droits de l'homme, le 26 août. C'est qu'il s'intéresse essentiellement aux événements de la rue dans la capitale. Il est un témoin oculaire, non un historien de la Révolution. Les causes profondes des journées d'octobre étaient, évidemment, économiques et politiques. La disette sévissait à Paris. Voici ce qu'écrit Marat, le 16 septembre, dans *L'Ami du peuple* : « Les boutiques des boulangers sont assiégées, le peuple manque de pain (...) Serait-ce à la rage des ennemis publics, à la cupidité des monopoleurs, à l'impéritie ou à l'infidélité des administrateurs que nous devons cette calamité ? » La Révolution se sent menacée. Le roi refuse sa sanction aux décrets du mois d'août ; de nouveau, il concentre des troupes à Versailles. Les libelles, les journaux invitaient le peuple de Paris à sortir de son calme relatif et à venir en aide à la Révolution, comme elle l'avait fait en juillet. Le banquet des gardes du corps, le 1er octobre 1789, allait être l'incident qui brusquement accélère l'histoire. Au château de Versailles, lors de ce banquet, la cocarde tricolore avait été, dit-on, foulée aux pieds. Quand Paris apprit cela, deux jours plus tard, ce fut une effervescence extraordinaire, en particulier au Palais-Royal. Le 5 octobre, des femmes du faubourg Saint-Antoine et des Halles s'assemblent devant l'Hôtel-de-Ville, réclament du pain. Sous la conduite de Maillard, elles décident d'aller à Versailles. La garde nationale prend aussi la route de Versailles, et La Fayette, à sa tête. Les deux cortèges arrivent à Versailles. Sous cette pression, Louis XVI accepte de ratifier les décrets des 5-11 août. Le peuple passe la nuit à Versailles ; au petit matin, des manifestants pénètrent dans les appartements de la reine. Panique. La garde nationale rétablit l'ordre. Mais il faudra que « le boulanger, la boulangère et le petit mitron » regagnent Paris. L'Assemblée déclara qu'elle était inséparable du roi. Le 6 octobre, à une heure ce fut le départ pour Paris : gardes nationaux, chariots de blé, femmes, carrosse royal, députés, formèrent un long cortège. Le roi arriva à dix heures du soir aux Tuileries. L'Assemblée s'installa provisoirement à l'archevêché, pendant qu'on aménageait pour elle la salle du Manège. Cette victoire du

peuple fut le signal d'une nouvelle vague d'émigration : Malouet, Mounier quittent la France. Camille Desmoulins, dans le numéro 1 des *Révolutions de France et de Brabant* se réjouit de voir ainsi concentré le pouvoir à Paris « reine des cités ». *L'Ami du peuple* est moins optimiste : il faut fixer le roi à Paris, jusqu'à ce que la Constitution soit terminée. « *L'Ami du peuple* partage la joie de ses chers concitoyens, mais il ne se livrera pas au sommeil. » L'Assemblée constituante va donc entreprendre de « régénérer » la France, en affaiblissant les institutions monarchiques, et en prenant bien garde de donner trop de pouvoir à ce peuple auquel pourtant la bourgeoisie devait son triomphe.

On notera dans tous ces textes le très sincère attachement à la monarchie de Restif de la Bretonne du moins au début de la Révolution. Il est en cela bien représentatif aussi d'une grande partie du peuple parisien. Cette naïve confiance dans le roi qui s'exprimait si largement dans les Cahiers de doléances, est loin d'être encore épuisée.

P. 115.

1. Le récit révolutionnaire s'arrête, ici encore, pour faire place à une aventure amoureuse. Tefris, c'est, évidemment, Restif qui a justement « cinquante-cinq ans et demi » en 1790. Dans son *Calendrier* qui est une « lista », non pas des « mille etre » mais des trois cent soixante-cinq femmes dont Restif consacre le souvenir, par une commémoration (en fait, les 365 jours de l'année ne suffisent pas; et il y a des jours où il faut commémorer deux « saintes »), Félicitette Prodiguer figure le 16 décembre, avec Victoire Trotel. La notice que lui consacre Restif est alors assez sèche : « 1786. Félicitette Prodiguer. Elle est assez connue par l'histoire. C'est ici la neuvième et la dernière de mes grandes aventures. Je la commémore. »

P. 122.

1. Restif recourt, dans cette péroraison, à l'allégorie animale, renouant par là avec une vieille tradition médiévale et populaire. Les pensions suscitaient, dans les Cahiers de doléances, de vives protestations. Ainsi ce cahier de Saint-Quintin et Cayra : « Sire, ce n'est qu'avec la plus vive douleur que nous voyons de grosses pensions accordées à des courtisans vils et intrigants, qui se parent aux yeux de Votre Majesté des dehors du mérite; des émoluments considérables sont attachés à des charges sans fonctions. Si vous saviez, Sire, de combien de sueurs, de combien de larmes est

arrosé l'argent qui entre dans vos trésors, sans doute votre bonté
serait plus en garde contre les demandes indiscrètes des gens qui
consument en un jour, dans les débauches de la capitale, le produit
des impôts de milliers de vos misérables sujets. » En 1781, pour la
première fois en France, Necker fit paraître le budget, sous le
titre : *Compte rendu au roi.* Quoique ce compte rendu ait été assez
édulcoré (les dépenses de guerre n'y figuraient pas; les recettes
étaient grossies), il révéla aux Français l'énormité des pensions qui
étaient versées par le trésor royal et à quel point le budget de
l'État était grevé par les privilèges.

P. 124.

1. Cet éloge de Paris est un des passages des *Nuits* qui mérite-
raient de figurer dans une anthologie. On voit que chez Restif, le
rousseauiste, l'écologiste avant l'heure, ne l'emportent pas sur
l'amoureux de Paris, de ses rues et de ses spectacles. Il laisse
l'éloge de la campagne et de la vertu agreste pour *La Vie de mon
père* ou les premières pages de *Monsieur Nicolas.* Dans les *Nuits*, il
chante Paris, inaugurant ainsi une poétique de la ville qui sera
enrichie par Baudelaire, Nerval, Aragon et tant d'autres.

P. 126.

1. Restif commence ici une chronique des spectacles parisiens
sous la Révolution qui n'est pas sans intérêt. On sait, en effet, que
la période révolutionnaire fut marquée par une grande activité
théâtrale.

P. 128.

1. La bataille qui se déchaîna autour de *Charles IX* de Marie-
Joseph Chénier fut justement un des aspects du combat révolutionnaire. La représentation de cette pièce le 4 novembre 1789 a
été un grand moment de la Comédie-Française. On connaît la
phrase que prononça Danton, à l'issue de cette soirée mémorable :
« Si *Figaro* a tué la noblesse, *Charles IX* tuera la royauté. » Camille
Desmoulins était tout aussi affirmatif : « Messieurs, voici une pièce
qui avance plus la chute de la monarchie et de la prêtraille que les
journées de juillet et d'octobre. » La représentation de *Charles IX*
avait été un triomphe de la Révolution. La peinture des horreurs
de la Saint-Barthélemy avait été un moyen bien transparent d'attaquer la monarchie et le clergé, le despotisme et le fanatisme. La

lutte se poursuivit dans les mois qui suivirent la première représentation. L'Église et les gentilshommes de la chambre obtinrent du parti conservateur de la Comédie-Française (Fleury, Naudet, Molé, Dazincourt) que la tragédie soit suspendue. Talma et Dugazon, au contraire, défendaient ardemment la pièce. M.-J. Chénier écrit aux rédacteurs de la *Chronique de Paris* : « Le but de la tragédie de *Charles IX*, c'est d'anéantir le fanatisme qui est affaibli, mais dont le germe subsiste toujours dans une religion exclusive; c'est d'inspirer l'horreur de la tyrannie, du parjure et des séductions funestes qui entourent le trône. » La pièce est reprise à la Comédie-Française non pas le 3, comme le dit Restif, mais le 13 janvier (*cf.* Daniel Hamiche, *Le Théâtre et la Révolution*, éd. 10/18, p. 67). Ce fut un succès considérable; la salle était comble, on dut même refuser du monde. La recette de cette soirée s'éleva à 4 200 livres. On peut penser que le compte rendu de Restif, habituellement si prolixe, est ici un peu succinct. Son attachement à la royauté le gêne probablement, tout autant qu'une certaine jalousie d'auteur. De même Beaumarchais, qui pourtant aurait pu être sensible à l'analogie qui existait entre la bataille de *Figaro* et celle de *Charles IX*, s'était montré fort réservé à l'endroit de la pièce de Marie-Joseph Chénier. La lutte va continuer dans les premiers mois de 1790. La pièce de Flins, *Le Réveil d'Epiménide*, dont parle également Restif, était considérée, au contraire, comme la planche de salut des éléments conservateurs de la Comédie-Française. Le 22 juillet, Mirabeau, un soir où l'on devait jouer le *Réveil d'Epiménide*, soutenu par un groupe de députés de Provence, réclamera la représentation de *Charles IX*. Naudet prétend que c'est impossible; Talma affirme le contraire; les deux comédiens se battront en duel le lendemain, et le soir, l'on jouera *Charles IX*. Mais n'anticipons pas sur les événements.

P. 129.

1. On joua beaucoup *Athalie* pendant la période révolutionnaire. Comme le note bien Restif, c'est une nouvelle interprétation de la pièce qui se fait jour avec les événements politiques, et qui amène le public à préférer désormais dans le répertoire racinien, cette pièce jusque-là considérée comme un peu mineure. On joue également souvent Corneille dont l'interprétation politique est encore plus facile.

2. Les « *Obsoleti* » de Pétrone, dans le *Festin de Trimalcion*; « obsoletus » signifie : démodé, hors d'usage.

Restif expose ici certaines de ses idées sur la réforme du théâtre qu'il a développées par ailleurs dans le *Thesmographe*.

P. 131.

1. Mlle Contat était accusée de faire partie du clan aristocratique à la Comédie-Française. En septembre 1790, Déchosal, dans la *Chronique de Paris* relate ses propos : « Mlle Contat disait, il y a quelque temps, qu'elle ne recevrait jamais les ordres d'un municipal, qui serait ou son chandelier ou son marchand d'étoffes. » Déchosal ajoute perfidement : « Elle aime mieux recevoir leurs marchandises sans les payer, cela est plus juste. »

2. Molé rejoignit Mlle Contat dans le camp aristocratique, adversaire de Talma. Préville est déjà cité dans *Le Neveu de Rameau* : « C'est un rare corps que ce Préville », dit le Neveu.

P. 132.

1. Le 2 novembre 1789, l'Assemblée nationale avait mis les biens du clergé à la disposition de la nation. Le 19 décembre, elle mit en vente pour 400 millions de biens d'Église, correspondant à une somme égale d'assignats. On sait comment l'assignat, d'abord sorte de bon du Trésor garanti par les biens du clergé, devint vite une forme de papier-monnaie, et comment l'inflation galopante en résulta.

2. En ce début de l'année 1790, l'agitation contre-révolutionnaire s'organise activement en province. En mai, en juin, des troubles éclateront à Montauban, à Nîmes; en août, un vaste rassemblement posera son camp à Jalès, au sud de l'Ardèche. D'autre part, des jacqueries éclataient un peu partout en province; les châteaux étaient pillés.

3. Ce discours de Louis XVI est très caractéristique de cette politique de conciliation dans les débuts de l'année 1790, période pendant laquelle l'influence de La Fayette fut considérable. On sait que cette politique était cependant vouée à l'échec.

P. 141.

1. On voit ici que Restif soutient avec ardeur la réforme du théâtre entreprise par Diderot et continuée par Sébastien Mercier et
qui consistait à créer le « drame bourgeois », comme un nouveau
genre littéraire plus capable de rendre la vérité de la vie, en dehors
des contraintes classiques : les héros seront, non plus des princes
de l'Antiquité, mais des bourgeois contemporains, ou même de
simples artisans. La distinction entre comique et tragique sera
abolie, comme elle l'est dans la vie quotidienne. Louis-Sébastien
Mercier (1740-1814) donna de nombreuses pièces dont les plus célèbres sont : *Jenneval, Le Déserteur, La Brouette du vinaigrier.* Il est
aussi l'auteur de romans : *L'Homme sauvage, L'an 2240.* Ses
Tableaux de Paris (1781) ne sont pas sans parenté avec les *Nuits* de
Restif. C'est une esprit extrêmement étrange et très fécond aussi
bien au théâtre que dans la science-fiction.

P. 142.

1. L'histoire d'Augé a été racontée à plusieurs reprises par Restif
qui renvoie à *La Femme infidèle* et à *Ingénue Saxancour.* Voici
comment, dans *Mes Ouvrages*, Restif présente ces deux romans. *La
Femme infidèle* : « Je brochai cet ouvrage aux mois d'avril et mai
après la crise violente qu'Agnès Lebègue me causa par ses calomnies et ses lettres contre moi (...) Je fais suivre ensuite l'histoire
des infamies que nous fit l'abominable L'Échiné, à ma fille Agnès
Restif et à moi. Il l'attaqua en rue, nous traîna devant les commissaires, alla dire des horreurs contre nous au bon Saint-Sarm, au
faible Toustain-Richebourg, etc. » *Ingénue Saxancour* est la suite
de *La Femme infidèle.* « Ma fille aînée y fait son histoire, depuis
son enfance jusqu'à son mariage, et sa séparation avec l'exécrable
L'Échiné (...) Quand elle en est parvenue à son mariage, ses récits
font horreur... On sait déjà et j'en suis convenu dans mon histoire,
que toutes ces infamies n'appartiennent pas à l'Échiné; mais
qu'elles sont un amalgame de celles commises sur une dame Moresquin, grande et superbe femme, et sur ma fille aînée. Cette
dame (...) avait été vendue, prostituée dans un mauvais lieu, etc. »
Cet « amalgame » est le propre même de l'activité romanesque.
Il est clair aussi que l'auteur de *L'Anti-Justine* a voulu donner
dans le genre du divin marquis. Mais c'est un genre qui lui con-

vient mal ; et le réalisme de Restif est à cent lieues de l'univers onirique de Sade. Pour ce qui est de la fille de Restif, elle bénéficiera de la nouvelle législation : « Ingénue, en vertu de la sage et sainte loi du divorce, a enfin divorcé, en 1794, d'avec le vil L'Échiné, et s'est remariée au citoyen Vignon, avec lequel elle est tranquille. »

Le dessein de Restif dans cet ouvrage est vaste et généreux, comme c'est son habitude : il s'agit « moins de la Réforme de nos lois que je n'entreprendrais pas, que (du) projet d'une loi unique pour tous les peuples du monde », Restif ajoute : « Il y a beaucoup de traits relatifs à mon histoire, dans ce V[e] volume : ces traits sont ceux des *Nuits de Paris*, et surtout de *La Semaine nocturne* qui en fait le XVe volume, ils doivent servir de supplément au *Cœur humain dévoilé* : on y trouve la stupide lettre de l'infâme L'Échiné à Toustain-Richebourg ; la réponse que j'y fis, et que je donnai à ce dernier. »

On trouvera peut-être que Restif s'étend un peu longuement sur cette aventure et sur les méchancetés de son gendre. Mais ces textes des *Nuits* ne sont pourtant pas sans intérêt ; outre un témoignage très direct et très brûlant sur les délations durant la Révolution de 1789, et sur la façon dont les prétextes politiques purent servir les réglements de compte personnels, ces textes nous montrent aussi comment fonctionne l'écriture chez Restif, et le passage incessant de l'autobiographie à la chronique révolutionnaire et au registre romanesque. Tous les niveaux de l'écriture se trouvent enchaînés, charriés par le violent éclatement de ce besoin d'écrire et de s'écrire.

P. 164.

1. Abréviations pour *La Femme infidèle* et *Ingénue Saxancour*.

P. 171.

1. *L'Infortunée de seize ans* : cette nouvelle, beaucoup plus réussie, à notre avis, qu'*Ingénue Saxancour*, prend place ici tout naturellement, comme un prolongement de la terrible histoire d'Augé le dénonciateur. C'est encore un exemple de cette fusion entre le récit autobiographique et la nouvelle dans les *Nuits*.

P. 179.

1. L'abbé Maury (1746-1817) fait partie de la droite de l'Assemblée, des « Noirs » ou aristocrates. Il était très violent. Il s'opposera énergiquement à la Constitution civile du clergé; il émigrera en 1792. Il sera fait archevêque de Paris en 1810 par Napoléon.

2. Cazalès lui aussi est un « noir », et un orateur brillant. C'est le moment où Mirabeau l'aîné « se vend » à Louis XVI. Le cadet bénéficia, si l'on peut dire, de l'impopularité momentanée de l'aîné.

3. L'assignat est devenu un papier-monnaie, *cf. supra.*

P. 180.

1. Le spectateur nocturne ne peut être partout à la fois; pourtant les événements se multiplient à Paris et en province. Restif prête donc la parole à Guillot qui relatera ce qui se passe en Lorraine.

2. La Fayette « héros des deux mondes », fascinait autant par sa personnalité que par son aventure américaine. Il rêvait d'une monarchie à l'anglaise où se seraient conciliées l'aristocratie et la haute bourgeoisie. Commandant de la garde nationale, son pouvoir était immense. A. Mathiez n'a pas hésité à parler de « La Fayette, maire du palais », et G. Lefèvre appelle l'année 1790, « l'année La Fayette ».
A partir d'avril 1790, La Fayette et Mirabeau collaborent à la défense du roi. Mirabeau n'écrit-il pas à La Fayette : « Vos grandes qualités ont besoin de mon impulsion, mon impulsion a besoin de vos grandes qualités » ?

P. 182.

1. Durant l'été 1790, les troubles se multiplient dans les armées. En décembre 1789 déjà, l'amiral d'Albert s'était opposé aux marins patriotes. L'affaire de Nancy débuta, comme on le sait, par les réclamations que firent les Suisses de Châteauvieux dont la solde tardait à venir. Les patriotes locaux leur sont favorables; mais ils se heurtent, évidemment, aux autorités militaires. La Fayette, cousin du marquis de Bouillé qui commande à Metz, lui conseille de

« frapper un grand coup ». Bouillé reconquiert la ville le 31 août. Le bilan est lourd : trois cents morts; trente-trois Suisses roués et pendus; d'autres aux galères. Le roi adresse ses félicitations au marquis de Bouillé. A partir de ce moment, La Fayette va apparaître comme l'âme de la contre-révolution. Ce que stigmatise violemment Marat : « Peut-on douter encore, écrit-il, que le grand général, le héros des deux mondes, l'immortel restaurateur de la liberté ne soit le chef des contre-révolutionnaires, l'âme de toutes les conspirations contre la patrie ? »

Mais au moment où Restif envoie son « reporter » à Nancy ces troubles n'ont pas encore éclaté, et l'on célèbre en La Fayette, comme le disent les Nancéens : « le protecteur de la liberté naissante ».

P. 186.

1. Ainsi s'achève le premier tome qui relate sept nuits révolutionnaires, soit la quinzième partie du huitième tome des *Nuits de Paris*. La seizième partie (notre seconde partie) est intitulée : « Vingt nuits de Paris, pour faire suite aux 388 déjà publiées en quinze parties ou suite du *Spectateur nocturne* ». Une erreur dans l'édition originale fait que les vingt nuits se transforment en vingt et une (les nuits du 16 au 17 juillet et du 26 au 27 septembre sont en effet numérotées toutes deux : *Septième Nuit*).

P. 190.

1. Des agitations antirévolutionnaires se manifestaient un peu partout, tant à Paris qu'en province. La nation prouva son attachement à la Révolution, en formant d'abord des fédérations locales. Déjà en novembre 1789, les gardes du Dauphiné et du Vivarais se fédérèrent. Au commencement de l'année 1790, des fédérations apparaissent à Lyon, à Lille, à Strasbourg. Le 14 juillet 1790 eut lieu la fête de la Fédération nationale, au Champ-de-Mars. Talleyrand célébra la messe et La Fayette, au nom des départements, prononça le serment « qui unit les Français entre eux et les Français à leur roi pour défendre la liberté, la Constitution et le roi ». Le roi prêta serment lui aussi. La politique de La Fayette semblait triompher. Triomphe éphémère, comme l'analyse fort pertinemment Albert Soboul : « A la Fédération du 14 juillet 1790, le peuple assurément enthousiaste fut moins acteur que spectateur. Si, dans l'acte de fédération, la garde représente la force armée *bourgeoise*, c'est par opposition à la troupe qui n'est que la force armée *royale*, et au sens bourgeois de l'ordre nouveau. La garde devint vraiment

nationale lorsque le peuple y pénétra en force, après le renversement du trône et du système censitaire, le 10 août 1792. » Restif de la Bretonne est une fois de plus un témoin irremplaçable des réactions populaires, de l'attendrissement, de l'enthousiasme qui furent le fait de beaucoup des hommes de la rue. Mais les sentiments de l'entourage royal et les menaces qui pèsent sur cette apparente unité ne lui échappent certes pas.

P. 198.

1. Parmi les événements de ces sept mois que saute allégrement Restif, il faut signaler l'affaire de Nancy *(cf. supra)*, le remaniement ministériel imposé au début d'octobre par les sections parisiennes. L'inquiétude du monarque ne fait qu'augmenter. En décembre 1790, il s'écrie : « J'aimerais mieux être roi de Metz que de demeurer roi de France dans une telle position, mais cela finira bientôt. » Il compte désormais sur l'étranger, et pense s'établir près d'une frontière d'où il pourrait dissoudre l'Assemblée et reprendre le pouvoir.

2. Les émigrés, de plus en plus nombreux s'organisent; ils essaient de provoquer une intervention étrangère pour rétablir la monarchie dans son ancienne splendeur. Les « noirs », les aristocrates tentent également une guerre économique contre la Révolution, en gênant dans toute la mesure du possible, la vente des biens nationaux. Enfin, ils n'hésitent pas à recourir à la force. En février 1791 précisément, les « chevaliers du poignard » voulurent enlever Louis XVI aux Tuileries. Le camp de gardes royalistes de Jalès subsistera jusqu'en février 1791. La Vendée s'agite déjà.

P. 199.

1. Il s'agit de Louis-Joseph Condé (1736-1818). Il était partisan des réformes à l'Assemblée des notables; mais vite il manifesta son hostilité à la Révolution. Il émigra et devint le chef de « l'armée de Condé » qui lutta contre l'armée révolutionnaire. Bouillé devint le général en chef de l'armée de Meuse, Sarre et Moselle en 1790. C'est lui qui réprima la révolte des Suisses de Châteauvieux. (*Cf.* à ce sujet notre note *supra.*) Calonne, l'ancien contrôleur général des Finances, après sa disgrâce, s'était retiré en Angleterre. Il apporta un soutien financier à l'armée des Princes. Louis XVI avait confié en 1789 à Victor-François de Broglie (1718-1804) le commandement des troupes de Versailles et le ministère de la Guerre. Il commandera les corps d'émigrés en 1792.

P. 200.

1. Cette date, comme l'ensemble de la réflexion politique montre bien que ce texte a été écrit assez longtemps après l'événement. S'il n'y a pas de rupture entre le premier et le deuxième volume de ces *Nuits révolutionnaires* en ce qui concerne le récit des événements, il y a eu une rupture dans le temps de la rédaction, ce qui se manifeste par un changement de ton.

P. 202.

1. Voir note suivante.

P. 205.

1. Depuis octobre 1790, le roi est décidé à quitter la France, et il a pris contact avec les cours étrangères par l'intermédiaire du baron de Breteuil — ce Breteuil qui donne lieu à l'anecdote précédente de « La Dame qui prostitue une autre pour sa fille » — mais aussi par les soins de l'ambassadeur autrichien Mercy Argentau et le fameux Fersen. Louis XVI compte sur le roi de Prusse pour réunir un « Congrès européen appuyé d'une force armée ». Rien d'étonnant que l'atmosphère soit désormais méfiante à l'égard du roi. En février, tout est prêt, grâce aux soins du marquis de Bouillé. Le 18 avril 1791, le roi qui a fait ses Pâques, et cela avec un prêtre réfractaire, veut aller à Saint-Cloud. La garde nationale parisienne s'y oppose, croyant à une manœuvre de fuite. Louis XVI joue la comédie. Il écrit à l'Assemblée nationale que la Constitution « fait son bonheur ». Le ministre Montmorin prétend que le roi n'a jamais songé à fuir, tandis que tout est prêt pour la fuite. Le témoignage de Restif est, une fois de plus, extrêmement précieux; il nous montre la méfiance du peuple, et le rôle des femmes dans les mouvements de rues. Le « spectateur nocturne » promène sa caméra, dans une sorte de reportage, ou plutôt de « cinéma-vérité ».

P. 211.

1. L'histoire de la fuite de Varennes est bien connue : la famille royale s'enfuit des Tuileries par une porte non gardée; Louis XVI, le 20 juin 1791, vers minuit, quitte le palais, habillé en valet de

chambre. La Fayette veillait au départ. Tout le long de la route, des relais de cavalerie avaient été disposés, sous prétexte qu'un trésor devait être transmis par la poste à l'armée de Bouillé. Le roi devait gagner Montmédy par Châlons-sur-Marne et l'Argonne. Tout semblait bien organisé; mais la berline royale prit du retard. Les postes placés à Châlons, ne voyant pas arriver la berline, se retirent; quand Louis XVI arrive à Varennes, dans la nuit du 21 au 22 juin, il ne trouve pas le relais et s'arrête. Mais déjà à Sainte-Menehould, le roi avait été reconnu par le fils du maître de postes, Drouet. Celui-ci se précipita à Varennes, fit barricader le pont sur l'Aire. Le tocsin sonne; les paysans arrivent; les hussards fraternisent avec eux; et le 22 juin, Louis XVI doit regagner Paris. Le témoignage de Restif est évidemment restreint par l'angle de vue qu'il a choisi : mais c'est là son intérêt. Il relate la fuite de Varennes, comme la ressent un Parisien, instruit par les rumeurs de la ville. Son jugement politique est néanmoins très sûr : « Ainsi, ce fut véritablement ce jour-là que la royauté fut anéantie en France. »

P. 216.

1. La rentrée de Louis XVI à Paris se fit au milieu du silence, entre deux haies de soldats, le 25 juin au soir. Le peuple crut qu'une invasion militaire serait la conséquence de cette tentative de fuite manquée. D'où une levée de 100 000 volontaires pour parer à une éventuelle attaque. A. Soboul voit, à juste titre, dans cet épisode de Varennes, un moment essentiel pour la montée de la « ferveur nationale » et démocratique. Et cela, non seulement à Paris, mais aussi en province. Du Midi, comme du club des Cordeliers, émanent des demandes de déchéance du roi et d'établissement de la République. Diverses solutions sont proposées. Condorcet voudrait une République dont La Fayette serait le président. Danton désire une régence de Philippe d'Orléans. Marat veut une dictature populaire. Quant à Barnave, il s'écrie à l'Assemblée nationale : « Allons-nous terminer une Révolution, allons-nous la commencer ? Un pas de plus serait un acte funeste et coupable : un pas de plus dans la ligne de la liberté serait la destruction de la royauté : dans la ligne de l'égalité, la destruction de la propriété. » Propos bien caractéristiques d'une classe bourgeoise qui veut d'une révolution à condition qu'elle l'amène au pouvoir, sans menacer la précieuse propriété privée qui sera sauvegardée, même dans les jours les plus aigus de la Terreur. Bailly propose de faire croire à l'enlèvement de Louis XVI et donc à son innocence. Les déclarations du marquis de Bouillé serviront de preuve. Mais cela ne convainc personne. Le roi a été suspendu; il a perdu son droit de veto. Dans la

séance du 15 juillet, l'Assemblée nationale déclare le roi inviolable. On ne lui fera pas de procès et il sera rétabli, si du moins il signe l'acte constitutionnel. L'Assemblée travaille à une révision de la Constitution. Le roi rompt avec La Fayette, mais il demande, en revanche, une révision de la Constitution dans un sens autoritaire.

P. 223.

1. Comme l'écrit A. Soboul : « La fuite du roi constitua un élément décisif dans le renforcement de la conscience nationale parmi les masses populaires. » C'est alors que le peuple sentit profondément le lien qui existait entre Louis XVI et l'étranger — ce lien que Louis XVI avait cru bon de renforcer, mais qui existait, inscrit dans son sang même, puisque ce roi qui allait symboliquement être sacrifié, n'avait qu'un seizième de sang français! Le peuple se mobilise, donc, à partir de Varennes. L'Assemblée nationale tire 100 000 volontaires de la garde nationale. Les Cordeliers soulèvent le peuple de Paris. Le 17 juillet, ils se réunissent au Champ-de-Mars pour signer sur l'autel de la patrie une pétition demandant l'instauration de la République. L'Assemblée était constituée de bourgeois pour une bonne part, et de bourgeois qui craignaient le désordre; elle chargea le maire de Paris de disperser la foule. On proclama la loi martiale, et la garde nationale envahit le Champ-de-Mars, tira et tua cinquante personnes. Cet événement fut le point de départ de la répression : arrestations, fermeture du club des Cordeliers. Momentanément, le parti de la démocratie était tenu en échec. C'est de là aussi que date une scission profonde entre deux groupes opposés du parti patriote. Les Girondins, plus conservateurs, avaient déjà fondé le club des Feuillants, tandis que les Jacobins, avec Robespierre durcissent leur position. La bourgeoisie constituante l'emportait. La révision de la Constitution, en effet, renforçait le caractère censitaire : les électeurs devaient être propriétaires ou locataires d'un bien équivalent à 150, 200 ou 400 journées de travail. D'autre part, la garde nationale fut réorganisée : les citoyens actifs pouvaient, seuls, en faire partie. C'était un moyen d'éviter les débordements populaires qui commençaient à terrifier les bourgeois propriétaires et partisans de l'ordre. Le roi accepta la révision de la Constitution, le 13 septembre 1791, et, le 14, jura fidélité à la nation.

2. Le jugement de Restif sur les cultes révolutionnaires n'est pas sans intérêt. Cette explication historique rejoint les propositions théoriques que Restif expose dans *La Philosophie de Monsieur Nicolas*. « La religion sert à tromper les hommes; et comme un

homme religieux en conclurait affirmativement que le culte est donc utile, pour gouverner les hommes, je vais prouver que la vérité seule est utile aux hommes. » Voici comment Monsieur Nicolas résume à la fois sa morale et sa théologie : « Il ne peut y avoir qu'une seule religion vraie, c'est celle de la nature, qui résulte de l'exposition du système que je viens de présenter. Elle consiste à classer les etres supérieurs, et à les honorer, moins par des paroles qu'ils n'entendent pas, qu'ils ne peuvent pas entendre, que par l'exercice convenable et modéré de nos facultés. » Ou encore, pour préciser : « Nous ne devons à Dieu, au Soleil, à la Terre, nos supérieurs connus, d'autres hommages que l'hommage nécessaire, que nous lcur rendons par les actes d'existence que nous faisons; encore cet hommage ne va-t-il qu'à Dieu, seul père de toutes ces émanations, ou tout au plus au Soleil; car pour la Terre, quoiqu'elle nous nourrisse directement, ce pourrait bien être malgré elle; nous pourrions bien [n']être pour elle que des insectes incommodes ou tout au moins insensibles, que la Source-de-vie, dont la jouissance est de la donner, l'a chargée d'alimenter sa propre subsistance. »

P. 229.

1. L'Assemblée constituante va se séparer le 30 septembre 1791. « Vive le roi! Vive la nation », proclame-t-elle, heureuse d'avoir accompli, croit-elle, l'alliance de la royauté et de la bourgeoisie, et d'avoir ainsi triomphé aussi bien des aristocrates que du peuple. Ce système d'alliance avait été celui de la monarchie absolue depuis la Fronde. Mais la monarchie en 1791 ne pouvait guère s'aveugler; elle sortait de cette crise sans force et sans avenir : les véritables triomphateurs de ces journées révolutionnaires étaient les bourgeois.

P. 231.

1. Les électeurs désignés en juin par les assemblées primaires, avaient nommé leurs députés les premiers jours de septembre. L'Assemblée législative se réunira pour la première fois le 1er octobre 1791. Il s'agissait forcément d'hommes nouveaux, puisque les Constituants, à la demande de Robespierre, ne pouvaient pas être réélus (décret du 16 mai 1791). A droite 264 députés feuillants; à gauche, 136 députés jacobins. Au centre 345 députés, indépendants ou constitutionnels. C'était une assemblée d'hommes jeunes où devaient s'illustrer quelques remarquables orateurs : Brissot, Ver-

gniaud, Gensonné, Grangeneuve, Guadet, Couton, Carnot, etc. Dans la préparation de cette nouvelle phase de la vie politique française, il ne faut pas oublier le rôle des salons : celui de Mme de Staël, à tendance fayettiste, celui de Mme Roland, foyer du brissotisme. Les clubs étaient très actifs : Feuillants, très bourgeois, Jacobins, plus démocratiques, enfin Cordeliers, nettement populaires. Les 48 sections parisiennes se réunissent régulièrement en assemblées générales : c'est là que la vie politique populaire agit et passe aux actes.

P. 235.

1. L'Assemblée législative eut à faire face à toutes sortes de difficultés : économiques et sociales (baisse de l'assignat, augmentation du coût de la vie : émeutes autour des boutiques dès janvier 1792; émeutes en province et pillages), religieuses, aussi : en août 1791, le clergé réfractaire a provoqué des troubles en Vendée, puis en février 1792, en Lozère; l'alliance de l'aristocratie et des réfractaires est de plus en plus patente. A tout cela s'ajoutent les difficultés de la politique extérieure, accrues depuis Varennes et la déclaration de Pilnitz (27 août 1791) : les émigrés annoncent l'invasion de la France; les troupes de Condé se réunissent à Coblence.

En fait, ce ne sont pas deux, comme le dit Restif, mais quatre décrets qui vont être votés contre les émigrés et contre les réfractaires : celui du 31 octobre donne deux mois au comte de Provence pour rentrer en France; sinon il perdra ses droits au trône. Les émigrés qui ne rentreront pas, eux, d'après le décret du 9 novembre, seront considérés comme suspects, et leurs biens confisqués. Par le décret du 29 novembre, les prêtres réfractaires étaient sommés de prononcer un nouveau serment civique, et, enfin, le décret du 29 novembre exigea du roi qu'il obtienne des électeurs de Trèves, de Mayence, etc., de mettre fin aux attroupements d'émigrés aux frontières. Le roi opposa son veto aux décrets relatifs aux émigrés et aux prêtres réfractaires; il accepta les deux autres décrets : il souhaitait la guerre qui lui semblait la seule solution pour triompher de la Révolution.

P. 242.

1. Les Girondins étaient tout à fait débordés par les difficultés de la politique intérieure et extérieure. Le 11 juillet 1792, la patrie

est déclarée en danger. Brissot s'était écrié énergiquement : « Des troupes nombreuses s'avancent vers nos frontières; tous ceux qui ont horreur de la liberté s'arment contre notre Constitution. Citoyens, la patrie est en danger. » Le 10 juillet, les ministres feuillants donnèrent leur démission. Les Girondins entrent en négociation avec la Cour. Le 26 juillet, Brissot se déclara contre la déchéance du roi et contre le suffrage universel, le 4 août, Vergniaud fait annuler la délibération de la section de Mauconseil qui ne voulait plus désormais considérer Louis XVI comme le roi des Français. Les Girondins avaient peur des émeutes populaires; mais leur rapprochement de Louis XVI ne faisait qu'accentuer la séparation qui était en train de s'établir entre le peuple des sections et la Gironde. L'insurrection du 10 août est la conséquence logique de cet état de fait. Les sections parisiennes sont de plus en plus puissantes; elles prononcent, à une forte majorité, la déchéance du roi. Robespierre réclame la dissolution de la Législative, et son remplacement par la Convention pour réformer la Constitution. Le manifeste de Brunswick fut connu à Paris le 1er août : loin d'intimider le peuple, comme l'espérait la famille royale, les menaces qu'il contenait l'exaspérèrent. La Législative se sépara le 9 août, sans s'être prononcée sur la déchéance du roi. Les sections parisiennes envoyèrent des commissaires qui s'installèrent à l'Hôtel-de-Ville : cette commune insurrectionnelle remplaça la commune légale. Les Fédérés marchèrent sur les Tuileries. Les Marseillais entrèrent. Les Suisses tirèrent; puis Louis XVI leur ordonna de cesser le feu. Le roi et sa famille s'étaient réfugiés auprès de l'Assemblée, au Manège. L'Assemblée était hésitante, et ne prononça la déchéance du roi que lorsque la victoire de l'insurrection fut certaine. Elle vota la convocation de la Convention, élue au suffrage universel, et non plus censitaire. La révolution du 10 août instaurait une « république démocratique et populaire », comme le souligne A. Seboul.

P. 252.

1. Restif est, on le voit, assez réservé sur le système de la représentation par des députés. Son rêve, comme celui de Rousseau, le porterait vers une démocratie directe — irréalisable, sinon dans de très petits pays : la Suisse, la Grèce antique.

2. Nègrepelisse (Tarn-et-Garonne) était une importante place forte protestante, dont les habitants furent massacrés en 1622.

P. 253.

1. L'avance prussienne avait, dans un premier temps, était facilitée par la contre-révolution. Verdun capitula rapidement le 2 septembre; le 8 septembre, l'armée prussienne atteignait l'Argonne; c'est alors que Dumouriez et Kellermann sauvèrent la situation. Le 20 septembre, à Valmy, les armées françaises triomphèrent, au cri de « Vive la nation ». On sait de quelle répercussion fut cette victoire, et l'on connaît le mot de Goethe : « D'aujourd'hui et de ce lieu date une ère nouvelle dans l'histoire du monde. » L'armée prussienne bat en retraite; Verdun est libérée le 8 octobre; Longwy, le 22. Restif reproche ici, à Dumouriez, à la lumière de sa récente trahison, de n'avoir pas, après Valmy, suffisamment accablé l'armée prussienne, et de n'avoir pas profité de l'occasion pour l'écraser tout à fait.

P. 254.

1. Les visites domiciliaires furent autorisées par l'Assemblée, le 28 août, pour confisquer les armes que pouvaient recéler les suspects.

P. 259.

1. Paris avait appris le 2 septembre que Verdun était assiégée. On sonna le tocsin; on convoqua les hommes au Champ-de-Mars. Les membres de la Commune ont charge de regagner leurs sections pour « peindre avec énergie à leurs concitoyens les dangers imminents de la patrie, les trahisons dont nous sommes environnés ou menacés, le territoire français envahi ». Sur tout Paris régnait une atmosphère de panique et de suspicion; des bruits couraient que les prisonniers complotaient contre la République. C'est dans ces conditions que furent commis les atroces massacres aux Carmes, à l'Abbaye, à la Force, à la Conciergerie, au Châtelet, à la Salpêtrière, à Bicêtre. Il y eut plus de 1 100 prisonniers exécutés qui, pour les trois quarts, étaient des prisonniers de droit commun. Le pouvoir laissa s'accomplir les massacres de septembre. D'après les *Mémoires* de Mme Roland, Danton aurait dit : « Je me f... bien des prisonniers, qu'ils deviennent ce qu'ils pourront. » Le Comité de surveillance de la Commune alla plus loin, et jusqu'à recommander ce type d'action comme étant utile « pour retenir par la terreur des légions de traîtres cachés dans nos murs, au moment où le peuple allait marcher vers l'ennemi ».

P. 266.

1. La princesse de Lamballe, amie de Marie-Antoinette, avait été nommée surintendante de la Maison de la reine, en 1774. Le bruit que rapporte Restif est exact : sa tête fut portée sur une pique sous les fenêtres du Temple où était incarcérée Marie-Antoinette.

P. 268.

1. Cette idée que les massacres étaient nécessaires était assez répandue, en particulier dans le peuple. Restif écrit en mai 1793, c'est-à-dire à un moment où la contre-révolution est extrêmement active; les royalistes ont pris la tête d'un « mouvement section-naire ». Les sections dominées par la bourgeoisie riche s'opposent à la Montagne, considérée comme « anarchiste ». Depuis mars, la Vendée est en pleine insurrection anti-révolutionnaire et monar-chiste.

P. 273.

1. Les premiers mois de la Convention se caractérisent par une trêve des partis. Mais les luttes entre Girondins et Montagnards ne tardèrent pas à se manifester.

P. 279.

1. Restif fait ici un tableau assez complet et exact des triomphes militaires de la France. L'armée du Var, commandée par Anselme, était entrée à Nice, le 29 septembre 1792. Montesquiou, pendant ce temps, libère la Savoie. Custine prend Spire le 25 septembre, Worms, le 5 octobre, Mayence, le 21 et Francfort, le 23. Dumouriez pénétrait en Belgique, le 27 octobre. Le 6 novembre, il enlevait Jemmapes. Les Autrichiens étaient chassés de Belgique. Six jours avant cette *XVᵉ Nuit*, la Convention avait adopté le décret suivant : « La Convention nationale déclare au nom de la nation française qu'elle accordera fraternité et secours à tous les peuples qui vou-dront recouvrer leur liberté et charge le pouvoir exécutif de don-ner aux généraux les ordres nécessaires pour porter secours à ces peuples et défendre les citoyens qui auraient été vexés où qui pour-raient l'être pour la cause de la liberté. »

P. 287.

1. Restif fait ici une chronologie intéressante à la fois de ses œuvres et de ses amours, comme il l'a fait, de façon plus détaillée, à la fin de *Monsieur Nicolas*, en distinguant *Mes Ouvrages* et le *Calendrier* des femmes aimées. L'idée du *Nouvel Abeillard*, ou lettres de deux amants qui ne se sont jamais vus serait venue à Restif un jour où il réfléchissait « sur les moyens de conserver les mœurs des jeunes gens, sans les marier ». Et voici ce que le romancier-pédagogue imaginait : « Les honnêtes parents qui voudraient conserver le cœur de leurs enfants précoces ou trop sensibles, pourraient les assortir de bonne heure et leur permettre de s'écrire, sans s'être vus autrement qu'en peinture. D'après cette vue, l'imagination des jeunes gens se monterait comme il convient; ils s'attacheraient l'un à l'autre par un doux espoir, un doux assentiment qu'ils se communiqueraient par leurs épanchements mutuels; cet amusement, ou plutôt cette occupation les rendrait indifférents à tous les autres charmes; de sorte que, en se voyant, ils trouveraient dans leur cœur la base solide d'un attachement vertueux, l'estime. »

2. *Les Françaises* ou exemples choisis : il s'agit d'un recueil de nouvelles.

3. Restif entreprend de donner aux femmes des conseils d'hygiène et de conduite : « J'enseigne aux femmes les moyens de conserver le goût des hommes, par leur caractère et leur propreté. Pour cet article-ci je leur mets le doigt dessus, en leur disant : lavez-vous comme une musulmane. Je leur recommanderais volontiers de s'abluer après chaque déjection, grosse ou menue, et je le fais d'une manière couverte. »

P. 288.

1. *Le Drame de la vie*, contenant un homme tout entier : « Cet ouvrage est le *Monsieur Nicolas* mis en drames successifs, ou en scènes détachées, le tout destiné à être joué par des ombres chinoises. »

2. *Les Provinciales*, ou l'année des dames nationales, histoire jour par jour d'une femme de la République française. Douze mois, douze volumes.

3. Il s'agit de *Monsieur Nicolas* dont le sous-titre est : « le cœur

humain dévoilé ». C'est l'autobiographie de Restif et peut-être le plus étonnant de ses ouvrages, quoique tous soient curieux et pleins d'une imagination prodigieuse et d'une vie non moins étonnante.

4. Pour Restif, comme pour Rousseau, ou pour Senancour, la sensibilité est la reine des facultés. Ils donnent au mot une signification beaucoup plus vaste que nous ne le faisons : c'est la faculté de sentir, c'est-à-dire d'éprouver des sensations, des sentiments, de saisir le beau, etc.

P. 291.

1. Fallait-il instruire le procès de Louis XVI ? Cette première question préalable était loin de faire l'unanimité. Les défenseurs du roi s'appuyaient sur l'article 2 du chapitre 3, titre 3 de la Constitution de 1791. On prouvait que le roi n'avait commis aucune des fautes envisagées par ces articles (la fuite de Varennes avait été amnistiée par l'Assemblée constituante, puisqu'elle avait remis Louis XVI sur le trône); d'autre part la sanction prévue par la Constitution était la déchéance, et comme Louis XVI était déchu de fait, il n'y avait pas à y revenir. Les ennemis du roi n'acceptaient pas cette argumentation, on s'en doute. Ils n'étaient pas pour autant unanimes à réclamer un procès. Loin de là. Faire le procès du roi n'était-ce pas remettre en question l'insurrection du 10 août, admettre que le jugement du peuple n'avait pas alors été souverain ? Les Montagnards s'opposaient donc à ce procès et Robespierre, dans son discours du 3 décembre 1792, défendit éloquemment cette position : la constitution de 1791 était devenue caduque à la suite du 10 août. Néanmoins la Convention décida de faire le procès de Louis XVI, selon les formes : interrogatoires, plaidoiries, etc. Le procès fut long et pendant ce temps la contre-révolution reprenait des forces. Robespierre, au début de décembre 1792, écrivait dans la neuvième *Lettre à ses commettants* : « Le prétendu procès de Louis XVI sera ce que nous avons prédit : un prétexte de troubles et de rébellion, un instrument funeste à l'esprit public, dans les mains des intrigants un monument de faiblesse, de préjugés et de superstition. Un procès aussi ridicule que celui de Charles Ier et des autres rois, qui ont été immolés par leurs pareils. Il fallait le juger comme un tyran condamné par l'insurrection du peuple. On lui a fait un procès, comme à un citoyen accusé dont le crime est douteux. Il fallait cimenter la Révolution par sa mort, on la remet elle-même en litige. »

Louis XVI comparut à la barre le 11 décembre 1792. La salle

était comble. La Commune s'était déclarée en permanence. Les citoyens étaient armés. Barbaroux lut le rapport de Lindet. Michelet peindra ainsi le roi : « Qui l'eût reconnu au jour du 11 décembre, dans cette image de pitié qui, tout ce long jour d'hiver, en son triste vêtement brun, naviguait pour ainsi dire entre la pluie qui tombait et la boue des boulevards ?... Chose dure! et triste à dire, les détails de cette misère, loin d'augmenter l'intérêt, l'auraient neutralisé plutôt. La sienne n'était rehaussée d'aucun effet dramatique. Ce n'était nullement le spectre livide, le sombre Ugolin que l'imagination populaire cherche dans un prisonnier »; et quand il paraît à la barre : c'était « un homme comme tant d'autres, qui semblait un bourgeois, un rentier, un père de famille, l'air simple, un peu myope, d'un teint pâli déjà par la prison et qui sentait la mort ».

P. 292.

1. Le roi avait choisi pour défenseurs des avocats capables d'adopter le genre de défense qu'il désirait, c'est-à-dire de discuter petitement et de nier. Il s'agissait de deux Constituants : Tronchet et Target. Target dit qu'il était malade. Le roi prit à sa place Desèze. Le 11 décembre, Malesherbes, l'ancien directeur de la Librairie, le protecteur de Rousseau et des Philosophes, ancien ministre de Louis XVI, avait écrit à la Convention pour offrir d'être le défenseur du roi : « J'ai été appelé deux fois au Conseil de celui qui fut mon maître dans le temps que cette fonction était ambitionnée par tout le monde : je lui dois le même service, lorsque c'est une fonction que bien des gens trouvent dangereuse. »
Voici comment Michelet le dépeint, lors du procès de Louis XVI : « Il avait, en 92, à soixante-douze ans, l'esprit ferme, le cœur chaleureux de son âge viril. C'était un contraste piquant de trouver dans ce petit homme, un peu rond, un peu vulgaire (vraie figure d'apothicaire sous une petite perruque), un héros des anciens temps. Il avait dans la parole la sève, parfois la verve facétieuse, un peu caustique de la vieille magistrature, et avec cela des traits admirables échappaient de son âme noble, bien près du sublime. Rien ne put, dans le procès l'empêcher de dire « le Roi » et (en lui parlant) « Sire » — « Qui donc vous rend si hardi ? lui dit un conventionnel. — Le mépris de la vie. » Il sera arrêté et guillotiné en octobre 93 et Michelet de s'écrier : « Qu'aurait dit Rousseau, bon dieu! si on lui avait annoncé que ses inintelligents disciples tueraient le bienveillant censeur, le propagateur d'*Émile*, au nom même de ses doctrines ? »

P. 293.

1. Restif de la Bretonne a déjà le sentiment que les arguments de Desèze ne sont pas habiles. Les historiens modernes vont aussi dans ce sens : « Plaidoirie élégante, mais froide, consciencieuse, mais peu convaincante », écrit A. Soboul. Georges Lefebvre trouve qu'il aurait mieux valu plaider coupable et invoquer les circonstances atténuantes. L'argumentation que propose Restif : l'intérêt politique de la nation était la déchéance, non la mort du roi, est assez habile. Il reprend d'ailleurs un argument de la Gironde qui craignait, par la mort du roi, de soulever l'Europe entière contre la France. Mais la Gironde réclamait aussi l'appel du peuple, ce qui était contradictoire et risquait de créer de nouveaux conflits au cas où le peuple et la Convention ne seraient pas du même avis. La Montagne réclamait la mort du roi, en des termes fort énergiques, ainsi Carra : « Que la tête de Louis tombe et George III et le ministre Pitt tâteront si la leur est encore sur leurs épaules. » Les positions de la Gironde et de la Montagne avaient été admirablement exposées par deux orateurs : Vergniaud, le 31 décembre 1792, et Robespierre, le 28.

P. 298.

1. Le temps, l'air, la solitude pure.

P. 299.

1. En effet, deux incidents contribueront à faire triompher le point de vue de la Montagne : la déposition de Gasparin, qui prouvait un complot entre le roi et la Gironde (les chefs girondins, vers le milieu de 1792, avaient tenté une transaction avec le roi), et surtout une démarche de Dumouriez : il était venu à Paris à la fin de décembre 1792. Marat dénonça le 31 décembre ses entretiens avec « les chefs de la faction Roland ». Dumouriez songeait à rétablir la royauté, aussi essaya-t-il de convaincre les Montagnards de ne pas attenter à la vie du roi. Mais ces négociations ne furent connues que plus tard, en juin 1793. Elles n'étaient pas divulguées, lors du procès; néanmoins des bruits couraient dont Restif est ici l'écho.

La mort de Louis XVI fut votée dans la nuit du 16 au 17 janvier. Sur 749 membres qui composaient l'Assemblée : 387 votèrent pour la mort sans condition; 334 pour la détention à perpétuité ou la « mort conditionnelle »; 28 étaient absents ou non votants. Il y eut ensuite un vote sur le sursis; la séance fut levée à trois heures du matin, dimanche 20 janvier 1793. L'exécution devait avoir lieu le lendemain, 21 janvier. Avant que cet ordre fût publié, le Conseil général du département de Paris avait pris soin de mobiliser la force armée « pour empêcher qu'aucun rassemblement, de quelque nature qu'il soit, armé ou non armé, entre dans Paris ni en sorte ». Il n'y eut pas de désordres dans la capitale, mais des tracts furent distribués dans la nuit du 20 au 21 janvier, appelant le peuple à lutter pour ne pas laisser guillotiner « Louis XVI innocent », et risquer ainsi de soulever contre la France « l'univers indigné ». La veille au soir, Lepelletier de Saint-Fargeau, représentant de l'Yonne et qui avait voté la mort du roi, avait été assassiné par l'ancien garde du corps, Pâris, dans un café du Palais-Royal. On craignait la violence des royalistes. Mais le danger était ailleurs, comme l'écrit Michelet : « Le danger, c'étaient les femmes sans armes, mais gémissantes, en pleurs, c'était une foule d'hommes émus, dans la garde nationale et dans le peuple. »

P. 300.

1. Sur cet assassinat de Lepelletier, voir la note précédente. Voici comment Michelet raconte cet épisode : « Pâris approche : « Êtes-vous Saint-Fargeaud ? — Oui, monsieur. — Mais vous avez « l'air d'un homme de bien... Vous n'aurez pas voté la mort ?... « — Je l'ai votée, monsieur, ma conscience le voulait ainsi... « — Voilà ta récompense. » Il tire un coutelas, lui traverse le cœur. Pâris se déroba. Mais telle était sa fureur, son audace, que le soir, il se promenait encore au Palais-Royal, cherchant le duc d'Orléans. Atteint en Normandie, il se fit sauter la cervelle. »

P. 303.

1. La mobilisation a été générale, pour éviter que des troubles n'éclatent lors de l'exécution du roi ou dans les heures qui précèdent.

P. 308.

1. On notera l'extrême brièveté de Restif dans le récit de l'exécution royale. Il est gêné, partagé entre une certaine horreur et la volonté de manifester des opinions républicaines. Le récit des *Révolutions de Paris* est tout aussi sobre et concorde avec celui de Restif : « Il voulut s'avancer pour parler, plusieurs voix crièrent aux exécuteurs, qui étaient au nombre de quatre, de faire leur devoir ; néanmoins, pendant qu'on lui mettait les sangles, il pro-

nonça distinctement ces mots : « Je meurs innocent, je pardonne à
« mes ennemis, et je désire que mon sang soit utile aux Français,
« et qu'il apaise la colère de Dieu. » Mais Restif omet la suite, et,
pudiquement, se contente de dire « il cessa de vivre », tandis que
les *Révolutions de Paris* ajoutaient : « A dix heures dix minutes, sa
tête fut séparée de son corps, et ensuite montrée au peuple : à
l'instant, les cris de *Vive la République* se firent entendre de toutes
parts. » Restif ne mentionne pas les faits dont Michelet se fera
l'écho : « Après l'exécution, il y eut chez beaucoup de gens un violent mouvement de douleur. Une femme se jeta dans la Seine, un
perruquier se coupa la gorge, un libraire devint fou, un ancien officier mourut de saisissement. »

2. Devant la Convention Louis XVI n'est plus que Louis Capet.
L'argumentation de Desèze joue sur les deux tableaux : le roi, le
citoyen, tout en accusant les adversaires de ne pas savoir choisir à
quel titre ils portent leurs accusations : « Louis sera donc le seul
Français pour lequel il n'existera aucune loi ni aucune forme! Il
n'aura ni les droits du citoyen, ni les prérogatives du roi! »

P. 310.

1. Au lendemain de l'exécution de Louis XVI, il y eut, momentanément, une unanimité et une trêve dans la lutte des partis. « La
Convention avait été admirable, écrira Michelet, le lendemain de la
mort de Louis XVI. On put croire un moment qu'il n'y avait plus
de parti. L'unité de la nation, représentée si longtemps par le roi,
apparut plus énergique dans son assemblée souveraine (...) Toutes
les grandes mesures de salut public furent votées à l'unanimité. »
La Montagne triomphait, mais non sans quelques inquiétudes. Le
duel avec la Gironde s'annonçait. Il fallait, d'autre part, veiller à
éviter des remous populaires. D'où des mesures policières dont
Restif se fait l'écho.

P. 316.

1. La situation est grave : coalition de l'étranger, défaite militaire, mouvements contre-révolutionnaires, guerre civile. La crise
économique envenima encore tout cela. Le coût de la vie montait à
une vitesse effrayante, à cause de la dévaluation et de l'émission
perpétuelle de nouveaux assignats. L'assignat valait en janvier
60 p. 100 de sa valeur initiale, et, en février, seulement 50 p. 100.
Les villes manquaient de pain, parce que les paysans n'étaient
pas en confiance : ils préféraient garder leur blé, plutôt que de le

vendre contre du papier-monnaie. La réquisition était autorisée, mais Roland, ministre de l'Intérieur, ne voulait pas faire appliquer ces mesures qui étaient contraires à ses principes d'économie libérale. Le 8 décembre 1792, le commerce des grains est de nouveau libre. La Commune et les sections réclamaient à nouveau la taxation. Le 12 février 1793, une députation de 48 sections vint à la Convention et protesta : « Ce n'est pas assez d'avoir déclaré que nous sommes républicains français, il faut encore que le peuple soit heureux, il faut qu'il y ait du pain ; car où il n'y a plus de pain, il n'y a plus de lois, plus de liberté, plus de République. » Le 25 février, le quartier des Lombards était assailli, puis un peu partout dans Paris, des femmes d'abord, ensuite des hommes, se faisaient livrer de force des marchandises au prix qu'ils avaient fixé. Comme le montre Restif, l'émeute dégénéra et devint pillage. On voit d'ailleurs que Restif est respectueux de la propriété. Ce n'est pas lui qui dirait comme l'abbé Jacques Roux, bourreau de Louis XVI (dont il parle d'ailleurs dans la *XVIIIe Nuit* : « Les épiciers n'ont fait que restituer au peuple ce qu'ils lui faisaient payer beaucoup trop cher depuis longtemps. » Robespierre n'était pas tendre, lui non plus, pour les pillards. Il voyait en eux des instruments d'une « trame ourdie contre les patriotes eux-mêmes », et il ajoutait cette formule méprisante : « Le peuple doit se lever, non pour recueillir du sucre, mais pour terrasser les brigands. »

Par-delà l'anecdote, se trouvaient posé le problème de la taxation et celui de la propriété. La Montagne avait des réactions assez proches de la Gironde : respect de la propriété, refus de l'économie dirigée. Mais elle dut changer d'attitude devant la gravité de la crise, et si elle ne put renoncer à la propriété, elle dut introduire dans son système un certain dirigisme. La Révolution serait-elle uniquement bourgeoise ? Le pauvre réclamait sa part, sinon du gâteau, du moins du pain. En tout cas, la crise économique causa la perte de la Gironde.

P. 322.

　　1. Voir la note de la p. 186.

P. 323.

　　1. Ces régions étaient restées profondément attachées à la royauté et aux prêtres réfractaires. Une levée d'hommes était nécessaire pour faire face au péril devant lequel se trouvait la France attaquée par l'étranger : elle fut décrétée le 24 février 1793. Cette levée

de 300 000 hommes se heurta à l'opposition de beaucoup de régions. Fin février et surtout en mars des troubles graves éclatèrent : dans l'Ille-et-Vilaine, des rassemblements se forment au cri de : « Vive le roi Louis XVII, les nobles et les prêtres! » En Vendée, dans le Maine-et-Loire, les troubles furent beaucoup plus graves. Les premiers jours de mars, au marché de Cholet, les paysans, armés de fourches, écartent les gardes nationaux. Ainsi s'affermit la résistance vendéenne. Le soulèvement s'étend les jours suivants; les paysans réclament : « La paix! la paix! pas de tirement. » Restif anticipe légèrement peut-être, car le 28 février les troubles sont encore restreints, par rapport à ce qu'ils seront au début de mars.

2. Le 1er mars, l'armée autrichienne battra l'armée de Belgique. Aix-la-Chapelle et Liège seront évacuées. La France perdra la Belgique puis la rive gauche du Rhin, durant le mois de mars 1793.

3. Là encore, Restif anticipe légèrement : ce fut le 9 mars que les imprimeries des journaux girondins *La Chronique de Paris* et *Le Patriote français* furent saccagées. Restif, ouvrier typographe, puis patron de son imprimerie, défenseur de la liberté de la presse, est particulièrement indigné par ce saccage.

P. 325.

1. Ce mot étrange ne serait-il pas une invention de Restif, à partir du mot « anus », et synonyme de « reculé »?

2. A partir de ces événements, Restif fait l'historique de ses démêlés avec la censure, intimement liés à l'histoire de sa création littéraire. De là, il fait un tableau assez exhaustif des abus de l'Ancien Régime. Il apporte ainsi une conclusion à ces nuits révolutionnaires. Mais les événements se précipitaient. Au moment même où il croyait mettre fin à son ouvrage, tant de catastrophes s'accumulaient en France, qu'il jugea bon d'ajouter cinq *Nuits surnuméraires*. Encore fallut-il au moment de l'impression adjoindre une note finale : dans sa course avec l'Histoire, Restif si fécond et si rapide soit-il, risque toujours de prendre du retard, tant les événements se succèdent à un rythme accéléré.

P. 334.

1. Voir la note 1 de la page 253. Dumouriez s'était replié au sud de la Belgique et regroupa Miranda et Valence, ses lieutenants. Il fut battu le 18 mars à Neerwinden et le 21 à Louvain. C'est alors qu'il entra en négociations avec le général autrichien Cobourg. Il voulait dissoudre la Convention, rétablir la monarchie avec Louis XVII et

la Constitution de 1791. Pour renverser la Convention, Dumouriez avait besoin de la neutralité des ennemis, puisqu'il n'avait pu les battre. D'où ces négociations, où il s'engageait à évacuer la Belgique. Mais il ne garda pas ces négociations secrètes. Le bruit en vint à la Convention qui envoya des commissaires pour l'arrêter. Il leur répondit : « Quand ma patrie aura un gouvernement et des lois, je lui rendrai compte de mes actes et je les soumettrai à son jugement. A présent je regarde ma tête comme trop précieuse pour la livrer à votre tribunal arbitraire. » Il fait arrêter les commissaires, les livre aux Autrichiens, avec l'idée de les transformer en otages qui pourraient être échangés contre la famille royale. Il voulut entraîner son armée sur Paris : « Il est temps qu'une armée purge la France des assassins et des agitateurs et rende le repos à notre malheureux pays. » Ce putsch a bien failli réussir. La Révolution se serait-elle terminée ainsi? Dumouriez avait-il l'envergure de Bonaparte ? On en doute. Mais son armée l'adorait et une partie de l'armée restait attachée à l'Ancien Régime, tandis que les artilleurs étaient davantage gagnés à la Révolution. Finalement les soldats ne le suivirent pas. Alors, le 5 avril il rejoindra, avec le futur Louis-Philippe, l'armée autrichienne. Il n'avait plus le choix qu'entre la guillotine et la trahison. Il avait préféré celle-ci.

Voici comment Mme Roland, dans ses *Mémoires*, juge Dumouriez : « Je suis persuadée que Dumouriez n'était pas allé dans la Belgique avec l'intention de trahir; il aurait servi la République comme un roi, pourvu qu'il y trouvât sa gloire et son profit; mais les mauvais décrets rendus par la Convention, l'affreuse conduite de ses commissaires, les sottises du pouvoir exécutif gâtant notre cause dans ce pays, et la tournure des affaires préparant un bouleversement général, il eut l'idée d'en changer le cours et se perdit dans des combinaisons, faute de prudence et de maturité. » On voit que Restif est loin de partager l'indulgence de Mme Roland. Il est un écho — particulièrement précieux pour nous — de l'émoi populaire dans ces jours où la Révolution et la France semblent chavirer dans la tourmente.

P. 341.

1. Le Comité de salut public a été créé les 5 et 6 avril, composé de neuf membres de la Convention, renouvelables chaque mois. Marat, président du club des Jacobins appelle les sans-culottes aux armes contre les modérés de la Convention. La Gironde défend les riches, dit-on, tandis que la Montagne, elle, défend le peuple qui meurt de faim. En fait, comme l'a bien senti Restif, les deux partis appartiennent à la même classe sociale (et il n'y a ni ouvrier, ni

« prolétaire » parmi eux; *cf.* la *XIXe Nuit*). Quoi qu'il en soit, les deux partis luttent à mort. Les Girondins obtiennent la comparution de Marat devant le tribunal révolutionnaire. Il est acquitté, et revient le 24 avril à l'Assemblée, en triomphateur.

P. 342.

1. Le 31 mai, la Convention, sous l'influence des sections, supprime la commission des Douze créée par les Girondins. Le 2 juin, François Henriot, commandant des forces armées parisiennes, dirige ses canons sur les Tuileries. La Convention décrète alors l'arrestation de vingt-neuf représentants girondins et de deux ministres : Lebrun et Clavière. La Montagne l'a donc emporté sur la Gironde.

P. 349.

1. La Vendée s'était armée contre la Révolution. Les chefs-lieux de districts furent pris par les insurgés. La Convention qui d'abord n'avait envoyé que des gardes nationaux n'arrivait pas à triompher d'une rébellion qui était favorisée par la conformation géographique même du pays. La chouannerie fut d'abord essentiellement populaire, avec pour chefs : un voiturier (Catelineau), un garde-chasse (Stofflet) ou un perruquier (Gaston). Au début d'avril les nobles se joignent au peuple : outre le célèbre M. de Charette, Bonchamp, d'Elbée, Sapinaud, La Rochejaquelein. De mai à octobre 1793, les Vendéens multiplient leurs victoires.

P. 350.

1. C'est reprendre presque mot pour mot le *Contrat social* dont on connaît l'importance dans la pensée politique de la plupart des révolutionnaires.

P. 355.

1. La Montagne dut s'appuyer sur les forces populaires pour triompher de la Gironde. Le 26 mai, Robespierre aux Jacobins avait appelé le peuple à l'action : « Quand le peuple est opprimé, quand il ne lui reste plus que lui-même, celui-là serait un lâche qui ne lui dirait pas de se lever. C'est quand toutes les lois sont violées, c'est

quand le despotisme est à son comble, c'est quand on foule aux pieds la bonne foi et la pudeur que le peuple doit s'insurger. Le moment est arrivé. » La section de la Cité, le 28 mai, entraîne les autres sections dans l'insurrection. Le 29 mai, se forme un Comité insurrectionnel. Le Comité de l'évêché prend la direction de l'insurrection, le 31 mai. Le tocsin sonne, comme le dit Restif, le canon d'alarme fait appel à la population. A cinq heures du soir la Convention est encerclée par les manifestants et les pétitionnaires se présentent à la barre, avançant un programme extrêmement précis, de mesures à la fois économiques, politiques et sociales : exclusion de la Gironde, arrestation des suspects, création d'une armée révolutionnaire, tarification du prix du pain, etc. Mais la Convention résista et ne vota que l'exclusion des Douze. Quand il s'agissait d'exclure les Girondins, la Montagne était unanime, et entraînait même la Plaine; mais lorsqu'il fallait véritablement transformer l'ordre social, la Convention qui était constituée essentiellement de bourgeois, se faisait tirer l'oreille. Le 2 juin, l'insurrection se ranime : le Comité insurrectionnel cerne la Convention avec 80 000 hommes de la garde nationale, sous la direction d'Henriot. La Convention ne put alors résister et décréta l'arrestation de vingt-neuf députés girondins et de deux ministres. Avec les journées des 31 mai et 2 juin, les sans-culottes ont pris le pouvoir. Georges Lefèbvre parle de la « révolution des 31 mai et 2 juin 1793 ». Michelet s'écrie : « Aucun fait n'a eu une portée si grave. Le 2 juin 93 contient en lui et Fructidor et Brumaire, tous les coups d'État qui suivirent. » Et Michelet de célébrer, dans ces journées, au milieu même des moments de confusion « le culte de l'idée, la foi à la Loi ». Il rappelle ce fait qu'il faudrait, en effet, avoir présent à l'esprit : « C'est, le 30 mai, entre l'insurrection de Paris et la nouvelle de la victoire des Vendéens, que le Comité présente, fait décréter sa grande fondation des écoles. Foi superbe dans la lumière, noble et fière réponse aux victoires de la barbarie. »

P. 367.

1. L'assassinat de Marat, le 13 juillet 1793, est la suite et la conclusion de tout un mouvement contre-révolutionnaire qui se manifesta à la faveur des défaites que la Révolution subissait aussi bien du fait des armées étrangères, que de la Vendée. A Lyon, à Bordeaux, la Gironde, éliminée à la Convention, relève la tête. La révolte fédéraliste s'organise. Ce soulèvement fut surtout l'œuvre de la bourgeoisie soucieuse de défendre à la fois sa liberté et ses

biens. La répression fut terrible. Marat était extrêmement populaire. Ses cendres seront transportées au Panthéon, d'où elles seront retirées en 1795, au moment de la réaction thermidorienne.

Évidemment l'assassinat de Marat entraîna un raidissement de la politique montagnarde. Hébert se proposait comme successeur : au club des Jacobins, il affirmait : « S'il faut un successeur à Marat, s'il faut une seconde victime à l'aristocratie, elle est toute prête, c'est moi. » La disette s'accroissait de jour en jour. Le 21 juillet, on institua à Paris, comme lors de la dernière guerre, des cartes d'alimentation. Le 26 juillet, la Convention vota une loi qui menaçait de peine de mort quiconque stockait des marchandises. Les commissaires sectionnaires étaient chargés de la surveillance. Pendant cette dure période, la Convention ne cesse pourtant d'avoir en vue les objectifs les plus hauts. C'est du 13 au 21 juillet que Robespierre lit à la Convention le plan d'éducation de Lepelletier de Saint-Fargeau, qui contient ces propos pré-marxistes : « Les révolutions qui se sont passées depuis trois ans ont tout fait pour les autres classes de citoyens, presque rien encore pour la plus nécessaire peut-être, pour les citoyens prolétaires dont la seule propriété est dans le travail ». Elle proclame que désormais le moment est venu de la « Révolution du pauvre. »

P. 369.

1. On discerne chez Restif un mélange de fascination et de répulsion devant l'acte et la personnalité de Charlotte Corday. Michelet ne restera pas insensible à l'aspect mythique de cette figure : « Ce qui rendait mademoiselle de Corday très frappante, impossible à oublier, c'est que cette voix enfantine était unie à une beauté sérieuse, virile par l'expression, quoique délicate par les traits. Ce contraste avait l'effet double et de séduire et d'imposer. On regardait, on approchait, mais dans cette fleur du temps, quelque chose intimidait qui n'était nullement du temps, mais de l'immortalité. Elle y allait et la voulait. Elle vivait déjà entre les héros, dans l'Élysée de Plutarque, parmi ceux qui donnèrent leur vie pour vivre éternellement. » Michelet se fait l'écho lui aussi de ce soufflet donné par le bourreau et qui suscite dans la foule un « frisson d'horreur ».

P. 370.

1. En effet, on remit les fêtes du 14 juillet, cette année 1793.

Marat eut le 15 juillet des funérailles très solennelles et suivies par une grande foule. Ce qui n'empêchait pas, évidemment, les difficultés de la Convention de se multiplier. On avait craint que Marseille et Lyon ne se rallient à la rébellion. Mais la Drôme, elle, resta fidèle à la Révolution. La résistance de certaines villes au nouveau régime fut longue. Lyon ne se rendra que le 9 octobre, et Toulon qui s'était livrée aux Anglais et leur avait abandonné sa flotte le 29 août, ne sera reprise par Bonaparte que le 19 décembre 1793. Le péril extérieur s'ajoutait à ce péril intérieur. Le 23 août 1793 fut décrétée la levée en masse. La disette n'avait pas encore été jugulée, et l'on assaillait les boulangeries. La préparation de la fête du 10 août et les mesures qui furent prises pour assurer alors le ravitaillement de la capitale contribuèrent à calmer momentanément les estomacs et les esprits.

P. 373.

1. La frontière du Nord avait été de nouveau attaquée par les Autrichiens. Cobourg assiégea et prit Valenciennes puis Maubeuge. Custine nommé au commandement de l'armée du Nord, ne bougeait pas. La Convention, échaudée par la trahison de Dumouriez, le trouva suspect. Mais Custine qui n'avait pas voulu suivre la même voie que Dumouriez, justement, paya de sa tête son honnêteté.

2. Les femmes jouèrent un rôle très actif dans la Révolution; on les a vues dès les journées d'octobre 1789; néanmoins, c'est pendant l'année 1793 que leur conscience politique devint beaucoup plus aiguë. Le 4 août, Leclerc définissait ainsi leur rôle : « C'est surtout à vous à donner l'éveil, femmes révolutionnaires (...) allez par votre exemple et vos discours réveiller l'énergie républicaine et nommer le patriotisme dans les cœurs attiédis! C'est à vous qu'il appartient de sonner le tocsin de la liberté. » Le 18 août, la citoyenne Lacombe, représentant les femmes jacobines, annonce que les femmes vont prendre en main le salut public. En fait, derrière les femmes révolutionnaires, il y avait Leclerc qui menait sournoisement la lutte contre Robespierre.

P. 374.

1. Le début de septembre fut marqué par une grande effervescence, augmentée encore par la nouvelle qui ne fut publique à Paris que le 2 septembre, de la reddition de Toulon aux Anglais. Les

sans-culottes de la section parisienne (anciennement du Jardin des plantes) proposèrent à la Convention tout un programme qui visait à instaurer une économie très étroitement dirigée et à mettre en cause ce respect de la propriété privée qui jusque-là avait fait l'unanimité des révolutionnaires : « La propriété, disait-elle, n'a de base que l'étendue des besoins physiques. » Un maximum des fortunes devait être fixé; chaque citoyen ne pourrait posséder qu'une boutique, qu'un atelier. Le 4 septembre, des rassemblements d'ouvriers vinrent réclamer du pain à la Commune. Le 5 septembre, les sections formèrent un cortège qui se dirigea vers la Convention, en criant : « Guerre aux tyrans! Guerre aux aristocrates! Guerre aux accapareurs!» Sous cette pression, la Convention décréta l'arrestation des suspects et l'épuration des comités révolutionnaires, enfin, la création d'une armée révolutionnaire de 6000 hommes. Mais la Convention répugnait à voter le maximum général : elle n'y consentira que le 29 septembre. La Terreur était officielle et institutionnalisée, selon l'expression de Barrère, elle était « à l'ordre du jour ».

P. 378.

1. Le 3 octobre, Amar, rapporteur du Comité de sûreté, fit son rapport sur les Girondins. Mais laissons la parole à Michelet : « Les soixante-treize qui, en juin, avaient protesté contre la violation de l'Assemblée, étaient là présents et la plupart ne se défiaient de rien. Tout à coup Amar demande qu'on décrète « que les portes soient fermées ». Le tour est fait. Les soixante-treize sont pris comme au filet. L'arrestation est votée sans discussion. Les voilà, parqués, à la barre, pauvre troupeau marqué pour la mort. » Robespierre se leva et parla en leur faveur.

P. 380.

1. « La reine fut expédiée en deux jours, 14 et 15, écrit Michelet. Elle périt le 16 (...) et sa mort eut peu d'effet à Paris. On pensait à autre chose, au grand scandale de Lyon et à la lutte désespérée, terrible, que soutenait l'armée du Nord (...) Ce qu'il y eut de plus saisissant dans ce procès, c'est qu'on y fit paraître des témoins inutiles, des hommes condamnés d'avance, le constitutionnel Bailly, le girondin Valazé, Manuel ou la Montagne modérée, trois siècles de la Révolution, trois morts pour témoigner sur une morte. »

2. A vrai dire, au moment où il écrit, Restif ne peut guère faire

qu'une profession de foi montagnarde, puisque la Gironde est alors complètement écrasée. Cela dit, il peut très bien être sincère. Néanmoins il appartiendrait plutôt à une Montagne modérée; je gage que les excès des sans-culottes le terrifiaient, et que ce terrien se sentait mal à l'aise lorsque l'on attaquait la propriété. Il était certes capable de comprendre les revendications des prolétaires, lui qui avait été un pauvre ouvrier typographe. Mais, au moment où il écrit les *Nuits*, il a vieilli; il a été typographe à son compte, et il voit dans une certaine propriété privée la garantie de la liberté individuelle. Ses réactions lors des saccages des presses et des journaux girondins *(cf. supra)* sont très caractéristiques.

En revanche, Restif est bien un homme de la Révolution, par son désir de refaire complètement le monde, de recréer un univers neuf. Comme il le fait remarquer un peu plus loin, il avait déjà lui-même proposé une transformation du calendrier, bien avant que la Révolution n'entreprît de rebaptiser les mois de l'année. Réformer le calendrier c'est agir sur le temps, c'est inaugurer une ère nouvelle, ce que Restif a toujours désiré profondément, lui, l'auteur de l'*Andrographe*, du *Thesmographe* et du *Pornographe*, même si son désir de réforme ne remet pas toujours en question, autant que l'auraient voulu les sans-culottes, l'ordre établi.

CHRONOLOGIE DE LA RÉVOLUTION FRANÇAISE

(1789-1793)

1789

Février-mars : préparation des élections. Rédaction des cahiers de doléances. Crise économique.

27-28 avril : insurrection des ouvriers de papiers peints Réveillon.

2 mai : les députés des États Généraux se présentent au roi.

5 mai : séance d'ouverture des États Généraux.

20 juin : serment du Jeu de Paume.

27 juin : réunion des trois ordres.

8 juillet : l'Assemblée demande à Louis XVI de renvoyer les troupes qu'il avait fait venir fin juin autour de Paris et de Versailles.

9 juillet : l'Assemblée se déclare Assemblée nationale constituante.

11 juillet : renvoi de Necker.

14 juillet : prise de la Bastille.

16 juillet : rappel de Necker.

17 juillet : émigration du comte d'Artois.

22 juillet : Bertier de Sauvigny et Foulon de Doué sont pendus en place de Grève.

20 juillet-début août : grande peur dans les campagnes.

4 août : abandon solennel des privilèges.

26 août : déclaration des Droits de l'homme et du citoyen.

5-6 octobre : le peuple va chercher le roi et le ramène de Versailles à Paris.

2 novembre : nationalisation des biens du clergé.

4 novembre : représentation de *Charles IX* de Marie-Joseph Chénier.

1790

Début de l'année : émeutes dues à la faim et troubles antirévolutionnaires.

Les assignats deviennent une monnaie-papier qui se dévalue.

12 juillet : constitution civile du clergé.

14 juillet : fête de la Fédération.

Août : troubles dans l'armée. Bouillé reconquiert Metz. Répression.

Octobre : le roi prend contact avec des cours étrangères par l'intermédiaire de Breteuil : il est décidé à quitter la France.

1791

2 avril : mort de Mirabeau.

18 avril : le roi fait ses Pâques avec un prêtre réfractaire. La garde nationale l'empêche d'aller à Saint-Cloud.

20 juin : le roi et sa famille quittent les Tuileries.

21-25 juin : fuite; arrestation à Varennes, et retour piteux à Paris.

17 juillet : fusillade du Champ-de-Mars.

27 août : déclaration de Pilnitz.

13 septembre : le roi accepte la révision de la Constitution.

14 septembre : il prête serment, et jure fidélité à la nation.

30 septembre : l'Assemblée constituante se sépare.

1er octobre : première réunion de l'Assemblée législative.

9 novembre : décret contre les émigrés.

29 novembre : décret contre les prêtres réfractaires.

1792

Janvier : émeutes autour des boutiques.

20 avril : déclaration de guerre au « roi de Bohême et de Hongrie ». Premiers revers militaires.

13 juin : renvoi du ministère girondin. Formation du ministère feuillant.

11 juillet : la patrie est déclarée en danger.

9 août : la Législative se sépare.

10 août : arrestation de Louis XVI et de sa famille. L'Assemblée, stimulée par l'émeute populaire a voté la déchéance du roi et vote la convocation d'une assemblée élue au suffrage universel.

2 septembre : Verdun capitule.

2-6 septembre : massacres dans les prisons de Paris.

20 septembre : Valmy.

21 septembre : première séance de la Convention nationale.

8 octobre : Verdun est libérée.
6 novembre : victoire de Jemmapes. Occupation de la Belgique.
20 novembre : mise en accusation du roi.
27 novembre : réunion de la Savoie à la France.
11 décembre : ouverture du procès du roi.

1793

19 janvier : condamnation de Louis XVI.
21 janvier : exécution.
25 février : entrée de Dumouriez à Breda.
25 février : émeutes à Paris : pillage des épiceries.
10 mars : début de la révolte de la Vendée. Création à Paris du tribunal révolutionnaire.
18 mars : défaite de Dumouriez à Neerwinden.
5 avril : trahison de Dumouriez.
6 avril : création du Comité de salut public.
31 avril : Marat arrêté sous l'influence des Girondins.
24 avril : acquittement de Marat.
31 mai : insurrection anti-girondine.
2 juin : coup d'État jacobin. Vingt-neuf députés jacobins sont arrêtés ainsi que deux ministres.
24 juin : vote de la Constitution de l'an I (qui ne fut jamais appliquée).
13 juillet : assassinat de Marat par Charlotte Corday.
Mai-octobre : victoires des Vendéens.
21 juillet : cartes d'alimentation à Paris.
26 juillet : loi qui punit de mort les accapareurs.
23 août : levée en masse.
29 août : Toulon se livre aux Anglais.
4-5 septembre : les ouvriers réclament du pain à la Commune et se dirigent sur la Convention.
17 septembre : loi des suspects.

29 septembre : loi du maximum général.
3 octobre : rapport d'Amar à la Convention.
9 octobre : Lyon se rend aux forces révolutionnaires.
17 octobre : défaite des Vendéens à Cholet.
19 octobre : prise de Toulon par les révolutionnaires.

VIE DE RESTIF DE LA BRETONNE

1734 (23 octobre) : naissance de Nicolas-Edme Restif, fils d'Edme Restif et de Barbe Ferlet, sa femme. Edme Restif était « lieutenant de Sacy » (basse Bourgogne), « honnête homme », chef de famille, de style patriarcal. Restif en fait un portrait quelque peu mythique dans *La Vie de mon père*. Sa mère, Barbe Ferlet semble avoir eu un caractère assez indépendant et de la personnalité. Cette famille paysanne, même si elle ne descendait pas, comme l'imagine l'écrivain, de l'empereur Pertinax, paraît avoir tenu une position sociale importante dans le village et avoir été assez aisée.

1740 : Edme Restif acquiert la maison et le domaine de la Bretonne où l'écrivain passe des années heureuses. On retrouvera l'écho de ce bonheur campagnard dans son autobiographie : *Vie de Monsieur Nicolas*.

1745 : Nicolas part chez sa sœur Anne à Vermenton; dès octobre il est en pension chez le maître d'école de Joux-la-Ville.

1746 : A l'école des enfants de chœur de l'hôpital de Bicêtre, il est élève de son demi-frère l'abbé

Thomas, de caractère bourru et de doctrine jan-
séniste.

1748 : Restif apprend le latin avec le curé de Courgis.

1750 : retour à Sacy et aux travaux campagnards.

1751 : apprentissage de typographe à Auxerre chez
François Fournier. Il est amoureux de sa femme,
dont il laissera un portrait sous le nom de Madame Parangon. C'est à Auxerre aussi qu'il fait la
connaissance d'un cordelier truculent, Gautier
d'Arras.

1755 : il est reçu compagnon.

Dès septembre, il part pour Paris; il travaille à
l'imprimerie royale du Louvre, puis chez Claude
Hérissant, avec qui il se brouillera rapidement.

1759 : il retourne chez son ancien patron, à Auxerre,
où il est prote.

1760 : il se marie à Auxerre avec Agnès Lebègue. Le
ménage connaît vite des difficultés financières. Il
semble d'ailleurs que la discorde ait très rapidement été de règle entre eux.

1761 : de nouveau à Paris, Restif travaille pour Quillau. Le jeune prote, malgré le mépris de son maître, se met à écrire et publie, en 1767, *La Famille
vertueuse*.

1768 : *Lucile ou les progrès de la vertu*.

1769 : *Le Pied de Fanchette. Ma confidence nécessaire*.

Le Pornographe : curieux ouvrage où Restif prétend présenter les idées d'un « honnête homme »
sur la réforme de la prostitution. Dans le même
désir de légiférer, il écrira encore *Le Mimographe*,
ou réforme du théâtre (1770), *Les Gynographes*
(1777).

1775 : *Le Paysan perverti*, premier grand roman réa-
liste de Restif.

1778 : *La Vie de mon père*, le plus célèbre des ouvrages de Restif, parce que le seul à être considéré par la critique traditionnelle, comme décent. L'histoire de son père, c'est aussi pour Restif l'occasion de commencer son autobiographie et d'évoquer son enfance.

1780 : La Paysanne pervertie, pendant du *Paysan perverti*. Restif réunira ultérieurement en un seul volume l'histoire de la déchéance du frère et de la sœur, deux jeunes paysans, victimes de l'exode rural, et de la perversité des villes.

Les huit premiers tomes des *Contemporaines*, galerie de portraits de femmes, du plus grand intérêt à la fois sociologique et littéraire.

1781 : suite des *Contemporaines* (qui paraîtront encore en 1782, 1783, 1784, 1785).

La Découverte australe, étrange roman d'anticipation.

1784 : Restif fréquente les « déjeuners philosophiques » chez La Reynière, en compagnie de ses amis : Mercier, Beaumarchais, M.-J. Chénier.

1785 : Agnès Lebègue qui aurait été, d'après Restif, la maîtresse de Joubert, quitte définitivement son mari.

1787 : Restif est introduit par S. Mercier chez Fanny de Beauharnais où il soupe en compagnie de Cazotte, Rabaut-Saint-Étienne, Vicq d'Azyr.

1788 : Restif s'installe 11, rue de la Bûcherie. Il publie *Les Nuits de Paris ou le Spectateur nocturne*, tomes I à VI.

1789 : il donne le tome VII des *Nuits*.

Le Thesmographe, Eugénie Saxancour.

1790 : La Semaine nocturne, un volume qui fait suite aux *Nuits*.

Le Palais-Royal. Avis aux confédérés des LXXXIII départements.

1791-1792 : L'Année des dames nationales.

1793 : Théâtre.

1794 : divorce de Restif et d'Agnès Lebègue.

Parution du tome VIII des *Nuits de Paris.*

Monsieur Nicolas ou le cœur humain dévoilé (t. I-III).

1796 : suite de *Monsieur Nicolas. La Philosophie de Monsieur Nicolas.*

1797 : parution des derniers volumes de *Monsieur Nicolas.*

1798 : Restif est nommé professeur d'histoire à l'école centrale de Moulins.

L'Anti-Justine, ou comment Restif prétend rivaliser avec Sade.

Maladie et pauvreté.

1802 : Posthumes. Nouvelles contemporaines.

1806 : mort de Restif de La Bretonne.

TABLE

Préface 5

PREMIÈRE PARTIE

Première nuit, 27 avril 1789 18
    Les deux n'en font qu'une 22

IIe nuit, 12 juillet 36
    Les trois n'en font qu'une 40

IIIe nuit, lundi 13 juillet 47
    Les huit sœurs, et les huit amis 51

IVe nuit, mardi 14 juillet 58
    Les gradations du véritable amour 64

Ve nuit, vendredi 17 juillet 73
    Elise, ou l'Amante du mérite 79

VIe nuit, mercredi 22 juillet 87
    Elise Seconde, ou les Ressemblances 94

VIIe nuit, 5 et 6 octobre 101
    Félicité, ou l'Amour médecin................. 115

Péroraison 122
    Le Journal des Français ou le Régénérateur 126

Discours prononcé par le roi à l'Assemblée
nationale le 4 février 1790 132

VIIIe nuit, 28 octobre....................... 141
Délation horrible d'un gendre calomniateur 142
L'infortunée de seize ans 171
Suite des événements postérieurs à la VIIIe nuit 179

SECONDE PARTIE

Avis 189

Première nuit, 13 au 14 juillet 1790........... 190
Fédération............................. 190
La fille violée 193

IIe nuit 196
Suite de la fille violée 196

IIIe nuit, 27 au 28 février 1791 198
Les Chevaliers du poignard 198
La dame qui prostitue une autre pour sa fille .. 201

IVe nuit, 17 au 18 avril 205
La fille enlevée par haine 209

Ve nuit, 20 au 21 juin 211
Fuite du roi 215

VIe nuit, 23 au 24 juin 216
Retour de Louis 219

VIIe nuit, 16 au 17 juillet 222
Loi martiale 223

VIIIe nuit, 26 au 27 septembre.............. 229
La Fille parcheminée par sa mère 232

Table 447

Suite de Julie et Scaturin 232
Nuitée aux Tuileries 233

IXᵉ nuit, 19 au 20 juin 1792 235
Suite de Julie et Scaturin 236
Assaut prétendu des Tuileries 239

Xᵉ nuit, 9 au 10 août 242
Barrière de faveur 242
Suite de la fille parcheminée 245
Histoire de la jeune fille parcheminée 245

XIᵉ nuit, 28 au 29 août 254
Visites domiciliaires 254

XIIᵉ nuit 259
Massacres du 2 au 5 septembre 259

XIIIᵉ nuit, du 3 au 4 septembre 268
La Salpêtrière 268

XIVᵉ nuit, 5 au 6 octobre 273
Louis à la Tour 273
Suite de Julie et Scaturin 275

XVᵉ nuit, 25 novembre 277
Événements de la guerre 277
Mort de Julie 279

XVIᵉ nuit, 25 au 26 décembre 282

XVIIᵉ nuit, 25 au 26 janvier 1793 289
Au Palais-l'Égalité 289
Défense de Louis 291

XVIIIᵉ nuit, 20 au 21 janvier 299

XIXᵉ nuit, 27 au 28 janvier 310
Visite nocturne au Palais-l'Égalité 310

XXe nuit, 26 au 27 février 316
    Pillage des épiciers 316

XXIe nuit, 28 février 1793 322
    Dévastations 322
    Suite des hommes à la nage 324

Première nuit surnuméraire, 2, 3, 4 avril 1793 .. 333
    Échecs 333
    24 avril. Triomphe de Marat 341
    Le ci-devant qui épouse une sans-culotte 343

IIe nuit surnuméraire, 6 et 23 mai 1793 349
    Lettre au Spectateur 352

IIIe nuit surnuméraire, 31 mai, 1, 2, 3, 4, 5
juin 1793 355
    Les Jacobines des tribunes 358
    Les trois tribunesiennes 363

IVe nuit surnuméraire, 13, 16 juillet 1793 367

V^e nuit surnuméraire, 20-28 août 1793 370
    Fête de la République 370
    La jolie Calvadienne dévouée 370
    Punition de Custine 372
    Conspirateurs de Rouen : Jacobines 373
    3 octobre 1793 378
    Profession de foi politique de l'auteur 380
    Post-scriptum (supplice de Marie-Antoinette).... 381

Additions 385

Notes 389

Composition réalisée par C.M.L. - PARIS-13^e

IMPRIMÉ EN FRANCE PAR BRODARD ET TAUPIN
Usine de La Flèche (Sarthe).
Librairie Générale Française - 6, rue Pierre-Sarrazin - 75006 Paris.

ISBN : 2 - 253 - 01788 - 4   ◈ 30/5020/0